HARLAN COBEN

Sie sehen dich

GOLDMANN

Lesen erleben

Buch

Tia und Mike Baye haben ein Spionageprogramm auf dem Computer ihres sechzehnjährigen Sohns Adam installiert. Aus Sorge. Denn seit sich Adams bester Freund Spencer Hill das Leben genommen hat, zieht sich Adam so sehr in die Welt des Internets zurück, dass seine Eltern fürchten, ihr Sohn könnte ihnen komplett entgleiten. Doch noch bevor sie ein klärendes Gespräch mit Adam führen können, überschlagen sich die Ereignisse: Adam kommt nicht von der Schule nach Hause, und am selben Tag filtert die Spy-Software eine alarmierende Nachricht aus seinem Maileingang: »Verhalte dich ruhig, dann passiert dir nichts!«
In der Zwischenzeit stößt Spencers Mutter Betsy in einem Internetforum, das Spencers Mitschüler zu seinem Andenken eingerichtet haben, auf ein beunruhigendes Foto: Spencer in der Nacht seines Todes. Er war nicht allein – und er hatte Angst. Auch wenn sie es nicht genau erkennen kann, ist sich Betsy sicher, dass es sich bei dem Unbekannten auf dem Foto um niemand anderen als Adam handelt. Schließlich muss sie zusammen mit den anderen Eltern erkennen, dass etwas zutiefst Böses in ihre Gemeinschaft Einzug gehalten hat. Und für Tia und Mike Baye stellt sich die Frage, wie weit sie zum Schutz ihres Kindes zu gehen bereit sind …

Autor

Harlan Coben wurde 1962 in New Jersey geboren. Nach seinem Studium der Politikwissenschaft arbeitete er in der Tourismusbranche, bevor er sich ganz dem Schreiben widmete. Seine Werke sind bislang in über dreißig Sprachen übersetzt. Harlan Coben wurde als erster Autor mit allen drei wichtigen amerikanischen Krimipreisen ausgezeichnet, dem »Edgar Award«, dem »Shamus Award« und dem »Anthony Award«. Harlan Coben gilt als einer der wichtigsten und erfolgreichsten Thrillerautoren seiner Generation. Er lebt mit seiner Frau und seinen Kindern in New Jersey. Mehr zum Autor unter: www.harlancoben.com

Mehr von Harlan Coben:

Kein Sterbenswort. Roman · Kein Lebenszeichen. Roman · Keine zweite Chance. Roman · Kein böser Traum. Roman · Kein Friede den Toten. Roman Das Grab im Wald. Roman · In seinen Händen. Thriller · Wer einmal lügt. Thriller · Ich finde dich. Thriller

Aus der Serie um Myron Bolitar:
Ein verhängnisvolles Versprechen. Roman · Von meinem Blut. Thriller · Sein letzter Wille. Thriller

Sämtliche Titel sind auch als E-Book erhältlich.

Harlan Coben

Sie sehen dich

Thriller

Aus dem Amerikanischen
von Gunnar Kwisinski

GOLDMANN

Die amerikanische Originalausgabe erschien 2008
unter dem Titel »Hold Tight«
bei Dutton, a member of Penguin Group (USA), Inc., New York.

Verlagsgruppe Random House FSC® N001967
Das FSC®-zertifizierte Papier *Pamo House* für dieses Buch
liefert Arctic Paper Mochenwangen GmbH.

3. Auflage
Deutsche Erstveröffentlichung Oktober 2009
Copyright © der Originalausgabe 2008 by Harlan Coben
Copyright © der deutschsprachigen Ausgabe 2009
by Wilhelm Goldmann Verlag, München,
in der Verlagsgruppe Random House GmbH
Umschlaggestaltung: UNO Werbeagentur, München
Umschlagmotiv: Getty Images / Stone / James Cotier
Redaktion: Sigrun Zühlke
Th · Herstellung: Str.
Satz: Buch-Werkstatt GmbH, Bad Aibling
Druck: GGP Media GmbH, Pößneck
Made in Germany
ISBN 978-3-442-46862-1

www.goldmann-verlag.de

In liebendem Gedenken
an die vier Großeltern meiner Kinder:

Carl und Corky Coben
Jack und Nancy Armstrong

Wir vermissen euch sehr

Anmerkung des Autors

Die Technologie, die in diesem Roman verwendet wird, existiert. Mehr noch, die Software und die beschriebenen Geräte kann praktisch jeder problemlos und ganz legal kaufen. Die Produktnamen wurden geändert, aber mal ehrlich, wer lässt sich davon schon aufhalten?

1

Zärtlich streichelte Marianne das dritte Glas Tequila in ihrer Hand und staunte wieder einmal über ihre grenzenlose Fähigkeit, auch noch das Wenige, was in ihrem jämmerlichen Leben gut und angenehm war, zu zerstören, als der Mann neben ihr rief: »Pass auf, Süße, Kreationismus und Evolution sind hundertprozentig miteinander vereinbar.«

Sein Speichel traf Marianne am Hals. Sie verzog das Gesicht und warf dem Mann einen finsteren Blick zu. Er hatte einen dichten, buschigen Schnurrbart, der direkt aus einem Pornofilm der Siebziger stammen könnte. Er saß rechts neben ihr. Die zu stark blondierte Frau mit den strohigen Haaren, bei der er mit seiner provokanten These Eindruck schinden wollte, saß links neben ihr. Marianne war also das arme Würstchen in einem ziemlich armseligen Hot Dog. Sie versuchte, ihre beiden Nachbarn zu ignorieren. Sie starrte in ihr Glas, als wäre es der Diamant auf ihrem Verlobungsring. Marianne hoffte, dass der Schnurrbartträger und die strohige Blondine dadurch verschwanden. Es funktionierte nicht.

»Das ist doch totaler Schwachsinn«, sagte die Blondine.

»Moment, Sie müssen mich schon ausreden lassen.«

»Okay, ich hör Ihnen zu. Ich halt das aber trotzdem für Schwachsinn.«

Marianne sagte: »Wollen wir nicht die Plätze tauschen, dann sitzen Sie nebeneinander.«

Schnurrbart legte ihr die Hand auf den Arm. »Immer langsam mit den jungen Pferden, Lady. Sie sollten sich das auch mal anhören.«

Erst wollte Marianne protestieren, doch dann schwieg sie lieber, um keinen Streit anzufangen. Sie starrte wieder in ihren Tequila.

»Okay«, sagte Schnurrbart. »Sie kennen doch die Geschichte von Adam und Eva, ja?«

»Klar«, sagte Strohhaar.

»Glauben Sie das?«

»Dass er der erste Mann und sie die erste Frau war?«

»Ja.«

»Nee, eigentlich nicht. Sie etwa?«

»Ja, klar doch.« Er tätschelte seinen Schnurrbart, als müsste er einen hektischen Hamster beruhigen. »Die Bibel sagt schließlich, dass das so gewesen ist. Erst war Adam da, dann wurde Eva aus seiner Rippe erschaffen.«

Marianne trank. Sie trank bei vielen Gelegenheiten. Vor allem auf irgendwelchen Partys. Aber auch in Bars wie dieser, in denen sie viel zu oft war – meist um einen Mann kennen zu lernen, in der Hoffnung, dass sich etwas Ernstes daraus entwickelte. Heute Abend hatte sie allerdings kein Interesse an einer Männerbekanntschaft. Heute trank sie, um sich zu betäuben, und bisher mit großem Erfolg. Wenn sie sich etwas entspannte, konnte sie dem hirnlosen Geplapper zur Zerstreuung zuhören. Es vertrieb den Schmerz.

Sie hatte Mist gebaut.

Wie immer.

Alles auch nur halbwegs Rechtschaffene und Anständige in ihrem Leben hatte sie auf der Suche nach ihrem nächsten unerreichbaren Ziel so schnell wie möglich hinter sich gelassen. Dadurch verharrte sie in einem Zustand ewiger Langeweile mit ein paar wenigen, jämmerlichen Höhepunkten. Sie hatte etwas Gutes zerstört, und jetzt, wo sie versucht hatte, es wieder zurechtzurücken, tja, da hatte Marianne auch das noch in den Sand gesetzt.

Früher hatte sie vor allem diejenigen verletzt, die ihr am nächsten standen. Es gab einen exklusiven Club von Personen, die sie emotional verstümmelte hatte – die Menschen, die sie am meisten liebte. Aber jetzt, in einer neuen Kombination aus Idiotie und Selbstsucht, war es ihr gelungen, auch ein paar Fremde auf die Opferliste des fortlaufenden Marianne-Massakers zu setzen.

Aus irgendeinem unerfindlichen Grund erschien es ihr schlimmer, Fremde zu verletzen. Schließlich fügten wir all denjenigen, die wir liebten, Schmerzen zu. Aber wenn man Unschuldige mit hineinzog, gab das ein schlechtes Karma.

Marianne hatte ein Leben zerstört. Vielleicht sogar mehr als eins.

Wozu?

Um ihr Kind zu schützen. Das hatte sie wenigstens geglaubt.

Blöde Kuh.

»Okay«, sagte Schnurrbart. »Adam hat also Eva hervorgebracht, oder wie immer man das damals genannt hat.«

»Das ist doch vollkommen sexistischer Scheiß«, sagte Strohhaar.

»Aber das Wort Gottes.«

»Das die Wissenschaft längst widerlegt hat.«

»Jetzt warten Sie doch mal kurz, schöne Frau, und lassen Sie mich ausreden.« Er hob die rechte Hand. »Hier haben wir Adam …«, dann hob er die linke, »… und hier Eva. Die sind also beide im Garten Eden, stimmt's?«

»Stimmt.«

»Adam und Eva kriegen dann zwei Söhne. Kain und Abel. Und dann bringt Abel Kain um.«

»Kain bringt Abel um«, korrigierte Strohhaar.

»Sind Sie sicher?« Er runzelte die Stirn, überlegte kurz und schüttelte dann den Kopf. »Ach, ist ja auch egal. Einer von beiden stirbt.«

»Abel stirbt. Kain bringt ihn um.«

»Sind Sie wirklich ganz sicher?«

Die Strohhaarige nickte.

»Okay, also bleibt Kain übrig. Die Frage lautet also, mit wem sich Kain vermehrt hat. Tja, die einzige verfügbare Frau ist also Eva, und die ist auch nicht jünger geworden. Aber wie hat die Menschheit dann überlebt?«

Schnurrbart sah sich erwartungsvoll um, als wartete er auf Applaus. Marianne rollte die Augen.

»Sehen Sie das Problem?«

»Vielleicht hat Eva noch ein Kind gehabt. Eine Tochter.«

»Und dann hatte er mit seiner Schwester geschlafen?«, fragte Schnurrbart.

»Klar. Damals hat's doch jeder mit jedem getrieben, oder? Das ging doch schon bei Adam und Eva los. Am Anfang muss es Inzest gegeben haben.«

»Nee«, sagte der Schnurrbärtige.

»Nicht?«

»Inzest wird in der Bibel ganz eindeutig verboten. Darum kommen wir jetzt zur Wissenschaft. Darauf wollte ich von Anfang an hinaus. Wissenschaft und Religion können nämlich wirklich nebeneinander bestehen. Hier kommt jetzt Darwins Evolutionstheorie ins Spiel.«

Strohhaar wirkte wirklich interessiert. »Und wie soll das gehen?«

»Überlegen Sie doch mal. Von wem stammen wir denn ab, wenn wir diesen Darwinisten Glauben schenken?«

»Vom Affen.«

»Genau. Vom Affen. Kain wird also verstoßen und wandert ganz allein über diesen prächtigen Planeten. Können Sie mir soweit folgen?«

Schnurrbart tippte Marianne auf den Arm, um sich auch ihre Aufmerksamkeit zu sichern. Im Schneckentempo drehte sie den Kopf zu ihm um. Wenn du diesen Porno-Schnurrbart abnimmst, dachte sie, würdest du eigentlich ganz anständig aussehen.

Marianne zuckte die Achseln. »Ich denk schon.«

»Prima.« Er lächelte und zog eine Augenbraue hoch. »Und Kain ist doch ein Mann, oder?«

Strohhaar wollte auch wieder beachtet werden. »Klar.«

»Also hat er ganz normale männliche Bedürfnisse, stimmt's?«

»Stimmt.«

»Er läuft da also über die Erde. Und dabei sticht ihn der Hafer. Das ist ein ganz normales Bedürfnis. Und eines Tages, als er so durch den Wald wandert ...«, wieder lächelte er und streichelte seinen Schnurrbart, »... da läuft Kain eine attraktive Affendame über den Weg. Vielleicht eine Gorilladame. Oder Miss Orang Utan.«

Marianne starrte ihn an. »Das soll doch wohl ein Witz sein.«

»Nein. Überlegen Sie doch mal. Kain sieht da so eine Dame aus der Affenfamilie. Das sind schließlich unsere nächsten Verwandten, oder? Er schnappt sich ein Weibchen. Sie – na ja, Sie wissen schon ...« Er machte mit seinen Händen ein eindeutiges Zeichen, für den Fall, dass sie es doch nicht wusste. »Und dann wird die Affendame schwanger.«

Strohhaar sagte: »Das ist ja widerlich.«

Marianne wollte sich wieder ihrem Glas zuwenden, als der Mann ihr erneut auf den Arm tippte.

»Finden Sie nicht, dass das vollkommen logisch ist? Die Affendame kriegt ein Kind, halb Mensch, halb Affe. Es ist noch ziemlich affenartig, aber dann kommt im Lauf der Zeit die Dominanz des Menschen wieder durch. Verstehen Sie? Genau wie ich gesagt habe! Damit sind Evolution und Kreationismus vereinigt.«

Er lächelte, als wartete er auf ein Lob.

»Ich muss da doch noch mal nachhaken«, sagte Marianne. »Gott ist also gegen Inzest, aber ein Anhänger der Sodomie?«

Der Schnurrbärtige klopfte ihr väterlich auf die Schulter und hob dann die Hände.

»Ich wollte nur erklären, dass diese ganzen Klugscheißer mit ihren Doktortiteln, die glauben, dass Religion und Wissenschaft nicht zusammenpassen, einfach keine Fantasie haben. Genau das ist das Problem. Die Wissenschaftler gucken nur durch ihr Mikroskop, und die religiösen Eiferer glauben nur das, was in der Bibel steht. Und darum sehen die dann alle den Wald vor lauter Bäumen nicht.«

»Dieser Wald«, sagte Marianne, »das ist nicht zufällig der, in dem auch die hübsche Gorilladame lebt?«

Die Stimmung veränderte sich mit einem Schlag. Aber vielleicht bildete Marianne sich das auch nur ein. Schnurrbart schwieg. Er starrte sie lange an. Das gefiel Marianne nicht. Irgendetwas war zwischen sie getreten. Etwas Eigenartiges. Seine Augen waren schwarz wie dunkles Glas, sie sahen aus, als hätte man sie einfach irgendwo in irgendwelche Augenhöhlen gedrückt, so vollkommen leblos und leer wirkten sie. Er blinzelte kurz und rückte näher an sie heran.

Er musterte sie.

»Hey, Süße. Haben Sie etwa geweint?«

Marianne drehte sich zur strohhaarigen Frau um. Auch die starrte sie an.

»Weil Ihre Augen ganz rot sind«, fuhr er fort. »Ich will Sie ja nicht belästigen, aber ist alles in Ordnung mit Ihnen?«

»Mir geht's gut«, sagte Marianne. Sie nahm an, dass sie leicht lallte. »Ich will bloß in Ruhe meinen Tequila trinken.«

»Okay, hab schon verstanden.« Er hob die Hände. »Will ja nicht stören.«

Marianne sah zu Boden. Sie wartete darauf, dass sich am Rand ihres Blickfelds etwas bewegte. Das geschah nicht. Der Mann mit dem Schnurrbart stand immer noch neben ihr.

Sie trank noch einen kräftigen Schluck. Der Barkeeper polierte ein Glas so geschickt, wie man es nur konnte, wenn man das schon sehr lange machte. Sie rechnete fast damit, dass er im nächsten Moment wie in einem alten Western hineinspucken würde. In der Bar war es ziemlich dunkel. Hinter der Theke hing der übliche dunkle Spiegel, in dem man die anderen Gäste in einem rauchigen aber dennoch schmeichelhaften Licht betrachten konnte.

Marianne beobachtete den Schnurrbartträger im Spiegel.

Er musterte sie mit feindseligem Blick. Sie schaute die leblosen Augen an und konnte sich nicht bewegen.

Langsam verwandelte sich sein feindseliger Blick in ein Lächeln, worauf sich ihre Nackenhaare aufrichteten. Als er sich abwandte und ging, stieß sie einen Seufzer der Erleichterung aus.

Sie schüttelte den Kopf. Kain hatte sich mit einer Äffin fortgepflanzt – na herzlichen Dank, Kumpel.

Sie griff nach ihrem Drink. Das Glas zitterte in ihrer Hand. Diese idiotische Theorie war zwar eine nette Ablenkung gewesen, trotzdem kehrten ihre Gedanken sofort wieder an den finsteren Ort zurück.

Sie dachte daran, was sie getan hatte. Hatte sie das wirklich für eine gute Idee gehalten? Hatte sie es richtig durchdacht – den Preis, den sie dafür zahlen musste berücksichtigt, die Konsequenzen, die es für die anderen Beteiligten nach sich zog, die Leben, die sich für immer veränderten?

Wohl eher nicht.

Es hatte Verletzungen gegeben. Ungerechtigkeiten. Kränkungen. Blinde Wut und den primitiven Wunsch nach Rache. Und sie meinte nicht diesen biblischen (oder ihretwegen auch evolutionären) »Auge um Auge«-Mist. Wie hatten sie das genannt, was Marianne getan hatte?

Einen massiven Vergeltungsschlag.

Sie schloss die Augen und rieb sich die Augenlider. Ihr Magen rumorte. Das kam wohl vom Stress. Sie öffnete die Augen wieder. Die Bar kam ihr dunkler vor. In ihrem Kopf drehte sich alles.

Dafür war es zu früh.

Wie viel hatte sie getrunken?

Sie hielt sich am Tresen fest, wie man das in den Nächten tat, in denen das Bett anfing, sich zu drehen, wenn man sich nach zu ausgiebigem Alkoholgenuss festklammern musste, weil die Zentrifugalkraft einen sonst durchs Fenster schleudern würde.

Das Rumoren im Magen nahm zu. Dann riss sie plötzlich die Augen auf. Ein stechender Schmerz schoss ihr in den Unterleib. Sie öffnete den Mund, bekam aber keinen Schrei heraus. Die unerträgliche Qual erstickte sie. Marianne klappte zusammen.

»Alles in Ordnung mit Ihnen?«

Strohhaars Stimme. Sie schien sehr weit entfernt zu sein. Marianne hatte furchtbare Schmerzen. Das waren die schlimmsten seit, tja, seit dem Kindbett. Seit sie ihr Kind geboren hatte – Gottes kleiner Test. *Hey, pass mal auf – dieses kleine Wesen, um das du dich kümmern musst und das du mehr als dich selbst lieben sollst, verursacht dir so unglaubliche Schmerzen, wenn es herauskommt, das kannst du dir gar nicht vorstellen.*

Nette Art, eine Beziehung anzufangen, oder?

Was Schnurrbart dazu wohl einfallen würde?

Rasierklingen – wenigstens fühlte es sich so an – bohrten sich in ihre Innereien, als wollten sie sie zerreißen. Sie konnte keinen klaren Gedanken mehr fassen. Der Schmerz erstickte alles. Sie vergaß sogar, was sie getan hatte, welchen Schaden sie angerichtet hatte, nicht nur jetzt, sondern im Laufe ihres Lebens. Ihre Eltern waren vorzeitig gealtert, so schockiert waren sie von ihrer Rücksichtslosigkeit als Teenager gewesen. Ihren ersten Mann hatte sie durch unablässiges Fremdgehen vernichtet, ihren zweiten durch das Verhalten, das sie ihm gegenüber an den Tag gelegt hatte, und dann waren da noch ihre Tochter und die wenigen Menschen, mit denen sie länger als nur ein paar Wochen befreundet gewesen war, und die Männer, die sie benutzt hatte, bevor sie sie benutzt hatten ...

Die Männer. Vielleicht hatte das alles auch mit Vergeltung zu tun gehabt. Verletze sie, bevor sie dich verletzen.

Sie musste sich übergeben.

»Toilette«, stieß sie hervor.

»Ich helf Ihnen.«

Wieder Strohhaar.

Marianne rutschte vom Hocker. Kräftige Hände griffen ihr unter die Arme und hielten sie aufrecht. Jemand – Strohhaar – führte sie nach hinten. Sie stolperte in Richtung Toilette. Ihre Kehle war vollkommen ausgetrocknet. Die Bauchschmerzen waren so stark, dass sie sich vornüber krümmte.

Die kräftigen Hände stützten sie weiter. Marianne sah vor sich auf den Boden. Es war dunkel. Sie sah nur ihre schlurfenden Füße, die sie kaum noch heben konnte. Sie blickte hoch, sah die Tür zur Damentoilette vor sich und fragte sich, ob sie es noch bis dahin schaffen würde. Sie schaffte es.

Und dann ging sie daran vorbei.

Strohhaar stützte sie immer noch unter den Armen. Sie führte Marianne an der Toilettentür vorbei. Marianne versuchte, stehen zu bleiben. Ihr Körper hörte nicht auf den Befehl. Sie wollte etwas sagen, ihrer Retterin mitteilen, dass sie an der Tür vorbeigegangen waren, aber auch ihr Mund reagierte nicht.

»Da lang geht's raus«, flüsterte die Frau. »Das ist besser.«

Besser?

Ihr Körper wurde gegen die Verriegelungsstange eines Notausgangs gedrückt. Die Tür öffnete sich. Der Hinterausgang. Klar, dachte Marianne, warum sollte man die Toilette einsauen. Eine Gasse hinter dem Haus war besser. Da konnte sie auch frische Luft schnappen. Frische Luft. Frische Luft konnte vielleicht helfen.

Die Tür schwang auf und knallte gegen die Wand. Marianne taumelte nach draußen. Die frische Luft tat ihr tatsächlich gut. Viel brachte sie allerdings nicht. Der Schmerz war immer noch da. Aber wenigstens war es jetzt angenehm kühl auf der Haut.

In diesem Moment sah sie den Lieferwagen.

Er war weiß und hatte dunkel getönte Fenster. Die Hecktüren standen offen, erwarteten sie wie ein riesiger Mund, der sie am Stück verschlingen wollte. Und neben diesen offenen Türen stand der Mann mit dem buschigen Schnurrbart. Er packte Marianne und schob sie hinten in den Lieferwagen.

Marianne versuchte, sich aufzurichten, kam aber nicht hoch.

Schnurrbart warf Marianne wie einen Sack Torf hinten in den Lieferwagen. Mit einem dumpfen Schlag fiel sie auf die Ladefläche. Schnurrbart kletterte hinterher, schloss die Türen von innen und stellte sich vor sie. Marianne krümmte sich auf dem Boden vor Schmerz. Ihr Unterleib tat immer noch weh, noch schlimmer war jedoch die Angst.

Der Mann zog sich den Schnurrbart ab und lächelte auf sie herab. Der Wagen setzte sich in Bewegung. Offenbar fuhr Strohhaar.

»Hi, Marianne«, sagte er.

Sie bekam kaum Luft und konnte sich nicht bewegen. Er hockte sich neben sie, holte aus und schlug ihr kräftig in den Bauch.

Die Schmerzen waren schon vorher unerträglich gewesen, jetzt steigerten sie sich in eine neue Dimension.

»Wo ist das Video?«, fragte er.«

Und dann fing er an, ihr richtig wehzutun.

2

»Sind Sie sicher, dass Sie das machen wollen?«

Manchmal rannte man über eine Klippe. Das war wie in einem Zeichentrickfilm, wenn Coyote Karl mit vollem Tempo rannte und auch dann noch weiter rannte, wenn er schon längst über den Rand der Klippe hinaus war. Irgendwann merkte er, dass etwas nicht stimmte, sah nach unten und akzeptierte resignierend, dass er abstürzen würde und nichts dagegen tun konnte.

Aber manchmal, vielleicht sogar meistens, wusste man nicht genau, ob man wirklich abstürzte. Es war dunkel, man stand ziemlich nah am Rand der Klippe, bewegte sich zwar langsam und vorsichtig, wusste aber gar nicht genau, in welche Richtung man ging. Man tastete sich mit behutsamen Schritten voran, ohne zu wissen, wohin. Man ahnte nicht einmal, wie nah man am Abgrund stand, rechnete nicht damit, dass die weiche Erde nachgeben könnte, dass man nur einmal kurz abzurutschen brauchte, um plötzlich ins Nichts zu stürzen.

Mike wurde erst in dem Augenblick bewusst, wie nah Tia und er diesem Abgrund standen, als der Softwarespezialist, dieser smarte, junge Programmierer mit den dünnen, tätowierten Armen, den langen, schmutzigen Fingernägeln und dem Rattennest auf dem Kopf, sich zu ihnen umdrehte, und mit für sein Alter viel zu besorgter Stimme genau diese Frage stellte:

»Sind Sie sicher, dass Sie das machen wollen …?«

Keiner von ihnen hatte in diesem Zimmer etwas zu suchen. Mike und Tia Baye (sprich: Bye, wie in *bye-bye*) waren zwar in ihrem eigenen Haus – einem zu einem McMansion aufgeblasenen ehemaligen Splitlevel im typischen Vorort Livingston –, aber dieses Schlafzimmer war inzwischen feindliches Gebiet, dessen Betreten ihnen streng verboten war. Mike stellte überrascht fest, dass hier noch erstaunlich viele Relikte aus der Vergangenheit zu sehen waren: Die Eishockeytrophäen, die früher das Zimmer dominiert hatten, waren noch da, schienen sich allerdings hinten im Regal zu verstecken, und die Poster von Jaromir Jagr und Chris Drury hingen auch noch, waren aber von der Sonne und wohl auch durch den Mangel an Aufmerksamkeit verblichen.

Mikes Gedanken schweiften weiter zurück in die Vergangenheit. Er erinnerte sich daran, wie sein Sohn Adam die *Gänsehaut*-Gruselromane und Mike Lupicas Buch über Kindersportler gelesen hatte, die auf ihrem Weg nach oben unvorstellbare Hindernisse überwanden. Wie ein Talmudschüler hatte Adam die Sportseite studiert, besonders die Eishockeystatistiken. Er hatte seinen Lieblingsspielern geschrieben, sie um Autogrammkarten gebeten und die dann an die Wand gehängt. Wenn sie zu einem Spiel in den Madison Square Garden gegangen waren, hatte Adam darauf bestanden, dass sie am Spielerausgang an der 32nd Street in der Nähe der Madison Avenue warteten, und die Spieler dann gebeten, ihm ein paar Pucks zu signieren.

Das alles war vorbei, und wenn es auch aus diesem Zimmer nicht ganz verschwunden war, so spielte es doch im Leben ihres Sohns keine Rolle mehr.

Adam war da rausgewachsen. Das war normal. Er war kein Kind mehr, eigentlich nicht mal mehr wirklich ein Heranwachsender, sondern er drängte schnell und für seine Eltern viel zu ungestüm ins Erwachsenendasein. Auch wenn sein Schlafzimmer da offensichtlich nicht ganz mithalten konnte. Mike fragte sich, ob dieses Zimmer für seinen Sohn eine Art Verbindung zur Vergangenheit war – ob Adam sich gern an seine Kindheit erinnerte. Vielleicht sehnte er sich doch noch ein bisschen nach dieser Zeit zurück, als er seinem Vater nacheifern und Arzt werden wollte – und in der Mike noch der größte Held seines Sohns war.

Doch das war nur Wunschdenken.

Der smarte junge Programmierer – Mike hatte seinen Namen vergessen, Brett oder so – fragte noch einmal nach. »Sind Sie sicher?«

Tia stand mit verschränkten Armen neben ihm. Ihre Miene war ernst, aber entschlossen. Obwohl sie älter aussah, fand Mike sie noch genauso schön wie früher. In ihrer Stimme lag kein Zweifel, höchstens ein Hauch von Erschöpfung.

»Ja, wir sind sicher.«

Mike sagte nichts.

Im Schlafzimmer ihres Sohns war es ziemlich dunkel. Nur die Stehlampe war an. Sie flüsterten, obwohl sie hier niemand hören oder sehen konnte. Jill, ihre elfjährige Tochter, war in der Schule. Und der sechzehnjährige Adam war auf einer kurzen Klassenfahrt. Er hatte natürlich nicht mitgewollt – so etwas war ihm inzwischen einfach zu »öde« –, aber es war ein Pflichttermin, und selbst die schlaffsten Hänger unter seinen Freunden würden mitfahren, so dass sie sich dort alle gemeinsam im Chor über die unerträgliche Ödnis beklagen konnten.

»Und Sie wissen, wie das funktioniert?«

Tia nickte in perfekter Eintracht mit Mikes Kopfschütteln.

»Die Software registriert jeden Tastendruck«, sagte Brett. »Zum festgesetzten Zeitpunkt werden die gesammelten Daten dann aufbereitet und als E-Mail an Sie geschickt. Sie können darin alles sehen – jede Website, die Ihr Sohn sich angeguckt hat, jede E-Mail, die er geschickt oder bekommen hat und jeden Chat, an dem er teilgenommen hat. Wenn Adam eine Powerpoint-Präsentation erstellt oder einen Text schreibt, sehen Sie das. Sie sehen alles. Außerdem können Sie ihn auch *live* überwachen. Dafür brauchen Sie nur hier zu klicken.«

Er deutete auf einen Button, auf dem in roter Schrift »LIVE SPY!« stand. Mikes Blick schweifte durchs Zimmer. Die Eishockey-Trophäen verunsicherten ihn. Mike war überrascht, dass Adam sie nicht weggestellt hatte. Mike hatte in Dartmouth in der Universitätsliga Eishockey gespielt. Danach hatten die New York Rangers ihn unter Vertrag genommen und für ein Jahr nach Hartford in ihre zweite Mannschaft geschickt. Er hatte sogar zwei NHL-Spiele gemacht. Später hatte er dann seine Liebe zum Eishockey an seinen Sohn vererbt. Adam hatte mit drei Jahren angefangen, Schlittschuh zu laufen. Den Trainern in den Jugendmannschaften war sein besonderes Talent als Torwart ins Auge gefallen. In der Einfahrt rostete immer noch das alte Tor mit dem zerrissenen Netz. Mike hatte viele angenehme Stunden damit verbracht, Pucks auf das Tor zu schießen, das sein Sohn hütete. Adam hatte fantastisch gehalten – er hatte beste Aussichten auf einen Spitzenplatz zumindest in der Universitätseishockeyliga – und dann hatte er vor einem halben Jahr Knall auf Fall mit dem Eishockeyspielen aufgehört.

Einfach so. Von einem Tag auf den anderen hatte Adam den Schläger, die Polster und die Maske in die Ecke gestellt und verkündet, dass er jetzt fertig damit wäre.

Hatte es damit angefangen?

War dieser Rückzug vom Eishockey das erste Zeichen seines Niedergangs gewesen? Mike hatte versucht, die Entscheidung seines Sohns zu akzeptieren und nicht, wie viele übermäßig ehrgeizige Eltern, die sportlichen Ambitionen mit dem Erfolg im Leben gleichzusetzen. Trotzdem hatte die Entscheidung ihn hart getroffen.

Für Tia war es ein noch härterer Schlag gewesen.

»Wir verlieren ihn«, sagte sie.

Mike war noch nicht davon überzeugt. Schließlich hatte Adam kurz vorher eine ungeheure Tragödie erlebt – einer seiner besten Freunde hatte Selbstmord begangen –, und natürlich hatte er dadurch eine pubertäre *Angst* entwickelt. Er war trübsinnig und schweigsam geworden. Er verbrachte viel Zeit allein in seinem Zimmer, die meiste davon an diesem verdammten Computer, wo er irgendwelche Fantasy-Spiele spielte, mit Freunden chattete oder wer weiß was noch machte. Aber verhielten sich andere Jugendliche nicht genauso? Adam sprach kaum noch mit Tia und Mike – und selbst wenn, war es eher ein Grunzen als artikuliertes Sprechen. Aber war nicht auch das relativ normal?

Die Überwachung war Tias Idee gewesen. Sie arbeitete als Strafverteidigerin in der Kanzlei von Burton und Crimstein in Manhattan. An einem der Fälle der Kanzlei war ein Geldwäscher namens Pale Haley beteiligt gewesen. Das FBI hatte seine Internetkorrespondenz überwacht und war dadurch an die entscheidenden Beweise gegen ihn herangekommen.

Brett, der Softwarespezialist, arbeitete für Tias Firma. Mike starrte Bretts schmutzige Fingernägel an. Diese Fingernägel berührten Adams Tastatur. Der Gedanke gefiel ihm ganz und gar nicht. Dieser Typ mit den schmutzigen Fingernägeln saß hier im

Zimmer ihres Sohns und machte irgendetwas mit Adams wichtigstem Besitz.

»Bin gleich fertig«, sagte Brett.

Mike hatte die E-SpyRight Website aufgerufen, auf der die Werbesprüche sofort in fetten Druckbuchstaben erschienen:

WERDEN IHRE KINDER VON KINDERSCHÄNDERN
KONTAKTIERT?
WERDEN SIE VON IHREN ANGESTELLTEN BESTOHLEN?

Und dann in noch größeren und dickeren Buchstaben das Argument, das Tia überzeugt hatte:

SIE HABEN DAS RECHT, ES ZU WISSEN!

Auf der Website waren auch ein paar Empfehlungen aufgeführt:

»Ihre Software hat meine Tochter vor dem schlimmsten Alptraum aller Eltern gerettet – einem perversen Kinderschänder! Danke, E-SpyRight!«

Bob, Denver, Colorado

»Ich habe erfahren, dass der Angestellte, dem ich am meisten vertraute, Sachen aus dem Büro geklaut hat. Ohne Ihre Software hätte ich das nie gemerkt!«

Kevin, Boston, Massachusetts

Mike hatte sich dagegen gesträubt.

»Er ist unser Sohn«, hatte Tia gesagt.

»Das ist mir durchaus klar. Glaubst du, ich weiß das nicht?«

»Machst du dir keine Sorgen?«

»Natürlich mache ich mir Sorgen. Aber …«

»Aber was? Wir sind seine Eltern.« Und dann sagte sie so, als würde sie den Werbespruch vorlesen: »Wir haben das Recht, es zu wissen.«

»Wir haben das Recht, in seine Privatsphäre einzudringen?«

»Um ihn zu schützen? Selbstverständlich. Er ist unser Sohn.«

Mike hatte den Kopf geschüttelt.

»Wir haben nicht nur das Recht«, hatte Tia gesagt, und war näher an ihn herangetreten, »wir haben sogar die Pflicht, weil wir für ihn verantwortlich sind.«

»Wussten deine Eltern alles, was du als Jugendliche getan hast?«

»Nein.«

»Wie war das mit deinen Gedanken. Kannten sie den Inhalt aller Gespräche, die du mit deinen Freundinnen geführt hast?«

»Nein.«

»Genau darüber sprechen wir hier aber.«

»Versetz dich doch mal in Spencers Eltern«, hatte sie entgegnet.

Damit hatte sie ihn zum Schweigen gebracht. Sie hatten sich angesehen.

Tia hatte gesagt: »Wenn die beiden noch einmal von vorn anfangen könnten, wenn Betsy und Ron Spencer zurückholen könnten ...«

»Das kannst du nicht machen, Tia.«

»Nein, hör mir zu. Wenn die noch mal von vorne anfangen könnten, wenn Spencer noch am Leben wäre, glaubst du nicht, dass sie ihn genauer im Auge behalten würden?«

Spencer Hill, ein Klassenkamerad von Adam, hatte vier Monate zuvor Selbstmord begangen. Natürlich war das ein einschneidendes Erlebnis gewesen, das Adam und seine Klassenkameraden schwer mitgenommen hatte. Mike hatte Tia daran erinnert.

»Meinst du nicht, dass gerade das eine Erklärung für sein Verhalten sein könnte?«

»Spencers Selbstmord?«

»Klar.«

»Zu einem gewissen Grad schon. Aber du weißt doch selbst, dass er sich vorher schon verändert hat. Das hat sich dadurch nur noch beschleunigt.«

»Wenn wir ihm also mehr Freiraum geben ...«

»Nein«, hatte Tia in einem Tonfall gesagt, der die Diskussion sofort beendet hatte. »Die Tragödie mag Adams Verhalten verständlicher machen – ungefährlicher wird das Ganze dadurch aber nicht. Ganz im Gegenteil.«

Mike hatte eine Weile darüber nachgedacht. »Aber wir müssen es ihm sagen«, hatte er dann eingewandt.

»Was?«

»Wir müssen Adam sagen, dass wir seine Aktivitäten im Internet überwachen.«

Sie hatte das Gesicht verzogen. »Und was soll das dann noch bringen?«

»Er muss doch wissen, dass er beobachtet wird.«

»Es geht doch nicht darum, einen Polizisten auf jemanden anzusetzen, damit er nicht zu schnell Auto fährt.«

»Doch, genau darum geht es.«

»Das führt doch nur dazu, dass er solche Sachen bei einem Freund oder irgendwo im Internetcafé macht.«

»Na und? Wir müssen's ihm sagen. Adam gibt seine ganz persönlichen Gedanken in diesen Computer ein.«

Tia war noch einen Schritt näher an ihn herangetreten und hatte ihm eine Hand auf die Brust gelegt. Selbst nach all den Jahren zeigte ihre Berührung noch Wirkung. »Er steckt in Schwierigkeiten, Mike«, hatte sie gesagt. »Begreifst du das nicht? Dein Sohn hat Probleme. Vielleicht trinkt er Alkohol oder nimmt Drogen oder wer weiß was. Hör auf, deinen Kopf in den Sand zu stecken.«

»Ich stecke meinen Kopf nirgendwohin.«

Ihre Stimme hatte einen fast flehentlichen Ton angenommen. »Du suchst wie immer den einfachen Ausweg. Hoffst du immer noch, dass Adam da mit der Zeit rauswächst?«

»Das mein ich nicht. Aber überleg doch mal. Das ist eine ganz neue Technologie. Er vertraut diesem Computer seine geheimsten Gedanken und Sehnsüchte an. Hättest du gewollt, dass deine Eltern alles über dich erfahren?«

»Wir leben heute in einer anderen Welt«, hatte Tia gesagt.

»Bist du sicher?«

»Es kann doch nichts schaden. Wir sind seine Eltern. Wir wollen doch nur sein Bestes.«

Noch einmal hatte Mike den Kopf geschüttelt. »Man will doch nicht sämtliche intimen Gedanken eines Menschen kennen«, hatte er gesagt. »Manche Dinge müssen einfach geheim bleiben dürfen.«

Sie hatte die Hand von seiner Brust genommen. »Du sprichst von Geheimnissen?«

»Ja.«

»Willst du damit sagen, dass jeder seine Geheimnisse haben darf?«

»Selbstverständlich.«

Sie hatte ihn mit einem seltsamen Blick angesehen, der ihm ganz und gar nicht geheuer gewesen war.

»Verheimlichst du mir was?«, hatte sie gefragt.

»So hab ich das nicht gemeint.«

»Verheimlichst du mir was?«, hatte sie die Frage wiederholt.

»Nein. Aber ich will auch nicht, dass du alle meine Gedanken kennst.«

»Und meine willst du auch nicht wissen?«

Danach hatten beide einen Moment lang geschwiegen, dann hatte sie das Thema gewechselt.

»Wenn ich vor der Wahl stehe, ob ich meinen Sohn beschützen oder seine Privatsphäre respektieren soll«, hatte Tia gesagt, »dann entscheide ich mich fürs Beschützen.«

Diese Meinungsverschiedenheit – Mike wollte es nicht als Streit betrachten – hatte sie fast einen Monat lang beschäftigt.

Mike hatte versucht, ihren Sohn wieder etwas näher an sie heranzuziehen. Er hatte Adam ins Einkaufszentrum eingeladen, in die Mall, sogar zu Konzerten. Adam hatte alles abgelehnt. Er war nachts immer sehr spät nach Hause gekommen, ohne sich darum zu kümmern, welche Uhrzeit sie ausgemacht hatten. Er war zum Abendessen nicht mehr aus seinem Zimmer heruntergekommen. Seine Schulnoten waren schlechter geworden. Es war ihnen gelungen, ihn zu einem Besuch bei einem Therapeuten zu überreden. Der Therapeut hatte gemutmaßt, dass eine Depression dahinterstecken könnte. Er hatte eine medikamentöse Behandlung vorgeschlagen, Adam aber vorher noch einmal sehen wollen. Adam hatte das rundheraus abgelehnt.

Als sie ihn drängten, noch einmal zum Therapeuten zu gehen, verschwand Adam für zwei Tage. Er ging nicht ans Handy. Mike und Tia waren außer sich gewesen. Hinterher hatte sich herausgestellt, dass er sich nur im Haus eines Freundes versteckt hatte.

»Wir verlieren ihn«, hatte Tia noch einmal gesagt.

Und Mike hatte nichts geantwortet.

»Genaugenommen sind wir doch nur Aufpasser, Mike. Wir kümmern uns eine Weile um sie, dann führen sie ihr eigenes Leben. Ich will doch bloß, dass er gesund und munter bleibt, bis wir ihn mit gutem Gewissen seiner Wege gehen lassen können. Dann liegt es bei ihm.«

Mike hatte genickt. »Also gut.«

»Bist du sicher?«, hatte sie gefragt.

»Nein.«

»Ich auch nicht. Aber ich muss immer wieder an Spencer Hill denken.«

Wieder hatte er genickt.

»Mike?«

Er hatte sie angesehen. Sie hatte ihn schräg angelächelt. Dieses Lächeln hatte er zum ersten Mal an einem kalten Herbsttag in Dartmouth gesehen. Es hatte sich sofort in sein Herz gebohrt und dort festgesetzt.

»Ich liebe dich«, hatte sie gesagt.

»Ich liebe dich auch.«

Und mit diesen Worten hatten sie sich darauf geeinigt, ihren Ältesten zu bespitzeln.

3

Anfangs hatte es keine wirklich besorgniserregenden oder aufschlussreichen E-Mails oder Ähnliches gegeben, drei Wochen später änderte sich das allerdings schlagartig.

Die Gegensprechanlage in Tias Kabine summte.

Eine harte Stimme sagte: »In mein Büro. Sofort.«

Es war Hester Crimstein, die Chefin der Kanzlei. Hester ließ ihre Untergebenen nie von ihrer Sekretärin einbestellen, sie machte das lieber persönlich. Dabei klang sie immer leicht gereizt, als hätte der Gerufene schon vorher wissen müssen, dass sie ihn sehen wollte und sofort wie von Zauberhand in ihrem Büro erscheinen können, bevor sie so viel Zeit mit dem Summer und der Gegensprechanlage verschwenden musste.

Tia arbeitete seit einem halben Jahr wieder. Sie hatte eine Stelle als Anwältin in der Kanzlei *Burton and Crimstein* bekommen. Burton war schon vor Jahren gestorben. Crimstein, die berühmte und gefürchtete Anwältin Hester Crimstein, war äußerst lebendig und hatte auch allein alles im Griff. Sie war eine international bekannte Strafverteidigerin und hatte sogar eine eigene Fernsehsendung auf *Real TV* mit dem cleveren Titel *Crimstein on Crime*.

Hester Crimstein fauchte – sie fauchte praktisch immer – aus dem Lautsprecher: »Tia?«

»Bin schon unterwegs.«

Sie stopfte den Ausdruck des E-SpyRight-Berichts in die oberste Schublade und marschierte den Gang zwischen den verglasten, sonnendurchfluteten Büros der Teilhaber und den stickigen, dunklen Kabuffs der Angestellten entlang. Bei *Burton and Crimstein* herrschte ein rigides Kastensystem mit einem Wesen, das über allen anderen stand. Es gab zwar noch mehr Teilhaber, Hester Crimstein ließ jedoch nicht zu, dass deren Namen aufs Firmenschild kamen.

Tia hatte das große Eckbüro erreicht. Als sie an Hesters Sekretärin vorbeigekommen war, hatte diese kaum den Blick gehoben. Hesters Tür stand wie üblich weit offen. Tia blieb davor stehen und klopfte gegen die Wand.

Hester ging auf und ab. Sie war klein, wirkte aber nicht so. Sie wirkte kompakt, stark und irgendwie gefährlich. Sie marschierte nicht hin und her, um ihre Nervosität zu überspielen, sie schritt ihr Büro ab. Sie strahlte Stärke und Macht aus.

»Sie müssen am Freitag zu einer Vorverhandlung nach Boston«, sagte sie grußlos.

Tia trat ins Büro. Hesters dunkelblonde Haare waren wie immer leicht zerzaust. Sie schien gleichzeitig gepeinigt und doch ganz Herrin der Lage zu sein. Manche Leute zogen die Aufmerksamkeit der Menschen in ihrer Umgebung auf sich – Hester Crimstein schien alle am Kragen zu packen und zu schütteln, damit sie ihr in die Augen sahen.

»Gut, kein Problem«, sagte Tia. »Welcher Fall?«

»Beck.«

Tia kannte den Fall.

»Hier ist die Akte. Nehmen Sie diesen Computerfachmann mit. Den mit der schlechten Haltung und den Tätowierungen, von denen man Alpträume kriegt.«

»Brett«, sagte Tia.

»Genau den. Der soll den Computer von dem Mann überprüfen.«

Hester reichte Tia die Akte und schritt weiter auf und ab.

Tia sah die Akte an. »Ist das das Transkript der ursprünglichen Zeugenaussage?«

»Ja. Sie fliegen morgen. Gehen Sie nach Hause, und studieren Sie die Akte.«

»Okay, kein Problem.«

Hester blieb stehen. »Tia?«

Tia hatte in der Akte geblättert. Sie versuchte, sich auf den Fall, Beck, die Vorverhandlung und die Reise nach Boston zu konzentrieren. Aber der verdammte E-SpyRight-Bericht ließ sie nicht los. Sie sah ihre Chefin an.

»Ist irgendwas?«, fragte Hester.

»Ich denk nur über die Vorverhandlung nach.«

Hester runzelte die Stirn. »Gut. Der Kerl ist nämlich ein verlogener Haufen Scheiße. Verstanden?«

»Ein Haufen Scheiße«, wiederholte Tia.

»Genau. Es ist nämlich absolut unmöglich, dass er das, was er da erzählt, wirklich gesehen hat. Das kann überhaupt nicht sein. Verstanden?«

»Und das soll ich beweisen.«

»Nein.«

»Nein?«

»Nein. Ganz im Gegenteil.«

Tia runzelte die Stirn. »Jetzt kann ich Ihnen nicht folgen. Ich soll nicht beweisen, dass er ein verlogener Haufen Scheiße ist?«

»Genau.«

»Könnten Sie mir das erklären?«

»Liebend gerne. Ich möchte, dass Sie dem Mann gegenübersitzen, eine Frage nach der anderen stellen und sich alle Antworten mit einem freundlichen Nicken anhören. Tragen Sie enge, körperbetonte Kleidung, vielleicht sogar einen tiefen Ausschnitt. Lächeln Sie ihn an, als ob das Ihre erste gemeinsame Verabredung wäre und Sie alles, was er sagt, faszinierend fänden. In Ihrer Stimme darf auch nicht der leiseste Anflug eines Zweifels zu hören sein. Jedes einzelne seiner Worte ist die reine Wahrheit.«

Tia nickte. »Er soll offen reden.«

»Genau.«

»Sie wollen alles in der Akte haben. Seine ganze Geschichte.«

»Auch das ist richtig.«

»Damit Sie das arme Schwein dann bei der Hauptverhandlung richtig in die Mangel nehmen können.«

Hester zog eine Augenbraue hoch. »Und zwar mit allem Elan, den man zu Recht von mir erwartet.«

»Okay«, sagte Tia. »Verstanden.«

»Ich werd ihm seine eigenen Eier zum Frühstück servieren. Ihre Aufgabe dabei besteht also gewissermaßen darin, die Lebensmittel zu besorgen – um im Bild zu bleiben. Kriegen Sie das hin?«

Der Bericht von Adams Computer – was sollte sie damit machen? Als Erstes musste sie Mike Bescheid sagen. Damit sie sich zusammensetzen und darüber nachdenken konnten, was sie als Nächstes unternahmen.

»Tia?«

»Ja, das krieg ich hin.«

Wieder blieb Hester stehen. Sie trat einen Schritt auf Tia zu. Sie war mindestens fünfzehn Zentimeter kleiner als Tia, aber auch das kam Tia nicht so vor. »Wissen Sie, warum ich Sie dafür ausgewählt habe?«

»Weil ich einen Abschluss der Columbia-Universität habe, eine verdammt gute Anwältin bin und Sie mir in dem halben Jahr, seit ich für Sie arbeite, nur Jobs gegeben haben, die selbst ein Rhesusaffe ohne große Mühe hätte erledigen können?«

»Nein.«

»Warum dann?«

»Weil Sie alt sind.«

Tia sah sie an.

»Nein, nicht so. Na ja, wie alt sind Sie? Mitte vierzig? Ich bin

mindestens zehn Jahre älter. Aber die anderen angestellten Anwälte hier sind noch Babys. Die wollen Helden sein. Sie würden
versuchen, ihre Fähigkeiten unter Beweis zu stellen.«

»Und wieso würde ich das Ihrer Meinung nach nicht versuchen?«

Hester zuckte die Achseln. »Wenn Sie es versuchen, sind Sie
raus.«

Darauf konnte Tia nichts sagen, also hielt sie den Mund. Sie
senkte den Kopf und musterte die Akte, ihre Gedanken kehrten
aber immer wieder zurück zu ihrem Sohn, seinem verdammten
Computer und dem verdammten Bericht.

Hester wartete ein paar Sekunden lang. Sie sah Tia mit ihrem
berühmten Blick an, mit dem sie schon viele Zeugen zum Reden
gebracht hatte. »Warum haben Sie sich für diese Kanzlei entschieden?«, fragte Hester.

»Ganz ehrlich?«

»Wenn möglich.«

»Ihretwegen«, sagte Tia.

»Muss ich mich geschmeichelt fühlen?«

Tia zuckte die Achseln. »Sie wollten die Wahrheit hören. Und
die lautet, dass ich Ihre Arbeit schon seit langem bewundere.«

Hester lächelte. »Ja. Ich bin echt cool.«

Tia wartete.

»Aber was noch?«

»Das ist eigentlich alles«, sagte Tia.

Hester schüttelte den Kopf. »Da steckt noch mehr dahinter.«

»Ich kann Ihnen nicht folgen.«

Hester setzte sich auf ihren Schreibtischstuhl. Mit einer Geste forderte sie Tia auf, auch Platz zu nehmen. »Soll ich auch das
erklären?«

»Gerne.«

»Sie haben sich für diese Kanzlei entschieden, weil sie von einer Feministin geleitet wird. Weil Sie hoffen, dass ich verstehe,

warum Sie sich eine jahrelange Auszeit genommen haben, um Ihre Kinder großzuziehen.«

Tia sagte nichts.

»Habe ich Recht?«

»Zum Teil.«

»Eins muss Ihnen dabei aber auch klar sein: Im Feminismus geht es nicht darum, anderen Frauen zu helfen. Es geht um Gleichberechtigung. Es geht darum, Frauen Möglichkeiten zu eröffnen, und nicht, ihnen Garantien zu liefern.«

Tia wartete.

»Sie haben sich für die Mutterschaft entschieden. Sie sollten nicht dafür bestraft werden. Aber Sie sollten dafür auch keine Sonderbehandlung bekommen. Was Ihre Arbeit betrifft, waren das verlorene Jahre. Sie haben die Front verlassen. Und Sie dürfen nicht erwarten, dass Sie Ihren alten Platz ohne Weiteres wieder einnehmen können. Hier haben alle die gleichen Rechte. Wenn ein Mann also so eine Auszeit genommen hätte, um seine Kinder großzuziehen, würde ich ihn genauso behandeln, verstehen Sie?«

Tia zog sich mit einer unverbindlichen Geste aus der Affäre.

»Sie haben gesagt, dass Sie meine Arbeit bewundern«, fuhr Hester fort.

»Das stimmt.«

»Ich habe mich entschlossen, keine Familie zu haben. Bewundern Sie das auch?«

»Da kann man eigentlich nicht von bewundern sprechen.«

»Genau. Und das Gleiche gilt auch für Ihre Entscheidung. Ich habe die Karriere gewählt. Ich bin an der Front geblieben. Was die Anwaltskarriere angeht, bin ich Ihnen also voraus. Dafür kann ich abends aber nicht zu meinem hübschen Doktor, dem Palisadenzaun und den zwei Komma vier Kindern nach Hause gehen. Verstehen Sie, was ich meine?«

»Ja.«

»Wunderbar.« Hesters Nasenlöcher weiteten sich, als sie ihr berühmtes Strahlen noch etwas steigerte. »Wenn Sie also hier im Büro sitzen – in *meinem* Büro – drehen sich daher all Ihre Gedanken einzig und allein um mich, genauer gesagt darum, wie Sie mir dienen und eine Freude machen können, und nicht darum, was Sie zum Abendessen machen oder ob Ihr Kind zu spät zum Fußballtraining kommt. Können Sie mir folgen?«

Tia wollte protestieren, der Tonfall ließ aber keinen Widerspruch zu. »Das kann ich.«

»Gut.«

Das Telefon klingelte. Hester nahm den Hörer ab. »Was ist?« Pause. »Dieser Schwachkopf. Ich hab ihm doch gesagt, dass er den Mund halten soll.« Hester drehte den Stuhl zur Seite. Das war Tias Stichwort. Sie stand auf, verließ das Büro und wünschte sich, dass sie sich nur wegen so belangloser Dinge wie Abendessen und Fußballtraining Sorgen machen müsste.

Als sie im Flur war, blieb sie kurz stehen und atmete tief durch. Sie klemmte sich die Akte unter den Arm und dachte trotz Hesters Ermahnung sofort wieder an die E-Mail, die im E-SpyRight-Bericht erwähnt wurde.

Meistens waren die Berichte sehr lang – Adam surfte viel im Internet und besuchte dabei sehr viele Websites und viele »Freunde« auf Seiten wie MySpace und FaceBook, so dass die Listen oft aberwitzig lang wurden. Normalerweise überflog sie sie nur noch, als ob das Eindringen in die Privatsphäre ihres Sohns dadurch weniger ungeheuerlich würde, aber im Grunde verabscheute sie es, so viel zu wissen.

Sie kehrte schnell an ihren Schreibtisch zurück und sah sich das unvermeidliche Familienfoto darauf an: Mike, Jill, Tia und natürlich Adam – in einem der wenigen Momente, in denen er sie mit seiner Anwesenheit beehrt hatte – auf der kleinen Veranda vor dem Haus. Alle lächelten ein wenig gezwungen, trotzdem hatte das Foto etwas Tröstliches.

Sie nahm den E-SpyRight-Bericht aus der Schublade und schlug die E-Mail auf, die sie so erschreckt hatte. Sie las sie noch einmal. Der Text hatte sich nicht verändert. Sie überlegte, wie sie damit umgehen sollte, als ihr bewusst wurde, dass das nicht allein ihre Entscheidung war.

Tia zog das Handy aus der Tasche, tippte einen kurzen Text ein und schickte ihn an Mike.

*

Mike hatte noch Schlittschuhe an, als ihn die SMS erreichte.

»Deine Regierung?«, fragte Mo.

Mo hatte seine Schlittschuhe schon ausgezogen. Es stank furchtbar in diesem Raum, genau wie in allen Eishockeyumkleidekabinen. Der Schweiß zog in sämtliche Polster der Schutzbekleidung und war nicht wieder rauszukriegen. Ein großer Ventilator schwenkte hin und her. Das brachte auch nicht viel. Eishockeyspieler bemerkten den Gestank gar nicht. Ein Außenstehender wäre davon vermutlich umgefallen.

Mike sah die Handynummer seiner Frau auf dem Display.

»Jau.«

»Mann, du bist echt geschlagen.«

»Na klar«, sagte Mike. »Sie hat mir eine SMS geschickt. Ich steh voll unterm Pantoffel.«

Mo verzog das Gesicht. Mike und Mo waren befreundet seit sie zusammen in Dartmouth studiert hatten. Beide hatten für die Uni in der Eishockeyliga gespielt – Mike im Sturm als Torjäger, Mo in der Verteidigung als harter Knochen. Fast ein Vierteljahrhundert nach ihrem Abschluss – Mike war inzwischen Transplantationschirurg, Mo machte undurchsichtige Sachen für die CIA – waren sie ihren alten Rollen treu geblieben.

Auch die anderen Mitspieler in der Kabine nahmen vorsichtig ihre Schützer ab. Sie wurden alle älter, und Eishockey war ein Sport für junge Männer.

»Aber sie weiß doch ganz genau, dass du um diese Zeit beim Eishockey bist, oder?

»Klar.«

»Warum lässt sie dich dann nicht in Ruhe?«

»Es ist nur eine SMS, Mo.«

»Du reißt dir die ganze Woche lang im Krankenhaus den Arsch auf«, sagte Mo mit diesem Anflug eines Lächelns, bei dem man nie genau wusste, ob er einen auf den Arm nahm oder nicht. »Dies ist unsere Eishockeyzeit, und die ist heilig. Langsam könnte sie das mal mitgekriegt haben.«

Mo war dabei gewesen an jenem kalten Winterabend, als Mike Tia zum ersten Mal gesehen hatte. Genaugenommen hatte er sie sogar noch vor Mike gesehen. Es war beim Saisoneröffnungsspiel gegen Yale in Mikes und Mos vorletztem Studienjahr gewesen. Tia hatte auf der Tribüne gesessen. Beim Aufwärmen vor dem Spiel – sie fuhren ein paar Kreise und dehnten sich – hatte Mo ihn mit dem Ellbogen angestoßen und mit einem Nicken in Richtung Tia gesagt: »Hübsche Möpse unterm Pulli.«

So hatte es angefangen.

Mo vertrat die These, dass alle Frauen entweder auf Mike oder eben, tja, auf ihn standen. Mo kriegte die, die sich zu bösen Buben hingezogen fühlten, Mike die, die in seinen babyblauen Augen das Haus im Vorort mit Garten und Palisadenzaun zu sehen glaubten. Im letzten Drittel, Dartmouth lag weit in Führung, fing er also einen Streit an und verprügelte einen Yale-Spieler. Nachdem er seinem Gegenüber richtig eine verpasst hatte, drehte er sich um, blinzelte Tia zu und wartete auf ihre Reaktion.

Die Schiedsrichter gingen dazwischen und brachen den Kampf ab. Bevor Mo zur Strafbank fuhr, beugte er sich noch kurz zu Mike herüber und sagte: »Ist deine.«

Er konnte nicht ahnen, wie Recht er mit diesen Worten haben sollte. Mike und Tia trafen sich nach dem Spiel auf einer Party. Tia war in Begleitung eines Studenten aus dem letzten Studienjahr gekommen, an dem sie aber kein größeres Interesse zeigte. Nach kurzer Zeit unterhielten Mike und Tia sich darüber, was sie früher gemacht hatten. Er hatte gleich zu Anfang ihres Gesprächs erwähnt, dass er Medizin studieren und Arzt werden wollte. Sie hatte gefragt, seit wann er das vorhatte.

»Eigentlich schon immer«, hatte er geantwortet.

Mit der Antwort hatte Tia sich nicht zufriedengegeben. Sie hatte nachgehakt, was sie, wie er bald feststellen sollte, eigentlich immer machte. Schließlich hatte er sich dabei ertappt, wie er ihr erzählte, dass er als Kind ziemlich krankheitsanfällig gewesen war und Ärzte damals zu seinen Helden geworden waren. Sie hörte auf eine Art zu, wie er es noch nie bei einem anderen Menschen erlebt hatte. Man konnte nicht sagen, dass sich daraus dann mit der Zeit eine Beziehung entwickelte – sie beide hatten sich vielmehr kopfüber in diese Beziehung hineingestürzt. Mittags waren sie gemeinsam in der Cafeteria essen gegangen. Abends hatten sie zusammen gelernt. Mike hatte ihr Wein und Kerzen in die Bibliothek mitgebracht.

»Hast du was dagegen, wenn ich mal eben zwischendurch die SMS lese?«, fragte Mike.

»Das ist vielleicht eine Nervensäge.«

»Du musst deine Gefühle nicht unterdrücken, Mo. Immer raus damit.«

»Würde sie dir auch eine SMS schicken, wenn du in der Kirche wärst?«

»Tia? Ich glaub schon.«

»Gut, dann lies sie. Und dann schreib ihr, dass wir auf dem Weg zu einem fantastischen Sexclub sind.«

»Klar doch. Mach ich.«

Mike drückte eine Taste und las den Text.

Wir müssen reden. Ich hab was im Computerbericht gefunden. Komm direkt nach Haus.

Mo sah den Ausdruck in Mikes Gesicht. »Was ist?«

»Nichts.«

»Gut. Dann fahren wir gleich in den Sexclub?«

»Wir wollten überhaupt nicht in einen Sexclub.«

»Gehörst du etwa auch zu den Weicheiern, die dazu ›Herren-club‹ sagen?«

»Ist mir scheißegal. Ich kann nicht.«

»Hat sie dich nach Hause beordert?«

»Wir haben ein Problem.«

»Was für eins?«

Das Wort ›privat‹ gehörte nicht zu Mos Wortschatz.

»Es geht um Adam«, sagte Mike.

»Mein Patensohn? Was ist mit ihm?«

»Er ist nicht dein Patensohn.«

Mo war nicht Adams Patenonkel geworden, weil Tia es nicht zugelassen hatte. Das hatte Mo aber nicht davon abgehalten, sich als solchen zu betrachten. Bei der Taufe war Mo in der Kirche tatsächlich mit nach vorne gegangen und hatte sich ne-ben Tias Bruder, den eigentlichen Patenonkel gestellt. Mo hat-te ihn nur finster angestarrt, worauf Tias Bruder kein Wort ge-sagt hatte.

»Und was ist los?«

»Weiß ich noch nicht.«

»Tia ist aber auch überfürsorglich. Das ist dir schon klar, oder?«

Mike sagte nichts. »Adam hat mit dem Eishockey aufgehört.«

Mo verzog das Gesicht so, als hätte Mike gesagt, dass sein Sohn Satanist geworden wäre oder sich der Sodomie verschrieben hät-te. »Wa …?«

Mike löste die Schnürsenkel seiner Schlittschuhe und zog sie aus.

»Wieso hast du mir nichts davon gesagt?«, fragte Mo.

Mike griff nach seinen Kufenschonern. Er löste die Schulter-polster. Ein paar Mitspieler gingen vorbei und verabschiedeten sich vom *Doc*. Die meisten wussten, dass man um Mo auch abseits des Eises am besten einen großen Bogen machte.

»Ich hab dich am Krankenhaus abgeholt«, sagte Mo.

»Na und?«

»Also steht dein Wagen noch am Krankenhaus. Das ist reine Zeitverschwendung, wenn ich dich dahin zurückfahre. Ich bring dich direkt nach Hause.«

»Das halte ich für keine besonders gute Idee.«

»Brauchst du auch nicht. Aber ich will meinen Patensohn sehen. Und gucken, was ihr beiden falsch macht.«

4

Als Mo in die Straße einbog, in der die Bayes wohnten, sah Mike seine Nachbarin Susan Loriman vor ihrem Haus. Sie tat so, als würde sie Gartenarbeit machen – Unkraut jäten, etwas pflanzen oder so –, aber Mike wusste, dass sie das nicht tat. Sie fuhren in die Einfahrt. Mo betrachtete die im Garten kniende Nachbarin.

»Wow, hübscher Hintern.«

»Das sieht ihr Mann vermutlich genauso.«

Susan Loriman stand auf. Mo sah wie weiter an.

»Ja, aber ihr Mann ist ein Arsch.«

»Wie kommst du darauf?«

Mit einer kurzen Bewegung des Kinns deutete er auf die Garage. »Die Wagen da.«

In der Einfahrt stand der Sportwagen ihres Mannes, eine aufgemotzte rote Corvette. Außerdem hatte er noch einen schwarzen BMW 550i. Susan fuhr einen grauen Dodge Caravan.

»Was ist damit?«

»Sind das seine?«

»Ja.«

»Eine Freundin von mir«, sagte Mo, »die heißeste Braut, die du dir vorstellen kannst. Sie ist Südamerikanerin oder Puerto-Ricanerin oder so was. Sie war mal Proficatcherin. Da ist sie unter dem Namen Pocahontas aufgetreten. Erinnerst du dich noch daran, wie sie auf Channel Eleven vormittags diese sexy Kämpfe gezeigt haben?«

»Klar erinnere ich mich daran.«

»Diese Pocahontas hat mir erzählt, was sie oft macht, wenn sie einen Typen in so einem Wagen sieht. Besonders wenn der neben ihr den Motor aufheulen lässt oder sie mit einem obercoolen Blick ansieht. Weißt du, was sie dann sagt?«

Mike schüttelte den Kopf.

»›Die Sache mit Ihrem Penis tut mir wirklich leid.‹«

Mike konnte sich ein Lächeln nicht verkneifen.

»›Die Sache mit Ihrem Penis tut mir wirklich leid.‹ Mehr nicht. Klasse, oder?«

»Ja«, gab Mike zu. »Große Klasse.«

»Da fällt einem erst mal gar nichts zu ein.«

»Stimmt.«

»Und dein Nachbar hier – ihr Mann, ja? – hat zwei solche Sportwagen. Was bedeutet das deiner Ansicht nach?«

Susan Loriman sah sie an. Mike fand sie schon immer so hübsch, dass es ihm im Magen kribbelte, wenn er sie sah – sie war die scharfe Braut des Viertels, das, was die Teenager heutzutage MILF nannten, wobei er diese derben Akronyme nicht mochte. Mike wäre niemals in irgendeiner Hinsicht aktiv geworden, aber man durfte doch wenigstens gucken, solange man atmete. Susan hatte lange, so tiefschwarze Haare, dass sie schon fast blau wirkten. Im Sommer band sie sie zu einem Pferdeschwanz zusammen, dazu trug sie abgeschnittene Jeans, eine modische Sonnenbrille und fast immer umspielte ein schelmisches Lächeln ihre hübschen roten Lippen. Ihr Anblick war wirklich atemberaubend. Mike kannte sogar einen Vater und Trainer einer Little-League-

Mannschaft, der Susans Sohn ganz bewusst in sein Softballteam aufgenommen hatte, damit Susan regelmäßig zu den Spielen kam.

Heute trug sie keine Sonnenbrille. Ihr Lächeln wirkte aufgesetzt.

»Die sieht verdammt traurig aus«, sagte Mo.

»Ja. Ich geh mal kurz zu ihr rüber, okay?«

Mo wollte schon eine spitze Bemerkung machen, sah dann aber etwas im Gesicht der Frau. »Klar«, sagte er nur. »Nur zu.«

Mike stieg aus und ging zu ihr. Susan versuchte weiterzulächeln, hielt es jedoch nicht durch.

»Hey«, sagte er.

»Hi, Mike.«

Er wusste, warum sie im Garten war und vorgab, da zu arbeiten. Er spannte sie nicht unnötig auf die Folter.

»Wir kriegen die Testergebnisse von Lucas' Gewebeprobe frühestens morgen Vormittag.«

Sie schluckte, nickte dann aber sofort und sagte: »Gut.«

Mike wollte die Hand ausstrecken und sie berühren. Im Krankenhaus hätte er das wahrscheinlich auch gemacht. Ärzte machten so etwas. Hier im Garten funktionierte das allerdings nicht. Stattdessen zog er sich auf einen stereotypen Satz zurück: »Dr Goldfarb und ich tun alles, was in unserer Macht steht.«

»Ich weiß, Mike.«

Ihr zehnjähriger Sohn Lucas litt an fokal segmentaler Glomerulosklerose – kurz FSGS – und brauchte dringend eine Nierentransplantation. Mike war einer der führenden Spezialisten für Nierentransplantationen im ganzen Land, diesen Fall hatte er jedoch seiner Partnerin Ilene Goldfarb übergeben. Ilene war die Leiterin der Transplantationschirurgie im New York Presbyterian Hospital und die beste Chirurgin, die er kannte.

Ilene und er hatten es jeden Tag mit Menschen wie Susan zu tun. Er konnte jederzeit die klassische Platte über Trennung von Beruf und Privatleben abspielen, trotzdem nahmen die Todesfälle ihn mit. Die Toten blieben bei ihm. Sie knufften ihn nachts. Sie zeigten mit den Fingern auf ihn. Sie gingen ihm auf die Nerven. Er konnte den Tod nicht mit offenen Armen empfangen, konnte ihn niemals akzeptieren. Der Tod war sein Feind – ein ewiges Gräuel –, und es kam überhaupt nicht in Frage, dass er einen Jungen an diesen Schweinehund verlor.

Bei Lucas Loriman war das natürlich eine extrem persönliche Sache. Vor allem deshalb hatte er Ilene auch den Vortritt gelassen. Mike kannte Lucas. Lucas war ein kleiner Streber, dabei aber extrem liebenswürdig, mit kaum zu bändigenden Haaren und einer Brille, die ihm immer etwas zu weit auf die Nasenspitze rutschte. Er liebte Sport, war aber in allen Sportarten eine Niete. Wenn Mike in der Einfahrt mit Adam trainiert hatte, war er oft rübergekommen und hatte zugesehen. Mike hatte ihm einen Schläger angeboten, aber Lucas hatte abgelehnt. Offenbar war ihm schon viel zu früh bewusst geworden, dass er nicht zum aktiven Sportler geboren war, weshalb er sich auf die Reportage spezialisierte: »Dr Baye hat den Puck, er täuscht links an, der Schuss kommt nach unten rechts … wieder eine fantastische Parade von Adam Baye!«

Mike hatte das Bild des netten Jungen, der die Brille hochschob, vor Augen, und bekräftigte innerlich noch einmal, dass es überhaupt nicht in Frage kam, diesen Jungen sterben zu lassen.

»Kannst du schlafen?«, fragte Mike.

Susan Loriman zuckte die Achseln.

»Soll ich dir was verschreiben?«

»Dante hält nichts von solchen Pillen.«

Dante Loriman war ihr Mann. Mo gegenüber hatte Mike es zwar nicht zugeben wollen, aber seine Einschätzung war ein Volltreffer gewesen – Dante war ein Arschloch. Auf den ersten Blick wirkte er ganz nett, aber nach einer Weile sah man, wie sein Blick starr wurde. Es gab Gerüchte, dass er Verbindungen zur Mafia hatte, die allerdings vermutlich nur auf Äußerlichkeiten beruhten.

Er gelte sich die Haare nach hinten, trug Muscle-Shirts, zu viel Schmuck und war zu stark parfümiert. Tia sprang irgendwie darauf an – »das ist mal was anderes unter diesen ganzen wohlanständigen Bürgern« –, aber Mike hatte immer den Eindruck, dass das alles nicht echt war, als ob das Machogehabe nur dazu diente, mit den anderen mithalten zu können, obwohl er wusste, dass es ihm nie gelingen würde.

»Soll ich mit ihm reden?«, fragte Mike.

Susan Loriman schüttelte den Kopf.

»Ihr holt eure Medikamente beim Drug Aid in der Maple Avenue, oder?«

»Ja.«

»Ich hinterleg da ein Rezept für dich. Dann kannst du dir die Schlafmittel abholen.«

»Danke, Mike.«

»Wir sehen uns morgen Vormittag.«

Mike ging zurück zum Wagen. Mo erwartete ihn dort mit verschränkten Armen. Er hatte seine Sonnenbrille aufgesetzt und hätte eine Verkörperung von *Coolness* abgeben können.

»Eine Patientin?«

Mike ging wortlos an ihm vorbei. Er sprach nicht über Patienten. Mo wusste das.

Mike blieb vor dem Haus stehen und sah es einen Moment lang an. Warum, fragte er sich, wirkten Häuser genauso zerbrechlich wie seine Patienten? Wenn er nach rechts und links sah, standen auf beiden Seiten Häuser wie dieses, in denen Ehepaare wohnten, die von irgendwoher hier rausgefahren waren, sich auf den Rasen gestellt, das Gebäude angeguckt und gedacht hatten: Ja, hier werde ich leben, meine Kinder großziehen und unsere Träume und Hoffnungen verwirklichen und beschützen. Genau hier, in dieser holzverstärkten Seifenblase.

Er öffnete die Tür. »Hallo?«

»Daddy! Onkel Mo!«

Jill, seine elfjährige Prinzessin, kam mit einem breiten Lächeln im Gesicht um die Ecke. Mike wurde warm ums Herz – eine unwillkürliche und gewöhnliche Reaktion. Wenn eine Tochter ihren Vater so anlächelte, war dieser Vater, ganz egal, was er sonst machte, plötzlich ein König.

»Hey, mein Schatz.«

Jill umarmte erst Mike, dann Mo. Sie bewegte sich locker und ungezwungen, fast wie eine Politikerin in der Menge. Hinter ihr stand ihre Freundin Yasmin, die allerdings fast schon ein wenig geduckt wirkte.

»Hi, Yasmin«, sagte Mike.

Yasmins Haare hingen wie ein Schleier vor ihrem Gesicht. Sie flüsterte kaum hörbar: »Hi, Dr Baye.«

»Müsstet ihr jetzt nicht beim Tanzkurs sein?«, fragte Mike.

Jill knallte Mike mit einem Blick, den eine Elfjährige noch längst nicht beherrschen durfte, einen vor den Latz. »Dad«, flüsterte sie.

Dann fiel es ihm wieder ein. Yasmin hatte mit dem Tanzen aufgehört. Yasmin hatte mit so ziemlich allem aufgehört. Vor ein paar Monaten war in der Schule etwas vorgefallen. Ihr Lehrer Mr Lewiston, eigentlich ein guter Mann, der auch gerne mal die ausgetretenen Pfade verließ, um das Interesse der Schüler aufrechtzuerhalten, hatte eine unpassende Bemerkung über Yasmins Gesichtsbehaarung gemacht. An die Details konnte Mike sich nicht mehr genau erinnern. Lewiston hatte sich sofort entschuldigt, die Bemerkung ließ sich aber nicht ungeschehen machen und hatte Yasmin in ein vorpubertäres Trauma versetzt. Die Klassenkameraden nannten Yasmin seitdem »XY«, in Anspielung auf das männliche Chromosomenpaar, oder auch nur »Y«, was sie zu einer Abkürzung für Yasmin verklären konnten, womit sie sie aber eigentlich nur aufziehen wollten.

Kinder können grausam sein.

Jill hielt zu ihrer Freundin und arbeitete hart daran, dass Yasmin weiter dazugehörte. Mike und Tia waren stolz auf ihre Tochter. Yasmin hatte aufgehört, aber Jill machte der Tanzkurs immer noch Spaß. Häufig konnte man sich des Eindrucks nicht erwehren, dass Jill alles, was sie tat, Spaß machte. Sie ging jeder Tätigkeit mit so viel Energie und Begeisterung nach, dass sie alle um sich herum mitriss. Das war auch mal ein gutes Beispiel für den Einfluss von Vererbung und Erziehung: Zwei Kinder, Adam und Jill, die von den gleichen Eltern erzogen worden waren, und absolut gegensätzliche Charaktere entwickelt hatten.

Am Ende siegte immer die Natur.

Jill streckte den Arm nach hinten und ergriff Yasmins Hand. »Komm«, sagte sie.

Yasmin folgte ihr.

»Bis später, Daddy. Tschüss, Onkel Mo.«

»Tschüss, meine Kleine«, sagte Mo.

»Wo geht ihr hin?«, fragte Mike.

»Mom hat gesagt, wir sollen rausgehen. Wir fahren ein bisschen Fahrrad.«

»Denkt an die Helme.«

Jill rollte die Augen, allerdings auf eine ironische, gutmütige Art.

Kurz darauf kam Tia aus der Küche und sah Mo stirnrunzelnd an. »Was will der denn hier?«

Mo sagte: »Ich hab gehört, dass ihr eurem Sohn nachspioniert. Nett.«

Der Blick, mit dem Tia Mike daraufhin ansah, brannte sich förmlich in sein Kinn. Mike zuckte die Achseln. Das war eine Art ewiger Tanz zwischen Mo und Tia – offen dargebotene Feindseligkeit, aber im Schützengraben hätten sie sich gegenseitig bis aufs Blut verteidigt.

»Ich halte das übrigens für eine gute Idee«, sagte Mo.

Das überraschte beide. Sie sahen ihn an.

»Was ist? Hab ich Marmelade im Gesicht?«

Mike sagte: »Hattest du nicht gerade noch gesagt, dass wir über-fürsorglich sind?«

»Nein«, sagte Mo. »Ich hab gesagt, dass *Tia* überfürsorglich ist.«

Wieder warf Tia Mike einen finsteren Blick zu. Jetzt wusste er wieder, von wem Jill gelernt hatte, ihren Vater mit einem Blick zum Schweigen zu bringen. Jill war die Schülerin, Tia die Lehrmeisterin.

»In diesem Fall«, fuhr Mo fort, »so ungern ich das auch zugebe, hat sie allerdings Recht. Ihr seid seine Eltern. Ihr müsst über alles Bescheid wissen.«

»Du meinst nicht, dass er ein Recht auf seine Privatsphäre hat?«

»Ein Recht auf was?« Mo runzelte die Stirn. »Er ist ein dummer Junge. Passt auf, alle Eltern spionieren ihren Kindern auf die eine oder andere Art nach, oder? Das ist euer Job. Ihr kriegt schließlich auch seine Zeugnisse zu sehen. Ihr sprecht mit den Lehrern darüber, wie er sich in der Schule macht. Ihr entscheidet, was er isst, wo er wohnt und so weiter. Also ist das nur der nächste, logische Schritt.«

Tia nickte.

»Ihr sollt eure Kinder nicht verhätscheln, sondern erziehen. Und die Eltern entscheiden darüber, wie viel Unabhängigkeit sie ihren Kindern gewähren. Die Entscheidung liegt ganz bei euch. Ihr müsst über alles Bescheid wissen. In der Familie herrscht keine Demokratie. Ihr müsst nicht alles bis ins letzte Detail regeln, aber ihr müsst einschreiten können, wenn es nötig ist. Wissen ist Macht. Eine Regierung kann diese Macht missbrauchen, weil ihr das Interesse der Menschen nicht unbedingt am Herzen liegt. Bei euch ist das was anderes. Ihr beide seid klug genug. Was soll da schon schiefgehen?«

Mike sah ihn nur an.

Tia sagte: »Mo?«

»Ja.«

»Ist das einer dieser raren gemeinsamen Augenblicke?«

»Mein Gott, das will ich nicht hoffen.« Mo setzte sich auf einen der Hocker am Küchentresen. »Und was habt ihr gefunden?«

»Ich hoffe, dass du das jetzt nicht in den falschen Hals kriegst«, sagte Tia. »Aber ich glaube, es wäre besser, wenn du jetzt gehst.«

»Er ist mein Patensohn. Auch mir liegt sein Wohlergehen am Herzen.«

»Er ist nicht dein Patensohn. Und wenn ich deine Argumente von eben noch einmal aufgreifen darf, interessiert sich keiner mehr für ihn und sein Wohlergehen als seine Eltern. Und auch wenn du ihn wirklich gern hast, dazu gehörst du nun mal nicht.«

Er starrte sie nur an.

»Was ist?«

»Ich kann es nicht ausstehen, wenn du Recht hast.«

»Was glaubst du, wie es mir geht?«, sagte Tia. »Bis du mir eben zugestimmt hast, war ich felsenfest davon überzeugt, dass es richtig war, ihm nachzuspionieren.«

Mike sah den beiden zu. Tia zupfte sich an der Unterlippe herum. Das tat sie nur, wenn sie in Panik war. Der Witz sollte das nur überspielen.

Mike sagte: »Mo.«

»Ja, ja, alles klar. Ich geh ja schon. Aber eins noch.«

»Was?«

»Gibst du mir mal eben dein Handy?«

Mike verzog das Gesicht. »Wieso. Funktioniert deins nicht?«

»Gib's mir einfach, ja?«

Mike zuckte die Achseln. Er zog sein Handy aus der Tasche und reichte es Mo.

»Wer ist dein Anbieter?«, fragte Mo.

Mike sagte es ihm.

»Und ihr habt alle das gleiche Handy? Adam auch?«

»Ja.«

Mo starrte noch eine Weile auf das Handy. Mike sah Tia an.

Sie zuckte die Achseln. Mo drehte das Handy um und gab es Mike zurück.

»Was sollte das denn?«

»Erklär ich euch später«, sagte Mo. »Jetzt kümmert euch erst mal um euren Sohn.«

5

»Und was hast du auf Adams Computer entdeckt?«, fragte Mike.

Sie saßen am Küchentisch. Tia hatte schon Kaffee gemacht. Sie trank einen entkoffeinierten Frühstückskaffee. Mike hatte sich für einen schwarzen Espresso entschieden. Einer seiner Patienten arbeitete für einen Hersteller von Pad-Kaffeemaschinen. Als Dankeschön für eine erfolgreich verlaufene Transplantation hatte er Mike eine geschenkt. Die Maschine war sehr einfach zu bedienen: Man nahm das Pad, legte es ein, die Maschine machte den Kaffee.

»Zwei Sachen«, sagte Tia.

»Okay.«

»Erstens ist er morgen Abend bei den Huffs zu einer Party eingeladen«, sagte Tia.

»Na und?«

»Und die Huffs fahren übers Wochenende weg. Laut dieser E-Mail werden sie die ganze Nacht versuchen, sich abzufüllen.«

»Mit Alkohol, Drogen oder was?«

»Das wird aus der E-Mail nicht klar. Sie wollen sich irgendeine Ausrede ausdenken, damit sie da übernachten und sich, ich zitiere, ›so richtig zudröhnen‹ können.«

Die Huffs. Daniel Huff, war der Chef der örtlichen Polizei. Sein Sohn – alle nannten ihn nur DJ – war wohl der größte Chaot seines Jahrgangs.

»Was ist?«, fragte sie.

»Ich überleg nur.«

Tia schluckte. »Wen haben wir da großgezogen, Mike?«

Er sagte nichts.

»Ich weiß, dass du den Computerbericht sehen willst, aber …?«

Sie schloss die Augen.

»Was?«

»Adam guckt sich im Internet Pornofilme an«, sagte sie. »Hast du das gewusst?«

Er sagte nichts.

»Mike?«

»Und was willst du jetzt machen?«, fragte er.

»Hältst du das nicht für falsch?«

»Ich hab mir mit sechzehn den *Playboy* besorgt.«

»Das ist was anderes.«

»Wirklich? Das war alles, woran wir damals gekommen sind. Das Internet gab's ja noch nicht. Wenn es das schon gegeben hätte, hätte ich es auch dafür genutzt – ich hätte alles Mögliche gemacht, um mir eine nackte Frau anzugucken. Und der Zeitgeist fördert das noch. Du brauchst doch nur irgendwelche Medien anzugucken, schon siehst oder hörst du was über Sex. Und wirklich absurd wäre es erst, wenn ein Sechzehnjähriger kein Interesse an nackten Frauen hätte.«

»Du findest das also gut und richtig?«

»Nein, natürlich nicht. Ich weiß bloß nicht, was ich da jetzt machen soll.«

»Rede mit ihm«, sagte sie.

»Das hab ich schon«, sagte Mike. »Ich hab ihm das mit den Vögeln und den Bienen erklärt. Ich habe ihm gesagt, dass Sex dann am besten ist, wenn Liebe mit im Spiel ist. Ich habe versucht, ihm beizubringen, dass er Frauen respektieren soll und sie nicht zu Objekten degradieren darf.«

»Zumindest diesen letzten Punkt«, sagte Tia, »hat er wohl nicht so richtig verinnerlicht.«

»Diesen letzten Punkt hat noch nie ein männlicher Teenager auf der Welt verinnerlicht. Ich bin nicht mal sicher, ob irgendein männlicher Erwachsener auf der Welt das wirklich verinnerlicht hat.«

Tia trank einen Schluck Kaffee. Sie ließ die sich daraus ergebende Frage ungestellt im Raum stehen. Er sah die Krähenfüße in ihren Augenwinkeln. Sie betrachtete sie jetzt häufig im Spiegel. Alle Frauen haben Probleme mit ihrem Körper, Tia jedoch war mit ihrem Aussehen bisher immer zufrieden gewesen. In letzter Zeit haderte sie aber doch gelegentlich, wenn sie sich im Spiegel ansah. Sie hatte sich die Haare gefärbt, um die ersten grauen Strähnen zu überdecken. Sie achtete genauer auf die ganz normalen Alterserscheinungen, wie tiefer werdende Falten und erschlaffende Haut, und sie machte sich Sorgen deswegen.

»Bei erwachsenen Männern ist das was anderes«, sagte sie.

Er wollte etwas Versöhnliches sagen, beschloss aber, lieber zu schweigen, solange er noch in Führung lag.

Tia sagte: »Da haben wir ja eine richtige Büchse der Pandora geöffnet.«

Er hoffte, dass sie noch über Adam sprach. »Sieht wohl so aus.«

»Ich will Bescheid wissen. Und gleichzeitig hasse ich dieses Wissen.«

Er nahm ihre Hand. »Was machen wir mit der Party?«

»Was meinst du?«

»Da können wir ihn nicht hingehen lassen«, sagte er.

»Also müssen wir uns was einfallen lassen, damit er zu Hause bleibt?«

»Aber was?«

»Er hat mir erzählt, dass er mit Clark zu Olivia Burchell geht. Wenn wir ihm das einfach verbieten, merkt er sofort, dass irgendwas im Busch ist.«

Mike zuckte die Achseln. »Pech für ihn. Wir sind Eltern. Wir dürfen irrational handeln.«

»In Ordnung. Dann sagen wir ihm also, dass er morgen Abend zu Hause bleiben soll.«

»Gut.«

Sie biss sich auf die Unterlippe. »Er hat die ganze Woche getan, was wir ihm gesagt haben, und auch seine Hausaufgaben gemacht. Normalerweise darf er freitagabends weggehen.«

Beide wussten, dass es Streit geben würde. Mike war zwar bereit zu kämpfen, aber nur, wenn es auch Sinn hatte. Man musste genau darüber nachdenken, wann und wofür man kämpfte, sonst verzettelte man sich. Und wenn sie Adam verboten, zu Olivia Burchell zu gehen, würde er Verdacht schöpfen.

»Sollten wir ihm nicht lieber sagen, dass er zu einer bestimmten Zeit zu Hause sein muss?«, schlug er vor.

»Und was machen wir, wenn er sich nicht daran hält? Stehen wir dann bei den Huffs auf der Matte?«

Sie hatte Recht.

»Hester hat mich heute in ihr Büro bestellt«, sagte Tia. »Ich soll morgen in Boston eine Vorverhandlung führen.«

Mike wusste, wie viel Tia das bedeutete. Seit sie wieder arbeitete, hatte sie praktisch nur Routinejobs bekommen. »Hey, das ist ja klasse.«

»Ja. Das heißt aber auch, dass ich dann nicht zu Hause bin.«

»Kein Problem. Ich krieg das schon hin«, sagte Mike.

»Jill übernachtet bei Yasmin. Um die brauchst du dich dann nicht zu kümmern.«

»Gut.«

»Hast du nicht noch eine bessere Idee, wie du Adam davon abhalten kannst, zu dieser Party zu gehen?«

»Ich lass mir das noch mal durch den Kopf gehen«, sagte Mike. »Vielleicht fällt mir was ein.«

»Gut.«

Dann verdunkelte ihr Gesicht sich wieder. Er erinnerte sich. »Du hattest was von zwei Punkten gesagt.«

Sie nickte, und etwas veränderte sich in ihrer Miene. Nicht viel. Ein Pokerspieler hätte es wohl einen *Tell* genannt. So war das, wenn man lange verheiratet war. Man konnte die *Tells* leicht lesen – oder der Partner bemühte sich einfach nicht mehr, sie zu verstecken. Jedenfalls wusste Mike, dass ihn keine guten Neuigkeiten erwarteten.

»In einem Chat ist mir auch noch was aufgefallen«, sagte Tia. »Das war vorgestern.«

Sie griff in ihre Handtasche und zog den Bericht heraus. Chatten. Da unterhielten sich Jugendliche miteinander, indem sie etwas in ihre Computer eintippten. Wenn man es gedruckt mit den Namen und Doppelpunkten vor sich hatte, sah es aus wie ein schlecht gemachtes Drehbuch. Die Eltern, von denen die meisten als Teenager viele pubertäre Stunden ihrer Zeit mit fast der gleichen Tätigkeit am guten alten Telefon verbracht hatten, klagten heute über diese Entwicklung. Mike sah das Problem nicht. Seine Generation hatte ihre Telefone, die jetzige hatte ihre Chatrooms und SMSes. Trotzdem machten sie eigentlich genau das Gleiche. Es erinnerte ihn an die alten Leute, die über die Videospiele der Jugendlichen schimpften, während sie selbst in den Bus nach Atlantic City stiegen, um die Geldautomaten mit Münzen zu füttern. Das war doch einfach nur Heuchelei.

»Hier, guck mal.«

Mike setzte die Lesebrille auf. Er benutzte sie erst seit ein paar Monaten und praktisch genauso lange verabscheute er das lästige Ding auch schon. Adams Name in diesem Chatroom lautete immer noch *HockeyAdam1117*. Den Namen hatte er schon vor Jahren gewählt. Die Zahl war eine Kombination aus der Rückennummer seines Lieblingseishockeyspielers Mark Messiers, der mit der 11 spielte, und Mikes 17 aus seiner Zeit in Dartmouth. Komisch, dass Adam den Namen nicht geändert hatte. Vielleicht war das aber auch ganz logisch. Andererseits, und das war wohl am wahrscheinlichsten, konnte es auch überhaupt keine Bedeutung haben.

CeeJay8115: Alles ok?

HockeyAdam1117: Alles gelaufen. Mund halten, alles im Griff.

Die eingeblendete Uhrzeit zeigte, dass dann eine ganze Minute lang nichts eingegeben wurde.

CeeJay8115: Noch da?

HockeyAdam1117: Ja.

CeeJay8115: Alles ok?

HockeyAdam1117: Alles ok.

CeeJay8115: Gut. Bis Freitag.

Das war das Ende.

»Mund halten, alles im Griff«, wiederholte Mike.

»Ja.«

»Was soll das heißen?«

»Keine Ahnung.«

»Vielleicht geht's um irgendwas aus der Schule. Vielleicht haben sie jemanden beim Schummeln beobachtet oder so.«

»Möglich.«

»Oder es bedeutet gar nichts. Könnte irgendetwas aus so einem Online-Adventure-Game sein.«

»Möglich«, sagte Tia noch einmal, war aber offensichtlich nicht überzeugt.

»Wer ist CeeJay8115?«, fragte Mike.

Sie schüttelte den Kopf. »Das ist das erste Mal, dass der Name mir im Chat mit Adam aufgefallen ist.«

»Oder sie.«

»Stimmt, oder sie.«

»Bis Freitag. Dann geht CeeJay8115 auch zur Party bei den Huffs. Bringt uns das weiter?«

»Ich wüsste nicht wie.«

»Und jetzt? Fragen wir Adam nach ihm?«

Tia schüttelte den Kopf. »Das ist alles zu unbestimmt, oder findest du nicht?«

»Doch«, stimmte Mike zu. »Außerdem erfährt er dann, dass wir ihn bespitzeln.«

Beide standen nebeneinander in der Küche. Mike las die Zeile noch einmal. Der Inhalt hatte sich nicht verändert.

»Mike?«

»Ja.«

»Worüber muss Adam den Mund halten, damit sie alles im Griff haben?«

*

Nash hatte den buschigen Schnurrbart in die Tasche gesteckt und sich auf den Beifahrersitz des Lieferwagens gesetzt. Pietra fuhr. Die strohhaarige Perücke hatte sie abgenommen.

Nash hielt Mariannes Handy in der rechten Hand. Es war ein Blackberry Pearl. Man konnte damit E-Mails schicken, Fotos machen, Videos angucken, Texte schreiben, den Terminkalender und das Adressbuch mit der Datenbank im PC abgleichen und darüber hinaus auch noch telefonieren.

Nash drückte eine Taste. Das Display wurde hell. Ein Foto von Mariannes Tochter erschien. Er musterte es kurz. Bedauernswert, dachte er. Er ging auf das Icon für die E-Mails, suchte eine E-Mail-Adresse heraus und tippte den Text ein:

Hi! Ich bin für ein paar Wochen in Los Angeles. Ich melde mich, wenn ich wieder da bin.

Er unterschrieb mit Marianne, kopierte den Text und schickte ihn an zwei weitere Adressen. Dann schickte er die Mails ab. Die Leute, die Marianne kannten, würden sie vorerst nicht vermissen. Soweit Nash das beurteilen konnte, machte sie so etwas öfter – verschwinden, um dann später irgendwann wieder aufzutauchen.

Aber dieses Mal … Na ja, verschwinden würde sie schon.

Pietra hatte Marianne etwas in den Drink getan, als Nash sie mit der Kain-Affe-Theorie abgelenkt hatte. Danach, im Lieferwagen, hatte Nash sie geschlagen. Er hatte hart und immer wieder zugeschlagen. Erst hatte er sie geschlagen, um ihr Schmerzen zuzufügen. Damit sie ihm erzählte, was sie wusste. Als er sicher war, dass sie ihm nichts verheimlichte, hatte er sie totgeschlagen. Und zwar in aller Ruhe. Im Gesicht eines Menschen gab es vierzehn Knochen. Er hatte sich bemüht, so viele wie möglich davon zu brechen oder einzuschlagen.

Nash hatte Mariannes Gesicht mit fast chirurgischer Präzision zerschlagen. Einige Techniken dienten dazu, einen Gegner außer Gefecht zu setzen, indem sie seinen Kampfgeist lähmten. Andere verursachten furchtbare Schmerzen. Und wieder andere richteten erheblichen Schaden an. Nash kannte sie alle. Er wusste, wie man seine Hände und besonders die Fingerknöchel schützte, während man mit aller Kraft zuschlug, er konnte die Faust so ballen, dass er sich nicht verletzte, und einen Palm-Strike korrekt ausführen.

Kurz bevor Marianne gestorben war, als sie nur noch röcheln konnte, weil sie so viel Blut in der Kehle hatte, hatte Nash das getan, was er in solchen Situationen immer tat. Er hatte aufgehört und nachgeguckt, ob sie noch bei Bewusstsein war. Dann hatte er gewartet, bis sie ihn anschaute, ihr tief in die Augen geblickt und das Entsetzen darin gesehen.

»Marianne?«

Er wollte sich ihrer Aufmerksamkeit sicher sein. Und als er das war, flüsterte er die letzten Worte, die sie je hören sollte:

»Sag Cassandra bitte, dass ich sie vermisse.«

Und dann hatte er sie endlich sterben lassen.

Den Lieferwagen hatten sie geklaut. Dann hatten sie die Nummernschilder ausgetauscht, um das Ganze noch undurchschaubarer zu machen. Nash stieg zwischen den Sitzen hindurch nach hinten in den Ladebereich. Er legte Marianne ein Stirnband in die Hand und drückte diese dann zusammen. Dann schnitt er Marianne vorsichtig mit einer Rasierklinge die Kleidung vom Körper. Als sie nackt war, nahm er neue Kleidung aus einer Plastiktüte. Es war anstrengend und dauerte eine ganze Weile, aber schließlich hatte er sie angezogen. Das rosa Oberteil saß zu eng, aber das war Absicht. Der Lederrock war extrem kurz.

Pietra hatte die Sachen ausgesucht.

Die Bar, in der sie Marianne überwältigt hatten, lag in Teaneck, New Jersey. Jetzt waren sie in den Slums von Newark, im Fifth Ward, der vor allem für Straßenhuren und Morde bekannt war. Und genau dafür würde man sie halten – für eine ermordete Nutte. Im Verhältnis zur Einwohnerzahl wurden in Newark dreimal so viele Menschen ermordet wie im nahe gelegenen New York. Also hatte Nash sie so verprügelt, dass er ihr fast alle Zähne ausgeschlagen hatte. Aber nicht alle. Wenn sie gar keine Zähne mehr gehabt hätte, wäre womöglich jemandem aufgefallen, dass man nicht rauskriegen sollte, wer sie war.

Also hatte er ein paar Zähne dringelassen. Aber es wäre aufwendig und würde auch lange dauern, sie anhand der verbliebenen Zähne zu identifizieren – sofern sie genug Hinweise fanden, die eine so aufwendige Suche rechtfertigten.

Nash klebte den Schnurrbart wieder an, und Pietra setzte die Perücke auf. Das waren vermutlich unnötige Vorsichtsmaßnahmen. Es war niemand zu sehen. Sie holten die Leiche aus dem Lieferwagen und warfen sie in einen Müllcontainer. Nash blickte auf Mariannes Überreste hinab.

Er dachte an Cassandra. Dabei wurde ihm das Herz schwer, aber der Gedanke gab ihm auch Kraft.

»Nash?«, sagte Pietra.

Er lächelte ihr kurz zu und stieg wieder in den Lieferwagen. Pietra legte den Gang ein und sie verschwanden.

*

Mike stand vor Adams Zimmertür, sammelte sich kurz und öffnete sie.

Adam, der im schwarzen Grufti-Outfit am Computer saß, fuhr herum. »Schon mal was von Anklopfen gehört?«

»Das ist mein Haus.«

»Und dies ist mein Zimmer.«

»Wirklich? Hast du dafür bezahlt?«

Kaum dass er die Worte ausgesprochen hatte, waren sie ihm schon peinlich. Eine typische Elternantwort, die Jugendliche sowieso nur spöttisch abtaten. Ihm wäre es früher genauso gegangen. Warum machte man so etwas? Hatten wir uns nicht alle irgendwann geschworen, die Fehler unserer Eltern nicht zu wiederholen? Warum hielten wir uns dann nicht daran?

Adam hatte den Bildschirm sofort ausgeschaltet. Dad sollte nicht sehen, wo er surfte. Wenn er wüsste …

»Ich hab 'ne Überraschung«, sagte Mike.

Adam drehte den Stuhl um. Er verschränkte die Arme vor der Brust und versuchte, Mike mürrisch anzusehen, was ihm allerdings nicht ganz gelang. Der Junge war groß – er überragte seinen Vater jetzt schon um ein paar Zentimeter –, und Mike wusste, dass er hart sein konnte. Er hatte als Torwart nie Angst gezeigt. Er hatte sich dagegen verwahrt, dass seine Verteidiger ihn beschützten. Wenn ihm jemand in die Quere gekommen war, hatte Adam ihn sich selbst vorgeknöpft.«

»Und was?«, fragte Adam.«

»Mo hat uns ein paar Karten für das Spiel der Rangers gegen die Flyers besorgt.«

Seine Miene blieb unbewegt. »Wann ist das?«

»Morgen Abend. Mom hat einen Termin in Boston. Mo holt uns um sechs ab.«

»Nimm Jill mit.«

»Jill schläft bei Yasmin.«

»Ihr lasst sie bei XY schlafen?«

»Nenn sie nicht so. Das ist gemein.«

Adam zuckte die Achseln. »Von mir aus.«

Von mir aus – schon immer eine beliebte Teenagerantwort.

»Also komm nach der Schule direkt nach Haus, dann holen wir dich hier ab.«

»Ich kann nicht.«

Mike sah sich im Zimmer um. Es hatte sich etwas verändert seit dem Tag, als sie mit dem tätowierten Brett, dem Ritter von den schmutzigen Fingernägeln, hier herumgeschnüffelt hatten. Der Gedanke machte ihm wieder zu schaffen. Bretts schmutzige Fingernägel hatten die Tastatur berührt. Das war nicht richtig. Jemandem nachzuspionieren war falsch. Aber wenn sie das nicht machten, würde Adam morgen zu einer Party gehen, sich betrinken und womöglich Drogen nehmen. Also hatte das Spionieren doch etwas Gutes. Aber war Mike als Jugendlicher nicht auch auf die eine oder andere solche Party gegangen? Und er hatte sie überlebt. Hatte ihm das wirklich geschadet?

»Was soll das heißen, du kannst nicht?«

»Ich geh zu Olivia.«

»Das hat deine Mutter mir schon erzählt. Du gehst dauernd zu Olivia. Hey, die Rangers spielen gegen die Flyers.«

»Ich will nicht hin.«

»Mo hat die Karten schon gekauft.«

»Dann soll er jemand anders mitnehmen.«

»Nein.«

»Nein?«

»Genau, nein. Ich bin dein Vater. Du kommst mit zum Spiel.«

»Aber ...«

»Kein Aber.«

Mike drehte sich um und verließ das Zimmer, bevor Adam noch etwas sagen konnte. Wow, dachte Mike. Habe ich wirklich *Kein Aber* gesagt?

6

Das Haus war tot.

So hätte Betsy Hill es ausgedrückt. Tot. Es war nicht nur ruhig oder verlassen. Das Haus war leblos, kalt, entseelt – sein Herz hatte aufgehört zu schlagen, es pulsierte kein Blut mehr in seinen Adern, die Organe hatten zu verwesen begonnen.

Tot. Mausetot, was immer das auch bedeuten mochte.

Genauso tot wie ihr Sohn Spencer.

Betsy wollte raus aus diesem toten Haus. Wegziehen. Ganz egal wohin. Sie wollte nicht in diesem verwesenden Leichnam bleiben. Ron, ihr Mann, fand, dass es zu früh für eine solche Entscheidung war. Wahrscheinlich hatte er Recht. Aber Betsy hielt es hier nicht mehr aus. Sie schwebte durchs Haus, als ob sie und nicht Spencer der Geist wäre.

Die Zwillinge guckten sich unten eine DVD an. Sie stellte sich ans Fenster und blickte hinaus. Bei allen Nachbarn brannte Licht. Deren Häuser lebten noch. Sie hatten auch ihre Probleme. Eine drogensüchtige Tochter, eine Ehefrau, die allen schöne Augen machte und es nicht beim Flirten beließ, ein Familienvater, der schon zu lange arbeitslos war, ein autistischer Sohn – in jedem Haus gab es eine mehr oder weniger große Tragödie. In jedem Haus und jeder Familie gab es gut gehütete Geheimnisse.

Aber ihre Häuser lebten noch. Sie atmeten.

Das Haus der Hills war tot.

Sie sah die Straße hinunter und dachte daran, dass alle Nachbarn bei Spencers Beerdigung gewesen waren. Dadurch hatten sie die Hills in ihrer schwersten Stunde ganz dezent unterstützt, hatten Trost angeboten, Schultern, an denen sie sich ausweinen konnten, und versucht, auch den geringsten Anflug einer Anklage aus ihren Blicken zu verbannen. Betsy hatte die Anklage trotzdem gesehen. Bei allen. Sie wollten es nicht sagen, aber sie wollten Ron und ihr unbedingt die Schuld geben – weil es ihnen dann nicht passieren konnte.

Jetzt waren die Nachbarn und Freunde wieder gegangen. Denn das Leben veränderte sich nicht sehr, wenn man nicht zum engsten Familienkreis gehörte. Für Freunde, selbst enge Freunde, war es so, als sähen sie einen traurigen Film an – man war zutiefst berührt, litt mit, aber irgendwann wurde die Trauer so groß, dass man sie nicht mehr spüren wollte, und dann beschloss man, dass der Film zu Ende war, und ging nach Hause.

Aber die Familie musste durchhalten.

Betsy ging wieder in die Küche. Sie machte das Abendessen für die Zwillinge – Hot Dogs und Makkaroni mit Käsesauce. Die Zwillinge waren gerade sieben geworden. Ron grillte die Würstchen am liebsten, im Sommer wie im Winter und ganz egal ob es regnete oder die Sonne schien, aber die Zwillinge beschwerten sich sofort, wenn das Würstchen auch nur das kleinste bisschen »verbrannt« war. Betsy bestrahlte die Hot Dogs in der Mikrowelle. Die Zwillinge waren glücklich und zufrieden.

»Abendessen«, rief sie.

Die Zwillinge beachteten sie nicht. Wie immer. Spencer hatte es genauso gemacht. Das erste Rufen wurde nur als allgemeiner Hinweis aufgefasst. Sie hatten sich einfach daran gewöhnt, nicht zu reagieren. War das Teil des Problems? War sie als Mutter zu schwach? War sie zu nachsichtig? Ron hatte ihr das manchmal vorgeworfen. Sie ließe zu viel durchgehen. War es das gewesen? Wäre Spencer, wenn sie ihn strenger erzogen hätte …

Sehr viele Wenns.

Die sogenannten Experten sagten, dass Eltern nicht schuld seien, wenn Teenager sich umbrachten. Es sei eine Krankheit. Wie Krebs oder so etwas. Aber selbst die Experten betrachteten sie mit einem gewissen Misstrauen.

Warum war er nicht regelmäßig zur Therapie gegangen? Warum hatte sie, seine Mutter, die Veränderungen, die in Spencer vorgegangen waren, einfach als typische Teenagerlaunen abgetan?

Sie hatte gedacht, er würde da rauswachsen. Das machten Teenager schließlich normalerweise.

Sie ging ins Wohnzimmer. Es brannte kein Licht, nur der fahle Schein vom Fernseher strahlte die Zwillinge an. Sie sahen sich absolut nicht ähnlich. Es war eine künstliche Befruchtung gewesen. Spencer war neun Jahre lang ein Einzelkind gewesen. Hatte es auch mit daran gelegen? Sie dachten, es würde ihm helfen, wenn er einen Bruder oder eine Schwester bekäme. Aber wünscht sich ein Kind nicht einfach die dauernde und vor allem ungeteilte Aufmerksamkeit seiner Eltern?

Die Gesichter reflektierten das Flimmern des Fernsehers. Vor der Glotze sahen alle Kinder hirntot aus. Der schlaff herunterhängende Unterkiefer, die viel zu weit aufgerissen Augen – ein furchtbarer Anblick.

»Sofort«, sagte sie.

Immer noch keine Bewegung.

Tick, tick, tick … Dann explodierte Betsy. »SOFORT, habe ich gesagt!«

Der Schrei weckte die Zwillinge aus ihrer Lethargie. Betsy ging zum Fernseher und schaltete ihn aus.

»Ich hab gesagt, es gibt Abendessen! Wie oft soll ich euch denn noch rufen?«

Die Zwillinge huschten schweigend in die Küche. Betsy schloss die Augen und versuchte, tief durchzuatmen. So war sie. Erst ganz ruhig, und irgendwann ging sie dann in die Luft. So viel zu Stimmungsschwankungen. Vielleicht war es erblich. Vielleicht war Spencer schon vor seiner Geburt dem Untergang geweiht gewesen.

Sie setzten sich an den Tisch. Betsy ging hinüber und rang sich ein künstliches Lächeln ab. Ja, es war alles wieder gut. Sie stellte das Essen vor sie und versuchte, ein paar Worte mit ihnen zu reden. Ein Zwilling reagierte, der andere nicht. Das ging seit Spencers Tod so. Der eine verarbeitete es, indem er versuchte, das Ganze zu ignorieren, der andere schmollte.

Ron war nicht zu Hause. Schon wieder nicht. Manchmal kam er abends von der Arbeit, fuhr den Wagen in die Garage und blieb dann darin sitzen und weinte. Manchmal fürchtete Betsy, dass er den Motor laufen lassen, das Garagentor schließen und dem Beispiel seines einzigen Sohns folgen würde. Dem Schmerz ein Ende setzen. Darin lag eine bittere Ironie. Ihr Sohn hatte sich das Leben genommen, und man konnte den daraus resultierenden Schmerzen am schnellsten ein Ende setzen, indem man es ihm nachtat.

Ron sprach nicht über Spencer. Zwei Tage nach Spencers Tod hatte Ron Spencers Stuhl aus der Küche in den Keller gebracht. Die Kinder hatten alle einen Spind mit ihren Namen drauf. Ron hatte Spencers Namen abgenommen, die Sachen weggepackt und irgendwelchen Krempel hineingetan. Aus den Augen …, hatte sie gedacht.

Betsy ging anders damit um. Gelegentlich versuchte sie, sich in andere Projekte zu stürzen, aber die Trauer machte alles extrem anstrengend, fast so wie in den Träumen, in denen man durch tiefen Schnee rannte, wo einem jede Bewegung so schwer fiel, als würde man in Sirup schwimmen. Manchmal, wie jetzt gerade, wollte sie einfach nur in ihrer Trauer versinken. Dann erfasste sie eine Art masochistische Sehnsucht, und sie hoffte fast, dass ihre Welt noch einmal einstürzte und sie unter sich zerquetschte.

Sie räumte den Tisch ab und brachte die Zwillinge ins Bett. Ron war noch nicht zu Hause. Das war in Ordnung. Sie stritten sich nicht – seit Spencers Tod hatte sie nicht einen einzigen Streit mit Ron gehabt. Sex auch nicht. Nicht ein Mal. Sie lebten unter demselben Dach, sprachen noch miteinander, liebten sich sogar noch, trotzdem hatten sie irgendwo einen Trennstrich gezogen, als wäre jede Form von Zärtlichkeit einfach unerträglich.

Der Computer war an, und der Internet Explorer war geöffnet. Betsy setzte sich davor und gab die Adresse ein. Sie dachte an ihre Nachbarn und Freunde und deren Reaktionen auf den Tod ihres Sohns. Bei Selbstmord war das wirklich anders als sonst. Irgendwie nahm er dem Tod etwas von seiner Tragik, weil sofort eine größere Distanz zu spüren war. Die Leute gingen davon aus, dass Spencer unglücklich und auch irgendwie gebrochen war. Und da war es natürlich besser, wenn so ein gebrochener Mensch aus dem Leben schied, als wenn es einen gesunden getroffen hätte. Und das Schlimmste daran war für Betsy, dass diese schrecklich rationale Erklärung auch noch ein Körnchen Wahrheit enthielt. Wenn man von einem Kind hörte, das sowieso schon fast am Verhungern war, bevor es irgendwo im afrikanischen Dschungel starb, war das weit weniger tragisch als die Sache mit dem hübschen kleinen Mädchen aus der Parallelstraße, das an Krebs erkrankte.

Das Erschreckendste daran war, dass sich alles relativieren ließ.

Sie gab die Adresse der MySpace-Internetseite ein: www.myspace.com/Spencerhillmemorial. Ein paar Tage nach Spencers Tod hatten seine Klassenkameraden die Seite eingerichtet. Sie enthielt Fotos, Kollagen und Kommentare. An der Stelle, wo normalerweise das Foto des Teilnehmers war, hatten sie das Bild einer brennenden Kerze eingestellt.

Dazu lief *Broken Radio* von Jesse Malin mit etwas Unterstützung von Bruce Springsteen. Das war einer von Spencers Lieblingssongs gewesen. Auch das Zitat neben der Kerze stammte aus diesem Song: »The angels love you more than you know.«

Betsy hörte ein bisschen zu.

Nach Spencers Tod hatte Betsy viele Nächte auf dieser Internetseite verbracht und hatte sich alles angeguckt. Sie hatte Kommentare von Jugendlichen gelesen, die sie gar nicht kannte. Sie hatte sich die vielen Fotos aus allen Lebensphasen ihres Sohns angesehen. Nach einer Weile war ihre Stimmung allerdings umgeschlagen. Die hübschen Schülerinnen, die die Seite eingerichtet hatten und sich jetzt auch im Ruhm des verstorbenen Spencers sonnten, hatten ihn kaum eines Blickes gewürdigt, als er noch am Leben gewesen war. Die Anteilnahme auf dieser Seite reichte Betsy nicht. Sie kam zu spät und war zu halbherzig. Jetzt behaupteten alle, dass sie Spencer vermissten, dabei hatten ihn nur wenige wirklich gut gekannt.

Die meisten Kommentare lasen sich nicht wie Grabinschriften, sondern wie hastige Kritzeleien im Jahrbuch eines Verstorbenen:

»Ich werde die Sportstunden bei Mr Myers nie vergessen ...«

Das war in der siebten Klasse gewesen. Vor drei Jahren.

»Diese Touch-Football-Spiele, bei denen Mr V Quarterback sein wollte ...«

Fünfte Klasse.

»Wir haben alle zusammen beim Green-Day-Konzert gechillt ...«

Achte Klasse.

So wenig aus der letzten Zeit. So wenig, was wirklich von Herzen kam. Die Trauer schien vor allem der Selbstdarstellung zu dienen – es war die öffentliche Zurschaustellung der Trauer derjenigen, die an und für sich gar nicht so sehr trauerten, sondern für die der Tod ihres Sohnes nur eine kleine Hürde auf dem Weg zum College und einer guten Stelle war, zwar durchaus eine Tragödie, aber eine, die sich vor allem im Lebenslauf gut machte, ähnlich wie die Mitgliedschaft in einer Wohltätigkeitsorganisation oder die Arbeit als Schatzmeister des Schülerparlaments.

Spencers richtige Freunde – Clark, Adam und Olivia – hatten so gut wie gar nichts zu der Seite beigetragen. Aber auch das war wohl normal. Echte Trauer fand nicht in der Öffentlichkeit statt – wenn etwas wirklich wehtat, behielt man es für sich.

Sie war seit drei Wochen nicht mehr auf der Internetseite gewesen. Sie hatte sich in der Zwischenzeit nicht groß verändert. Auch das war ganz normal, besonders bei Jugendlichen. Sie waren mit anderen Dingen beschäftigt. Betsy guckte sich die Fotos an. Sie waren zu einer Diashow zusammengefasst, ein Bild rotierte nach vorne, blieb dort einen Moment lang stehen, dann sah es so aus, als würde es auf einen großen Haufen geworfen und das nächste kam nach vorn.

Als Betsy die Bilder ansah, schossen ihr Tränen in die Augen.

Unter den Fotos waren auch einige sehr alte von der Grundschule in Hillside. Viele aus der ersten Klasse bei Mrs Roberts. Ein paar aus der dritten bei Mrs Rohrback. In der vierten hatten sie Mr Hunt gehabt. Auch ein Bild von der Basketballklassenmannschaft war darunter. Ein Siegerfoto, auf dem Spencer sehr begeistert wirkte. Er hatte sich in der Woche vor dem Spiel am Handgelenk verletzt – nichts Ernstes, nur eine leichte Verstauchung, die Betsy dann verbunden hatte. Sie wusste sogar noch, wo sie den elastischen Verband gekauft hatte. Und auf dem Foto hatte Spencer genau diese bandagierte Hand in die Luft gestreckt.

Spencer war kein besonders guter Sportler gewesen, in dem Spiel hatte er jedoch sechs Sekunden vor Spielende den entscheidenden Korb geworfen. Das war in der siebten Klasse gewesen. Sie fragte sich, ob sie ihn je glücklicher gesehen hatte.

Ein Polizist hatte Spencers Leiche auf dem Dach der Highschool gefunden.

Auf dem Monitor rotierten die Fotos weiter. Betsy hatte feuchte Augen. Sie sah sie nur noch verschwommen.

Auf dem Schuldach. Ihr hübscher Sohn. Zwischen Unrat und kaputten Flaschen.

Spencers Abschiedstext hatten sie alle schon vorher bekommen. Eine SMS. Er schrieb darin, was er vorhatte. Die erste SMS hatte er an Ron geschickt, der zu einem Kundentermin in Philadelphia war. Die zweite SMS hatte Spencer an Betsys Handy geschickt, sie war aber gerade bei *Chuck-e-Cheese* gewesen, einer Spielhallenpizzeria und dem Ursprung vieler elterlicher Migränen, und hatte nicht gehört, dass sie eine SMS bekam. Erst nach einer Stunde, als Ron schon sechs Nachrichten auf ihrem Handy hinterlassen hatte, von denen jede verzweifelter als die vorherige klang, hatte sie den letzten Text auf ihrem Handy entdeckt – die letzten Worte ihres Jungen.

»Tut mir leid, ich liebe euch, aber das ist mir alles zu heavy. Lebt wohl.«

Es hatte zwei Tage gedauert, bis die Polizei ihn auf dem Schuldach gefunden hatte.

Was war dir zu heavy, Spencer?

Sie würde es nie erfahren.

Er hatte die SMS noch ein paar anderen Leuten geschickt. Engen Freunden. Mit denen er sich angeblich an dem Abend treffen wollte, wie er ihr zumindest erzählt hatte. Er wollte mit Clark, Adam und Olivia abhängen. Aber die hatten ihn nicht gesehen. Spencer war nicht aufgetaucht. Er war allein losgezogen. Er hatte Tabletten bei sich gehabt – die er zu Hause geklaut hatte –, und dann hatte er zu viele davon geschluckt, weil ihm irgendetwas zu heavy war und er sein Leben beenden wollte.

Er war allein auf dem Dach gestorben.

Daniel Huff, der Chef der örtlichen Polizei, mit dessen Sohn DJ Spencer auch gelegentlich etwas unternommen hatte, war zu ihnen ans Haus gekommen. Sie wusste noch, dass sie einfach zusammengeklappt war, als sie ihm die Tür geöffnet und sein Gesicht gesehen hatte.

Betsy blinzelte die Tränen weg. Sie versuchte, sich wieder auf die Fotos zu konzentrieren, auf die Bilder, auf denen ihr Sohn noch am Leben war.

Und plötzlich rotierte das Foto nach vorne, das alles veränderte.

Betsy blieb das Herz stehen.

Das Foto verschwand genauso schnell, wie es erschienen war. Weitere Bilder wurden darauf abgelegt. Sie griff sich an die Brust und versuchte, einen klaren Gedanken zu fassen. Das Foto. Wie konnte sie es sich noch einmal ansehen?

Wieder blinzelte sie. Versuchte nachzudenken.

Okay, erstens: Das Foto war ein Teil einer Online-Diashow. Wahrscheinlich lief die durch und fing dann wieder von vorn an. Dann konnte sie einfach warten. Aber wie lange würde das dauern? Und was machte sie dann? Es würde wieder nur ein paar Sekunden lang zu sehen sein. Sie musste es sich aber genauer angucken.

Konnte sie es irgendwie anhalten, wenn es wieder erschien?

Das musste doch möglich sein.

Sie sah die anderen Fotos vorbeirotieren, aber die interessierten sie nicht. Sie wollte das eine Bild wieder sehen.

Das mit der verstauchten Hand.

Das Basketballspiel aus der siebten Klasse fiel ihr wieder ein, weil ihr eine seltsame Parallele durch den Kopf ging. Hatte sie nicht gerade noch an Spencers elastische Binde von damals gedacht? Natürlich. Offenbar war das eine Art Katalysator gewesen.

Am Tag vor Spencers Selbstmord war nämlich etwas Ähnliches passiert.

Er war gestürzt und hatte sich das Handgelenk verletzt. Wie damals in der siebten Klasse hatte sie ihm angeboten, es zu verbinden. Spencer wollte aber, dass sie ihm eine Manschette besorgte, was sie dann auch getan hatte. An seinem Todestag hatte er sie getragen.

Zum ersten und – natürlich – letzten Mal.

Sie klickte mit der Maus auf die verdammte Diashow. Darauf öffnete sich ein Fenster namens *slide.com* und verlangte ein Passwort. Mist. Wahrscheinlich war die Seite von einem Jugendlichen eingerichtet worden. Sie überlegte. Auf so einer Seite gab es vermutlich keine besonders ausgefeilten Sicherheitsmaßnahmen. Man richtete sie einfach ein und ließ die Mitschüler die Fotos einstellen, die sie gern in der Diashow sehen würden.

Also musste das Passwort einfach sein.

Sie tippte: SPENCER.

Dann klickte sie OKAY.

Es funktionierte.

Die Bilder erschienen verkleinert auf dem Bildschirm. In der Kopfzeile stand, dass es 127 Fotos waren. Sie sah sich die Thumbnails an, bis sie das gesuchte Foto fand. Ihre Hand zitterte so stark, dass sie Schwierigkeiten hatte, den Mauszeiger über das Bild zu bekommen. Als sie es endlich geschafft hatte, drückte sie die linke Taste.

Das Foto erschien in voller Größe.

Sie starrte es nur an.

Spencer lächelte, aber es war das traurigste Lächeln, dass sie je gesehen hatte. Er schwitzte. Sein Gesicht glänzte wie bei einem Betrunkenen. Er wirkte niedergeschlagen und verwirrt. Er trug das schwarze T-Shirt, das er auch an seinem letzten Abend getragen hatte. Seine Augen waren rot unterlaufen – vielleicht vom Alkohol oder von Drogen, aber auf jeden Fall auch vom Blitz der Kamera. Eigentlich hatte Spencer hübsche blaue Augen gehabt, aber auf Blitzlichtfotos sah er meistens aus wie der Teufel. Er stand im Freien, also musste es irgendwann abends oder nachts gemacht worden sein.

In jener Nacht.

Spencer hatte einen Drink in der Hand, und da, an derselben Hand, war auch die Handgelenkmanschette.

Sie erstarrte. Dafür konnte es nur eine Erklärung geben.

Das Foto war in der Nacht entstanden, in der Spencer gestorben war.

Und als sie den Hintergrund des Fotos betrachtete und die Menschen sah, die dort saßen, wurde ihr noch etwas klar.

Spencer war gar nicht allein gewesen.

7

Wie an fast jedem Wochentag in den letzten zehn Jahren wachte Mike um fünf Uhr morgens auf. Er fuhr über die George Washington Bridge nach New York und war um sieben im Transplantationszentrum des New York Presbyterian Hospital.

Er warf den weißen Kittel über und machte seine Visite. Manchmal drohte das zur Routine zu werden. Es bot auch wirklich nicht viel Abwechslung, aber Mike machte sich immer wieder bewusst, wie wichtig das für die Menschen war, die im Bett lagen. Sie lagen im Krankenhaus. Allein das jagte ihnen Angst ein und machte sie verletzlich. Sie waren krank. Sie konnten sterben, und die meisten glaubten, dass nur ihr Arzt zwischen ihnen und noch größerem Leid, zwischen ihnen und dem Tod stand.

Wer würde da nicht einen leichten Gotteskomplex bekommen?

Solange es sich im Rahmen hielt, fand Mike das sogar ganz hilfreich. Schließlich war man für die Patienten von überragender Bedeutung. Also sollte man sich auch so verhalten.

Einige Ärzte rauschten nur durch die Krankenzimmer. Gelegentlich hätte er das auch gern getan. Er hatte aber auch festgestellt, dass man bei jedem Patienten nur ein oder zwei Minuten länger brauchte, wenn man sein Bestes gab. Also blieb er stehen, hörte zu, hielt eine Hand, wenn es verlangt wurde, oder gab sich etwas distanziert – je nachdem was der Patient wollte oder wie Mike dessen Bedürfnisse einschätzte.

Um 9 Uhr saß er dann an seinem Schreibtisch. Die ersten Patienten waren schon da, und Lucille, seine auf diesem Gebiet äußerst kompetente Krankenschwester, bereitete sie auf das Gespräch mit ihm vor. So hatte er gut zehn Minuten Zeit, um sich die Diagramme und Testergebnisse anzusehen, die im Lauf der Nacht reingekommen waren. Dabei fiel ihm der Nachbarsjunge wieder ein, worauf er sofort im Computer nach dem Test von Loriman schaute.

Es waren noch keine Ergebnisse da.

Das war seltsam.

Mike entdeckte einen rosa Haftzettel an seinem Telefon. Er sah ihn an.

Wir müssen uns unterhalten.

Ilene

Ilene Goldfarb war seine Praxispartnerin in der Transplantationsklinik und die Leiterin der Transplantationschirurgie im New York Presbyterian Hospital. Kennen gelernt hatten sie sich in ihrer gemeinsamen Zeit als Assistenzärzte in der Transplantationschirurgie, und jetzt wohnten sie im gleichen Ort. Mike würde Ilene als eine Freundin bezeichnen, wenn auch nicht als eine besonders enge, ein Umstand, der sich durchaus positiv auf ihre Zusammenarbeit auswirkte. Sie wohnten etwa drei Kilometer voneinander entfernt, ihre Kinder besuchten die gleichen Schulen, ansonsten hatten sie jedoch kaum gemeinsame Interessen und sahen sich selten privat, aber sie vertrauten und respektierten sich in allen beruflichen Angelegenheiten hundertprozentig.

Wollen Sie eine Empfehlung Ihres Freundes überprüfen, der selbst Arzt ist? Dann stellen Sie ihm diese Frage: Wenn dein Kind krank wäre, zu welchem Arzt würdest du es schicken?

Mikes Antwort hätte Ilene Goldfarb gelautet. Und damit war eigentlich alles über ihre Fähigkeiten als Ärztin gesagt.

Mike ging den Flur entlang. Der graue Teppichboden dämpfte seine Schritte. Die schlichten Kunstdrucke an den Wänden beruhigten das Auge und waren dabei so unpersönlich, wie man sie auch in einer Hotelkette der Mittelklasse erwarten konnte. Ilene und er hatten das Büro so eingerichtet, dass nichts ins Auge fiel, sondern alles ganz leise kundtat: »Hier geht es nur um den Patienten.« Sie hatten auch keine persönlichen Gegenstände in ihren Büros – keine Familienfotos, keine von den Kindern gebastelten

Bleistifthalter oder so etwas – sondern nur ihre Diplome und Urkunden aufgehängt, weil das die Leute offensichtlich beruhigte.

Viele Eltern kamen mit todkranken Kindern zu ihnen. Die wollten dann keine Bilder von anderen gesunden und lächelnden Kindern angucken. Man will das dann einfach nicht.

»Hey, Doc Mike.«

Er drehte sich um. Hal Goldfarb, Ilenes Sohn, stand hinter ihm. Er war im Abschlussjahr auf der Highschool, also zwei Jahre über Adam. Er wollte Medizin studieren und Princeton hatte ihn schon vor der Abschlussprüfung angenommen. Daraufhin hatte er sein Schulprojekt so gewählt, dass er dafür ganz offiziell drei Vormittage bei ihnen ein Praktikum ableisten konnte.

»Hey, Hal. Wie läuft's in der Schule?«

Er lächelte Mike zu. »Locker.«

»Das Abschlussjahr nachdem du deine Zulassung zum College schon hast – viel lockerer geht's kaum.«

»Genau.«

Hal trug Khakis und ein blaues Hemd, worauf Mike der Kontrast zu Adams Grufti-Schwarz noch einmal schmerzlich bewusst wurde und er einen kurzen Anflug von Neid verspürte. Als hätte er seine Gedanken gelesen, fragte Hal: »Wie geht's Adam?«

»Ganz gut.«

»Ich hab ihn länger nicht mehr gesehen.«

»Vielleicht solltest du ihn mal anrufen«, sagte Mike.

»Ja, gute Idee. Wär nett, einfach mal ein bisschen abzuhängen.«

Schweigen.

»Ist deine Mom in ihrem Büro?«, fragte Mike.

»Ja. Gehen Sie einfach rein.«

Ilene saß hinter ihrem Schreibtisch. Sie war eine kleine Frau und abgesehen von ihren tatzenartigen Fingern fast zierlich gebaut. Ihre braunen Haare hatte sie zu einem strengen Pferdeschwanz nach hinten gebunden, und mit der Hornbrille lag sie genau auf der Grenze zwischen altbacken und modisch.

»Hey«, sagte Mike.

»Hey.«

Mike hielt den rosafarbenen Haftzettel in die Luft. »Was gibt's?«

Ilene seufzte. »Wir haben ein Riesenproblem.«

Mike setzte sich. »Mit wem?«

»Mit deinem Nachbarn.«

»Loriman?«

Ilene nickte.

»Negatives Testergebnis bei der Gewebeprobe?«

»Ein ungewöhnliches Testergebnis«, sagte sie. »Aber früher oder später musste das ja mal passieren. Eigentlich bin ich überrascht, dass es bei uns das erste Mal ist.«

»Verrätst du mir jetzt, worum es geht?«

Ilene Goldfarb nahm ihre Brille ab. Sie steckte einen der Bügel in den Mund und kaute darauf herum. »Wie gut kennst du die Familie?«

»Sie wohnen nebenan.«

»Seid ihr eng befreundet?«

»Nein. Warum die Fragen?«

»Wir könnten«, sagte Ilene, »vor einem ethischen Dilemma stehen.«

»Wieso?«

»Dilemma ist vielleicht das falsche Wort.« Ilene blickte zur Seite, sprach jetzt eher mit sich selbst als mit Mike. »Wir könnten auf eine etwas unscharf definierte ethische Grenze zusteuern.«

»Ilene?«

»Hmm.«

»Wovon sprichst du?«

»Lucas Lorimans Mutter ist in einer halben Stunde hier«, sagte sie.

»Ich hab sie gestern gesehen.«

»Wo?«

»In ihrem Garten. Sie tut oft so, als wäre sie mit Gartenarbeit beschäftigt, wenn ich nach Hause komme.«

»Klingt logisch.«

»Was meinst du damit?«

»Kennst du ihren Mann?«

»Dante? Natürlich.«

»Und?«

Mike zuckte die Achseln. »Was ist los, Ilene?«

»Es geht um Dante«, sagte sie.

»Was ist mit ihm?«

»Er ist nicht der leibliche Vater des Jungen.«

Jetzt war es raus. Mike saß einen Moment lang reglos da.

»Soll das ein Witz sein?«

»Klar, wie immer. Du kennst mich ja – Frau Doktor Scherzkeks. Der war doch prima, oder?«

Mike ließ es sacken. Er fragte nicht, ob sie sich sicher war oder weitere Tests machen wollte. Diese Möglichkeiten hatte sie auf jeden Fall schon ausgeschlossen. Ilene hatte Recht – das Überraschendste daran war, dass es ihnen zum ersten Mal passierte. Die genetische Abteilung lag zwei Etagen unter ihnen. Einer der Ärzte hatte Mike einmal von stichprobenartigen Tests in der Bevölkerung erzählt, die ergeben hatten, dass über zehn Prozent der Männer ohne es zu wissen Kinder erzogen, die nicht ihre eigenen waren.

»Möchtest du etwas dazu sagen?«, fragte Ilene.

»Wow.«

Ilene nickte. »Genau deshalb habe ich dich zu meinem Partner gemacht«, sagte sie. »Weil du so toll mit Worten umgehen kannst.«

»Ilene, Dante Loriman ist kein besonders netter Mensch.«

»Das ist mir auch schon zu Ohren gekommen.«

»Böse Sache«, sagte Mike.

»Wie der Zustand seines Sohnes.«

Beide ließen das einen Moment lang schweigend sacken.

Die Gegensprechanlage summte. »Doktor Goldfarb?«

»Ja.«

»Susan Loriman ist hier.«

»Hat sie ihren Sohn dabei?«

»Nein«, sagte die Schwester. »Ach, aber ihr Mann begleitet sie.«

*

»Verdammt, was wollen Sie denn hier?«

Die County-Chefermittlerin Loren Muse ignorierte ihn und ging weiter zur Leiche.

»Scheiße«, sagte einer der Streifenpolizisten leise. »Guck dir mal an, was der mit ihrem Gesicht gemacht hat.«

Die vier standen schweigend um die Leiche herum. Die beiden Streifenpolizisten, die als Erste am Tatort gewesen waren, und Frank Tremont, der Detective von der Mordkommission, der offiziell für den Fall zuständig war, ein etwas weltverdrossener Faulpelz mit Bierbauch. Loren Muse, die einzige Frau und Chefermittlerin von Essex County, war mindestens dreißig Zentimeter kleiner als die anderen.

»TH«, sagte Tremont. »Und ich meine damit keine Hochschule.«

Muse sah ihn fragend an.

»TH wie Tote Hure.«

Dann lachte er über seinen eigenen Witz, während sie die Stirn runzelte. Fliegen umkreisten die breiige Masse, die einmal ein Gesicht gewesen war. Auf den ersten Blick sah man weder die Nase noch die Augenhöhlen, selbst der Mund war kaum zu erkennen.

Ein Streifenpolizist sagte: »Das Gesicht sieht ja aus, als hätte man es durch den Fleischwolf gedreht.«

Loren Muse inspizierte die Leiche. Sie ließ die beiden Polizisten plappern. Manche Leute plapperten einfach, um ihre Nervosität zu überspielen. Muse gehörte nicht dazu. Die Polizisten beachteten sie nicht. Genau wie Tremont. Sie war seine direkte Vorgesetzte, genaugenommen sogar die Vorgesetzte von allen dreien, und sie spürte, wie der Groll wie schwüle Luft vom Gehweg zu ihr herüberzog.

»Yo, Muse.«

Das war Tremont. Sie betrachtete ihn in seinem braunen Anzug mit dem Bauch von den vielen Feierabendbieren und Frühstücksdonuts. Das würde Ärger geben. Seit man sie zur Chefermittlerin von Essex County befördert hatte, wurden den Medien immer wieder Beschwerden über ihre Amtsführung zugespielt. Die meisten verbreitete Tom Gaughan, ein Reporter, der zufällig auch Tremonts Schwager war.

»Was gibt's, Frank?«

»Ich hatte eben schon mal gefragt – was wollen Sie eigentlich hier?«

»Ich bin Ihnen keine Rechenschaft schuldig.«

»Das ist mein Fall.«

»Da haben Sie Recht.«

»Und ich brauch keinen, der mir über die Schulter guckt.«

Frank Tremont war ein unfähiger Dummkopf, aufgrund seiner langen »Dienstzeit« und den Beziehungen aber praktisch unkündbar. Muse beachtete ihn nicht. Sie beugte sich hinunter und starrte auf das rohe Fleisch, das einmal ein Gesicht gewesen war.

»Konnten Sie sie identifizieren?«, fragte Muse.

»Nein. Kein Portemonnaie, keine Handtasche.«

»Wahrscheinlich geklaut«, bemerkte einer der Streifenpolizisten.

Die männlichen Köpfe nickten beifällig.

»Muss wohl irgendeine Gang gewesen sein«, sagte Tremont. »Da, sehen Sie.«

Er deutete auf das grüne Kopftuch in ihrer Hand.

»Könnte diese neue Gang sein, ein Haufen Schwarzer, die sich

75

Al Kaida nennen«, sagte der andere Streifenpolizist. »Die tragen Grün.«

Muse richtete sich auf und ging um die Leiche herum. Die Gerichtsmedizinerin fuhr in ihrem Kleinbus vor. Jemand hatte den Tatort mit Flatterband abgesperrt. Dahinter reckten zehn bis fünfzehn Huren die Hälse, um etwas erkennen zu können.

»Haben die Beamten schon mit den Damen vom Gewerbe gesprochen?«, frage Muse. »Damit wir wenigstens ihren sogenannten Künstlernamen erfahren.«

»Nee, ehrlich?« Frank Tremont seufzte theatralisch. »Meinen Sie nicht, dass ich da auch schon draufgekommen bin?«

Loren Muse sagte nichts.

»Hey, Muse.«

»Was ist, Frank?«

»Mir gefällt's nicht, dass Sie hier sind.«

»Und mir gefällt Ihr brauner Gürtel zu den schwarzen Schuhen nicht. Aber damit müssen wir beide wohl leben.«

»Das ist nicht okay.«

Da hatte er nicht ganz Unrecht. Natürlich liebte sie ihre prestigeträchtige neue Stelle als Chefermittlerin. Sie war noch keine vierzig und die erste Frau in dieser Position. Sie war stolz darauf. Aber die eigentliche Arbeit fehlte ihr – die Mordermittlungen. Also mischte sie sich ein, wo sie nur konnte, vor allem wenn ein ausgewiesener Trottel wie Frank Tremont den Fall bearbeitete.

Die Gerichtsmedizinerin Tara O'Neill kam herüber und scheuchte die Streifenpolizisten zur Seite.

»Heilige Scheiße«, sagte O'Neill.

»Tolle Reaktion, Doc«, sagte Tremont. »Ich brauche sofort ihre Fingerabdrücke, damit ich sie durch die Datenbanken jagen kann.«

Die Gerichtsmedizinerin nickte.

»Ich helf dann mal bei der Befragung der Huren, und dann schnappen wir uns ein paar Anführer von den Gangs hier aus der Umgebung«, sagte Tremont. »Falls Sie nichts dagegen haben, Boss.«

Muse antwortete nicht.

»Eine tote Hure, Muse. Da ist keine Schlagzeile für Sie drin. Priorität hat das bestimmt nicht.«

»Wieso hat das keine Priorität?«

»Hä?«

»Sie haben gesagt, da ist keine Schlagzeile für mich drin. Das seh ich ein. Und dann haben Sie gesagt, dass das keine Priorität hat. Wieso nicht?«

Tremont grinste. »Ach, klar doch. Mein Fehler. Eine tote Hure hat natürlich immer oberste Priorität. Wir behandeln sie genauso, als ob jemand der Frau des Gouverneurs eins übergebraten hätte.«

»Diese Einstellung, Frank. Deshalb bin ich hier.«

»Klar. Logisch, das wird's sein. Soll ich Ihnen sagen, was die Leute von toten Huren halten?«

»Moment, nicht verraten – vielleicht so was wie: Die hat's ja auch drauf angelegt?«

»Nein. Aber hören Sie gut zu, dann können Sie was lernen: Wenn man nicht tot im Müllcontainer enden will, dann dreht man im Fifth Ward keine krummen Dinger.«

»Vielleicht sollten Sie sich das als Grabinschrift aussuchen«, sagte Muse.

»Nicht dass Sie mich falsch verstehen. Ich krieg diesen Perversen. Aber kommen Sie mir nicht mit Prioritäten und Schlagzeilen.« Tremont trat einen Schritt näher an sie heran, so dass sein Bauch sie fast berührte. Muse wich nicht zurück. »Das ist mein Fall. Verziehen Sie sich wieder hinter Ihren Schreibtisch, und überlassen Sie die richtige Arbeit den Erwachsenen.«

»Oder was?«

Tremont lächelte. »Den Ärger wollen Sie sich nicht machen, kleine Dame. Das können Sie mir glauben.«

Er stürmte davon. Muse drehte sich wieder um. Die Gerichts-medizinerin konzentrierte sich ganz auf das Öffnen ihres Werk-zeugkoffers, als hätte sie nichts gehört.

Muse schüttelte kurz den Kopf und kümmerte sich wieder um die Leiche. Sie versuchte, kühl zu analysieren. Das waren die Fak-ten: Das Opfer war eine weiße Frau. Wenn man Haut und Kör-perbau zugrunde legte, könnte sie um die vierzig gewesen sein, auf der Straße alterte man jedoch schneller. Tätowierungen wa-ren nicht zu erkennen.

Ein Gesicht auch nicht.

Eine so extrem verunstaltete Leiche hatte Muse bisher nur ein-mal gesehen. Mit dreiundzwanzig hatte sie sechs Wochen lang bei der Landespolizei auf der New Jersey Turnpike gearbeitet. Ein LKW war durch die Mittelleitplanke gerast und frontal auf einen Toyota Celica geprallt. Im Toyota saß eine Neunzehnjährige, die am Ende der Semesterferien auf dem Weg zurück ins College war.

Die Leiche sah entsetzlich aus.

Nachdem sie das Blech entfernt hatten, mussten sie feststellen, dass die Neunzehnjährige kein Gesicht mehr gehabt hatte. Ge-nau wie die Frau hier.

»Todesursache?«, fragte Muse.

»Kann ich noch nicht genau sagen. Aber der Täter muss ein absolut krankes Arschloch sein. Die Knochen sind nicht nur ge-brochen. So wie die sich anfühlen, muss er sie zu kleinen Stücken zermalmt haben.

»Wie lange ist das her?«

»Vielleicht so zehn, zwölf Stunden. Hier ist sie nicht ermordet worden. Dafür ist hier zu wenig Blut.«

Das war Muse auch aufgefallen. Sie untersuchte die Kleidung der Hure – den rosa BH, den engen Lederrock, die Stöckelschuhe.

Sie schüttelte den Kopf.

»Was ist?«

»Das passt alles nicht«, sagte Muse.

»Was?«

Ihr Handy vibrierte. Sie sah aufs Display. Es war ihr Boss, Bezirksstaatsanwalt Paul Copeland. Sie sah zu Frank Tremont hinüber. Er winkte kurz mit dem Finger und grinste.

Sie meldete sich: »Hey, Cope.«

»Was machen Sie gerade?«

»Ich untersuche einen Tatort.«

»Und ärgern einen Kollegen.«

»Einen Mitarbeiter.«

»Eine Nervensäge von einem Mitarbeiter.«

»Aber ich bin seine Vorgesetzte, stimmt's?«

»Frank Tremont wird richtig Stunk machen. Der hetzt uns die Medien auf den Hals, und seine Ermittlerkollegen stachelt er auch gleich mit an. Muss das wirklich sein?«

»Ich glaube schon, Cope.«

»Wie kommen Sie darauf?«

»Weil er mit seiner Einschätzung vollkommen danebenliegt.«

8

Dante Loriman betrat als Erster Ilene Goldfarbs Büro. Er drückte Mike etwas zu fest die Hand. Susan folgte ihm. Ilene Goldfarb erhob sich und blieb hinter ihrem Schreibtisch stehen. Sie hatte sich ihre Brille wieder aufgesetzt. Sie beugte sich vor und schüttelte beiden kurz die Hand. Dann setzte sie sich wieder hin und schlug die vor ihr liegende Akte auf.

Dante nahm auf dem Stuhl neben dem Schreibtisch Platz. Er sah seine Frau nicht an. Susan setzte sich neben ihn. Mike blieb hinten stehen, verschränkte die Arme und lehnte sich an die Wand. Dante Loriman krempelte sich sorgfältig die Ärmel hoch. Erst den rechten, dann den linken. Er stützte die Ellbogen auf die

Oberschenkel, als wollte er Ilene Goldfarb zeigen, dass er auf das Schlimmste gefasst war.

»Und?«, fragte Dante.

Mike sah Susan Loriman an. Sie saß aufrecht und mit hocherhobenem Kopf auf ihrem Stuhl. Sie bewegte sich überhaupt nicht, saß so still, dass man den Eindruck hatte, sie würde die Luft anhalten. Das war zu still. Als hätte sie seinen Blick gespürt, drehte Susan sich dann um und wandte Mike ihr hübsches Gesicht zu. Mike versuchte, eine neutrale Miene aufzusetzen. Dies war Ilenes Show. Er war hier nur Zuschauer.

Ilene sah weiter in die Akte, wohl um zu warten, bis Ruhe eingekehrt war. Dann legte sie die Hände auf den Tisch und blickte auf einen fernen Punkt zwischen den beiden Eltern.

»Wir haben die notwendigen Gewebetests durchgeführt«, fing sie an.

Dante unterbrach sie. »Ich will das machen.«

»Wie bitte?«

»Ich will Lucas eine Niere spenden.«

»Sie passen nicht, Mr Loriman.«

Einfach so.

Mike ließ Susan Loriman nicht aus den Augen. Auch ihre Miene war jetzt neutral.

»Oh«, sagte Dante. »Ich dachte, der Vater …«

»Das variiert«, sagte Ilene. »Wie ich Ihrer Frau bei ihrem letzten Besuch schon erklärt hatte, kommen da viele Faktoren zum Tragen. Idealerweise brauchen wir eine Übereinstimmung in allen sechs HL-Antigenen. In Bezug auf die Histokompatibilität wären Sie kein besonders geeigneter Spender, Mr Loriman.«

»Und was ist mit mir?«, fragte Susan.

»Ihre Werte passen besser. Auch nicht perfekt, aber erheblich besser. Normalerweise sind die Chancen bei Geschwistern am besten. Jedes Kind erbt die Hälfte der Antigene von jedem Elternteil, und es gibt vier mögliche Kombinationen von Antigenen. Das bedeutet, dass bei Brüdern oder Schwestern eine Chance von fünfundzwanzig Prozent besteht, dass die Antigene genau übereinstimmen, und eine fünfzigprozentige, dass die Hälfte – also drei Antigene – übereinstimmen, und eine Chance von fünfundzwanzig Prozent, dass überhaupt keine Übereinstimmung besteht.«

»Und was ist mit Tom?«

Tom war Lucas' großer Bruder.

»Unglücklicherweise haben wir auch hier schlechte Nachrichten. Bisher haben wir die meisten Übereinstimmungen bei Ihrer Frau gefunden. Wir werden mit den Daten Ihres Sohnes auch bei der Organspenderdatei anfragen, ob die jemanden mit größerer Übereinstimmung haben, der verstorben ist. Ich halte das allerdings für unwahrscheinlich. Wir könnten es mit einer Ihrer Nieren versuchen, Mrs Loriman, aber ehrlich gesagt sind Sie nicht die ideale Spenderin.«

»Warum nicht?«

»Bei Ihnen stimmen zwei Antigene überein. Je näher wir an sechs herankommen, desto größer ist die Chance, dass der Körper Ihres Sohnes die Niere nicht abstößt. Je größer die Übereinstimmung der Antigene ist, desto besser sind seine Chancen, dass er nicht sein Leben lang Medikamente nehmen oder regelmäßig zur Dialyse muss.«

Dante fuhr sich mit der Hand durchs Haar. »Und was machen wir jetzt?«

»Ein bisschen Zeit haben wir ja noch. Wie schon gesagt, setze ich ihn auch auf die Liste der Organempfänger. Wir suchen weiter und fahren mit der Dialyse fort. Wenn wir nichts Besseres finden, nehmen wir Ihre Niere, Mrs Loriman.«

»Aber Sie hätten lieber einen Spender, der besser passt«, sagte Dante.

»Ja.«

»Wir haben noch ein paar Verwandte, die gesagt haben, dass sie

Lucas eine Niere spenden würden, wenn das geht«, sagte Dante. »Vielleicht können Sie die ja auch testen?«

Ilene nickte. »Schreiben Sie eine Liste – Namen, Adressen und das blutsverwandtschaftliche Verhältnis zu Lucas.«

Schweigen.

»Wie krank ist er, Doktor?« Dante drehte sich um und sah nach hinten. »Mike? Sei ganz offen. Wie schlimm ist es?«

Mike sah Ilene an. Sie nickte kurz.

»Sehr schlimm«, sagte Mike.

Als er das sagte, sah er Susan Loriman an. Susan wandte den Blick ab. Sie sprachen noch zehn Minuten über die verschiedenen Möglichkeiten, dann gingen die Lorimans. Mike setzte sich auf den Stuhl, auf dem Dante gesessen hatte, und drehte die Handflächen zum Himmel. Ilene gab vor, mit dem Ordnen der Akten beschäftigt zu sein.

»Was ist los?«, fragte Mike.

»Hätte ich es ihnen sagen sollen?«

Mike antwortete nicht.

»Meine Aufgabe ist es, den Sohn zu behandeln. Er ist mein Patient. Nicht der Vater.«

»Also hat der Vater hier keine Rechte?«

»Das habe ich nicht gesagt.«

»Du hast medizinische Tests durchgeführt. Dabei hast du etwas erfahren, und das hast du dem Patienten vorenthalten.«

»Nicht dem Patienten«, entgegnete Ilene. »Mein Patient ist Lucas Loriman, der Sohn.«

»Also vergessen wir das, was wir wissen?«

»Beantworte mir eine Frage. Wenn ich durch irgendeinen Test feststellen würde, dass Mrs Loriman ihren Mann betrügt, müsste ich ihm das sagen?«

»Nein.«

»Und was wäre, wenn ich herausfinden würde, dass sie mit Drogen handelt oder Geld klaut?«

»Das ist jetzt ziemlich weit hergeholt, Ilene.«

»Wirklich?«

»Es geht hier nicht um Geld oder Drogen.«

»Ich weiß, aber in beiden Fällen ist es für die Gesundheit meines Patienten unerheblich.«

Mike dachte darüber nach. »Nehmen wir mal an, du hättest bei Dante Lorimans Test ein gesundheitliches Problem entdeckt. Sagen wir, ein Lymphom. Hättest du ihm das gesagt?«

»Selbstverständlich.«

»Aber wieso? Gerade hast du noch gesagt, dass er nicht dein Patient ist. Also geht es dich nichts an.«

»Ach, komm, Mike. Das ist was anderes. Mein Job ist es, dafür zu sorgen, dass mein Patient – Lucas Loriman – wieder gesund wird. Dazu gehört auch die geistige und seelische Gesundheit. Schließlich schicken wir unsere Patienten vor einer Transplantation unter anderem zu einer psychologischen Beratung. Und wozu? Weil wir uns Sorgen machen um ihre geistige und seelische Gesundheit. Wenn wir im Haus der Lorimans ein Riesendurcheinander verursachen, wird das der Gesundheit meines Patienten kaum zuträglich sein. Und das ist auch schon alles.«

Beide sammelten sich einen Moment lang.

»So einfach ist das nicht«, sagte Mike.

»Ich weiß.«

»Diese Geschichte wird uns stark belasten.«

»Darum habe ich sie mit dir geteilt.« Ilene breitete die Arme aus und lächelte. »Wieso soll ich die Einzige sein, die sich nachts schlaflos im Bett herumwälzt?«

»Du bist eine tolle Partnerin.«

»Mike?«

»Ja.«

»Wenn es um dich ginge – wenn ich bei dir einen solchen Test durchgeführt und festgestellt hätte, dass Adam nicht dein leiblicher Sohn ist, würdest du das dann nicht erfahren wollen?«

»Adam soll nicht mein Sohn sein? Hast du dir mal seine riesigen Ohren angeguckt?«

Sie lächelte. »Ich wollte dir nur etwas erklären. Also, würdest du es wissen wollen?«

»Ja.«

»Auf jeden Fall und ohne jeden Zweifel?«

»Du weißt doch, dass ich ein Kontrollfreak bin. Ich muss immer alles wissen.«

Mike brach ab.

»Was ist?«, fragte sie.

Er lehnte sich zurück. »Wollen wir weiter um den heißen Brei herumreden?«

»Das hatte ich eigentlich vor, ja.«

Mike wartete.

Ilene Goldfarb seufzte. »Okay, nun sag's schon.«

»Unser erstes Credo lautet tatsächlich ‹Wir dürfen keinen Schaden anrichten.›«

Sie schloss die Augen. »Ja, ja.«

»Wir haben keinen wirklich passenden Spender für Lucas Loriman«, sagte Mike. »Den suchen wir noch.«

»Ich weiß.« Ilene schloss die Augen und sagte: »Und da käme zuerst einmal der leibliche Vater in Frage.«

»Genau. Da hätten wir die besten Chancen auf Übereinstimmung.«

»Wir müssen ihn testen. Das hat erste Priorität.«

»Wir können ihn nicht einfach außer Acht lassen«, sagte Mike. »Auch wenn wir das gern möchten.«

Beide schwiegen eine Weile.

»Und was machen wir jetzt?«, fragte Ilene.

»Ich weiß es auch nicht. Eigentlich haben wir gar keine Wahl.«

*

Betsy Hill stand auf dem Parkplatz der Highschool, um Adam abzufangen.

Sie sah sich in der *Mom Row* um, dem Rand der Maple Avenue, an dem die Mütter – natürlich waren auch ein paar Väter darunter, aber die waren eher die Ausnahmen, die die Regel bestätigten – allein in ihren Autos saßen oder sich in kleinen Gruppen auf der Straße versammelt hatten und darauf warteten, dass die Schultore geöffnet wurden, damit sie ihren Nachwuchs zum Geigenunterricht, zum Zahntechniker oder zum Karatetraining chauffieren konnten.

Früher war auch Betsy Hill eine von diesen Müttern gewesen.

Angefangen hatte sie am Kindergarten-Parkstreifen an der Hillside Elementary, dann war es an der Middle School am Mount Pleasant weitergegangen, und schließlich hatte es hier, nur zwanzig Meter von ihrem jetzigen Standort entfernt, sein vorläufiges Ende genommen. Natürlich erinnerte sie sich noch daran, wie sie auf ihren hübschen Spencer gewartet hatte, wie sie nach dem Läuten der Schulglocke erwartungsvoll durch die Windschutzscheibe geschaut hatte, als die Jugendlichen aus dem Tor herausströmten wie Ameisen, nachdem man mit dem Fuß gegen den Ameisenhaufen gestoßen war. Wenn sie ihren Sohn in der Menschenmenge entdeckte, hatte sie gelächelt, und meistens hatte er dieses Lächeln erwidert – besonders früher.

Sie vermisste die Zeit, als sie noch eine junge Mutter war – die Naivität, die einem beim ersten Kind noch zugestanden wurde. Bei den Zwillingen war das jetzt anders, und das war es auch schon vor Spencers Tod gewesen. Sie blickte noch einmal zu den Müttern hinüber, die sorglos, gedankenlos und furchtlos schwatzten, und sie wollte sie dafür hassen.

Die Glocke läutete. Die Türen öffneten sich. Die Schüler strömten heraus.

Und fast hätte Betsy nach Spencer Ausschau gehalten.

Es war einer von jenen kurzen Momenten, in denen das Gehirn

sich einfach weigerte, einen bestimmten Weg zu beschreiten, und man vergaß, wie schrecklich jetzt alles war, so dass man für den Bruchteil einer Sekunde dachte, dass das alles nur ein schrecklicher Alptraum war. Spencer würde gleich durchs Tor kommen, den Rucksack über die Schulter gehängt, in der typischen, krummen Teenagerhaltung. Betsy würde ihn ansehen, denken, dass er etwas blass war und mal wieder zum Friseur musste.

Die fünf Trauerphasen kannte man – Nichtwahrhabenwollen und Isolierung, Zorn, Verhandeln, Depression, Akzeptanz – bei so einer Tragödie vermischten sie sich allerdings ziemlich stark. Man wollte es nie wahrhaben. Und irgendwo blieb auch immer Zorn. Und schon die Idee der Akzeptanz war obszön. Daher sprachen manche Psychologen lieber vom Loslassen. Sprachlich war das zwar besser, aber auch da hätte sie schreien können.

Was wollte sie hier jetzt eigentlich.

Ihr Sohn war tot. Und daran änderte sich nichts, auch wenn sie noch so lange mit seinen Freunden sprach.

Ihr Gefühl sagte ihr allerdings etwas anderes.

Also war Spencer an dem Abend vielleicht nicht allein gewesen. Was änderte das? Es war zwar ein Klischee, aber davon wurde er auch nicht wieder lebendig. Was suchte sie hier?

Eine Möglichkeit, loslassen zu können?

Da sah sie Adam.

Er war allein. Sein Rucksack schien ihn herunterzuziehen – er zog sie alle herunter, wenn sie so darüber nachdachte. Betsy ließ Adam nicht aus den Augen und ging ein paar Schritte nach rechts, um ihm den Weg abzuschneiden. Wie die meisten Jugendlichen ging Adam mit gesenktem Blick. Sie wartete, achtete aber darauf, dass er direkt auf sie zukam.

Schließlich, als er nah genug war, sagte sie: »Hi, Adam.«

Er blickte auf und blieb stehen. Er war ein gutaussehender Junge, dachte sie. Das waren sie in diesem Alter eigentlich alle. Aber auch Adam hatte sich verändert. Er hatte eine Grenze überschritten und war jetzt so groß, kräftig und muskulös, dass er eher ein junger Mann war als ein Jugendlicher. Sie sah noch etwas von der Kindlichkeit in seinem Gesicht, aber sie sah auch so etwas wie Ablehnung.

»Oh«, sagte er. »Hi, Mrs Hill.«

Adam bog leicht nach links ab und ging weiter.

»Kann ich mal kurz mit dir reden?«, rief Betsy ihm nach.

Er blieb stehen. »Äh, klar. Wieso nicht.«

Mit sportlicher Lässigkeit kam Adam auf sie zu. Er war schon immer sehr sportlich gewesen. Spencer nicht. War auch das ein Aspekt gewesen? Als Sportler hatte man es in einer Kleinstadt wie dieser sehr viel leichter.

Knapp zwei Meter vor ihr blieb er stehen. Er konnte ihr nicht in die Augen sehen, aber das konnten die meisten Jugendlichen nicht. Sie sah ihn ein paar Sekunden lang schweigend an.

»Sie wollten mit mir reden?«, sagte Adam.

»Ja.«

Wieder Schweigen. Sie starrte ihn weiter an. Er zierte sich.

»Tut mir echt leid«, sagte er.

»Was genau?«

Die Antwort überraschte ihn.

»Das mit Spencer.«

»Wieso?«

Er antwortete nicht. Sein Blick schoss wild hin und her, nur ihr Gesicht traf er nicht.

»Adam, sieh mich an.«

In diesem Fall war sie die Erwachsene und er das Kind. Er gehorchte.

»Was ist da in der Nacht passiert?«

Er schluckte und fragte: »Wieso?«

»Du warst bei Spencer.«

Er schüttelte den Kopf. Die Farbe wich aus seinem Gesicht.

»Was ist da passiert, Adam?«

»Ich war nicht bei ihm.«

Sie hielt das Foto von der MySpace-Seite in die Luft, aber er sah wieder zu Boden.

»Adam?«

Er blickte auf. Sie hielt ihm das Foto direkt vor die Nase.

»Das bist du, oder?«

»Keine Ahnung. Schon möglich.«

»Das Foto wurde an dem Abend gemacht, als Spencer gestorben ist.«

Er schüttelte den Kopf.

»Adam?«

»Ich weiß nicht, was Sie von mir wollen, Mrs Hill. Ich hab Spencer an dem Abend nicht gesehen.«

»Guck dir das Foto noch mal genau an.«

»Ich muss los.«

»Adam, bitte …«

»Tut mir leid, Mrs Hill.«

Dann lief er weg. Er lief am Backsteingebäude entlang, bog dahinter ab und war aus ihrem Blickfeld verschwunden.

9

Chefermittlerin Loren Muse sah auf die Uhr. Sie musste zum Meeting.

»Haben Sie die Unterlagen?«, fragte sie.

Ihre Assistentin war eine junge Frau namens Chamique Johnson. Muse hatte sie bei einem ziemlich aufsehenerregenden Vergewaltigungsprozess kennen gelernt. Nach anfänglichen Schwierigkeiten mit den Dienstwegen, hatte sie sich im Büro inzwischen praktisch unentbehrlich gemacht.

»Liegen hier«, sagte Chamique.

»Das ist 'ne große Sache.«

»Ich weiß.«

Muse nahm den Umschlag. »Ist das alles?«

Chamique runzelte die Stirn. »Also ehrlich, die Frage war jetzt echt überflüssig.«

Muse entschuldigte sich und ging den Korridor entlang zum Büro des Bezirksstaatsanwalts von Essex County – also zum Büro ihres Chefs Paul Copeland.

Die Rezeptionistin – sie war neu, und Muse konnte sich einfach keine Namen merken – empfing sie mit einem freundlichen Lächeln. »Die warten schon alle auf Sie.«

»Wer wartet auf mich.«

»Staatsanwalt Copeland.«

»Sie haben gesagt, dass ›die schon alle‹ auf mich warten.«

»Wie bitte?«

»Sie haben gesagt, ›die‹ warten ›schon alle‹ auf mich. Das heißt, es handelt sich um mehr als eine Person. Wahrscheinlich sind es auch mehr als zwei.«

Die Rezeptionistin sah sie verwirrt an. »Ach, stimmt. Da sind vier oder fünf Leute drin.«

»Im Büro von Staatsanwalt Copeland?«

»Ja.«

»Wer.«

Sie zuckte die Achseln. »Noch ein paar Ermittler, glaube ich.«

Muse wusste nicht, was sie davon halten sollte. Sie hatte um ein Gespräch unter vier Augen gebeten, um die heikle Situation mit Frank Tremont zu klären. Sie hatte keine Ahnung, was die anderen Ermittler da sollten.

Schon von draußen hörte sie das Lachen. Wenn man ihren Chef Paul Copeland mitzählte, waren tatsächlich schon sechs Personen im Raum. Nur Männer. Frank Tremont war einer von ihnen. Und noch drei ihrer Ermittler. Auch der letzte kam ihr irgendwie bekannt vor. Er hielt einen Block und einen Kugelschreiber in der Hand und hatte ein Diktiergerät vor sich auf dem Tisch stehen.

Cope – alle nannten Paul Copeland so – saß hinter seinem Schreibtisch und lachte aus vollem Hals über irgendetwas, das Tremont ihm gerade zugeflüstert hatte.

Muses Wangen fingen an zu brennen.

»Hey, Muse«, rief Copeland.

»Cope«, sagte sie, und nickte den anderen zu.

»Kommen Sie rein, und machen Sie die Tür zu.«

Sie trat ein. Alle Blicke richteten sich auf sie. Ihre Wangen brannten stärker. Sie hatte das Gefühl, in eine Falle gelockt worden zu sein und versuchte, Cope einen finsteren Blick zuzuwerfen. Er reagierte nicht, sondern lächelte nur wie der hübsche Naivling, der er manchmal war. Sie versuchte, ihm durch Blicke mitzuteilen, dass sie zuerst mit ihm allein sprechen wollte – dass sie das Gefühl hatte, in einen Hinterhalt geraten zu sein, aber auch darauf reagierte er nicht.

»Dann fangen wir doch am besten gleich an, ja?«

Loren Muse sagte: »Okay.«

»Ach, Moment noch. Weiß jeder, wer hier wer ist?«

Cope hatte in der Behörde ein kleines Erdbeben ausgelöst, als er nach seiner Wahl zum Bezirksstaatsanwalt Loren Muse zu seiner Chefermittlerin gemacht hatte. Normalerweise bekam ein leicht resignierter Veteran diesen Posten, auf jeden Fall aber ein Mann, dessen Hauptaufgabe dann meist darin bestand, den »Politiker« und Neuling in die Tücken des Systems einzuweihen. Als Cope sich für Loren Muse entschied, gehörte sie zu den jüngsten Ermittlern im Department. Als er von den lokalen Medienvertretern gefragt wurde, welche Kriterien dafür gesprochen hätten, eine junge Frau den erfahrenen männlichen Veteranen vorzuziehen, hatte seine Antwort aus zwei Worten bestanden: »Ihre Verdienste.«

Und jetzt war sie mit vier dieser übergangenen Veteranen in einem Raum.

»Ich kenne nur Sie nicht«, sagte Muse und nickte in Richtung des Mannes mit Block und Kugelschreiber.

»Oh, Entschuldigung.« Cope streckte die Hand aus wie ein Gastgeber in einer Spielshow, schaltete das dazu passende Fernsehlächeln ein und sagte: »Das ist Tom Gaughan, Berichterstatter vom *Star Ledger*.«

Muse sagte nichts. Tremonts Reporter-Schwager. Das wurde ja immer besser.

»Haben Sie was dagegen, wenn wir jetzt anfangen?«, fragte Copeland.

»Wie Sie meinen, Cope.«

»Gut. Also, Frank hat eine Beschwerde. Frank, legen Sie los. Sie haben das Wort.«

Paul Copeland ging auf die vierzig zu. Seine Frau war direkt nach der Geburt der inzwischen siebenjährigen Tochter Cara an Krebs gestorben. Er hatte sie allein erzogen. Zumindest bis jetzt. Ein Foto von Cara war nicht mehr im Büro. Das war früher anders gewesen. Muse erinnerte sich noch, dass am Anfang eins hinter ihm im Regal gestanden hatte. Cope hatte es einen Tag nach der Vernehmung eines Kinderschänders entfernt. Sie hatte zwar nicht nachgefragt, ging aber davon aus, dass zwischen diesen Ereignissen eine Verbindung bestand.

Er hatte auch kein Foto von seiner Verlobten im Büro, am Kleiderständer hing jedoch ein Smoking in einer Plastikhülle. Nächsten Sonntag war die Hochzeit. Muse würde hingehen. Sie war sogar eine der Brautjungfern.

Cope setzte sich hinter seinen Schreibtisch und überließ Tremont das Wort. Muse musste stehen, weil kein Stuhl mehr frei war. Sie war genervt und fühlte sich schutzlos. Ein Untergebener würde sie angreifen – und Cope, der sie eigentlich schützen müsste, ließ das einfach geschehen. Sie versuchte zwar, nicht auf Schritt und Tritt *Sexismus* zu schreien, aber ein Mann hätte sich Tremonts Schwachsinn keine Sekunde angehört. Sie hatte die

Macht, ihn zu feuern, ganz egal welche politischen oder medialen Auswirkungen das nach sich zog.

Sie stand da und kochte vor Wut.

Obwohl er saß, zog Frank Tremont sich die Hose hoch. »Also, ich will Ms Muse gegenüber ja nicht respektlos sein …«

»Chefermittlerin Muse«, sagte Loren.

»Wie bitte?«

»Ich bin nicht Ms Muse. Ich habe einen Titel. Ich bin Chefermittlerin. Ihr Boss.«

Tremont lächelte. Langsam drehte er sich zu seinen Ermittlerkollegen und seinem Schwager um. Seine höhnische Miene sagte: Seht ihr, was ich meine?

»Da sind wir heute wohl mit dem falschen Fuß aufgestanden, was?«, fing er an, um dann in sarkastischem Ton hinzuzufügen: »Chefermittlerin Muse?«

Muse sah Cope an. Der reagierte nicht. Er warf ihr auch keinen beschwichtigenden Blick zu, sondern sagte nur: »Entschuldigen Sie die Unterbrechung, Frank. Machen Sie weiter.«

Muse ballte die Fäuste.

»Gut, ich hab jedenfalls achtundzwanzig Jahre Erfahrung in der Verbrechensbekämpfung. Der Fall mit der ermordeten Hure im Fifth Ward ist bei mir gelandet. Na ja, und es ist eine Sache, wenn sie da uneingeladen am Tatort aufläuft. Das gefällt mir nicht. Es widerspricht unserem Kodex. Aber okay, wenn Muse den Eindruck schinden will, dass sie uns helfen kann, was soll's. Dann fängt sie plötzlich an, Befehle zu geben. Reißt den Fall an sich und untergräbt vor den Kollegen von der Streife meine Autorität.«

Er breitete die Arme aus. »Und das ist dann wirklich nicht mehr in Ordnung.«

Cope nickte. »Der Fall war also bei Ihnen gelandet.«

»Genau.«

»Erzählen Sie mir was darüber.«

»Hä?«

»Erzählen Sie mir was über den Fall.«

»Viel haben wir noch nicht. Eine Hure lag tot im Müllcontainer. Jemand hat ihr böse das Gesicht zerschlagen. Die Gerichtsmedizinerin glaubt, sie wurde totgeprügelt. Eine Identifizierung war noch nicht möglich. Wir haben ein paar von den anderen Huren gefragt, die da rumhingen, die wussten aber auch nicht, wer sie ist.«

»Kannten die anderen Huren nur ihren Namen nicht, oder hatten sie sie noch nie gesehen?«

»Die sagen natürlich nicht viel, Sie wissen ja, wie das ist. Da hat wieder mal keiner irgendwas gesehen. Wir bleiben aber weiter an ihnen dran.«

»Sonst noch was?«

»Wir haben ein grünes Kopftuch gefunden. Der Farbton passt nicht perfekt, im Prinzip passt es aber zu einer neuen Gang, die sich da breit macht. Ich hab ein paar von den uns bekannten Mitgliedern festnehmen lassen. Wir befragen sie und gucken mal, ob wir jemand mit einem ähnlichen Modus Operandi finden, der in dem Gebiet schon mehrere Prostituierte umgebracht hat.«

»Und?«

»Bis jetzt haben wir noch nichts. Na ja, ermordete Huren haben wir genug. Das brauch ich Ihnen ja nicht zu sagen, Boss. Das war schon die siebte dieses Jahr.«

»Fingerabdrücke?«

»In unseren Datenbanken haben wir keine Übereinstimmung. Als Nächstes sind die Rechner vom *National Crime Information Center* dran, aber das dauert natürlich.«

Cope nickte. »Okay, und der genaue Grund für Ihre Beschwerde ist also, dass sie …?«

»Hören Sie, ich will hier niemandem auf die Zehen treten, aber eins ist doch wohl sonnenklar: Sie gehört eigentlich gar nicht auf den Posten. Sie haben sie genommen, weil sie eine Frau ist. Das versteh ich. So läuft das heutzutage eben. Ein Mann kann sich den Arsch aufreißen und alt und grau werden, das nützt aber alles nichts, wenn ein Kollege schwarze Haut oder keine Eier hat. So weit, so gut. Aber das ist auch Diskriminierung. Na ja, nur weil ich ein Kerl bin und sie eine Frau ist, kann sie sich doch nicht alles erlauben, oder? Wenn ich hier Boss wäre und alles anzweifeln würde, was sie so macht, würde sie wahrscheinlich Vergewaltigung oder sexuelle Belästigung schreien und mich verklagen.«

Wieder nickte Cope. »Klingt plausibel.« Er sah Loren an. »Muse?«

»Was ist?«

»Möchten Sie etwas dazu sagen?«

»Erstens bin ich nicht sicher, ob ich wirklich die einzige Person im Zimmer bin, die keine Eier hat.«

Sie sah Tremont an.

Cope fragte: »Noch was?«

»Ich fühle mich in die Ecke gedrängt.«

»Keineswegs«, sagte Cope. »Sie sind seine Vorgesetzte, das heißt aber nicht, dass sie ihn wie ein Babysitter auf Schritt und Tritt kontrollieren sollen. Ich bin schließlich auch Ihr Vorgesetzter, und gucke Ihnen nicht bei jeder Kleinigkeit auf die Finger.«

Muse schäumte vor Wut.

»Ermittler Tremont arbeitet schon lange hier. Er hat hier viele Freunde und Beziehungen. Daher habe ich ihm diese Gelegenheit gegeben. Er wollte damit an die Presse gehen und eine formelle Beschwerde gegen Sie einreichen. Ich habe ihn zu diesem Gespräch eingeladen. Damit wir uns von Angesicht zu Angesicht unterhalten können. Er durfte auch Mr Gaughan einladen, damit er sicher sein kann, dass wir nichts unter den Tisch kehren wollen und keine feindselige Stimmung aufkommt.«

Alle sahen sie an.

»Also frage ich Sie noch einmal«, sagte Cope und sah sie an, »ob Sie etwas zu dem sagen wollen, was Ermittler Tremont uns gerade erzählt hat?«

Jetzt lächelte Cope. Fast unsichtbar. Eigentlich hatte er nur die Mundwinkel ein ganz kleines bisschen hochgezogen. Plötzlich verstand sie, was er vorhatte.

»Ja, das habe ich.«

»Dann überlasse ich Ihnen das Wort.«

Cope lehnte sich zurück und verschränkte die Hände hinter dem Kopf.

»Erstens glaube ich, dass die Ermordete keine Prostituierte war.«

Cope zog die Augenbrauen hoch, als wäre es das Unglaublichste, was er je gehört hatte. »Sie glauben nicht, dass die Frau eine Prostituierte war?«

»Nein.«

»Aber ich habe doch ihre Kleidung gesehen«, sagte Cope, »und natürlich gerade Franks Bericht gehört. Dazu kommt der Fundort der Leiche. Jeder weiß doch, dass sich da viele Huren rumtreiben.«

»Der Mörder wusste das auch«, sagte Muse. »Genau deshalb hat er sie da hingelegt.«

Frank Tremont lachte laut auf. »Muse, Sie labern echt nur Scheiße. Sie brauchen Beweise, Süße. Weibliche Intuition allein reicht nicht.«

»Sie wollen Beweise, Frank?«

»Klar, lassen Sie hören. Sie haben doch nichts in der Hand.«

»Fangen wir mit der Hautfarbe an.«

»Was soll das heißen?«

»Das heißt, sie ist eine Weiße.«

»Oh, das ist ja wirklich großartig«, sagte Tremont und richtete die Handflächen nach oben.« Er sah Gaughan an. »Schreib das auf, Tom, das ist unbezahlbar. Ich erwähne beiläufig, dass eine Prostituierte bei uns vielleicht – wenn auch nur ganz vielleicht – nicht gerade erste Priorität genießt und werd dafür sofort zu einem bornierten Neandertaler erklärt. Aber wenn sie behauptet, dass unser Opfer unmöglich eine Hure sein kann, weil sie weiß ist, tja, dann ist das natürlich erstklassige Polizeiarbeit.«

Er hob drohend den Zeigefinger in ihre Richtung. »Muse, Sie müssen noch ein bisschen Zeit auf der Straße verbringen.«

»Sie haben gerade gesagt, dass dort dieses Jahr sieben andere Prostituierte ermordet worden sind.«

»Ja und?«

»Wissen Sie zufällig, wie viele davon Afroamerikanerinnen waren?«

»Das hat doch absolut nichts zu sagen. Vielleicht waren die anderen sechs auch – was weiß ich – groß, und diese war klein, das heißt aber doch nicht, dass sie keine Hure gewesen sein kann.«

Muse ging zum schwarzen Brett hinter Cope. Sie zog ein Foto aus dem Umschlag und heftete es an. »Dieses Bild wurde am Tatort gemacht.«

Alle sahen es an.

»Das ist die Menschenmenge, die sich hinter dem Absperrband versammelt hat«, sagte Tremont.

»Sehr gut, Frank. Aber nächstes Mal heben Sie die Hand und warten, dass ich Sie aufrufe.« Tremont verschränkte die Arme. »Und was genau sollen wir uns jetzt angucken?«

»Was sehen Sie da?«, fragte Loren.

»Huren«, sagte Tremont.

»Genau. Wie viele?«

»Keine Ahnung. Soll ich sie zählen?«

»Eine Schätzung reicht.«

»So um die zwanzig.«

»Dreiundzwanzig. Gut geschätzt, Frank.«

»Und worauf wollen Sie hinaus?«

»Jetzt zählen Sie bitte alle Weißen.«

Man brauchte nicht lange zu zählen: null.

»Ist das jetzt Ihr Beweis dafür, dass es keine weißen Huren gibt, Muse?«

»Natürlich gibt es weiße Huren. Aber in der Gegend so gut wie keine. Ich habe mir die Akten aus den letzten drei Monaten angesehen. In der Zeit ist im Umkreis von drei Blocks nicht eine einzige Weiße wegen Kontaktanbahnung oder Ähnlichem festgenommen worden. Außerdem sind die Fingerabdrücke des Opfers nicht aktenkundig, wie Sie schon richtig festgestellt haben. Und wie viele Prostituierte aus dieser Gegend können das von sich behaupten?«

»Viele«, sagte Tremont. »Sie kommen aus einem anderen Bundesstaat, bleiben eine Weile und ziehen dann weiter nach Atlantic City.« Tremont breitete die Arme aus. »Wow, Muse, Sie sind ja wirklich klasse. Eigentlich könnte ich auf der Stelle den Dienst quittieren.«

Er gluckste. Muse nicht.

Muse zog weitere Fotos aus dem Umschlag und hängte sie auf. »Sehen Sie sich die Arme des Opfers an.«

»Gut, und dann?«

»Keine Einstichnarben. Nicht eine einzige. Die bisherigen Tests haben keinen Hinweis auf illegale Drogen ergeben. Und jetzt frage ich Sie noch einmal, Frank. Was schätzen Sie, wie viele weiße Huren im 5. Bezirk keine Junkies sind?«

Das nahm ihm etwas den Wind aus den Segeln.

»Sie ist gut ernährt«, fuhr Muse fort, »was heutzutage nicht mehr ganz so viel zu sagen hat wie früher, aber doch noch erwähnenswert ist. Sie hatte vor dem Mord auch keine größeren Hautabschürfungen oder Blutergüsse, was für eine Hure aus dieser Gegend auch ungewöhnlich ist. Über die Zahnpflege und die Qualität der Zahnbehandlungen können wir nicht viel sagen, weil die meisten Zähne herausgeschlagen wurden – die verbliebenen waren gut versorgt. Aber jetzt gucken Sie sich das mal an.«

Sie hängte ein weiteres Foto ans schwarze Brett.

»Schuhe?«, sagte Tremont.

»Dafür bekommen Sie einen goldenen Stern, Frank.«

Copes Blick besagte, dass sie auf den Sarkasmus verzichten sollte.

»Nuttenschuhe«, fuhr Tremont fort. »Hochhackige Fick-mich-Pumps. Gucken Sie sich die hässlichen Gurken an, die Sie anhaben, Muse. Haben Sie je solche Stöckelschuhe angehabt?«

»Nein, hab ich nicht, Frank. Und Sie?«

Die Ermittler kicherten kurz. Cope schüttelte den Kopf.

»Und worauf wollen Sie jetzt hinaus?«, fragte Tremont. »Die stammen direkt aus dem Nuttenkatalog.«

»Gucken Sie sich die Sohlen mal von unten an.«

Sie deutete mit einem Stift auf die entsprechenden Stellen.

»Was soll ich da sehen?«

»Nichts. Und genau das ist es. Keine Schramme. Nicht eine einzige.«

»Dann sind sie neu.«

»Zu neu. Ich habe einen Ausschnitt vergrößern lassen.« Sie hängte die Vergrößerung daneben. »Nicht ein einziger Kratzer. In diesen Schuhen ist niemals jemand gegangen. Keinen Schritt.«

Es wurde still im Raum.

»Na und?«

»Guter Konter, Frank.«

»Sie können mich mal, Muse, das heißt doch nicht ...«

»Sie hatte übrigens kein Sperma in sich.«

»Na und? Vielleicht war es der erste Kunde am Abend.«

»Möglich. Außerdem sollten Sie mal nachgucken, an welchen Stellen sie gebräunt ist.«

»Wo sie was ist?«

»Gebräunt. Von der Sonne.«

Er versuchte, sie ungläubig anzusehen, konnte sich aber der Unterstützung seiner Kollegen nicht mehr sicher sein. »Die Gegend wird nicht umsonst als Straßenstrich bezeichnet. Straßen sind nämlich draußen, falls Sie das noch nicht wussten. Und Straßenmädchen halten sich oft unter freiem Himmel auf.«

»Abgesehen von der Tatsache, dass wir in letzter Zeit nicht viel Sonne hatten, passen die Bräunungsstreifen einfach nicht. Die weißen Stellen laufen hier entlang«, sie deutete auf die Schultern, »und der Bauch hat auch keine Farbe. Kurz gesagt, die Frau trug normalerweise Trägerhemden, keine Bikini-Tops. Und dann wäre da noch das Kopftuch, das sie in der Hand hatte.«

»Das sie dem Täter beim Angriff vom Kopf gerissen hat.«

»Nein, das hat sie nicht. Dieses Tuch wurde ihr ganz offensichtlich untergeschoben. Die Leiche wurde bewegt, Frank. Wir sollten glauben, dass sie es dem Täter im Kampf entrissen hat – aber wieso hat er es dann einfach dagelassen, als er die Leiche an einen anderen Ort gebracht hat? Klingt das etwa logisch?«

»Vielleicht wollte eine Gang ein Zeichen setzen.«

»Vielleicht. Aber außerdem haben wir noch die Schläge selbst.«

»Was ist damit?«

»Das ist übertrieben. So präzise schlägt man Menschen nicht zusammen.«

»Und was glauben Sie, was da passiert ist?«

»Das liegt doch auf der Hand. Irgendjemand wollte verhindern, dass wir die Leiche identifizieren. Und noch was. Überlegen Sie mal, wo die Leiche abgeladen worden ist.«

»An einem bekannten Hurentreffpunkt.«

»Genau. Und wir wissen inzwischen, dass sie da nicht ermordet worden ist. Sie wurde dahin gebracht. Warum gerade dahin? Wenn sie eine Hure war, warum sollte man uns das auf die Nase binden? Warum sollte man eine Hure ausgerechnet an einem bekannten Hurentreff abladen? Ich sag Ihnen warum. Wenn wir sie nämlich irrtümlicherweise von Anfang an für eine Hure halten und ein fauler, breitarschiger Ermittler den Fall übernimmt und sich so wenig Arbeit wie möglich machen will ...«

»Wen haben Sie hier breitarschig genannt?«

Frank Tremont war aufgesprungen. Cope sagte ganz ruhig: »Setzen Sie sich wieder hin, Frank.«

»Lassen Sie sie einfach …?«

»Psst«, sagte Cope. »Hören Sie das?«

Alle schwiegen.

»Was?«

Cope legte eine Hand an die Ohrmuschel. »Da, Frank. Hören Sie's?« Er flüsterte. »Das ist das Geräusch der Inkompetenz, die in der Öffentlichkeit verbreitet wird. Nicht nur der Inkompetenz, sondern auch der selbstzerstörerischen Dummheit, sich mit Ihrer Vorgesetzten anzulegen, wenn die Fakten Ihr Vorgehen nicht stützen.«

»Das muss ich mir nicht bieten …«

»Psst. Hören Sie. Horchen Sie.«

Muse musste sich zwingen, nicht laut loszuprusten.

»Haben Sie das auch gehört, Mr Gaughan?«, fragte Cope.

Gaughan räusperte sich. »Ich habe gehört, was ich hören musste.«

»Gut, ich nämlich auch. Und da Sie darum gebeten hatten, diese Besprechung aufzeichnen zu dürfen, fühlte ich mich verpflichtet, das auch zu tun.« Cope zeigte auf ein kleines Diktiergerät, das auf dem Schreibtisch hinter einem Buch gelegen hatte. »Nur für den Fall, dass Ihr Chef ganz genau wissen will, was hier passiert ist, und Ihr Aufnahmegerät eine Fehlfunktion hatte oder so etwas. Es soll ja keiner glauben, dass Sie die Geschichte zu Gunsten Ihres Schwagers einfärben, oder?«

Cope lächelte ihnen zu. Sie erwiderten das Lächeln nicht.

»Gentlemen, möchte sonst noch jemand etwas dazu sagen? Nein? Gut. Also zurück an die Arbeit. Frank, Sie nehmen sich den Rest des Tages frei. Denken Sie darüber nach, welche Möglichkeiten Ihnen offen stehen, und vielleicht sollten Sie sich dabei auch mit den großzügigen Ruhestandsregelungen beschäftigen, die wir unseren Mitarbeitern anbieten.«

10

Als Mike nach Hause kam, schaute er zum Haus der Lorimans hinüber. Es rührte sich nichts. Er wusste, dass er den ersten Schritt machen musste.

Erstens, keinen Schaden anrichten. Das war ihr Credo.

Und zweitens?

Das war schon komplizierter.

Er warf die Schlüssel und das Portemonnaie in den kleinen Ablagekorb, den Tia extra aufgestellt hatte, weil Mike diese Gegenstände immer irgendwo im Haus verbummelte. Es funktionierte tatsächlich. Tia hatte sich nach ihrer Landung in Boston kurz telefonisch gemeldet. Sie bereitete sich auf die Zeugenbefragung am nächsten Morgen vor. Die könnte sich eine Weile hinziehen, aber sie würde mit der nächsten Maschine wieder zurückkommen. Das hätte keine Eile, hatte er ihr gesagt.

»Hi, Daddy!«

Jill war um die Ecke gekommen. Als Mike ihr Lächeln sah, fielen der Stress mit den Lorimans und der andere Ärger von ihm ab und machten einer gelösten Stimmung Platz.

»Hi, Schatz. Ist Adam auf seinem Zimmer?«

»Nein«, sagte Jill.

Das war's dann auch mit der gelösten Stimmung.

»Wo ist er?«

»Keine Ahnung. Ich dachte, er ist hier unten.«

Sie riefen ihn. Keine Antwort.

»Dein Bruder sollte auf dich aufpassen«, sagte Mike.

»Vor zehn Minuten war er noch da«, sagte sie.

»Und jetzt?«

Jill runzelte die Stirn. Ein Stirnrunzeln erstreckte sich bei ihr auf den ganzen Körper. »Ich dachte, ihr geht heute Abend zum Eishockeyspiel.«

»Machen wir auch.«

Jill wirkte beunruhigt.

»Was ist los, Schatz?«

»Nichts.«

»Wann hast du deinen Bruder zuletzt gesehen?«

»Ich weiß nicht. Vor ein paar Minuten.« Sie fing an, auf einem Fingernagel herumzukauen. »Sollte er nicht eigentlich bei dir sein?«

»Er kommt bestimmt gleich wieder«, sagte Mike.

Jill sah unsicher aus. Mike fühlte sich genauso.

»Bringst du mich trotzdem zu Yasmin?«, fragte sie.

»Klar.«

»Dann hol ich eben meine Tasche, ja?«

»Gut.«

Jill lief die Treppe hoch. Mike sah auf die Uhr. Er hatte eine Absprache mit Adam – sie wollten um halb fünf hier losfahren, Jill unterwegs bei ihrer Freundin absetzen und dann weiter zum Rangers-Spiel nach Manhattan.

Adam hätte zu Hause sein müssen. Er sollte ein bisschen auf seine Schwester aufpassen.

Mike atmete tief durch. Okay, noch gab es keinen Grund zur Panik. Er beschloss, Adam noch zehn Minuten zu geben. Er sah die Post durch und musste wieder an die Lorimans denken. Das konnte er nicht verschieben. Ilene und er hatten eine Entscheidung getroffen, und die musste er jetzt umsetzen.

Er ging zum Computer, rief das Adressbuch auf und klickte auf die Lorimans. Susan Lorimans Handynummer war aufgeführt. Weder er noch Tia hatten sie je angerufen, aber so war das unter Nachbarn – für eventuelle Notfälle tauschte man auch die Telefonnummern aus.

Und dies war eindeutig ein Notfall.

Er wählte die Nummer. Susan meldete sich nach dem zweiten Klingeln.

»Hallo?«

Ihre Stimme war sanft und warm und fast ein wenig gehaucht. Mike räusperte sich.

»Hier ist Mike Baye«, sagte er.

»Ist alles in Ordnung?«

»Ja. Also, es gibt nichts Neues. Bist du allein?«

Schweigen.

Dann sagte Susan: »Die DVD haben wir zurückgebracht.«

Eine andere Stimme – sie klang wie Dantes – fragte: »Wer ist das?«

»Blockbuster«, sagte sie.

Okay, dachte Mike, offenbar ist sie nicht allein. »Du hast meine Nummer.«

»So bald wie möglich. Danke.«

Klick.

Mike rieb sich mit beiden Händen übers Gesicht. Toll. Einfach fantastisch.

»Jill!«

Sie erschien oben an der Treppe. »Was ist?«

»Hat Adam irgendwas gesagt, als er nach Hause gekommen ist?«

»Nur: ›Hi, Zwerg‹.«

Sie lächelte, als sie das sagte.

Mike hatte die Stimme seines Sohns im Ohr. Adam liebte seine Schwester, und sie liebte ihn. Im Gegensatz zu den meisten anderen Geschwistern stritten die beiden sich so gut wie nie. Vielleicht lag es daran, dass sie so unterschiedlich waren. Ganz egal wie mürrisch oder schlecht gelaunt Adam auch war, an seiner Schwester ließ er es nie aus.

»Hast du irgendeine Ahnung, wo er hingegangen sein könnte?«

Jill schüttelte den Kopf. »Ist mit ihm alles in Ordnung?«

»Ihm geht's gut, mach dir keine Sorgen. Ich fahr dich gleich zu Yasmin, okay?«

Beim Treppensteigen nahm Mike zwei Stufen auf einmal. Er spürte ein leichtes Stechen im Knie, eine alte Verletzung aus seinen Eishockeytagen. Vor ein paar Monaten hatte er sich operieren lassen. Er hatte dem Chirurgen, einem Freund namens Dave Gold, erzählt, dass er nicht mit dem Eishockeyspielen aufhören wollte und ihn gefragt, ob das einen langfristigen Schaden hinterlassen hatte. David hatte ihm Oxycodon verschrieben und erwidert: »Viele ehemalige Schachspieler sehe ich hier nicht in meiner Praxis. Also sag du's mir.«

Mike öffnete Adams Zimmertür. Es war keiner da. Mike suchte nach irgendetwas, das ihm einen Hinweis darauf gab, wohin sein Sohn gegangen sein könnte. Er fand nichts.

»Oh, aber er wird doch nicht …«, sagte Mike zu sich selbst.

Er sah auf die Uhr. Spätestens jetzt hätte Adam zu Hause sein müssen – aber eigentlich hätte er die ganze Zeit da sein sollen. Wie konnte er seine Schwester allein lassen? So etwas machte er sonst nie. Mike zog sein Handy aus der Tasche und drückte die Kurzwahltaste. Er hörte das Klingeln, dann meldete sich Adams Stimme und bat ihn, eine Nachricht zu hinterlassen.

»Wo bist du? Wir müssen los zum Rangers-Spiel. Außerdem hast du deine Schwester allein gelassen. Ruf mich sofort an.«

Er drückte die rote Taste.

Zehn Minuten vergingen. Adam meldete sich nicht. Mike rief noch einmal an und presste eine weitere Nachricht durch zusammengebissene Zähne.

Jill sagte: »Dad?«

»Ja, meine Kleine?«

»Wo ist Adam?«

»Er kommt bestimmt gleich nach Haus. Pass auf, ich bring dich eben zu Yasmin, dann komm ich zurück und hol deinen Bruder ab, okay?«

Mike rief Adam ein drittes Mal an und sprach auf die Mailbox, dass er gleich wieder zurückkommen würde. Er dachte an das letzte Mal, als er mehrere Nachrichten hintereinander auf Adams Mailbox hinterlassen hatte – damals war Adam ausgerissen, und sie hatten zwei Tage lang nichts von ihm gehört. Mike und Tia waren fast durchgedreht. Im Nachhinein war nichts passiert.

Wehe, wenn er diese Nummer noch mal abzieht, dachte Mike. Und im gleichen Moment dachte er: *Gott, ich hoffe nur, dass er diese Nummer noch mal abzieht.*

Mike nahm einen Zettel, kritzelte etwas drauf und legte ihn auf den Küchentisch.

Adam,
Ich setz Jill ab. Mach dich fertig, ich bin gleich zurück.

Auf Jills Rucksack klebte ein Rangers-Emblem. Sie interessierte sich zwar nicht besonders für Eishockey, der Rucksack hatte aber früher Adam gehört, und Jill verehrte Adam und seine abgelegten Sachen. Seit Kurzem trug sie auch eine ihr viel zu große grüne Windjacke aus der Zeit, als Adam noch in der Kinderliga gespielt hatte. Rechts auf der Brust war Adams Name eingestickt.

»Dad?«

»Was ist, mein Schatz?«

»Ich mach mir Sorgen wegen Adam.«

Sie sagte es nicht wie ein kleines Mädchen, das sich erwachsen gab, sondern wie eine Jugendliche, die für ihr Alter schon über viel zu viel Bescheid wusste.

»Wie kommst du darauf?«

Sie zuckte die Achseln.

»Hat er dir irgendwas gesagt?«

»Nein.«

Mike bog in die Straße ein, in der Yasmin wohnte, und hoffte, dass Jill noch mehr dazu sagen würde. Das tat sie aber nicht.

Früher, als Mike noch ein Kind war, hatten seine Eltern ihn einfach abgesetzt und waren weitergefahren, manchmal hatten sie vielleicht noch kurz gewartet bis die Haustür geöffnet wurde. Heutzutage begleiteten die Eltern ihren Nachwuchs bis zur Tür. Mike fand das normalerweise übertrieben, aber wenn Jill irgendwo übernachtete, besonders da sie noch so jung war, sah er gern kurz nach dem Rechten. Er klopfte, und Guy Novak, Yasmins Vater, öffnete die Tür.

»Hey, Mike.«

»Hey, Guy.«

Guy trug noch den Anzug von der Arbeit, hatte nur die Krawatte abgenommen. Dazu trug er eine etwas zu auffällige, modische Schildpattbrille und die Haare aufwendig verstrubbelt. Guy war einer der vielen Väter im Ort, die an der Wall Street arbeiteten, und Mike verstand auch beim besten Willen nicht richtig, was genau sie da eigentlich machten. Es ging um Hedgefonds, Treuhandkonten, Kreditabteilungen und Börsengänge. Manche arbeiteten auf dem Parkett, verkauften Versicherungen oder Wertpapiere – für Mike war das Ganze nur ein riesiges, undurchsichtiges Finanzknäuel.

Guy war schon seit Jahren geschieden, und Mike hatte den etwas chaotischen Erzählungen seiner elfjährigen Tochter entnommen, dass er sich oft mit Frauen verabredete.

»Seine Freundinnen knutschen ihn immer ab bis Yasmin auftaucht«, hatte Jill ihm erzählt. »Ist irgendwie witzig.«

Jill schob sich an ihnen vorbei. »Bye, Dad.«

»Tschüss, Kleine.«

Mike wartete, bis sie im Haus verschwunden war, dann wandte er sich an Guy Novak. So sexistisch das auch sein mochte – er ließ seine Tochter lieber bei einer alleinerziehenden Mutter. Der Gedanke, dass seine vorpubertäre Tochter die Nacht im Haus eines alleinstehenden erwachsenen Mannes verbrachte, behagte ihm nicht. Wobei das eigentlich keine Rolle spielen sollte. Wenn Tia nicht zu Haus war, kümmerte Mike sich auch manchmal um die Mädchen. Trotzdem …

Die Männer standen sich gegenüber. Dann brach Mike das Schweigen.

»Und?«, fragte Mike, »was haben Sie mit den beiden geplant?«

»Wahrscheinlich gehen wir ins Kino«, sagte Guy. »Vielleicht aber auch bei Baumgart's Eis essen. Ich, äh, ich hoffe, Sie haben nichts dagegen, dass meine Freundin heute Abend noch vorbeikommt. Sie geht auch mit.«

»Kein Problem«, sagte Mike und dachte: Besser so.

Guy sah sich um. Er zog die Tür hinter sich zu, sah zur Straße und steckte die Hände in die Hosentaschen. Mike musterte sein Profil.

»Ist alles in Ordnung?«, fragte Mike.

»Jill war in letzter Zeit wirklich toll«, sagte Guy leise.

Mike wusste nicht, was er darauf sagen sollte, also schwieg er.

»Ich weiß gar nicht, wie ich damit umgehen soll. Na ja, als Vater tut man natürlich, was man kann. Man versucht, sie zu beschützen, kümmert sich ums Essen und die Erziehung. Yasmin musste ja schon in sehr jungen Jahren eine Scheidung verarbeiten. Das hat sie aber ganz gut hingekriegt. Sie war glücklich, beliebt und viel unterwegs. Und dann passiert plötzlich so was.«

»Meinen Sie die Sache mit Mr Lewiston?«

Guy nickte. Er biss die Zähne fest zusammen, trotzdem zitterte sein Unterkiefer. »Ihnen sind die Veränderungen doch auch aufgefallen, oder?«

Mike beschloss, die Wahrheit zu sagen. »Sie ist jetzt sehr in sich gekehrt.«

»Wissen Sie, was Lewiston zu ihr gesagt hat?«

»Nein, nicht genau.«

Guy schloss die Augen, atmete tief durch und öffnete sie dann wieder. »Wahrscheinlich hat Yasmin im Unterricht Faxen gemacht, nicht zugehört oder was weiß ich. Als ich Lewiston hinterher zur Rede gestellt habe, hat er gesagt, dass er sie zweimal ermahnt hat. Tatsache ist, dass Yasmin eine leichte Gesichtsbehaarung hat. Nicht viel, aber man erkennt einen ganz leichten Schnurrbart. Ein Vater sieht das gar nicht, und ihre Mutter – die ist halt nicht da. Ich bin also überhaupt nicht auf die Idee gekommen, ihr eine Elektroresektion oder so etwas vorzuschlagen. Na ja, Lewiston steht jedenfalls vorn vor der Klasse und erklärt die Chromosome, und sie tuschelt hinten mit ihren Nachbarinnen, als es ihm zu bunt wird. Er sagt: ›Gelegentlich treten auch bei Frauen männliche Geschlechtsmerkmale wie Gesichtsbehaarung auf – hörst du zu, Yasmin?‹ Oder so ähnlich.«

Mike sagte: »Schrecklich.«

»Unentschuldbar, oder? Er hat sich in der Klasse auch nicht sofort entschuldigt, weil er, wie er meinte, nicht noch mehr Aufmerksamkeit auf seine Worte lenken wollte. Und die Kinder in der Klasse haben der Reihe nach losgeprustet. Yasmin war mehr als gekränkt. Ihre Mitschülerinnen haben sie die ›Frau mit Bart‹ genannt oder auch XY – wegen der männlichen Chromosomenkombination. Am nächsten Tag hat Lewiston sich dann entschuldigt und die Mitschüler gebeten, damit aufzuhören. Ich bin hingefahren und hab dem Direktor die Hölle heiß gemacht, aber da war das Kind schon in den Brunnen gefallen.«

»Klar.«

»Kinder.«

»Ja.«

»Jill hat zu Yasmin gehalten – als Einzige. Faszinierend, dass eine Elfjährige so etwas durchhält. Wahrscheinlich machen sich die anderen jetzt auch über sie lustig.«

»Da kommt sie durch«, sagte Mike.

»Sie ist ein gutes Kind.«

»Yasmin auch.«

»Ich wollte Ihnen nur sagen, dass Sie stolz auf Ihre Tochter sein können.«

»Danke«, sagte Mike. »Guy, irgendwann geht das vorbei. Es dauert aber seine Zeit.«

Guy wandte den Blick ab. »In der dritten Klasse hatte ich einen Klassenkameraden namens Eric Hellinger. Eric hat immer breit gelächelt. Angezogen war er wie der Klassenclown, aber das hat er selbst wohl gar nicht richtig mitgekriegt. Wenn mal jemand eine Bemerkung darüber gemacht hat, hat er das einfach alles weggelächelt. Irgendwann musste er sich mitten im Unterricht übergeben. Das war ziemlich übel. Der ganze Klassenraum stank so, dass wir ihn verlassen mussten. Und hinterher haben ihn dann alle gehänselt. Sie haben ihn *Smellinger* genannt und alles Mögliche. Es hat nie mehr aufgehört. Erics Leben hat sich verändert. Das Lächeln ist verschwunden, und wenn ich ehrlich bin, habe ich auch später, wenn ich ihm allein in der Highschool begegnet bin, den Eindruck gehabt, dass es nie wieder zurückgekehrt ist.«

Mike sagte nichts, kannte aber auch so eine Geschichte. Jedes Kind wird Zeuge einer Geschichte wie der von Eric Hellinger oder Yasmin Novak.

»Es wird nicht besser werden, Mike. Daher habe ich das Haus zum Verkauf angeboten. Eigentlich will ich hier nicht wegziehen, ich weiß aber nicht, was ich sonst machen soll.«

»Wenn Tia oder ich Ihnen irgendwie helfen können ...«, setzte Mike an.

»Danke, das ist sehr nett von Ihnen. Ich finde es schon toll, dass Jill hier heute Nacht schlafen darf. Das bedeutet Yasmin sehr viel. Und mir auch. Also vielen Dank.«

»Kein Problem.«

»Jill hat erzählt, dass Sie mit Adam zu einem Eishockeyspiel gehen.«

»So ist das geplant.«

»Dann will ich Sie nicht länger aufhalten. Danke fürs Zuhören.«

»Keine Ursache. Haben Sie meine Handynummer?«

Guy nickte. Mike klopfte dem Mann auf die Schulter und ging zurück zum Wagen.

So ging das im Leben – ein Lehrer verlor für einen kurzen Moment die Nerven, worauf sich im Leben eines Mädchens alles veränderte. Völlig verrückt, wenn man darüber nachdachte. Aber Mike dachte auch sofort an Adam.

War seinem Sohn etwas Ähnliches passiert? War etwas vorgefallen, vielleicht nur eine Kleinigkeit, die Adams Leben verändert hatte?

Mike musste an die Zeitreisefilme denken, in denen jemand irgendetwas in der Vergangenheit veränderte, worauf sich die Zukunft durch den Dominoeffekt vollkommen anders entwickelte. Wäre alles wieder wie vorher, wenn Guy zurück in die Vergangenheit reisen und Yasmin diesen Tag nicht zur Schule schicken würde? Wäre Yasmin glücklicher – oder brachten der erzwungene Umzug und die Lektion, die sie über die Grausamkeit der Menschen gelernt hatte, sie am Ende doch weiter?

Wer zum Teufel sollte das wissen?

Als Mike zum Haus zurückkam, war es immer noch leer. Keine Spur von Adam. Er hatte auch keine Nachricht hinterlassen.

Mike dachte immer noch an Yasmin, als er in die Küche ging. Sein Zettel lag unberührt auf dem Küchentisch. Am Kühlschrank hingen jede Menge Fotos in Magnetrahmen ordentlich nebeneinander. Mike entdeckte eins von Adam und ihm aus dem letzten Jahr, als sie zum *Six-Flags-Great-Adventure*-Freizeitpark gefahren waren. Eigentlich hatte Mike Angst vor großen Achterbahnen, aber irgendwie hatte sein Sohn ihn dann doch überredet, in eine einzusteigen, die den passenden Beinamen *The Chiller* trug. Ihm war wirklich eiskalt geworden. Es war ein tolles Gefühl gewesen.

Nach dem Aussteigen hatten sie für ein albernes Foto mit einem Kerl im Batman-Kostüm posiert. Mit vom Fahrtwind zerzausten Haaren hatten sie Batman die Arme um die Schultern gelegt und grinsten dämlich in die Kamera.

Das war erst letzten Sommer gewesen.

Mike erinnerte sich wieder daran, wie er mit rasendem Herzen in der Achterbahn gesessen und auf den Start gewartet hatte. Er hatte Adam angesehen, der ihn angegrinst und »gut festhalten« gesagt hatte, und da, in diesem Moment, hatte ein Flashback ihn über zehn Jahre in die Vergangenheit getragen, als sie mit dem vierjährigen Adam im gleichen Freizeitpark waren und am Eingang zur Stuntmen-Show dichtes Gedränge herrschte, worauf Mike die Hand seines Sohns genommen und »gut festhalten« gesagt hatte, und die kleinen Finger sich pflichtbewusst an seine Hand klammerten. Im immer dichter werdenden Gedränge waren die kleinen Finger dann aber von seiner Hand abgerutscht, und Mike hatte schreckliche Panik erfasst – so als ob eine riesige Welle sein Baby vom Strand ins Meer gerissen hätte. Sie waren höchstens zehn Sekunden lang getrennt gewesen, trotzdem würde Mike den Schock und den Schrecken, die er in diesem kurzen Moment durchlebt hatte, sein Leben lang nicht vergessen.

Mike starrte gut eine Minute lang in die Luft. Dann zog er wieder sein Handy aus der Tasche und wählte Adams Nummer.

»Ruf mich bitte zu Hause an, Adam. Ich mache mir Sorgen um dich. Ganz egal, was auch passiert, ich bin immer auf deiner Seite. Ich liebe dich. Also ruf an, okay?«

Er legte auf und wartete.

*

Als Adam die letzte Nachricht von seinem Vater abhörte, fing er beinahe an zu weinen.

Er überlegte, ob er zurückrufen sollte. Er dachte darüber nach, ob er seinen Vater anrufen und ihm sagen sollte, wo er ihn abholen konnte. Dann konnte er mit ihm und Onkel Mo zum Rangers-Spiel gehen, wo Adam dann vielleicht alles erzählen würde. Adam hatte das Handy noch in der Hand. Die Nummer seines Vaters war im Kurzwahlspeicher eins. Sein Finger lag auf der Taste. Er brauchte nur noch zu drücken.

Hinter ihm sagte eine Stimme: »Adam?«

Er nahm den Finger weg.

»Komm, lass uns gehen.«

11

Betsy Hill beobachtete, wie ihr Mann Ron seinen Audi in die Garage fuhr. Er war immer noch sehr attraktiv. Das Grau dominierte zwar inzwischen die vormals dunklen Haare, aber er hatte nur wenige Falten im Gesicht, und die blauen Augen, die denen seines toten Sohns so ähnlich sahen, leuchteten immer noch. Im Gegensatz zu den meisten seiner Kollegen war es ihm gelungen, sein Gewicht zu halten, indem er ausreichend Sport getrieben und auf seine Ernährung geachtet hatte.

Das Foto, das sie von der MySpace-Internetseite ausgedruckt hatte, lag vor ihr auf dem Tisch. Sie überlegte schon seit mehr als einer Stunde, was sie tun sollte. Sie hatte die Zwillinge zu ihrer Schwester gebracht. Für ein solches Gespräch wollte sie die beiden nicht zu Hause haben.

Sie hörte, wie die Durchgangstür von der Garage geöffnet wurde, dann rief Ron: »Bets?«

»Ich bin in der Küche, Schatz.«

Ron kam mit einem Lächeln in die Küche geeilt. Sie hatte ihn lange nicht mehr lächeln sehen, und als sie das sah, ließ sie das Foto unter einer Zeitschrift verschwinden. Sie wollte sich dieses Lächeln bewahren, auch wenn es nur für ein paar Minuten war.

»Hi«, sagte er.

»Hi. Wie war die Arbeit?«

»Gut, kein Problem.« Er lächelte noch immer. »Ich hab eine Überraschung für dich.«

»Oh?«

Ron kam auf sie zu, beugte sich herunter, küsste sie auf die Wange und warf einen Prospekt auf den Küchentisch. Betsy griff danach.

»Eine einwöchige Kreuzfahrt«, sagte er. »Guck dir mal die Reiseroute an, Bets. Ich hab einen Zettel auf die Seite geklebt.«

Sie schlug die Seite auf und sah sie an. Die Fahrt ging von Miami Beach zu den Bahamas, nach St. Thomas und zu einer Privatinsel, die der Reederei gehörte.

»Dieselbe Route«, sagte Ron. »Genau dieselbe wie bei unserer Hochzeitsreise. Es ist natürlich ein anderes Schiff. Der alte Kahn fährt nicht mehr. Dieses ist brandneu. Ich hab uns eine Kabine auf dem Oberdeck reservieren lassen – mit Balkon. Ich hab sogar jemanden gefunden, der in der Woche auf Bob und Kari aufpasst.«

»Wir können die Zwillinge nicht eine Woche lang allein lassen.«

»Natürlich können wir das.«

»Sie sind noch zu verletzlich, Ron.«

Das Lächeln wurde schwächer. »Das schaffen die beiden schon.«

Er will die ganze Sache hinter sich lassen, dachte sie. Dagegen war natürlich nichts zu sagen. Das Leben ging weiter. Auf die Art verarbeitete er das. Er wollte so schnell wie möglich Abstand gewinnen. Irgendwann würde er dann auch auf Abstand zu ihr gehen, das war ihr klar. Vielleicht blieb er auch wegen der Zwillinge, aber all die schönen Erinnerungen – der erste Kuss vor der Bibliothek, die Nacht am Strand, die spektakuläre Kreuzfahrt unter der strahlenden Karibiksonne, die sie als Hochzeitsreise gemacht hatten, das Abschaben der schrecklichen Tapeten aus ihrem ersten Haus, der Besuch auf dem Bauernjahrmarkt, als sie so laut lachen mussten, dass ihnen Tränen die Wangen herunterliefen – das war alles vorbei.

Wenn Ron sie ansah, sah er seinen toten Sohn in ihr.

»Bets?«

Sie nickte. »Vielleicht hast du Recht.«

Er setzte sich neben sie und nahm ihre Hand. »Ich hab vorhin mit Sy gesprochen. Sie brauchen einen Manager für die neue Niederlassung in Atlanta. Das wäre eine wunderbare Gelegenheit.«

Er will abhauen, dachte sie wieder. Im Moment wollte er sie noch bei sich haben, aber irgendwann würde er merken, dass ihr Anblick ihm immer Schmerzen bereitete. »Ich liebe dich, Ron.«

»Ich liebe dich auch, Schatz.«

Sie wollte, dass er glücklich ist. Sie würde ihn gehen lassen, weil Ron es schaffen konnte. Er musste hier raus. Er konnte sich der Situation nicht stellen. Er konnte nicht mit ihr zusammen abhauen. Sie wäre eine ewige Erinnerung an Spencer und den furchtbaren Abend auf dem Schuldach. Aber sie liebte ihn. Sie brauchte ihn. Sie hatte eine Heidenangst, ihn zu verlieren – wenn auch vielleicht nur aus Eigennutz.

»Was hältst du von Atlanta?«, fragte er.

»Ich weiß nicht.«

»Es würde dir gefallen.«

Sie hatte ihr Leben lang in New Jersey gewohnt.

»Das ist ein bisschen viel auf einmal«, sagte er. »Lass uns einen Schritt nach dem anderen machen. Erst die Kreuzfahrt, in Ordnung?«

»Gut.«

Er wäre überall lieber als hier. Er wollte noch einmal von vorn anfangen. Sie war bereit, es zu versuchen, würde es aber nicht schaffen. Man konnte nicht einfach von vorn anfangen. Das ging nicht. Und mit den Zwillingen schon gar nicht.

»Ich geh mich umziehen«, sagte Ron.

Er gab ihr noch einen Kuss auf die Wange. Seine Lippen waren kalt. Als ob er schon gegangen wäre. Sie würde ihn verlieren. Vielleicht in drei Monaten, vielleicht auch erst in zwei Jahren, aber irgendwann würde der einzige Mann, den sie je geliebt hatte, sie verlassen. Schon beim Kuss spürte sie, wie er sich von ihr zurückzog.

»Ron?«

Mit einer Hand auf dem Treppengeländer blieb er stehen. Als er sich umsah, sah er ertappt aus, als ob er die Chance verpasst hätte, unbemerkt zu entkommen. Er ließ die Schultern fallen.

»Ich muss dir was zeigen«, sagte Betsy.

*

Tia saß in einem Konferenzraum im *Four Season's* Hotel in Boston, während Brett, der Computerguru, mit seinem Laptop herumspielte. Als ihr Handy klingelte, verriet ihr ein schneller Blick aufs Display, dass Mike dran war.

»Seid ihr unterwegs zum Spiel?«

»Nein«, sagte er.

»Was ist passiert?«

»Adam ist nicht da.«

»Er ist gar nicht nach Hause gekommen?«

»Doch, er war hier, hat ein bisschen in seinem Zimmer abgehangen, dann ist er wieder verschwunden.«

»Er hat Jill allein gelassen?«

»Ja.«

»Das ist doch gar nicht seine Art.«

»Ich weiß.«

»Also, er ist unzuverlässig und alles Mögliche, aber dass er seine Schwester einfach so ohne Aufsicht lässt ...«

»Ich weiß.«

Tia überlegte einen Moment lang. »Hast du es auf seinem Handy versucht?«

»Natürlich hab ich es auf seinem Handy versucht. Für wie blöd hältst du mich?«

»Hey, lass deinen Ärger nicht an mir aus«, sagte Tia.

»Dann frag nicht so, als ob ich ein Vollidiot wäre. Natürlich hab ich ihn auf dem Handy angerufen. Und zwar mehrmals. Ich hab sogar – hört, hört – auf der Mailbox ein paar Nachrichten hinterlassen, dass er mich zurückrufen soll.«

Brett tat so, als wäre er mit dem Laptop beschäftigt und würde nichts hören. Tia ging ein paar Schritte weg und wandte sich von ihm ab.

»Tut mir leid«, sagte sie. »Ich wollte nicht …«

»Ich auch nicht. Lass gut sein, wir sind beide gestresst.«

»Und was machen wir jetzt?«

»Was können wir schon machen?«, sagte Mike. »Ich warte hier.«

»Und wenn er nicht nach Hause kommt?«

Es entstand eine Pause.

»Ich will nicht, dass er zu dieser Party geht«, sagte Mike.

»Ich auch nicht.«

»Aber wenn ich rübergehe und ihn da raushol …«

»Das wäre auch ziemlich eigenartig.«

»Was meinst du?«, fragte er.

»Ich meine, dass du trotzdem rübergehen und ihn da rausholen solltest. Du kannst ja versuchen, behutsam vorzugehen.«

»Wie soll das gehen?«

»Keine Ahnung. Wahrscheinlich geht die Party sowieso erst in ein paar Stunden los. Also haben wir noch Zeit, uns was zu überlegen.«

»Ja, in Ordnung. Vielleicht hab ich ja auch Glück und finde ihn vorher.«

»Hast du bei seinen Freunden angerufen? Bei Clark und Olivia?«

»Tia.«

»Okay, natürlich hast du das. Soll ich nach Hause kommen?«

»Um was zu tun?«

»Keine Ahnung.«

»Du kannst hier nichts machen. Ich hab alles unter Kontrolle. Ich hätte dich gar nicht anrufen sollen.«

»Doch, das musst du. Fang nicht an, mich vor so etwas zu schützen. Ich will informiert werden.«

»Ich meld mich schon, keine Sorge.«

»Ruf an, wenn du was von ihm hörst.«

»Klar.«

Sie legte auf.

Brett blickte vom Computer auf. »Probleme?«

»Haben Sie zugehört?«

Brett zuckte die Achseln. »Warum gucken Sie nicht in seinen E-SpyRight-Bericht?«

»Vielleicht sag ich Mike nachher, dass er das machen soll.«

»Das können Sie auch von hier.«

»Ich dachte, ich kann das nur von meinem eigenen Computer aus?«

»Nee nee. Den können Sie überall aufrufen, wo Sie einen Internetzugang haben.«

Tia runzelte die Stirn. »Das klingt aber nicht besonders sicher.«

»Sie brauchen immer noch den Benutzernamen und das Passwort. Sie gehen einfach auf die E-SpyRight-Homepage und loggen sich ein. Vielleicht hat Ihr Sohn eine E-Mail gekriegt oder so was.«

Tia dachte darüber nach.

Brett ging zu seinem Laptop und drehte ihn zu ihr um. Die E-SpyRight-Homepage war auf dem Monitor. »Ich geh runter und hol mir 'ne Cola oder so«, sagte er. »Soll ich Ihnen was mitbringen?«

Sie schüttelte den Kopf.

»Bedienen Sie sich«, sagte Brett.

Er ging zur Tür. Tia setzte sich auf den Stuhl und tippte los. Sie rief den Bericht auf und forderte alles an, was heute hereingekommen war. Es was so gut wie nichts, nur ein kurzer Chat mit dem geheimnisvollen CeeJay8115.

CeeJay8115: Was ist los?

HockeyAdam1117: Seine Mutter hat mich nach der Schule abgefangen.

CeeJay8115: Was hat sie gesagt?

HockeyAdam1117: Sie weiß was.

CeeJay8115: Was hast du ihr gesagt?

HockeyAdam1117: Nichts. Bin abgehauen.

CeeJay8115: Wir sprechen heute Abend drüber.

Tia las es noch einmal. Dann zog sie ihr Handy aus der Tasche und drückte die Kurzwahltaste. »Mike?«

»Was ist?«

»Geh ihn suchen. Und such so, dass du ihn findest.«

*

Ron hielt das Foto in der Hand.

Er starrte darauf, aber Betsy merkte, dass er es gar nicht mehr sah. Seine Körpersprache war mehr als besorgniserregend. Er legte das Foto auf den Tisch und verschränkte die Arme. Dann griff er wieder danach.

»Und was ändert das jetzt?«, fragte er.

Er fing an, hastig zu blinzeln, ähnlich wie manche Stotterer, wenn sie versuchen, ein besonders schweres Wort herauszubekommen. Betsy erschrak. Das schnelle Blinzeln hatte sie bei Ron seit Jahren nicht mehr gesehen. Ihre Schwiegermutter hatte ihr einmal erklärt, dass Ron in der zweiten Klasse oft verprügelt worden war, ihr damals aber nichts davon erzählt hatte. In dieser Zeit lag der Ursprung dieses Blinzelns. Im Lauf der Jahre war es besser geworden und inzwischen fast ganz verschwunden. Selbst als er von Spencers Selbstmord erfahren hatte, war es nicht aufgetreten.

Sie wünschte, sie könnte die Sache mit dem Foto rückgängig machen. Ron war nach Hause gekommen und hatte ihr die Hand

zur Hilfe entgegengestreckt – und sie hatte diese Hand zur Seite geschlagen.

»Er war an dem Abend nicht allein«, sagte sie.

»Na und?«

»Hast du nicht gehört, was ich gesagt habe?«

»Vielleicht war er erst noch mit seinen Freunden unterwegs.
Na und?«

»Warum haben die nichts davon gesagt?«

»Wer weiß? Vielleicht hatten sie Angst. Vielleicht hat Spencer ihnen gesagt, dass sie den Mund halten sollen, oder vielleicht
hast du einfach die Tage verwechselt. Vielleicht hat er sich auch
nur kurz mit ihnen getroffen und ist dann allein weitergezogen.
Vielleicht wurde das Foto ein paar Stunden vorher gemacht.«

»Nein. Ich bin zur Schule gefahren und hab es Adam Baye gezeigt ...«

»Was hast du getan?«

»Ich habe auf ihn gewartet, und als er aus der Schule kam, hab
ich ihm das Foto gezeigt.«

Ron schüttelte nur den Kopf.

»Er ist praktisch vor mir weggelaufen. Da muss mehr dahinterstecken.«

»Und was zum Beispiel?«

»Keine Ahnung. Aber vergiss nicht, dass Spencer eine Schramme am Auge hatte, als sie ihn gefunden haben.«

»Aber das haben sie uns doch erklärt. Wahrscheinlich hat er
das Bewusstsein verloren und ist dann aufs Gesicht gefallen.«

»Oder jemand hat ihn geschlagen.«

Ron sagte leise: »Spencer hat keiner geschlagen, Bets.«

Betsy sagte nichts. Das Blinzeln nahm zu. Ron liefen Tränen
über die Wangen. Sie streckte ihm die Hand entgegen, aber er
wich zurück.

»Spencer hat Tabletten mit Alkohol geschluckt. Verstehst du
das, Betsy?«

Sie sagte nichts.

»Keiner hat ihn gezwungen, die Wodkaflasche aus unserem Schrank zu klauen. Keiner hat ihn gezwungen, die Pillen aus meinem Medizinschrank zu nehmen, in den ich sie gelegt hatte. Einfach so, für jeden offen und erreichbar. Das wissen wir doch, oder? Ja, das waren meine Tabletten, die ich einfach so habe rumliegen lassen. Die Tabletten, die ich mir immer weiter habe verschreiben lassen, obwohl ich die Schmerzen eigentlich längst überwunden haben müsste, stimmt's?«

»Ron, das ist doch nicht …«

»Was ist es nicht? Meinst du, ich hätte es nicht gemerkt?«

»Was hättest du nicht gemerkt?«, fragte sie. Aber sie wusste es.

»Ich gebe dir nicht die Schuld an Spencers Tod, das schwöre ich.«

»Doch, das tust du.«

Sie schüttelte den Kopf. Aber das sah er nicht mehr. Ron hatte sich umgedreht und war aus der Tür gestürzt.

12

Nash war bereit zuzuschlagen.

Er wartete auf dem Parkplatz der *Palisades Park Mall*, einem gigantischen, absolut amerikanischen Einkaufszentrum. Die *Mall of America* in Minneapolis war zwar noch größer, aber diese war neuer und voller riesiger Megastores, nicht mit niedlichen kleinen Läden und trendigen Boutiquen aus den Achtzigern. Hier gab es Club-Kaufhäuser, teure Buchhandelsketten, ein *IMAX*-Kino, einen *AMC*-Kinopalast mit fünfzehn Leinwänden, einen *Best Buy*, einen *Staples*, ein großes Riesenrad. Die Gänge waren hoch und breit. Alles war riesig.

Reba Cordova war zu *Target* gegangen.

Sie hatte ihren grünmetallicfarbenen Acura MDX ziemlich

weit vom Eingang weg geparkt. Das war gut, riskant blieb es trotzdem. Sie stellten den Lieferwagen auf der Fahrerseite neben den Acura. Nash hatte einen Plan gemacht. Pietra war Reba Cordova in die Mall gefolgt und beschattete sie. Nash war auch kurz bei *Target* gewesen – um schnell etwas zu kaufen.

Jetzt wartete er auf eine SMS von Pietra.

Er hatte überlegt, ob er sich den Schnurrbart ankleben sollte, sich aber dagegen entschieden. Nash musste offen und vertrauenswürdig aussehen. Dabei half ein Schnurrbart nicht. Ein Schnurrbart, besonders so ein buschiger, wie er ihn bei Marianne benutzt hatte, war ein dominierendes Element im Gesicht. Wenn man Zeugen nach einer Beschreibung fragte, sahen die meisten nicht mehr als den Schnurrbart. Daher funktionierte er so gut.

Hier wäre er allerdings fehl am Platz gewesen.

Nash blieb im Wagen sitzen und machte sich fertig. Er stellte den Rückspiegel auf sein Gesicht ein und kämmte sich die Haare. Dann fuhr er kurz mit dem Elektrorasierer übers Kinn.

Cassandra hatte es gefallen, wenn er glattrasiert war. Nash hatte einen kräftigen Bartwuchs, so dass er um fünf Uhr nachmittags schon wieder kratzte.

»Bitte rasier dich für mich, mein Hübscher«, hatte Cassandra mit diesem schrägen Blick gesagt, bei dem er eine Gänsehaut bekam. »Dann werde ich dein Gesicht mit Küssen bedecken.«

Daran dachte er jetzt. Er dachte an ihre Stimme. Es tat ihm immer noch im Herzen weh. Er hatte sich längst damit abgefunden, dass das sein Leben lang so bleiben würde. Mit dem Schmerz konnte er leben. Das Loch in seinem Herzen würde immer da sein.

Er saß auf dem Fahrersitz und beobachtete die Menschen, die auf dem Parkplatz des Einkaufszentrums hin und her gingen. Die lebten und atmeten, aber Cassandra war tot. Zweifellos war ihre Schönheit inzwischen verrottet. Der Gedanke war schwer zu ertragen.

Sein Handy summte. Eine Nachricht von Pietra.

Bezahlt gerade. Geht zurück.

Er fuhr sich noch einmal kurz mit Zeigefinger und Daumen über die Augenlider und stieg aus. Er machte die Hecktür des Lieferwagens auf. Seinen Einkauf, einen *Cosco-Scenara-5-Punkt*-Kindersitz, mit 40 Dollar der billigste, den es bei *Target* gab, hatte er schon aus der Packung genommen. Nash sah sich um.

Reba Cordova schob einen roten Einkaufswagen voller Plastiktüten vor sich her. Sie war etwas zerzaust, wirkte aber glücklich, wie so viele Schäfchen aus der vorstädtischen Herde. Er dachte darüber nach, ob dieses zur Schau gestellte Glück echt oder aufgesetzt war. Diese Menschen hatten, was sie wollten. Ein schönes Haus, zwei Autos, finanzielle Sicherheit, Kinder. Er fragte sich, ob alle Frauen das für ihr Glück brauchten. Dann dachte er an die Männer in ihren Büros, die den Frauen dieses Leben ermöglichten, und fragte sich, ob auch die damit glücklich waren.

Er sah Pietra hinter Reba Cordova. Sie hielt Abstand. Nash konzentrierte sich auf die Umgebung. Ein übergewichtiger Mann mit Hippiefrisur, einem wirren Bart und Batikhemd zog sich die Jeans übers Maurerdekolletee und ging Richtung Eingang. Abscheulich. Nash hatte gesehen, wie er in seinem abgewrackten Chevrolet Caprice ein paar Runden gedreht und einen Parkplatz näher am Eingang gesucht hatte, der ihm vielleicht zehn Sekunden Fußweg erspart hätte. Das fette Amerika.

Nash öffnete die Beifahrertür des Lieferwagens so weit, dass sie direkt vor der Fahrertür des Acura war. Er beugte sich hinein und fummelte am Sitz herum. Der Spiegel auf der Fahrerseite war so eingestellt, dass er sie herankommen sah. Reba drückte auf die Fernbedienung am Schlüssel, und die Heckklappe öffnete sich. Er wartete, bis sie ganz nah herangekommen war.

»Mist!«, sagte er. Er sprach so laut, dass Reba es hören musste, dabei aber eher in einem belustigten als verärgerten Tonfall. Dann richtete er sich auf und kratzte sich scheinbar verwirrt am Kopf. Er sah Reba Cordova an und lächelte so wenig bedrohlich, wie es nur ging.

»Kindersitz«, sagte er zu ihr.

Reba Cordova war eine zierliche Frau, deren Gesichtszüge fast schon an eine Puppe erinnerten. Sie sah ihn an und nickte gutmütig.

»Wer schreibt bloß immer diese Einbauanleitungen?«, fuhr er fort. »NASA-Ingenieure?«

Jetzt lächelte Reba mitfühlend. »Die sind absurd, oder?«

»Absolut. Vor ein paar Tagen musste ich Rogers *Pack-n-Play*-Reisebett aufbauen – Roger ist unser Zweijähriger. Haben Sie auch so eins? Ein *Pack-n-Play* meine ich.«

»Natürlich.«

»Das soll man angeblich ganz einfach zusammenklappen und zur Seite stellen können, aber, na ja, Cassandra – meine Frau – sagt auch immer, dass ich ein hoffnungsloser Fall bin.«

»Mein Mann ist auch nicht besser.«

Er lachte. Sie lachte. Ein sehr nettes Lachen, dachte Nash. Er fragte sich, ob Rebas Mann wusste, was er an ihr hatte, ob er witzig war und seine Frau mit den puppenartigen Gesichtszügen gerne zum Lachen brachte, dann lauschte und sich an dem Klang erfreute.

»Ich trau mich ja kaum zu fragen«, sagte er, immer noch ganz der freundliche Nachbar mit gesenkten, offenen Händen, »aber ich muss Roger vom Kinderturnen abholen, und, na ja, Cassandra und mir ist Sicherheit sehr wichtig.«

»Oh, das finde ich auch.«

»Daher würde ich ihn nie ohne Kindersitz transportieren, und ich Trottel hab ihn im anderen Wagen vergessen, also hab ich kurz angehalten und einen neuen gekauft ... Na ja, das kennen Sie ja bestimmt.«

»Ist uns auch schon passiert.«

Nash hielt die Anleitung hoch und schüttelte den Kopf. »Ob Sie da vielleicht mal kurz einen Blick reinwerfen könnten?«

Reba zögerte. Das merkte er. Eine instinktive Reaktion – fast ein Reflex. Er war schließlich ein Fremder. Und sowohl die Biologie als auch die Gesellschaft sagten uns, dass wir Angst vor Fremden haben sollten. Andererseits hat die Evolution uns auch eine soziale Ader mitgegeben. Sie befanden sich auf einem öffentlichen Parkplatz, und er schien ein netter Mann zu sein, ein Familienvater mit allem was dazugehörte, der es nicht schaffte, einen Kindersitz einzubauen, so dass es einfach unhöflich gewesen wäre, ihm die Hilfe zu verweigern, oder?

Für diese Überlegungen brauchte sie höchstens zwei oder drei Sekunden, und am Ende siegte die Höflichkeit über den Überlebenstrieb.

Wie so oft.

»Selbstverständlich.«

Sie stellte ihre Plastiktüten in den Kofferraum und kam zu ihm herüber. Nash beugte sich in seinen Lieferwagen. »Ich glaub, es ist nur dieser eine Riemen hier drüben ...«

Reba kam näher. Nash richtete sich auf und machte ihr Platz. Er sah sich um. Der Dicke mit dem Jerry-Garcia-Bart und dem Batikhemd watschelte immer noch zum Eingang, aber der würde sowieso nichts merken, solange nicht ein Donut ins Spiel kam. Und manchmal war das beste Versteck wirklich da, wo einen alle sehen konnten. Ganz ruhig, keine Panik, nur kein Aufsehen erregen.

Reba Cordova beugte sich in den Lieferwagen und besiegelte damit ihr Schicksal.

Nash studierte ihren Nacken. Er brauchte nur Sekunden. Dann griff er hinein, legte ihr eine Hand über den Mund und drückte mit der anderen auf einen bestimmten Punkt hinter den Ohrläppchen. So unterbrach er den Blutfluss zum Gehirn.

Gerade mal ein paar Sekunden lang trat sie mit den Beinen

nach hinten aus. Nash erhöhte den Druck, und Reba Cordova wurde ruhig. Er schob sie ganz in den Wagen, sprang dann hinter ihr hinein und schlug die Tür zu. Pietra kam hinterher. Sie schlug die Tür des Acura zu. Nash nahm Reba den Schlüssel aus der Hand. Mit der Fernbedienung verriegelte er die Türen. Pietra setzte sich auf den Fahrersitz des Lieferwagens.

Sie ließ ihn an.

»Moment«, sagte Nash.

Pietra sah ihn an. »Sollten wir nicht so schnell wie möglich weg hier?«

»Immer mit der Ruhe.«

Er überlegte kurz.

»Was ist?«

»Ich fahr mit dem Lieferwagen«, sagte er. »Du nimmst ihren Acura.«

»Was? Wieso?«

»Wenn wir ihn hierlassen, wissen sie, dass sie hier entführt worden ist. Wenn wir den Wagen mitnehmen, verwirrt sie das vielleicht.«

Er gab Pietra Rebas Autoschlüssel. Dann fesselte er Reba mit den Kabelbindern unten an den Autositz. Er schob ihr ein Tuch in den Mund. Sie fing an, sich zu wehren.

Er nahm ihr zierliches Gesicht in beide Hände, als wollte er ihr einen Kuss geben.

»Wenn Sie abhauen«, sagte er und sah ihr direkt in die Puppenaugen, »hol ich mir Jamie. Und das wird dann richtig hässlich. Haben Sie mich verstanden?«

Reba erstarrte, als sie den Namen ihrer Tochter hörte.

Nash kletterte auf den Vordersitz. Er sagte zu Pietra: »Folg mir einfach. Und fahr ganz normal.«

Pietra stieg in den Acura, und sie machten sich auf den Weg.

*

Mike versuchte, sich mit Hilfe seines iPods zu entspannen. Abgesehen vom Eishockey war das sein einziges Ventil. Aber so richtig abschalten konnte er nicht. Er war gerne bei seiner Familie, arbeitete gerne und spielte gerne Eishockey. Nur dass mit dem Eishockey irgendwann in näherer Zukunft Schluss sein würde. Er kam langsam in die Jahre. Es fiel ihm schwer, sich das einzugestehen. Bei der Arbeit stand er stundenlang am Operationstisch. Das Eishockey hatte ihm geholfen, fit zu bleiben. Fürs Herz-Kreislauf-System war es wahrscheinlich immer noch gut, aber sein Körper spielte nicht mehr mit. Die Gelenke schmerzten, und er litt häufiger und länger unter Zerrungen und kleineren Prellungen.

Zum ersten Mal hatte Mike das Gefühl, dass es auf der Achterbahn des Lebens mit ihm bergab ging – die *Back Nine,* wie seine Golf spielenden Freunde sagten. Natürlich wusste jeder, dass er älter wurde. Mit fünfunddreißig oder vierzig wusste man irgendwie, dass man körperlich nicht mehr der Gleiche war wie früher. Aber bisher hatte er es erfolgreich verdrängt. Jetzt, im zarten Alter von sechsundvierzig Jahren, wurde ihm bewusst, dass diese Talfahrt nicht nur weitergehen, sondern sich auch noch beschleunigen würde.

Erheiternder Gedanke.

Die Minuten vergingen sehr langsam. Er rief Adam nicht mehr an. Entweder Adam bekam die Nachricht oder eben nicht. Matt Kearney fragte dazu passend im iPod: »Whe're we gonna go from here?« Mike schloss die Augen und versuchte, sich ganz auf das Stück zu konzentrieren, was ihm aber nicht gelang. Er ging eine Weile auf und ab. Das brachte auch nichts. Er überlegte, ob er sich ins Auto setzen und im Viertel nach Adam suchen sollte, hielt es aber für eine ziemlich alberne Idee. Sein Blick fiel auf seinen Eishockeyschläger. Vielleicht half es, wenn er draußen ein bisschen aufs Tor schoss.

Sein Handy klingelte. Er meldete sich, ohne aufs Display zu sehen. »Hallo?«

»Schon was gehört?«

Es war Mo.

»Nein.«

»Ich komm rüber.«

»Geh zum Spiel.«

»Nein.«

»Mo ...«

»Ich kann die Karten einem anderen Freund geben.«

»Du hast keinen anderen Freund.«

»Stimmt auch wieder«, sagte Mo.

»Pass auf, wir geben ihm noch eine halbe Stunde. Hinterleg die Tickets am Schalter für vorbestellte Karten.«

Mo sagte nichts.

»Mo?«

»Wie wichtig ist es dir, ihn zu finden?«

»Wie meinst du das?«

»Du weißt doch noch, dass ich dich gefragt habe, ob ich mir dein Handy mal angucken kann?«

»Ja.«

»Da ist ein GPS eingebaut.«

»Ich glaube, ich kann dir nicht folgen.«

» GPS. Das steht für Globales Positionierungssystem.«

»Ich weiß, was das heißt, Mo. Was ist mit meinem Handy?«

»In viele neue Handys ist ein GPS eingebaut.«

»Ist das wie im Fernsehen, wenn sie so ein Dreiecksnetz aus den Handysendern erstellen?«

»Nein, das ist nur Fernsehen. Außerdem ist das die alte Technik. Die neue haben sie vor ein paar Jahren mit dem *SIDSA Personal Locator* eingeführt. Am Anfang wurde das vor allem für Alzheimerkranke verwendet. Man hat den Leuten den Sender, der etwa so groß wie ein Pack Spielkarten war, in die Tasche gesteckt, und wenn sie abgehauen sind, wusste man, wo sie waren. Dann hat *uFindKid* das System in Kinderhandys eingebaut. Und inzwischen baut es fast jede Telefongesellschaft in fast jedes Handy ein.«

»In Adams Handy ist ein GPS-Sender?«

»Ja, und in deinem auch. Ich kann dir die Internetadresse geben, auf der du danach suchen kannst. Du rufst die Seite auf, bezahlst die Gebühr mit einer Kreditkarte, dann klickst du dich durch, bis du, wie bei jeder GPS-Suche, auf einer Landkarte bist, wo dir ein Marker den Aufenthaltsort anzeigt – das ist dann so ähnlich aufgebaut wie ein Routenplaner, mit Straßennamen und allem. Und der zeigt dir genau an, wo sich das Handy befindet.«

Mike sagte nichts.

»Hast du das verstanden?«

»Ja.«

»Und?«

»Ich bin schon so gut wie dabei.«

Mike legte auf. Er ging online und rief die Internetseite des Handyanbieters auf. Er gab die Telefonnummer an und dachte sich ein Passwort aus. Nach kurzem Suchen hatte er das GPS-Programm gefunden, klickte es an, worauf ihm mehrere Möglichkeiten angeboten wurden. Er konnte einen Monat GPS-Service für 49,99 Dollar, sechs Monate für 129,99 Dollar oder ein ganzes Jahr für 199,99 Dollar bekommen. Mike war tatsächlich so dumm, über die Alternativen nachzudenken, und überschlug automatisch im Kopf, was denn das Günstigste wäre, bis er endlich den Kopf schüttelte und auf monatlich klickte. Er wollte nicht daran denken, dass er das in einem Jahr noch machte, selbst wenn er da viel mehr fürs Geld bekam.

Es dauerte noch ein paar Minuten, bis die Kreditkartendaten geprüft waren, dann öffnete sich ein Fenster mit weiteren Optionen. Mike klickte auf die Landkarte. Die ganzen USA erschienen mit einem Punkt in seinem Heimatstaat New Jersey. Na, das war ja schon mal eine große Hilfe. Er klickte auf das Vergrößerungsglas, und die Landkarte zoomte langsam und ziemlich dramatisch heran, erst auf eine Region, dann auf einen Staat, dann auf eine Stadt und schließlich auf eine Straße.

Der GPS-Locator setzte einen roten Punkt in eine Straße ganz in der Nähe des Ortes, an dem Mike sich jetzt befand. Daneben erschien ein Rahmen, in dem stand: *Nächste Adresse*. Mike klickte darauf, was aber eigentlich gar nicht nötig gewesen wäre. Er kannte die Adresse schon.

Adam war bei den Huffs.

13

Neun Uhr abends. Dunkelheit hatte sich auf das Haus der Huffs gelegt.

Mike hielt am Straßenrand gegenüber. Im Haus brannte Licht. Zwei Autos standen in der Einfahrt. Er dachte darüber nach, was er als Nächstes tun sollte. Blieb dann aber im Wagen sitzen und versuchte noch einmal, Adam anzurufen. Er meldete sich nicht. Die Nummer der Huffs stand nicht im Telefonbuch, wahrscheinlich weil Daniel Huff Polizist war. Und die Handynummer von seinem Sohn DJ hatte er nicht.

Also hatte er im Prinzip keine Wahl.

Er überlegte, wie er seine Anwesenheit erklären sollte, ohne sich zu verraten. Ihm fiel nichts ein.

Und was jetzt?

Er überlegte, ob er nach Hause fahren sollte. Der Junge war zwar minderjährig, und Alkohol war gefährlich, aber hatte Mike als Jugendlicher nicht das Gleiche gemacht? Er war mit Freunden in den Wald gegangen und hatte da Bier getrunken. Und bei den Greenhalls hatten sie auf den Partys jede Menge Kurze getrunken. Mit Marihuana hatten weder er, noch sein engerer Freundeskreis viel zu tun gehabt, trotzdem hatte er im Haus seines Freunds

Weed abgehangen, als seine Eltern nicht in der Stadt waren – kleiner Tipp für Eltern: Wenn Ihr Junge den Spitznamen Gras trägt, hat das nicht unbedingt etwas mit normaler Gartenarbeit zu tun.

Mike hatte keinen langfristigen Schaden davongetragen. Wäre er im Leben wirklich besser zurechtgekommen, wenn seine Eltern sich so massiv eingemischt hätten?

Mike blickte zur Tür. Vielleicht sollte er einfach abwarten. Vielleicht sollte er ihn feiern, trinken oder was auch immer lassen und einfach hier draußen sitzen bleiben bis Adam rauskam, dann konnte Mike auf ihn aufpassen und gucken, ob alles in Ordnung war. So würde er ihn nicht in Verlegenheit bringen oder das Vertrauen seines Sohnes zerstören.

Welches Vertrauen?

Adam hatte seine Schwester allein gelassen. Adam rief ihn nicht zurück. Und schlimmer noch – Mike bespitzelte seinen Sohn mit allen Mitteln. Tia und er überwachten seinen Computer. Sie drangen bis in den letzten Winkel seines Privatlebens ein.

Der alte Ben-Folds-Song kam ihm in den Sinn: »If you can't trust, you can't be trusted.« Wer nicht vertrauen konnte, dem war nicht zu trauen.

Er war sich über sein weiteres Vorgehen immer noch nicht im Klaren, als die Haustür der Huffs aufging. Mike versuchte, in seinem Sitz nach unten zu rutschen – und kam sich dabei ziemlich albern vor. Aus dem Haus kam aber kein Jugendlicher, sondern Captain Daniel Huff von der Polizei in Livingston.

Der Vater, der angeblich weg sein sollte.

Mike wusste nicht, was er davon halten sollte. Aber das machte eigentlich nichts. Daniel Huff kam mit energischen Schritten direkt auf Mike zu. Ohne jedes Zögern. Er hatte nur ein Ziel.

Mikes Wagen.

Mike setzte sich aufrecht hin. Daniel Huff sah ihn an. Er winkte nicht, und er lächelte auch nicht. Er runzelte nicht einmal die Stirn und wirkte nicht besorgt. Natürlich wusste Mike, dass Daniel Huff Polizist war, und tatsächlich fühlte er sich wie jemand, der bei einer Verkehrskontrolle herausgewinkt worden war, worauf der Polizist ohne eine Miene zu verziehen an die Tür kam, damit der Fahrer einfach von selbst zugab, dass er zu schnell gefahren war oder ein Paket mit Drogen im Tank versteckt hatte.

Als Huff nah genug war, fuhr Mike das Fenster runter und rang sich ein Lächeln ab.

»Hey, Dan«, sagte Mike.

»Mike.«

»Bin ich zu schnell gefahren, Officer?«

Huff lächelte kurz über den schlechten Witz. Er kam bis an den Wagen heran. »Führerschein und Fahrzeugpapiere, bitte.«

Beide glucksten einen Moment lang, obwohl sie den Witz nicht sehr gelungen fanden. Huff stemmte die Hände in die Hüften. Mike wollte etwas sagen. Er wusste, dass Huff auf eine Erklärung wartete. Mike war sich aber nicht sicher, ob er ihm eine geben wollte.

Nachdem das etwas gezwungene Lachen erstorben und ein paar Sekunden unbehaglichen Schweigens verstrichen waren, kam Daniel Huff zum Thema. »Ich hab dich hier parken sehen, Mike.«

Er brach ab. Mike sagte: »Mhm.«

»Alles in Ordnung?«

»Klar.«

Mike versuchte, sich nicht zu ärgern. Du bist ein Bulle, na toll. Wer begrüßte denn so Bekannte, die er auf der Straße traf, außer vielleicht ein großkotziger Besserwisser? Andererseits war es wohl auch wirklich seltsam, wenn man einen Typen, den man seit Langem kannte, dabei erwischte, wie er einen Beobachtungsposten vor dem Haus bezog.

»Willst du kurz mit reinkommen?«

»Ich suche Adam.«

»Und deshalb parkst du hier draußen?«

»Ja.«

»Warum hast du nicht einfach geklopft?«

Als wäre er Columbo.

»Ich wollte erst noch telefonieren.«

»Ich hab dich nicht ins Handy sprechen sehen.«

»Wie lange hast du mich beobachtet, Dan?«

»Ein paar Minuten.«

»Das Auto hat eine Freisprechanlage. Du kennst das. Damit man die Hände am Lenkrad haben kann. Ist schließlich Vorschrift, stimmt's?«

»Nicht wenn man parkt. Beim Parken darf man einfach das Handy ans Ohr halten.«

Mike hatte keine Lust mehr auf diesen Tanz. »Ist Adam bei DJ?«

»Nein.«

»Bist du sicher?«

Huff runzelte die Stirn. Mike schwieg.

»Ich dachte, die Jungs wollten sich hier heut Abend treffen«, sagte Mike.

»Wie kommst du darauf?«

»Ich hatte da so was gehört. Dass du mit Marge wegfährst und sie sich dann hier treffen wollten.«

Wieder runzelte Huff die Stirn. »Du hast gehört, dass wir wegfahren?«

»Übers Wochenende. So was in der Art.«

»Und du dachtest, ich erlaube Teenagern die Nacht ohne Aufpasser in meinem Haus zu verbringen?«

Das lief ja prima.

»Warum rufst du Adam nicht einfach an?«

»Hab ich schon. Sein Handy scheint nicht zu funktionieren. Er vergisst oft, es aufzuladen.«

»Also bist du eben vorbeigekommen?«

»Ja.«

»Und dann bist du im Wagen sitzen geblieben und hast nicht an die Tür geklopft?«

»Hey, Dan, ich weiß, dass du ein Cop bist, ja, aber jetzt mach mal halblang. Ich such nur meinen Sohn.«

»Er ist nicht hier.«

»Was ist mit DJ? Vielleicht weiß er, wo Adam ist?«

»DJ ist auch nicht da.«

Er wartete, dass Huff anbieten würde, seinen Sohn anzurufen. Das tat er aber nicht. Mike wollte ihn nicht drängen. Er war schon weit genug gegangen. Falls wirklich eine Alkohol- und Drogenparty bei den Huffs geplant gewesen war, musste sie abgeblasen worden sein. Und solange er nicht mehr wusste, wollte er diesen Mann nicht in die Sache hineinziehen. Huff hatte nie zu seinen besten Freunden in der Nachbarschaft gehört, und daran hatte diese Begegnung gewiss nichts geändert.

Andererseits – wie erklärte man das Ergebnis des GPS-Locators?

»War nett, mit dir zu reden, Dan.«

»Mit dir auch, Mike.«

»Wenn du was von Adam hörst …«

»Dann mach ich ihm klar, dass er dich anrufen soll. Gute Nacht noch. Und fahr vorsichtig.«

*

»Whiskers on kittens«, sagte Nash.

Pietra saß wieder auf dem Fahrersitz. Nash war ungefähr eine halbe Stunde vor ihr hergefahren. Dann hatten sie Reba Cordovas Kombi auf einem Parkplatz eines Ramada-Hotels in East Hanover abgestellt. Wenn die Polizei ihn fand, würde sie davon ausgehen, dass Reba hier verschwunden war. Man würde sich fragen, warum eine verheiratete Frau so nah an ihrem Wohnort in ein Hotel ging. Man würde denken, dass sie sich wahrscheinlich mit einem Liebhaber getroffen hatte. Ihr Mann würde behaupten, dass das unmöglich wäre. Irgendwann würde sich dann alles klären. Aber das konnte dauern.

Sie sahen sich Rebas Einkäufe von *Target* an. Womöglich konnte die Polizei Rückschlüsse daraus ziehen, wenn man die im Wagen ließ. Nash sah die Tüte durch. Sie hatte Unterwäsche, ein paar Bücher und ein paar DVDs mit alten Filmen für die ganze Familie gekauft.

»Haben Sie gehört, Reba?« Er hielt eine DVD-Schachtel hoch. »Whiskers on kittens.«

Er hatte Rebas Hand- und Fußgelenke zusammengebunden. Ihre niedlichen, puppenhaften Züge sahen immer noch aus, als wären sie aus Porzellan. Nash hatte ihr den Knebel aus dem Mund genommen. Sie sah ihn an und stöhnte.

»Kämpfen Sie nicht dagegen an«, sagte er. »Das tut nur noch mehr weh. Und Sie werden nachher noch genug leiden müssen.«

Reba schluckte. »Was … was wollen Sie?«

»Ich habe eine Frage zu diesem Film, den Sie gekauft haben.« Nash hielt die DVD-Schachtel hoch. »The Sound of music – meine Lieder, meine Träume. Das ist ein Klassiker.«

»Wer sind Sie?«

»Wenn Sie noch eine Frage stellen, fang ich sofort an, Ihnen weh zu tun. Das heißt Sie werden mehr leiden und früher sterben. Und wenn Sie mich sehr ärgern, schnapp ich mir Jamie und mach mit ihr dasselbe. Verstanden?«

Ihre Augen blinzelten, als ob er ihr eine Ohrfeige verpasst hätte. Tränen schossen hinein. »Bitte …«

»Erinnern Sie sich noch an den Film? Ja oder nein.«

Sie hörte auf zu weinen und versuchte, die Tränen zu unterdrücken.

»Reba?«

»Ja.«

»Ja, was?«

»Ja«, stieß sie hervor. »Ich erinnere mich.«

»Und die Zeile ›Whiskers on kittens‹, erinnern Sie sich daran auch noch?«

»Ja.«

»Aus welchem Lied ist die?«

»Was?«

»Das Lied. Wissen Sie noch, wie das Lied heißt?«

»Nein.«

»Aber natürlich wissen Sie das, Reba. Konzentrieren Sie sich.«

Sie bemühte sich, aber er wusste, dass Angst lähmend sein konnte.

»Sie sind verwirrt«, sagte Nash. »Das ist okay. Es ist aus dem Lied ›My favorite things‹. Erinnern Sie sich jetzt?«

Sie nickte. Dann erinnerte sie sich: »Ja.«

Nasch lächelte erfreut. »Doorbells«, sagte er dann.

Sie sah ihn völlig hilflos an.

»Erinnern Sie sich auch daran? Julie Andrews sitzt bei den ganzen Kindern, die Alpträume und Angst vor einem Gewitter haben oder so was, und sie will sie beruhigen, also sagt sie zu ihnen, dass sie an die Dingen denken sollen, die sie am liebsten haben. Weil sie sie damit ablenken will. Jetzt wissen Sie's wieder, oder?«

Reba fing wieder an zu weinen, nickte aber.

»Und sie singen ›Doorbells‹. Türklingeln, also ehrlich. Stellen Sie sich das mal vor. Wahrscheinlich könnte man eine Million Menschen fragen, was die fünf Dinge sind, die sie am liebsten haben, und kein einziger – *nicht einer* – würde Türklingeln sagen. Echt, wie soll das gehen: ›So Dinge, die ich am liebsten mag? Na ja, ganz klar, Türklingeln. Ja, logisch, die mag ich am allerliebsten. Eine Türklingel. Jau, wenn ich mal richtig die Sau rauslassen und voll gut draufkommen will, dann drück ich auf eine Türklingel. Das ist echt heiß, Mann. Und wissen Sie, was mich richtig scharf macht? Diese Türklingeln mit so einem Glockenspiel drin. Ja, das macht mich voll an‹.«

Nash brach ab, gluckste und schüttelte den Kopf. »Das wäre auch eine schöne Antwort beim *Familienduell*, stimmt's? Sagen wir, die haben die zehn meistgenannten Antworten hinten auf der Tafel – Ihre Lieblingsdinge – und Sie sagen ›Türklingel‹. Dann zeigt Richard Dawson hinter sich und sagt: »Unsere Befragung hat ergeben …«

Nash stieß einen lauten Summton aus und formte aus den Armen ein X.

Er lachte. Pietra lachte auch.

»Bitte«, sagte Reba. »Bitte sagen Sie mir, was Sie wollen.«

»Dazu kommen wir noch, Reba. Das tun wir. Aber ich geb Ihnen schon mal einen Hinweis.«

Sie wartete.

»Sagt Ihnen der Name Marianne etwas?«

»Was?«

»Marianne?«

»Was ist mit ihr?«

»Sie hat Ihnen was geschickt.«

Die Angst in ihrem Gesicht wuchs.

»Bitte tun Sie mir nicht weh.«

»Das tut mir leid, Reba. Ich werde Ihnen weh tun. Ich werde Ihnen sehr weh tun.«

Dann kroch er nach hinten in den Lieferwagen und machte seine Ankündigung wahr.

14

Als Mike nach Hause kam, schlug er die Tür zu und ging zum Computer. Er wollte auf der GPS-Überwachungs-Website nachgucken, wo Adam war. Er fragte sich, was da passiert war. Das GPS gab ihm nur den ungefähren Aufenthaltsort des Handys. Ganz genau war es nicht. War Adam da in der Nähe gewesen? Vielleicht ein paar Häuser weiter? Im Wäldchen an der Ecke oder im Garten der Huffs?

Er wollte gerade die Website aufrufen, als es an der Haustür klopfte. Er seufzte, stand auf und sah aus dem Fenster. Es war Susan Loriman.

Er öffnete die Tür. Sie war ungeschminkt, trug die Haare offen. Wieder einmal verabscheute er sich selbst, weil er als Erstes feststellte, wie schön sie war. Manche Frauen hatten *es* einfach. Er konnte gar nicht genau sagen, was *es* war. Ein hübsches Gesicht und ein schöner Körper reichten nicht, es musste noch etwas dazukommen, etwas schwer Greifbares, bei dem Männer weiche Knie bekamen. Natürlich wäre Mike niemals schwach geworden, aber wenn man sich so etwas nicht bewusst machte, wurde es sogar noch gefährlicher.

»Hi«, sagte sie.

»Hi.«

Sie kam nicht herein. Die Leute würden zu tratschen anfangen, wenn das jemand sah, und in so einer Nachbarschaft würde es jemand sehen. Susan blieb mit verschränkten Armen auf der Schwelle stehen wie eine Nachbarin, die um eine Tasse Zucker bat.

»Weißt du, warum ich angerufen habe?«

Sie schüttelte den Kopf.

Er überlegte, wie er es ihr sagen sollte. »Dir ist doch klar, dass wir die nächsten Blutsverwandten von deinem Sohn testen müssen.«

»Ja.«

Er dachte an Daniel Huffs abweisende Haltung, an den Computer oben, an das GPS im Handy seines Sohns. Mike wollte es ihr langsam und schonend beibringen, aber für solche Feinheiten hatte er jetzt keine Zeit.

»Das heißt«, sagte er, »dass wir Lucas' leiblichen Vater testen müssen.«

Susan blinzelte, als hätte er ihr ins Gesicht geschlagen.

»Ich wollte damit nicht einfach so heraus…«

»Ihr habt seinen Vater getestet. Ihr habt gesagt, er passt nicht besonders gut.«

Mike sah sie an. »Den *leiblichen* Vater«, wiederholte er.

Sie blinzelte und trat einen Schritt zurück.

»Susan?«

»Das ist nicht Dante?«

»Nein. Es ist nicht Dante.«

Susan Loriman schloss die Augen.

»O Gott«, sagte sie. »Das ist doch unmöglich.«

»Es ist so.«

»Seid ihr sicher?«

»Ja. Du hast es nicht gewusst?«

Sie sagte nichts.

»Susan?«

»Erzählt ihr das Dante?«

Mike überlegte, was er sagen sollte. »Ich glaube nicht.«

»Du glaubst es?«

»Wir denken noch über die ethischen und rechtlichen Implikationen nach …«

»Ihr dürft es ihm nicht sagen. Sonst dreht er durch.«

Mike brach ab und wartete.

»Er liebt den Jungen. Das dürft ihr ihm nicht nehmen.«

»Unser wichtigstes Anliegen ist Lucas' Wohlergehen.«

»Meint ihr, es hilft Lucas, wenn ihr Dante erzählt, dass er nicht Lucas' richtiger Vater ist?«

»Nein, aber pass mal auf, Susan. Es geht hier in erster Linie um Lucas' Gesundheit. Die kommt bei uns an erster, zweiter und dritter Stelle. Alle anderen Probleme müssen dahinter zurückstehen. Im Moment heißt das, dass wir den bestmöglichen Spender für die Transplantation suchen. Ich sag das also nicht, weil ich meine Nase da reinstecken oder eure Familie zerstören will. Ich sage das als Arzt, der das Beste für seinen Patienten will. Und daher müssen wir den leiblichen Vater testen lassen.«

Sie senkte den Kopf. Ihre Augen waren feucht. Sie biss sich auf die Unterlippe.

»Susan?«

»Ich muss darüber nachdenken«, sagte sie.

Normalerweise hätte er sie jetzt unter Druck gesetzt, aber im Moment gab es dafür keinen Grund. Heute Nacht würde nichts mehr passieren, außerdem musste er sich um seine eigenen Angelegenheiten kümmern. »Wir müssen den Vater testen.«

»Lass mich einfach darüber nachdenken, okay?«

»Okay.«

Sie sah ihn mit traurigem Blick an. »Sag Dante nichts davon. Bitte, Mike.«

Sie wartete keine Antwort ab, drehte sich nur um und ging. Mike schloss die Tür und machte sich wieder auf den Weg nach oben. Susan hatte ein paar harte Wochen hinter sich. »Mrs Loriman, Ihr Sohn leidet an einer tödlichen Krankheit und braucht eine Transplantation. Ach, und Ihr Mann wird übrigens demnächst rauskriegen, dass sein vermeintlicher Sohn gar nicht von ihm ist. Was gibt's sonst noch Neues? Ach ja, wir fahren nach Disneyland!«

Es war extrem still im Haus. Mike war das nicht gewohnt. Er versuchte sich zu erinnern, wann er zum letzten Mal ganz allein im Haus war – ohne die Kinder, ohne Tia –, konnte es aber nicht sagen. Er war zwischendurch gern mal allein. Bei Tia war das anders. Sie brauchte immer jemanden um sich. Sie war in einer großen Familie aufgewachsen und konnte das Alleinsein nicht ausstehen. Mike genoss es normalerweise.

Er setzte sich wieder an den Computer und klickte auf das Symbol. Er fügte ein Lesezeichen für die GPS-Website ein. Der Browser hatte den Benutzernamen gespeichert, das Passwort musste er jedoch neu eingeben. Das tat er. Eine Stimme in seinem Kopf schrie, dass er aufhören sollte. Adam musste sein eigenes Leben führen. Er musste seine eigenen Fehler machen und daraus lernen.

War er überfürsorglich, weil er etwas aus seiner eigenen Kindheit kompensieren musste?

Mikes Vater hatte nie Zeit für ihn gehabt. Dafür konnte er natürlich nichts. Er war aus Ungarn eingewandert – als Flüchtling nach der Niederschlagung des Volksaufstands durch die Rote Armee 1956. Als er auf Ellis Island angekommen war, hatte Antal Baye – der Name wurde Bye ausgesprochen, nicht Baye, und war offenbar französischen Ursprungs, obwohl es niemandem gelungen war, den Stammbaum so weit zurückverfolgen – kein Wort Englisch gesprochen. Er hatte als Tellerwäscher gearbeitet, bis er genug zusammengespart hatte, um eine kleine Imbissstube am MacCarter Highway in Newark zu eröffnen. Da hatte er sich dann sieben Tage die Woche den Arsch aufgerissen und den Lebensunterhalt für sich und seine Familie verdient.

Der Imbiss war zu den drei Mahlzeiten am Tag geöffnet, es gab Comichefte und Baseballsammelkarten, Zeitungen und Zeitschriften, Zigarren und Zigaretten. Lotterielose brachten auch viel ein, wobei Antal sie aber gar nicht gerne verkaufte. Er fand, dass er damit der Gesellschaft einen Bärendienst erwies, weil er seine Kunden dazu ermunterte, ihr hart erarbeitetes Geld für einen verlogenen Traum zum Fenster rauszuwerfen. Mit Zigaretten hatte er keine Probleme – das konnte jeder selbst entscheiden, und die Leute wussten, was sie bekamen. Aber er wollte einfach keine falschen Träume von leicht verdientem Geld verkaufen.

Sein Vater hatte nie die Zeit gehabt, zu einem von Mikes Eishockeyspielen in der Kinderliga mitzukommen. Das war einfach so. Männer wie er taten so etwas damals einfach nicht. Er interessierte sich für alles, was sein Sohn machte, fragte immer wieder danach und wollte über jede Einzelheit Bescheid wissen, aber die langen Arbeitstage ließen ihm keine Zeit für irgendwelche Freizeitaktivitäten und schon gar nicht fürs Rumsitzen und Zugucken. Das eine Mal, als er dann doch gekommen war – zu einem Spiel unter freiem Himmel als Mike neun Jahre alt war –, hatte er sich von der Arbeit erschöpft an einen Baum gelehnt und war in dieser Stellung eingeschlafen. Und selbst dabei hatte Antal noch die weiße Schürze mit den Fettflecken von den Frühstücks-Sandwiches getragen.

So sah Mike seinen Vater immer noch, hinterm Tresen in seiner weißen Schürze, während er Kindern Süßigkeiten verkaufte, nach Ladendieben Ausschau hielt oder schnell ein paar Sandwiches oder Burger zubereitete.

Als Mike zwölf war, hatte sein Vater versucht, ein Gangmitglied aus der Umgebung von einem Ladendiebstahl abzuhalten. Der Jugendliche hatte seinen Vater erschossen. Einfach so.

Die Imbissstube wurde zwangsversteigert. Mom ertränkte ihre Trauer in Alkohol und hörte damit erst wieder auf, als der Alzheimer ihr Gehirn so weit durchlöchert hatte, dass es nicht mehr darauf ankam. Sie lebte jetzt in einem Altersheim in Caldwell. Mike besuchte sie einmal im Monat. Seine Mutter hatte keine Ahnung, wer er war. Manchmal nannte sie ihn Antal und fragte, ob sie den Kartoffelsalat für den mittäglichen Ansturm der Gäste machen sollte.

So war das Leben. Man traf schwierige Entscheidungen, ließ die Heimat und alles, was man liebte, zurück, gab sein bisheriges Leben auf, fuhr um die halbe Welt in ein fremdes Land, baute sich ein neues Leben auf – und dann drückte so ein wertloser Haufen Abschaum einfach ab und setzte dem allen ein Ende.

Dieser frühe Zorn war das zentrale Element im Leben des jungen Mike gewesen. So etwas konnte man verarbeiten, indem man sich zurückzog und alles in sich hineinfraß oder indem man dagegen anging. Mike ging dagegen an. Er wurde ein besserer Eishockeyspieler und ein besserer Schüler. Er lernte intensiv, trainierte hart und sorgte dafür, dass er immer etwas zu tun hatte, denn wenn man beschäftigt war, dachte man nicht an das, was hätte werden können.

Die Landkarte erschien auf dem Monitor. Dieses Mal blinkte

der rote Marker. Aus der Anleitung auf der Internetseite wusste Mike, dass das Zielobjekt sich in dem Fall relativ zügig bewegte – vermutlich in einem Auto. Ein GPS-Locator brauchte ziemlich viel Strom. Daher sendete er nicht konstant, sondern nur alle drei Minuten ein kurzes Signal. Wenn die betreffende Person sich mehr als fünf Minuten am gleichen Ort aufhielt, schaltete das GPS sich ab und wurde erst bei einer Bewegung wieder aktiviert.

Sein Sohn überquerte den Hudson auf der George Washington Bridge.

Warum machte Adam das?

Mike wartete. Adam saß offensichtlich in einem Auto. Wessen? Mike beobachtete, wie der rote Punkt über den Cross Bronx Expressway und den Major Deegan Expressway in die Bronx wanderte. Wo wollte er hin? Mike verstand das nicht. Zwanzig Minuten später schien der Punkt in der Tower Street zum Stehen zu kommen. In der Gegend kannte Mike sich absolut nicht aus.

Und jetzt?

Hier bleiben und den roten Punkt beobachten? Das brachte eigentlich nichts. Aber wenn er ihm hinterherfuhr und versuchte, Adam dort zu finden, konnte der schon längst wieder weg sein.

Mike starrte auf den roten Punkt.

Er klickte auf das Symbol, das ihm die nächstgelegene Adresse nannte. Sie lautete Tower Street 128. Er klickte auf den Link zu dieser Adresse. Es war ein Wohnhaus. Er schaltete auf Satellitenfoto. Da wurde der Kartenausschnitt genau so angezeigt, wie es bezeichnet war – als Satellitenfoto von oben. Es war nichts zu erkennen – nur Häuserdächer in einer Stadtstraße. Er klickte ein paar Häuser in der Umgebung an, da erschien aber auch nichts Erhellendes.

Wen oder was besuchte Adam da?

Er fragte nach der Telefonnummer für die Tower Street 128. Es war ein Mietshaus, also gab es keine. Er brauchte die Nummer eines Apartments.

Und jetzt?

Er rief Mapquest auf. Die Startadresse hieß einfach HOME. Es war so ein schlichtes Wort, trotzdem schien jetzt etwas Herzliches und Persönliches von ihm auszugehen. Auf dem Ausdruck stand, dass man 49 Minuten brauchte, um mit dem Auto dahin zu kommen.

Er beschloss, hinzufahren und nachzusehen, was da los war.

Mike schnappte den Laptop mit dem eingebauten WLAN. Wenn Adam nicht mehr da sein sollte, wollte er herumfahren, bis er über ein offenes WLAN-Netz ins Internet kam, so dass er Adams aktuellen Aufenthaltsort über die GPS-Website feststellen konnte.

Zwei Minuten später stieg Mike in seinen Wagen und fuhr los.

15

Mike bog ganz in der Nähe des Punkts, den das GPS ihm als Adams Standort angezeigt hatte, in die Tower Street ein. Er hielt Ausschau nach seinem Sohn, Gesichtern oder Autos, die ihm bekannt vorkamen. Hatten Mikes Freunde schon Führerscheine? Olivia Burchell, dachte er. War die nicht letztens siebzehn geworden? Er war sich nicht sicher. Er wollte die GPS-Website aufrufen und nachgucken, ob Adam noch hier war. Er hielt am Straßenrand und stellte seinen Laptop an. *Keine WLAN-Verbindung.*

Auf den Gehwegen waren viele junge Leute in schwarzen Klamotten mit blass geschminkten Gesichtern, schwarzem Lippenstift und ebensolchem Lidschatten unterwegs. Sie trugen Ketten, hatten seltsame Piercings im Gesicht, am Körper vermutlich auch, und stellten darüber hinaus die unvermeidlichen Tätowierungen zur Schau, denn schließlich konnte man doch am einfachsten zeigen, wie unabhängig und aufregend man war, indem man sich anpasste und genau das Gleiche machte, wie all seine unabhängigen und aufregenden Freunde. Dabei fühlte sich keiner wohl in seiner Haut. Die armen Kids wollten reich aussehen und kauften sich teure Turnschuhe, Schmuck und wer weiß was. Die Reichen wollten arm wirken, gangsta-hart ihre Weichlichkeit überspielen und sich für die vermeintliche Extravaganz ihrer Eltern entschuldigen, der sie zweifelsohne eines nicht allzu fernen Tages nacheifern würden. Oder war das alles viel banaler? War das Gras auf der anderen Seite der Straße einfach grüner und saftiger? Mike wusste es nicht.

Auf jeden Fall war er froh darüber, dass Adam sich bis jetzt mit den schwarzen Klamotten zufriedengegeben hatte. Bis jetzt hatte er keine Piercings oder Tätowierungen, und er trug auch kein Make-up. Bis jetzt.

Die »Emos« dominierten das Straßenbild – laut Jill wurden sie nicht mehr Gruftis genannt, und ihre Freundin Yasmin hatte sogar darauf bestanden, dass das vollkommen unterschiedliche Typen wären, was zu einer längeren Debatte geführt hatte. Sie schlichen mit offenen Mündern und leeren Blicken gebeugt herum. Manche standen an der Ecke vor einem Club Schlange, andere verschwanden in der einen oder anderen Bar. Ein Nachtclub warb mit »Nonstop 24 Stunden Go-go«, und Mike ertappte sich bei der Überlegung, ob das stimmte, ob da wirklich jeden Tag rund um die Uhr eine Go-go-Tänzerin auf der Bühne stand, also auch um vier Uhr nachts oder mittags um zwei. Was war am Vormittag des ersten Weihnachtstags oder am Unabhängigkeitstag? Und wer waren die traurigen Gestalten, die zu der Zeit in einem solchen Schuppen arbeiteten oder ihn besuchten?

War Adam da drin?

Er konnte es nicht sagen. In der Straße waren jede Menge solcher Clubs. Kräftige Türsteher mit Ohrhörern, wie man sie normalerweise vom Geheimdienst oder den Verkäufern in Old-Navy-Läden kannte, standen Wache. Früher hatten nur wenige

Clubs Türsteher gehabt. Jetzt standen vor jedem zwei muskulöse Typen in engen, schwarzen T-Shirts, die ihre aufgeblähten Bizepse betonten, und mit kahlrasiertem Kopf – als wären Haare ein Zeichen von Schwäche.

Adam war erst sechzehn. Eigentlich durfte man erst mit einundzwanzig in solche Läden. Kaum anzunehmen, dass Adam da reinkam, selbst wenn er sich falsche Papiere besorgt hätte. Sicher war Mike aber nicht. Vielleicht waren ein paar von den Clubs hier dafür bekannt, dass sie es mit dem Jugendschutz nicht so genau nahmen. Das würde auch erklären, warum Adam und seine Freunde so weit fuhren. *Satin Dolls*, der berüchtigte »Gentlemen's Club«, der als Bada Bing in der Fernsehserie *Die Sopranos* zu sehen war, lag nur ein paar Kilometer von ihrem Haus entfernt. Aber da kam Adam nicht rein.

Wahrscheinlich fuhren sie wirklich deshalb den ganzen Weg hierher.

Mike ließ den Laptop auf dem Beifahrersitz stehen und fuhr die Straße entlang. An der nächsten Ecke hielt er an und klickte auf den Button »Drahtlosnetzwerke anzeigen«. Das Programm fand zwei, die aber verschlüsselt waren, so dass er keinen Zugang bekam. Mike fuhr hundert Meter weiter und versuchte es noch einmal. Beim dritten Versuch hatte er Glück. Das »Netgear«-Netzwerk war vollkommen ungesichert. Mike klickte den *Verbinden*-Button und war im Internet.

Er hatte die GPS-Homepage schon im Lesezeichenordner und auch seinen Nutzernamen gespeichert. Er rief sie auf, gab sein einfaches Passwort – ADAM – ein, und wartete.

Die Landkarte erschien. Der rote Punkt hatte sich nicht bewegt. Laut Anleitung gab das GPS den Aufenthaltsort nur in einem Umkreis von etwa zwölf Metern an. Daher konnte er nicht ganz genau sagen, wo Adam war, er konnte aber nicht weit weg sein. Mike fuhr den Computer herunter.

Okay, und jetzt?

Ein paar Meter weiter vorne fand er einen freien Parkplatz. Mit etwas Wohlwollen konnte man die Gegend als heruntergekommen bezeichnen. Hier waren mehr Fenster mit Brettern als mit Glas oder Ähnlichem verschlossen. Die Häuser bestanden aus schmutzig braunen Backsteinen, die sich in einem Zustand zwischen spröde und zerfallen befanden. Der Mief von Schweiß und etwas schwer Definierbarem lag in der Luft. Die Läden hatten die mit Graffiti besprühten Metalljalousien zum Schutz heruntergelassen. Mikes Atem brannte heiß in seiner Kehle. Alle schienen hier zu schwitzen.

Die Frauen trugen Spaghettiträgertops und sehr knappe Shorts, und – auf das Risiko hin, als hoffnungslos altmodisch oder politisch unkorrekt dazustehen – er wusste nicht genau, ob das einfach Teenager in Feierlaune oder Prostituierte waren.

Er stieg aus dem Wagen. Eine große Schwarze kam auf ihn zu und sagte: »Hey, Joe, willst du mit Latisha einen draufmachen?«

Ihre Stimme war tief. Ihre Hände waren groß. Und jetzt war Mike sich gar nicht mehr sicher, ob »ihre« das richtige Pronomen war.

»Nein danke.«

»Bist du sicher? Dir würden sich ganz neue Horizonte eröffnen.«

»Ganz bestimmt, aber mir ist mein Horizont auch so weit genug.«

Jede freie Stelle war mit Plakaten von Bands zugepflastert, deren Namen man nie gehört hatte, wie *Pap Smear* und *Gonorrhea Pus*. Auf einer von einer nackten Glühbirne beleuchteten kleinen Terrasse vor dem Haus hielt eine schweißüberströmte Mutter ihr Baby auf der Hüfte. Mike entdeckte einen provisorischen Parkplatz in einer verlassenen Gasse. Auf einem Schild stand: *All night, $ 10*. Ein Latino in Unterhemd und abgeschnittener Hose stand an der Einfahrt und zählte Geld. Als er Mike sah, fragte er: »Was guckst du, Bro?«

»Nichts.«

Mike ging weiter. Er kam zu der Adresse, die sein GPS ihm angezeigt hatte. Es war ein Haus ohne Fahrstuhl zwischen zwei lauten Clubs. Er blickte hinein und sah ungefähr ein Dutzend Klingeln. Es gab keine Namensschilder neben den Klingeln, nur Nummern und Buchstaben.

Und wie weiter?

Er hatte keine Ahnung.

Natürlich konnte er hier einfach auf Adam warten. Aber was brachte das? Es war zehn Uhr abends. Die Läden hier füllten sich gerade erst. Wenn sein Sohn seine Anweisungen einfach missachtete und sich hier vergnügen wollte, konnte es Stunden dauern, bis er wieder rauskam. Und was dann? Sollte Mike direkt vor Adam und seinen Freunden wie Kai aus der Kiste kommen und rufen »Hahaah, ich hab dich!« Würde das irgendetwas nützen? Wie sollte er Adam erklären, wie er hierhergekommen war?

Was hatten er und Tia sich überhaupt von dieser Überwachung versprochen?

Das war das nächste Problem mit der Spitzelei. Wenn man die Missachtung der Privatsphäre einmal vergaß, hatte man immer noch das Problem mit der Durchsetzung. Was machte man denn, wenn man erfuhr, dass irgendetwas lief? Würde diese Einmischung und der daraus folgende Vertrauensverlust des Kindes seinen Eltern gegenüber nicht mindestens einen ebenso großen Schaden anrichten wie ein Trinkgelage eines Minderjährigen?

Kam drauf an.

Mike wollte sichergehen, dass seinem Sohn nichts passierte. Mehr nicht. Er dachte darüber nach, was Tia gesagt hatte, dass Eltern nur Begleiter auf dem Weg ins Erwachsensein seien. Da war etwas dran. Die Teenagerjahre waren extrem hormongesteuert und angsterfüllt, da wurden so viele Emotionen hineingepackt und noch potenziert – und dann ging das alles so schnell vorbei. Das konnte man einem Teenager aber nicht sagen. Wenn man einen Teenager mit einer Lebensweisheit erreichen könnte, würde sie einfach lauten: Auch das geht vorbei – und es ging wirklich schnell vorbei. Teenager würden natürlich gar nicht zuhören, denn gerade das war ja die Schönheit, aber auch der Fluch der Jugend.

Er dachte an Adams Chat mit CeeJay8115, an Tias Reaktion und sein eigenes Bauchgefühl. Er war nicht religiös und glaubte nicht an psychische oder sonstige übersinnliche Kräfte, handelte aber weder im privaten noch im beruflichen Bereich gern gegen das, was man vielleicht als »Schwingungen« bezeichnen konnte. Manche Dinge »fühlten sich einfach nicht richtig an«. Das konnten sowohl medizinische Diagnosen als auch die Auswahl der Strecke bei einer längeren Autofahrt sein. Manchmal lag einfach etwas in der Luft, ein Knistern, eine Ahnung. Mike hatte allerdings auch gelernt, dass er dieses Gefühl bewusst ignorieren konnte.

Aber im Augenblick schrien diese Schwingungen, dass sein Sohn in ernsthaften Schwierigkeiten steckte.

Also musste er ihn suchen.

Wie?

Er hatte keine Ahnung.

Er ging die Straße zurück. Mehrere Prostituierte sprachen ihn an. Die meisten schienen Männer zu sein. Ein Mann im Geschäftsanzug behauptete, eine bunt gemischte Gruppe »absolut heißer, junger Damen zu repräsentieren«. Mike müsse ihm nur eine Liste mit körperlichen Eigenschaften und seinen Vorlieben geben, damit besagter Repräsentant ihm genau die passende Partnerin oder Partnerinnen besorgte. Mike hörte sich den kurzen Verkaufsvortrag erst an, bevor er das Angebot ausschlug.

Dann suchte er weiter. Ein paar junge Mädchen runzelten die Stirn, als sie seine Blicke spürten. Er sah sich um und merkte, dass er wohl fast zwanzig Jahre älter als jeder andere auf der belebten Straße war. Außerdem fiel ihm auf, dass jeder Club seine Klientel ein paar Minuten oder noch länger warten ließ. Einer hatte eine jämmerliche, vielleicht einen Meter lange Samtkordel, hinter der jeder, der in den Club wollte, mindestens zehn Sekunden lang warten musste, bevor die Tür geöffnet wurde.

Als Mike sich abwandte, sah er etwas im Augenwinkel.

Eine Jacke in den Farben der Highschool-Mannschaft.

Er drehte sich um und sah DJ Huff in die entgegengesetzte Richtung gehen.

Zumindest sah der Junge aus wie DJ Huff. Er hatte die Mannschaftsjacke, die er sonst immer trug, über die Schulter geworfen. Dann war er das vielleicht gar nicht. Wahrscheinlich sogar.

Doch, dachte Mike: Natürlich ist das DJ Huff.

Er war in einer Seitenstraße verschwunden. Mike beschleunigte seinen Schritt und folgte ihm. Als er den Jungen aus den Augen verlor, fing er an zu laufen.

»Brrr! Immer mit der Ruhe, Opilein!«

Er war in einen Jugendlichen mit kahlrasiertem Kopf und einer Kette zwischen Unterlippe und Ohr gerannt. Seine Kumpel lachten über den Opa-Spruch. Mike runzelte die Stirn und wand sich an ihm vorbei. Hier war die Straße rappelvoll und schien mit jedem Schritt voller zu werden. An der nächsten Kreuzung hatte er dann den Eindruck, dass der Anteil schwarz gekleideter Gruftis – ups, Emos – zugunsten weiterer Latinos abnahm. Mike schnappte ein paar spanische Gesprächsfetzen auf. Die babypuderweißen Gesichter wurden durch olivfarbene ersetzt. Die Männer trugen Hemden, bei denen sämtliche Knöpfe offen standen, um das strahlend weiße Feinrippunterhemd zu präsentieren. Die Frauen waren salsa-sexy, nannten die Männer »Coños« und trugen so eng anliegende Kleidung, dass Mike unwillkürlich an Wurstpellen denken musste.

Vor Mike bog DJ Huff nach rechts in eine andere Straße ein. Er schien zu telefonieren. Mike versuchte, näher an ihn heranzukommen … Aber was sollte er machen, wenn er ihn einholte? Auch da bestand die Möglichkeit, ihn zu packen und

»Hahaah!« zu rufen. Na ja. Vielleicht sollte er ihm einfach folgen und gucken, wo er hinging. Mike wusste nicht, was passierte,
es gefiel ihm aber ganz und gar nicht. Angst machte sich in seinem Hinterkopf breit.

Er bog nach rechts ab.

Und DJ Huff war verschwunden.

Mike blieb stehen. Er überlegte, wie groß der Abstand gewesen
und wie viel Zeit vergangen war, seit DJ um die Ecke gebogen war.
Ein paar Meter vor ihm war ein Club. Das war die einzige sicht-
bare Tür. Also musste DJ Huff da reingegangen sein. Die Schlange vor dem Club war lang – die längste, die Mike bisher gesehen
hatte. Da standen mindestens hundert junge Leute. Eine ziemlich
gemischte Gruppe aus Emos, Latinos, Afroamerikanern und sogar
ein paar übrig gebliebene Yuppies.

Aber hätte Huff sich nicht hinten an der Schlange anstellen
müssen?

Vielleicht nicht. Hinter einer Samtkordel stand ein besonders
großer Türsteher. Eine Stretchlimousine fuhr vor. Zwei langbeini-
ge junge Frauen stiegen aus. Ein Mann, der fast dreißig Zentimeter kleiner als die Frauen war, nahm seinen offenbar angestammten
Platz zwischen den beiden ein. Der riesige Türsteher klickte die
Samtkordel aus – die in diesem Fall etwa drei Meter lang war –
und ließ sie sofort hinein.

Mike rannte zum Eingang. Der Türsteher – ein großer Schwarzer, dessen Arme an hundertjährige Redwood-Bäume erinnerten – musterte Mike wie ein lebloses Objekt. Wie einen Stuhl
vielleicht. Oder einen Einwegrasierer.

»Ich muss da rein«, sagte Mike.

»Name?«

»Ich steh auf keiner Liste.«

Der Türsteher sah ihn einfach weiter gelangweilt an.

»Ich glaube, mein Sohn ist da drin. Er ist minderjährig.«

Der Türsteher sagte nichts.

»Hören Sie«, sagte Mike. »Ich will keinen Ärger machen ...«

»Dann stellen Sie sich hinten an. Obwohl ich nicht glaube, dass Sie überhaupt reinkommen.«

»Das ist eine Art Notfall. Sein Freund ist vor zwei Sekunden oder so reingekommen. Er heißt DJ Huff.«

Der Türsteher trat einen Schritt näher an ihn heran. Erst kam die Brust, die man als Wand eines Squash-Courts hätte verwenden können, dann der Rest von ihm. »Ich muss Sie jetzt bitten zu gehen.«

»Mein Sohn ist minderjährig.«

»Das sagten Sie schon.«

»Ich muss ihn da rausholen, sonst gibt es richtig Ärger.«

Der Türsteher strich sich mit dem Catcher-Handschuh über die glattrasierte schwarze Kuppel. »Richtig Ärger, sagen Sie?«

»Ja.«

»Also, jetzt bin ich aber echt besorgt.«

Mike griff in die Tasche und zog einen Dollarschein heraus.

»Geben Sie sich keine Mühe«, sagte der Türsteher. »Sie kommen hier nicht rein.«

»Sie verstehen das nicht.«

Der Türsteher kam noch einen Schritt auf ihn zu. Jetzt hatte Mike die Brust fast im Gesicht. Er schloss die Augen, wich aber nicht zurück. Alte Eishockeyschule – man wich nicht zurück. Er öffnete die Augen wieder und starrte den großen Mann an.

»Treten Sie zurück«, sagte Mike.

»Sie werden uns jetzt verlassen.«

»Ich hab gesagt, Sie sollen zurücktreten.«

»Ich tret hier nirgends hin.«

»Ich suche meinen Sohn.«

»Hier ist kein Minderjähriger drin.«

»Ich will da rein.«

»Dann stellen Sie sich hinten an.«

Mike starrte dem großen Mann weiter in die Augen. Beide bewegten sich nicht. Sie sahen aus wie Profiboxer im Ring, die noch letzte Instruktionen von ihren Trainern bekamen. Ein Knistern lag in der Luft. Mike spürte das Kribbeln in seinen Gliedmaßen. Er konnte kämpfen. Man kam im Eishockey nicht weit, wenn man nicht wusste, wie man seine Fäuste einsetzte. Er überlegte, ob sein Gegenüber echt war, oder ob die Muskeln nur Show waren.

»Ich geh da jetzt rein«, sagte Mike.

»Ist das Ihr Ernst?«

»Ich hab Freunde bei der Polizei«, sagte Mike, was ein absoluter Bluff war. »Die führen hier eine Razzia durch. Und wenn da Minderjährige drin sind, ist der Laden ratzfatz dicht.«

»Ach je. Jetzt krieg ich schon wieder Angst.«

»Gehen Sie mir aus dem Weg.«

Mike trat einen Schritt nach rechts. Der große Türsteher folgte seiner Bewegung und blockierte ihm weiter den Weg.

»Ihnen ist schon klar«, sagte der große Türsteher, »dass Sie sich gleich eine einfangen.«

Mike kannte die Grundregel: Man durfte nie Angst zeigen. »Ja.«

»Echt knallharter Bursche, was?«

»Legen wir los?«

Der Türsteher lächelte. Seine fantastischen Zähne strahlten weiß im schwarzen Gesicht. »Nein. Und soll ich Ihnen sagen, wieso? Selbst wenn Sie härter sind, als ich glaube, was ich allerdings auch bezweifle, hab ich noch Reggie und Tyrone als Back-up.« Er deutete mit dem Daumen auf zwei weitere schwarz gekleidete große Männer hinter sich. »Wir sind nicht hier, weil wir unsere Männlichkeit unter Beweis stellen wollen, indem wir uns mit irgendwelchen Idioten anlegen. Ich muss also auch keinen fairen Kampf führen. Wenn wir beide ›loslegen‹«, sagte er sarkastisch, »sind die beiden von Anfang an dabei. Und Reggie hat einen Elektroschocker, wie ihn auch die Polizei benutzt. Alles klar?«

Als der Türsteher die Arme vor der Brust verschränkte, sah Mike die Tätowierung. Er hatte ein grünes D auf dem Unterarm.

»Wie heißen Sie?«, fragte Mike.

»Was?«

»Ihr Name«, sagte Mike zum Türsteher.

»Anthony.«

»Und mit Nachnamen?«

»Was geht Sie das an?«

Mike deutete auf den Arm. »Das D da.«

»Das hat nichts mit meinem Namen zu tun.«

»Dartmouth?«

Anthony, der Türsteher, starrte ihn an. Dann nickte er langsam. »Sie auch?«

»*Vox clamentis in deserto*«, zitierte Mike das Motto der Universität.

Anthony übersetzte. »Eine Stimme, die in der Wildnis schreit.« Er lächelte. »Das hab ich nie richtig verstanden.«

»Ich auch nicht«, sagte Mike. »Haben Sie in einer Mannschaft gespielt?«

»Football. Auswahlteam der Ivy League. Und Sie?«

»Eishockey.«

»Auch Ivy-League-Auswahlteam?«

»Und Universitäts-Nationalmannschaft«, sagte Mike.

Anthony zog beeindruckt eine Augenbraue hoch.

»Haben Sie Kinder, Anthony?«

»Einen dreijährigen Sohn.«

»Und wenn Sie glauben würden, dass Ihr Sohn in Schwierigkeiten steckt, könnten Sie, Reggie und Tyrone Sie davon abhalten, da reinzukommen?«

Anthony atmete tief aus. »Wieso sind Sie so sicher, dass Ihr Sohn hier drin ist?«

Mike erzählte ihm, dass er DJ Huff mit der Mannschaftsjacke gesehen hatte.

»Der Junge?« Anthony schüttelte den Kopf. »Der ist hier nicht reingekommen. Glauben Sie, ich lass so ein Jüngelchen in einer Highschool-Mannschaftsjacke hier rein? Er ist da drüben in die Gasse gerannt.«

Er deutete zehn Meter weiter die Straße hinunter.

»Irgendeine Ahnung, wo das hingeht?«, fragte Mike.

»Ich glaub, das ist 'ne Sackgasse. Ich geh da nicht rein. Wieso auch. Da treiben sich Junkies und Dealer und solche Typen rum. So, und jetzt müssen Sie mir einen Gefallen tun.«

Mike wartete.

»Die gucken uns hier alle an. Wenn ich Sie einfach gehen lasse, ist das nicht gut für meinen Ruf – und der ist hier auf der Straße verdammt wichtig, wenn Sie wissen, was ich meine?«

»Klar.«

»Also hol ich gleich aus, und Sie hauen ab wie ein verängstigtes kleines Mädchen. Sie können ja in die Gasse da drüben laufen. Alles klar?«

»Eine Frage hab ich noch.«

»Was?«

Mike griff in sein Portemonnaie.

»Ich hab Ihnen doch schon gesagt«, sagte Anthony, »dass ich kein …«

Mike zeigte ihm ein Foto von Adam.

»Kennen Sie ihn?«

Anthony schluckte.

»Das ist mein Sohn. Kennen Sie ihn?«

»Er ist nicht hier.«

»Das war nicht meine Frage.«

»Ich hab ihn nie gesehen. Und jetzt?«

Anthony packte Mike am Revers und ballte die Faust. Mike duckte sich und schrie »Nein, aufhören, tut mir leid, ich geh ja schon!«

Er sprang zurück. Anthony ließ ihn los. Mike rannte davon.

Hinter sich hörte er Anthony sagen: »Tja, alter Junge, verzieh dich lieber.«

Ein paar Besucher klatschten. Mike sprintete die Straße entlang und bog dann in die Gasse. Da stolperte er fast über eine Reihe verbeulter Mülltonnen. Glas knirschte unter seinen Sohlen. Er blieb stehen, sah nach vorne und stand vor einer weiteren Prostituierten. Er nahm zumindest an, dass sie eine war. Sie lehnte sich an einen braunen Müllcontainer, als wäre sie damit verwachsen und würde umfallen, wenn man ihn da wegnahm. Ihre Perücke schimmerte fliederfarben und sah aus, als ob man sie im Jahr 1974 David Bowie aus der Tourgarderobe geklaut hätte. Oder zwei Jahre später aus Bowies verbeulter Mülltonne. Sie schien vor Läusen und Flöhen zu wimmeln.

Die Frau lächelte ihn zahnlos an.

»Hey, Baby.«

»Haben Sie gesehen, ob hier ein Jugendlicher durchgelaufen ist?«

»Hier laufen viele Jugendliche durch, Süßer.«

Wäre die Stimme etwas lebhafter gewesen, hätte man sie als matt bezeichnen können. Die Frau war ausgemergelt und extrem blass, so dass jeder sofort Bescheid wusste, auch wenn sie das Wort »Junkie« nicht auf die Stirn tätowiert trug.

Mike suchte einen Ausgang. Es gab keinen. Die Gasse hatte keinen Ausgang, und es gab auch keine Türen. Er sah ein paar Feuertreppen, die aber extrem verrostet waren. Wenn Huff also wirklich hier reingelaufen war, wie war er dann wieder rausgekommen? Wo war er hingegangen – vielleicht war er bei Mikes Auseinandersetzung mit Anthony wieder herausgeschlichen? Oder Anthony hatte ihn belogen, damit er endlich verschwand?

»Suchst du diesen Highschool-Burschen, Süßer?«

Mike blieb stehen, drehte sich um und sah die Prostituierte wieder an.

»Den Highschool-Burschen. Der war noch ganz jung und bildhübsch, ja? Oh, Baby, ich werd schon ganz feucht, wenn ich nur an ihn denke.«

Zaghaft trat Mike einen Schritt auf sie zu, fürchtete fast, dass ein großer Schritt zu starke Erschütterungen auslösen könnte, worauf sie zerbröseln und sich mit dem Dreck unter ihren Füßen vermengen würde. »Ja.«

»Na, dann komm doch mal rüber, mein Süßer, dann erzähl ich dir, wo er ist.«

Noch ein kleiner Schritt.

»Du kannst ruhig näher rankommen, Schätzchen. Ich beiß dich schon nicht. Außer du stehst auf so was.«

Das folgende alptraumhafte Gegacker sollte wohl ein Lachen sein. Als sie den Mund öffnete, fiel ihre Schneidezahnbrücke nach unten. Mike roch, dass sie einen Kaugummi kaute – was aber den fauligen Gestank eines toten Zahns nicht überdecken konnte.

»Wo ist er?«

»Hast du ein bisschen Geld für mich?«

»Genug, wenn Sie mir sagen, wo er ist.«

»Lass doch mal sehen.«

Mike gefiel das nicht, er wusste aber auch nicht, was er sonst machen sollte. Also zog er einen Zwanzigdollarschein aus dem Portemonnaie. Sie streckte ihre knochige Hand aus. Die Hand erinnerte Mike an ein altes »Geschichten aus der Gruft«-Comic, auf dem ein Skelett eine Hand aus dem Grab streckte.

»Den kriegen Sie, sobald Sie mir gesagt haben, wo er hin ist«, sagte er.

»Traust du mir nicht?«

Mike hatte keine Zeit. Er zerriss den Schein und gab ihr eine Hälfte. Sie nahm ihn und seufzte.

»Jetzt reden Sie, dann kriegen Sie die andere Hälfte«, sagte Mike. »Wo ist er?«

»Ach, Schätzchen«, sagte sie. »Er steht doch direkt hinter dir.«

Mike wollte sich gerade umdrehen, als ihm jemand eine Faust in die Leber rammte.

Ein guter Leberhaken nimmt einem alle Kampfeslust und lähmt einen sogar einen Moment lang. Das wusste Mike. So gut war dieser hier nicht, aber auch nicht weit davon entfernt. Mike sackte zusammen und taumelte ein paar Schritte zur Seite. Sein Mund öffnete sich, es kam aber kein Laut heraus. Er fiel auf ein Knie. Ein zweiter Schlag traf ihn am Ohr. Etwas Hartes prallte auf seinen Kopf. Mike versuchte, sich klarzumachen, was passierte, den Angriff zu überstehen, aber dann bekam er einen Tritt unter die Rippen. Er fiel auf den Rücken.

Er reagierte rein instinktiv.

Weg hier, dachte er.

Mike rollte zur Seite, als sich etwas Spitzes in seinen Arm bohrte. Wahrscheinlich eine Glasscherbe. Er wollte wegkrabbeln, bekam aber einen Schlag auf den Kopf. Er spürte förmlich, wie sein Gehirn im Kopf nach links geschleudert wurde. Eine Hand packte ihn am Knöchel.

Mike trat nach hinten aus. Er traf etwas Weiches, Nachgiebiges. Eine Stimme schrie: »Scheiße!«

Jemand stürzte sich auf ihn. Mike war schon früher häufiger in Schlägereien verwickelt, allerdings nur auf dem Eis. Trotzdem hatte er dabei ein paar Dinge gelernt. Zum Beispiel, dass man nicht mit den Fäusten zuschlug, wenn das nicht nötig war. Dabei brach man sich schnell mal die Hand. Aus einer gewissen Distanz konnte man das zwar machen, aber hier war ihm der Gegner sehr nah. Er winkelte den Arm an und schwang blind aus. Sein Unterarm fand Kontakt. Etwas knackte und knirschte, dann spritzte Blut.

Offenbar hatte er eine Nase getroffen.

Dann traf ihn ein weiterer Schlag, den er auszupendeln versuchte. Er trat wild um sich. Die Dunkelheit war von Grunzen und Stöhnen erfüllt. Mike warf den Kopf zurück und versuchte eine Kopfnuss.

»Hilfe!«, schrie Mike. »Hilfe! Polizei!«

Irgendwie kam er dann wieder auf die Beine. Gesichter konnte er nicht erkennen, sondern nur, dass es mehrere Personen waren. Mehr als zwei, vermutete er. Alle stürzten sich gleichzeitig auf ihn. Er knallte gegen den Müllcontainer. Ein Knäuel von Körpern wälzte sich über den Boden, er mittendrin. Mike wehrte sich mit aller Macht, aber jetzt hatte er alle auf sich. Mit den Fingernägeln zerkratzte er ein Gesicht. Sein Hemd riss.

Und dann sah Mike ein Messer.

Bei dem Anblick erstarrte er. Wie lange, konnte er nicht sagen. Seinen Gegnern reichte es. Er sah das Messer, erstarrte, dann spürte er einen dumpfen Schlag seitlich am Kopf. Sein Kopf fiel nach hinten und knallte aufs Pflaster. Jemand presste seine Arme zu Boden, ein anderer seine Beine. Etwas traf ihn auf der Brust. Dann kamen die Schläge von überall. Mike wollte sich zusammenkrümmen, den verletzlichen Bauch schützen, aber seine Gliedmaßen gehorchten ihm nicht.

Er spürte, wie er ohnmächtig wurde. Er gab auf.

Die Schläge hörten auf. Der Druck auf Mikes Brust ließ nach. Jemand war aufgestanden oder von ihm heruntergestoßen worden. Mike konnte die Beine wieder bewegen.

Er öffnete die Augen, sah aber nur Schatten. Ein letzter Tritt mit der Schuhspitze traf ihn unter der Schläfe. Alles wurde dunkel, und dann spürte er gar nichts mehr.

16

Um drei Uhr morgens versuchte Tia es noch einmal auf Mikes Handy.

Keine Antwort.

Das *Four Seasons* Hotel in Boston war hübsch, und Tia gefiel ihr Zimmer. Tia übernachtete gerne in schicken Hotels – wer tat das nicht? Ihr gefielen die frischen Laken, der Zimmerservice und dass sie ganz allein durchs Fernsehprogramm zappen konnte. Bis Mitternacht hatte sie hart gearbeitet, vollkommen in die Vorbereitung der morgigen Befragung vertieft. Das Handy hatte sie auf Vibration gestellt und in die Tasche gesteckt. Immer wieder hatte sie es herausgezogen und nachgesehen, ob sie einen Anruf verpasst hatte.

Aber das hatte sie nicht.

Wo zum Teufel steckte Mike?

Natürlich hatte sie versucht, ihn anzurufen. Und zu Hause. Und bei Adam auf dem Handy. Langsam machte sich erste Panik breit, sie versuchte aber, ihr nicht völlig zu verfallen. Adam war eine Sache. Mike eine ganz andere. Mike war erwachsen. Er konnte mit fast jeder Situation umgehen. Unter anderem deshalb hatte sie sich damals zu ihm hingezogen gefühlt – auch wenn das aus feministischer Sicht nicht politisch korrekt war. In Mike Bayes Nähe hatte sie sich sicher, umsorgt und in jeder Beziehung behütet gefühlt. Er war ein Fels in der Brandung.

Tia fragte sich, was sie tun sollte.

Sie konnte in den Mietwagen steigen und nach Hause fahren. Das würde ungefähr vier, vielleicht auch fünf Stunden dauern. Morgen früh wäre sie zu Hause. Aber was wollte sie da? Die Polizei anrufen? So kurz nach Mikes Verschwinden würden die gar nicht richtig zuhören, außerdem konnten sie um die Zeit auch nicht viel machen.

Drei Uhr morgens. Tia fiel nur eine Person ein, die sie anrufen konnte.

Obwohl sie ihn noch nie angerufen hatte, hatte sie seine Nummer im Handy eingespeichert, weil Mike und sie ihre Daten gemeinsam in Outlook mit demselben Kalender, Adress- und Telefonbuch verwalteten. So waren ihre Blackberrys immer auf dem gleichen Stand, und beide wussten – zumindest in der Theorie –, welche Termine der andere hatte. Außerdem hatten sie auch alle privaten und geschäftlichen Kontaktdaten.

Das zeigte dann auch, dass sie keine Geheimnisse voreinander hatten, oder?

Sie dachte darüber nach – inwiefern man Geheimnisse und ein eigenes Innenleben brauchte und welche Angst sie als Mutter und Ehefrau manchmal davor hatte. Aber dafür war jetzt keine Zeit. Sie suchte die Nummer heraus und drückte die Anruftaste.

Falls Mo geschlafen hatte, hörte man das seiner Stimme nicht an.

»Hallo?«

»Hier ist Tia.«

»Was ist los?«

Sie hörte die Angst in diesen Worten. Mo hatte weder Frau noch Kinder. Eigentlich hatte er nur Mike. »Hast du was von Mike gehört?«

»Gegen halb neun haben wir telefoniert.« Dann wiederholte er die Frage: »Was ist los?«

»Er ist Adam suchen gefahren.«

»Ich weiß.«

»Wir haben so gegen neun noch mal darüber gesprochen. Seitdem hat er sich nicht mehr gemeldet.«

»Hast du versucht, ihn auf dem Handy zu erreichen?«

Jetzt wusste Tia, wie Mike sich gefühlt hatte, als sie ihm eine ähnlich idiotische Frage gestellt hatte. »Natürlich.«

»Ich bin schon fast angezogen«, sagte Mo. »Sobald ich fertig bin, fahr ich zu euch rüber und guck im Haus nach. Ist der Schlüssel immer noch unter dem falschen Felsen neben dem Zaunpfahl versteckt?«

»Ja.«

»Okay. Ich bin unterwegs.«

»Soll ich die Polizei anrufen?«

»Warte noch, bis ich da bin. Das dauert keine halbe Stunde.

Vielleicht ist er einfach vor dem Fernseher eingeschlafen oder so was.«

»Glaubst du das, Mo?«

»Nein. Ich meld mich, sobald ich da bin.«

Er legte auf. Tia schwang die Beine aus dem Bett. Das Zimmer hatte mit einem Schlag jeden Reiz verloren. Sie konnte es nicht ausstehen, allein zu schlafen, selbst in einem Luxushotel mit Edelbettwäsche. Sie brauchte ihren Mann neben sich. Immer. Es kam sehr selten vor, dass sie eine Nacht getrennt verbrachten, und sie vermisste ihn mehr als sie sich eingestehen wollte. Sie brauchte etwas, woran sie sich festhalten konnte. Sie mochte seinen warmen Körper neben sich, dass er sie beim Aufstehen immer auf die Stirn küsste, dass er seine starke Hand, wenn sie schlief, auf ihren Rücken legte.

Sie erinnerte sich noch genau an die Nacht, in der Mike etwas kurzatmig war. Nachdem sie lange gedrängelt hatte, hatte er schließlich zugegeben, dass er sich beengt in der Brust fühlte. Tia, die stark sein wollte, um ihrem Mann zu helfen, wäre fast durchgedreht, als sie das hörte. Im Endeffekt hatte er sich nur den Magen verdorben, aber allein der Gedanke hatte ihr schon Tränen in die Augen getrieben. Sie hatte sich vorgestellt, wie ihr Mann sich an die Brust griff und zu Boden sackte. Und seitdem wusste sie es. Seitdem wusste sie, dass das eines Tages tatsächlich passieren konnte – auch wenn es vielleicht noch dreißig, vierzig oder fünfzig Jahre hin war –, es würde passieren, das oder etwas ähnlich Furchtbares, weil das allen Paaren irgendwann passierte, den glücklichen genauso wie den unglücklichen, und dass sie das einfach nicht überleben würde. Manchmal betrachtete sie ihn nachts, wenn er schlief, und flehte ihn und die dafür zuständigen Mächte an: »Versprecht mir, dass ich zuerst sterbe. Versprecht es mir.«

Ruf die Polizei an.

Aber was würden die machen? Noch nichts. Im Fernsehen

schwärmte das FBI sofort aus. Sie hatte erst vor Kurzem in einer Fortbildung für Strafrecht erfahren, dass ein Volljähriger so schnell noch gar nicht als vermisst erklärt werden *konnte*, sofern es keine ernstzunehmenden Hinweise auf eine Entführung oder die Androhung körperlicher Gewalt gab.

Das lag beides nicht vor.

Und wenn sie jetzt die Polizei anrief, würde allenfalls ein Beamter zum Haus fahren und da nach dem Rechten sehen. Und womöglich war Mo dann gerade da – was zu Missverständnissen führen konnte.

Sie würde die knappe halbe Stunde warten.

Tia hätte gern bei den Novaks angerufen und mit Jill gesprochen, einfach um ihre Stimme zu hören. Etwas Beruhigendes. Verdammt, Tia war so glücklich über diese Dienstreise gewesen, wo sie ein Luxuszimmer bekam, sich in den Frotteebademantel kuscheln und etwas beim Zimmerservice bestellen konnte, und jetzt wollte sie doch nur wieder zurück zu ihrer Familie. Das Zimmer wirkte kalt und leblos. Tia schauderte in der Einsamkeit. Sie stand auf und stellte die Klimaanlage kleiner.

Das ganze Gebilde war extrem zerbrechlich. Das war keine ganz neue Erkenntnis, aber eine, die wir meist verdrängten – wir weigerten uns, darüber nachzudenken, wie leicht unser Leben in die Brüche gehen konnte, denn wenn es uns so richtig bewusst wurde, würden viele von uns durchdrehen. Und die Menschen, die in ewiger Angst lebten, die Medikamente brauchten, um zu funktionieren, das waren doch diejenigen, die die Realität wirklich verstanden hatten, die wussten, wie schmal der Grat war, auf dem wir uns bewegten. Ihr Problem war nicht, dass sie der Wahrheit nicht ins Auge sehen konnten – ihr Problem war, dass sie sie nicht verdrängen konnten.

Tia könnte auch dazugehören, das wusste sie, und sie kämpfte hart darum, diese Ängste in Schach zu halten. Plötzlich beneidete sie ihre Chefin Hester Crimstein dafür, dass sie niemanden hatte. Vielleicht war das besser so. Natürlich war es im Allgemeinen besser, wenn es Menschen gab, die einem wichtiger waren als man selbst. Das wusste sie. Aber damit ging auch immer diese erbärmliche Angst einher, sie zu verlieren. Es heißt, der Besitz beherrsche die Menschen, aber das stimmte nicht. Diejenigen die man liebte, beherrschten einen. Man war den Menschen, die man liebte, auf ewig verfallen.

Die Zeit wollte nicht vergehen.

Tia wartete. Sie stellte den Fernseher an. Informercials bestimmten die spätnächtliche TV-Landschaft. Werbefilme für Fortbildungen, Jobs und Colleges – sie nahm an, dass die einzigen Menschen, die um diese Zeit fernsahen, all das nicht hatten.

Es war fast vier, als das Handy endlich summte. Tia schnappte es, sah Mos Namen auf dem Display und meldete sich.

»Hallo?«

»Keine Spur von Mike«, sagte Mo. »Und von Adam auch nicht.«

*

An Loren Muses Tür stand ESSEX COUNTY CHIEF INVESTIGATOR. Jedes Mal, wenn sie die Tür öffnete, blieb sie kurz stehen und las es leise. Sie hatte ein Eckbüro. Die Schreibtische der Detectives standen im gleichen Stockwerk. Lorens Büro hatte Fenster, und wenn sie da war, ließ sie die Tür immer offen. Sie wollte zu den Ermittlern gehören und gleichzeitig über ihnen stehen. Wenn sie mal ihre Ruhe brauchte – was selten vorkam –, zog sie sich in einen Verhörraum am Rand des Reviers zurück.

Als sie morgens um halb sieben ankam, waren nur zwei andere Detectives da, und beide räumten ihren Schreibtisch auf, um pünktlich um sieben zum Schichtwechsel nach Hause gehen zu können. Loren prüfte auf der Pinnwand, ob es neue Morde gegeben hatte. Gab es nicht. Sie hoffte, heute eine Antwort vom *NCIC* auf ihre Anfrage nach den Fingerabdrücken der unbekannten Nicht-Prostituierten im Leichenschauhaus zu bekommen. Sie schaute im Computer nach. Noch nichts.

Die örtliche Polizei in Newark hatte in der Nähe des Fundorts der Unbekannten eine Überwachungskamera entdeckt. Wenn die Leiche in einem Auto zum Fundort gebracht worden war – und es war kaum davon auszugehen, dass sie jemand getragen hatte –, hatten sie eine gute Chance, dass das Fahrzeug auf dem Video zu sehen war. Natürlich war es dann eine Heidenarbeit festzustellen, um welches Fahrzeug es sich handelte. Auf dem Video waren vermutlich hunderte von Fahrzeugen, und Loren ging nicht davon aus, dass auf einem »Leiche im Kofferraum« stand.

Mit ein paar Klicks stellte sie fest, dass das Video heruntergeladen war. Und da im Büro nicht viel los war, konnte sie es auch sofort ansehen. Sie wollte gerade auf den PLAY-Button klicken, als jemand leicht gegen die Tür klopfte.

»Hätten Sie einen Moment Zeit, Boss?«

Clarence Morrow stand im Flur und steckte den Kopf durch die Tür. Der knapp sechzigjährige Schwarze mit borstigem, weiß-grauem Schnurrbart, dessen Gesicht immer leicht angeschwollen aussah, als ob er vor Kurzem in eine Schlägerei geraten wäre, strahlte eine gewisse Ruhe und Sanftheit aus. Außerdem trank und fluchte er nie, im Gegensatz zu allen anderen in der Abteilung.

»Natürlich, Clarence, was gibt's?«

»Fast hätte ich Sie gestern Nacht noch zu Hause angerufen.«

»Ach?«

»Ich glaube, ich hab den Namen von Ihrer Unbekannten.«

Loren richtete sich auf. »Aber?«

»Die Polizei aus Livingston hat wegen eines Mr Neil Cordova angerufen. Der lebt da und besitzt eine kleine Friseursalonkette. Verheiratet, zwei Kinder, keine Vorstrafen. Jedenfalls hat der gestern seine Frau als vermisst gemeldet, und seine Beschreibung passt ziemlich gut auf Ihre Unbekannte.«

»Aber?«, wiederholte Muse.

»Aber sie ist erst gestern verschwunden. Nachdem wir die Leiche gefunden haben.«

»Sind Sie sicher?«

»Hundertprozentig. Der Ehemann sagt, er hat sie morgens, bevor er zur Arbeit gegangen ist, noch gesehen.«

»Vielleicht lügt er.«

»Das halte ich für unwahrscheinlich.«

»Hat sich da jemand die Sache näher angeguckt?«

»Zu Anfang nicht. Aber jetzt kommt's. Cordova kennt da jemanden bei der Polizei in Livingston. Sie wissen ja, wie das da ist. Da kennt jeder jeden. Und die haben dann den Wagen gefunden. Er stand auf dem Parkplatz vom Ramada in East Hanover.«

»Aha«, sagte Muse. »Ein Hotelparkplatz.«

»Genau.«

»Also wurde Mrs Cordova gar nicht vermisst?«

»Na ja«, sagte Clarence und strich sich übers Kinn, »das ist ja das Komische an der Sache.«

»Was?«

»Der Cop in Livingston hat natürlich das Gleiche gedacht wie Sie. Dass Mrs Cordova sich da mit einem Liebhaber getroffen hat und es dann zu spät geworden ist, um noch nach Hause zu fahren, oder so. Und darum hat er mich dann auch angerufen – der Cop aus Livingston, meine ich. Weil er seinem Freund, dem Ehemann, die Sache von seiner Frau nicht erzählen wollte. Er wollte mich überreden, dass ich das mache. Er hat noch was gut bei mir.«

»Und weiter?«

»Na ja, was sollte ich machen – ich hab Cordova dann angerufen. Ich erzähl ihm, dass wir den Wagen seiner Frau auf einem Hotelparkplatz gefunden haben. Er sagt, das ist unmöglich. Ich erzähl ihm, dass wir ihn hierhaben, und er ihn sich ansehen kann.« Er brach ab. »Mist.«

»Was ist?«

»Durfte ich ihm das überhaupt sagen? Also, wenn ich jetzt darüber nachdenke, könnte man das als Eingriff in ihre Privatsphäre sehen, dass ich ihm das erzählt hab. Was wäre passiert, wenn er da dann mit 'ner Knarre aufgetaucht wäre oder so? Mann, da hatte ich echt nicht richtig drüber nachgedacht.« Clarence sah Loren stirnrunzelnd an. »Hätte ich das von dem Wagen lieber nicht erzählen sollen, Boss?«

»Machen Sie sich darüber keine Sorgen.«

»Okay, lässt sich auch nicht mehr ändern. Auf jeden Fall glaubt dieser Cordova kein Wort von dem, was ich ihm erzähl.«

»Wie die meisten Männer in so einer Situation.«

»Schon klar, aber dann hat er was Interessantes gesagt. Er meinte, zum ersten Mal hätte er sich Sorgen gemacht, als seine Frau ihre neunjährige Tochter nicht vom Eiskunstlaufen in Airmont abgeholt hat. Das wäre überhaupt nicht ihre Art. Sie wollte auf dem Weg noch bei der *Palisades Mall* in Nyack vorbeifahren, bei *Target* ein paar Kindersachen kaufen und hinterher das Mädchen abholen.«

»Aber da ist die Mutter nie aufgetaucht.«

»Genau. Die Eisbahn hat dann den Vater auf dem Handy angerufen, als sie die Mutter nicht erreicht haben. Worauf Cordova hingefahren ist und die Tochter abgeholt hat. Er hat gedacht, dass seine Frau vielleicht im Stau stecken geblieben ist oder so was. Ein paar Stunden vorher hatte es auf der 287 einen Unfall gegeben, und sie vergaß öfter mal, ihr Handy zu laden, also hat er sich zwar Sorgen gemacht, ist aber nicht in Panik geraten, weil er sie nicht erreicht hat. Als es dann immer später wurde, ist seine Besorgnis immer größer geworden.«

Muse überlegte. »Wenn Mrs Cordova aber mit einem Liebhaber im Hotel war, hat sie vielleicht einfach vergessen, die Tochter abzuholen.«

»Das hab ich auch erst gedacht, aber da ist noch was. Cordova hat sich im Internet die Kreditkartenabrechnung seiner Frau angeguckt. Sie war nachmittags in der *Palisades Mall* und hat bei

Target eingekauft. Sie hat siebenundvierzig Dollar und achtzehn Cents bezahlt.«

»Hmm.« Muse forderte Clarence mit einer Handbewegung auf, sich zu setzen, was der dann auch tat. »Sie fährt also den ganzen Weg zur *Palisades Mall* raus, kommt wieder zurück, um sich mit ihrem Liebhaber zu treffen, und vergisst dabei ihre Tochter, die in der Nähe der Mall Schlittschuh läuft.« Sie sah Clarence an. »Das klingt schon ein bisschen komisch.«

»Sie hätten seine Stimme hören müssen, Boss. Die vom Ehemann, mein ich. Er war völlig außer sich.«

»Vielleicht sollten Sie mal beim Ramada anfragen, ob sie da jemand erkennt.«

»Hab ich schon. Ich hab ihren Mann gebeten, ein Foto einzuscannen und es mir zu mailen. Im Hotel erinnert sich keiner an sie.«

»Das hat noch nicht viel zu sagen. Wahrscheinlich haben da jetzt andere Leute Dienst, oder sie hat sich reingeschlichen, nachdem ihr Liebhaber das Zimmer genommen hat. Steht ihr Wagen denn immer noch da?«

»Ja. Und das ist doch auch seltsam, oder? Dass sie den Wagen da stehen lässt. Man hat ein Stelldichein, steigt in den Wagen und fährt nach Hause oder sonst wohin. Also müssen wir jetzt davon ausgehen, dass da irgendwas passiert ist, ob sie nun eine Affäre hatte oder nicht. Vielleicht hat ihr Liebhaber sie entführt oder geschlagen?«

»Oder sie ist einfach mit ihm abgehauen.«

»Das kann natürlich auch sein. Aber das ist ein ziemlich schicker Wagen. Ein gerade erst vier Monate alter Acura MDX. Würden Sie den nicht mitnehmen?«

Muse überlegte kurz und zuckte dann die Achseln.

Clarence sagte: »Ist es okay, wenn ich mir das genauer angucke?«

»Nur zu.« Sie überlegte noch einen Moment lang. »Dann tun

Sie mir einen Gefallen. Prüfen Sie, ob noch andere Frauen in Livingston oder der Umgebung vermisst gemeldet wurden. Selbst wenn sie irgendwann wieder aufgetaucht sind und die Polizei das gar nicht richtig ernst genommen hat.«

»Das hab ich schon.«

»Und?«

»Nichts. Ach, aber eine Frau hat angerufen und ihren Mann und ihren Sohn vermisst gemeldet.« Er sah auf seinen Notizblock. »Eine Tia Baye. Ihr Mann heißt Mike, der Sohn Adam.«

»Ist die örtliche Polizei schon an der Sache dran?«

»Ich glaub schon, bin aber nicht sicher.«

»Wenn der Junge nicht auch vermisst werden würde«, sagte Muse, »könnte man vermuten, dass dieser Baye mit Mrs Cordova abgehauen ist.«

»Soll ich gucken, ob es da eine Verbindung gibt?«

»Wenn Sie wollen. Aber dann wäre es natürlich keine Straftat. Schließlich dürfen zwei Erwachsene eine Weile gemeinsam verschwinden, solange das beide freiwillig tun.«

»Schon klar. Außerdem ... Boss?«

Muse gefiel es, dass er sie so ansprach. Boss. »Ja?«

»Ich hab den Eindruck, dass noch mehr dahintersteckt.«

»Dann gucken Sie sich das an, Clarence. Und halten Sie mich auf dem Laufenden.«

17

In einem Traum würde man erst einen Piepton und dann die Worte: *»Es tut mir ja so leid, Dad ...«* hören.

In der Realität hörte Mike jemanden in der Dunkelheit Spanisch sprechen.

Er konnte ein bisschen Spanisch – man konnte nicht in einem

Krankenhaus an der 168th Street arbeiten ohne einen Grundwortschatz medizinischer Begriffe auf Spanisch zu beherrschen – daher verstand er, dass die Frau inbrünstig betete. Mike wollte sie angucken, konnte aber den Kopf nicht bewegen. Doch das spielte keine Rolle. Um ihn herum war alles schwarz. Das Pochen in den Schläfen wurde immer stärker, als die Frau ihr Gebet ein ums andere Mal wiederholte.

Mike hatte unterdessen sein eigenes Mantra begonnen:

Adam. Wo ist Adam?

Langsam wurde Mike klar, dass er die Augen geschlossen hatte. Er versuchte, sie zu öffnen. Das gelang ihm nicht auf Anhieb. Er lauschte dem Gebet noch ein bisschen, dann konzentrierte er sich ganz auf die Augenlider und die schlichte Aufgabe, sie zu öffnen. Es dauerte einen Moment lang, aber schließlich bekam er sie auseinander. Das Pochen in seinen Schläfen verwandelte sich in Hammerschläge. Er hob die Hand und drückte seitlich gegen den Kopf, als ob er den Schmerz damit im Zaum halten könnte.

Blinzelnd sah er auf die Leuchtstoffröhre an der weißen Decke. Neben ihm wurde weiter auf Spanisch gebetet. Ein bekannter Geruch erfüllte den Raum, die Kombination aus scharfen Reinigungsmitteln, Körpersäften, siechendem Fleisch und der absoluten Abwesenheit von Frischluft. Mikes Kopf fiel nach links. Er sah den Rücken einer Frau, die sich über ein Bett beugte. Ihre Finger huschten über die Perlen des Rosenkranzes. Ihr Kopf schien auf einer Männerbrust zu liegen. Sie betete und schluchzte abwechselnd – manchmal auch gleichzeitig.

Er wollte die Hand ausstrecken und ein paar beruhigende Worte sagen. Wie immer ganz Arzt. Aber er hatte eine Infusion im Arm, und langsam dämmerte ihm, dass er auch Patient war. Er versuchte, sich zu erinnern, was passiert und wie er hier reingekommen war. Es dauerte eine Weile. Er musste sich durch die dichten Nebelschwaden in seinem Kopf kämpfen.

Beim Aufwachen hatte er ein furchtbares Unbehagen verspürt.

Er hatte es beiseitegeschoben, aber jetzt musste er es wieder an sich heranlassen, um die Erinnerung wiederzufinden. Und damit war auch sofort das Mantra wieder da, das jetzt allerdings nur noch aus einem Wort bestand.

Adam.

Auch die anderen Erinnerungen kehrten zurück. Er war auf der Suche nach Adam gewesen. Er hatte mit diesem Türsteher – Anthony – gesprochen. Er war in die Gasse gerannt. Da war diese schaurige Frau mit der furchtbaren Perücke gewesen …

Er hatte ein Messer gesehen.

Hatte er einen Stich abbekommen?

Er glaubte nicht. Er drehte den Kopf zur anderen Seite. Noch ein Patient. Ein Schwarzer, der die Augen geschlossen hatte.

Mike hielt nach Tia oder einem anderen Verwandten Ausschau, sah aber keinen. Das fand er nicht weiter verwunderlich – wahrscheinlich war er nur kurz bewusstlos gewesen. Vermutlich hatte das Krankenhaus Tia angerufen, die ja in Boston war und eine Weile brauchte, bis sie hier war. Jill war bei den Novaks. Und Adam …?

Wenn Patienten im Film aus einem Koma aufwachten, lagen sie in Einzelzimmern, und ein Arzt oder zumindest eine Schwester lächelten auf sie herab, als ob sie die ganze Nacht in dieser Haltung darauf gewartet hätten, und beantworteten alle erdenklichen Fragen. Mike entdeckte niemanden vom medizinischen Personal. Er kannte das Verfahren. Er suchte nach dem Kabel mit dem Schwesternruf, sah, dass es ums Bettgitter geschlungen war und drückte die Ruftaste.

Es dauerte eine Weile. Er konnte nicht sagen, wie lange, merkte nur, dass die Zeit stillzustehen schien. Die Stimme der betenden Frau verstummte. Sie stand auf und wischte sich über die Augen. Jetzt konnte Mike den Mann sehen, der im Bett lag. Er war deutlich jünger als die Frau. Mutter und Sohn, dachte er. Er fragte sich, aus welchem Grund sie hier waren.

Mike sah aus dem Fenster. Die Jalousien waren geöffnet, und die Sonne schien. Es war Tag.

Als er das Bewusstsein verlor, war es Nacht gewesen. Also mussten mehrere Stunden vergangen sein. Oder sogar Tage? Er wusste es nicht. Er drückte noch einmal auf die Ruftaste, obwohl er wusste, dass das nichts brachte. Panik ergriff ihn. Das Pochen in seinem Kopf wurde immer stärker – irgendjemand bearbeitete seine rechte Schläfe mit einem Presslufthammer.

»Na sieh mal einer an.«

Er sah zur Tür. Die Schwester, eine stark gebaute Frau mit einer Brille, die vor ihrer großen Brust pendelte, kam auf ihn zu. Auf ihrem Namensschild stand *Bertha Bondy*. Sie sah ihn an und runzelte die Stirn.

»Willkommen in der freien Welt, Sie Schlafmütze. Wie fühlen Sie sich?«

Mike brauchte ein paar Sekunden, bis er etwas herausbekam. »Als ob ich mit einem Mack-Lkw geknutscht hätte.«

»Das wäre wahrscheinlich gesünder gewesen als das, was Sie gemacht haben. Wollen Sie etwas trinken?«

»Ich bin völlig ausgetrocknet.«

Bertha nickte und nahm einen Becher mit Eis. Sie hob ihn an seine Lippen. Das Eis schmeckte nach Krankenhaus, fühlte sich im Mund aber trotzdem gut an.

»Sie sind im *Bronx Lebanon Hospital*«, sagte Bertha. »Können Sie sich erinnern, was passiert ist?«

»Ich wurde überfallen. Von mehreren Männern, glaube ich.«

»Hm, hm. Wie heißen Sie?«

»Mike Baye.«

»Könnten Sie Ihren Nachnamen buchstabieren?«

Er machte es, und weil er vermutete, dass damit vor allem sein aktueller Geisteszustand geprüft werden sollte, fügte er noch ein paar Informationen an. »Ich bin Arzt«, sagte er. »Transplantationschirurg am *New York Presbyterian*.«

Wieder runzelte sie die Stirn, als ob das die falsche Antwort gewesen wäre. »Wirklich?«

»Ja.«

Weiteres Stirnrunzeln.

»Hab ich bestanden?«, fragte er.

»Bestanden?«

»Die Überprüfung meines Geisteszustands.«

»Ich bin kein Arzt. Der kommt gleich. Ich habe mich nach Ihrem Namen erkundigt, weil wir bisher nicht wussten, wer Sie sind. Sie wurden ohne Papiere, ohne Handy und ohne Schlüssel gefunden. Die Räuber haben alles mitgenommen.«

Mike wollte noch etwas sagen, als ihm ein gewaltiger Schmerz durch den Schädel schoss. Er biss die Zähne zusammen, zählte im Kopf bis zehn und wartete, dass der Schmerz nachließ. Als es wieder etwas besser war, sprach er weiter.

»Wie lange war ich bewusstlos?«

»Die ganze Nacht. Sechs oder sieben Stunden.«

»Wie spät ist es?«

»Acht Uhr morgens.«

»Dann hat niemand meine Familie informiert?«

»Das sagte ich doch gerade. Wir wussten nicht, wer Sie sind.«

»Ich brauche ein Telefon. Ich muss meine Frau anrufen.«

»Ihre Frau? Sind Sie sicher?«

Mike war schwummerig im Kopf. Wahrscheinlich hatten sie ihm Schmerz- und Beruhigungsmittel gegeben, vielleicht verstand er deshalb nicht, warum sie eine so dämliche Frage stellte.

»Natürlich bin ich sicher.«

Bertha zuckte die Achseln. »Das Telefon steht neben dem Bett, aber ich muss es noch freischalten lassen. Und dann brauchen Sie wahrscheinlich jemanden, der Ihnen beim Wählen hilft, oder?«

»Ich glaub schon.«

»Ach, haben Sie eigentlich eine Krankenversicherung? Dann müssten Sie noch ein paar Formulare ausfüllen.«

Mike wollte lächeln. Das Wichtigste zuerst. »Ja, habe ich.«

»Ich schick jemanden aus der Verwaltung vorbei, damit die die Daten aufnehmen können. Der Arzt müsste auch bald kommen und mit Ihnen über die Verletzungen reden.«

»Wie schlimm ist es?«

»Sie wurden ziemlich heftig zusammengeschlagen, und da Sie so lange ohne Bewusstsein waren, ist anzunehmen, dass Sie eine Gehirnerschütterung oder ein Schädeltrauma erlitten haben. Aber über die Details müssen Sie dann mit dem Arzt sprechen. Ich guck mal, ob ich ihn schnell vorbeischicken kann.«

Er hatte verstanden: Eine Stationsschwester durfte keine Diagnosen stellen.

»Wie schlimm sind die Schmerzen?«, fragte Bertha.

»Mittel.«

»Wir haben Ihnen ein Schmerzmittel gegeben. Das heißt die Schmerzen werden erst mal schlimmer, wenn die Wirkung nachlässt, bevor sie dann wieder abnehmen. Ich mache Ihnen noch eine Morphininfusion fertig.«

»Danke.«

»Dann bis gleich.«

Sie ging zur Tür. Mike fiel noch etwas ein. »Schwester?«

Sie drehte sich wieder zu ihm um.

»Ist denn kein Polizist da, der mich sprechen will oder so?«

»Wie bitte?«

»Ich wurde überfallen und offenbar auch beraubt. Interessiert das die Polizei nicht?«

Sie verschränkte die Arme vor der Brust. »Sie glauben also, dass sich ein Polizist gemütlich in den Flur setzt und darauf wartet, dass Sie aufwachen?«

Sie hatte natürlich Recht – das war das Gleiche wie mit dem Arzt im Film.

Dann fügte Bertha hinzu: »Die meisten Leute zeigen solche Sachen sowieso nicht an.«

»Was für Sachen?«

Wieder runzelte sie die Stirn. »Soll ich auch die Polizei für Sie rufen?«

»Ich ruf lieber erst meine Frau an.«

»Ja«, sagte sie. »Ja, das ist wohl das Beste.«

Er griff nach dem Einstellknopf am Bett, um das Kopfteil höher zu stellen. Ein stechender Schmerz fuhr ihm in die Brust. Er konnte nicht mehr atmen. Er tastete nach dem Kontrollfeld und drückte den obersten Knopf. Sein Körper krümmte sich mit dem hochfahrenden Kopfteil.

Er versuchte, eine aufrechtere Haltung einzunehmen. Langsam streckte er die Hand nach dem Telefon aus. Er hob den Hörer ans Ohr. Es war noch nicht freigeschaltet.

Tia musste inzwischen in Panik geraten sein.

War Adam wieder zu Hause?

Wer hatte ihn überfallen?

»Mr Baye?«

Schwester Bertha stand wieder in der Tür.

»Doktor Baye«, korrigierte er.

»Oh, wie dumm von mir, das hatte ich vergessen.«

Er wollte nicht rechthaberisch sein, aber in einem Krankenhaus konnte es nicht schaden, die Leute wissen zu lassen, dass man ein Kollege war. Wenn ein Cop wegen einer Geschwindigkeitsüberschreitung rausgewinkt wurde, sagte er den anderen Cops auch, wie er seinen Lebensunterhalt verdiente. Das konnte man unter ›Kann nicht schaden‹ abheften.

»Ich bin gerade einem Polizisten begegnet, der wegen einer anderen Angelegenheit hier war«, sagte sie. »Wollen Sie ihn sprechen?«

»Ja, danke. Aber könnten Sie trotzdem das Telefon freischalten lassen?«

»Das sollte jeden Moment passiert sein.«

Der Polizeibeamte kam herein. Er war ein kleiner Lateinamerikaner mit einem schmalen Schnurrbart. Mike schätzte ihn auf Mitte dreißig. Er stellte sich als Officer Guttierez vor.

»Wollen Sie wirklich Anzeige erstatten?«, fragte er.

»Selbstverständlich.«

Auch er runzelte die Stirn.

»Was ist?«

»Ich habe Sie hierhergebracht.«

»Danke.«

»Keine Ursache. Wissen Sie, wo wir Sie gefunden haben?«

Mike überlegte einen Moment lang. »Wahrscheinlich in der Gasse bei diesem Club. Den Straßennamen hab ich vergessen.«

»Genau.«

Er sah Mike an und wartete. Endlich begriff Mike.

»Das war nicht so, wie Sie glauben«, sagte Mike.

»Was glaube ich denn?«

»Dass ich von einer Hure reingelegt worden bin.«

»Reingelegt?«

Mike versuchte, mit den Schultern zu zucken. »Ich guck halt viel fern.«

»Na ja, ich bin nicht der Typ, der voreilige Schlüsse zieht, aber ich erzähl Ihnen mal, was ich weiß: Sie wurden in einer Gasse gefunden, in der Prostituierte ihrem Geschäft nachgehen. Sie sind gut zwanzig, wenn nicht dreißig Jahre älter als der übliche Clubbesucher in der Gegend. Sie sind verheiratet. Sie wurden überfallen und ausgeraubt und genauso zusammengeschlagen, wie es Freiern häufig passiert, die …«, er malte Anführungszeichen in die Luft, »… von einer Hure oder ihrem Zuhälter reingelegt worden sind.«

»Ich wollte keinen Sex kaufen«, sagte Mike.

»Mhm, selbstverständlich nicht. Wahrscheinlich wollten Sie da in der Gasse nur die Aussicht genießen. Ist mal ganz was Neues. Und die tolle Luft da, der Duft von tausend Blüten. Mann, mir brauchen Sie das nicht zu erklären. Ich kenne den Reiz dieser Gasse.«

»Ich habe meinen Sohn gesucht.«

»In der Gasse?«

»Ja. Ich habe einen Freund von ihm gesehen …« Der Schmerz kehrte zurück. Er wusste, wie das jetzt weiterging. Es würde eine ganze Weile dauern, bis er das alles erklärt hatte. Und was dann? Wie sollte ihm dieser Cop helfen?

Er musste Tia erreichen.

»Ich hab gerade furchtbare Schmerzen«, sagte Mike.

Guttierez nickte. »Verstehe. Hier, nehmen Sie meine Karte. Rufen Sie mich an, wenn Sie weiter darüber reden oder Anzeige erstatten wollen, okay.«

Guttierez legte seine Visitenkarte auf den Nachttisch und ging. Mike beachtete das nicht. Er kämpfte gegen die Schmerzen an, griff nach dem Telefon und wählte Tias Handynummer.

18

Loren Muse sah sich das Überwachungsvideo aus der Nähe des Fundorts der Unbekannten an. Ihr sprang nichts ins Auge, aber was hatte sie auch erwartet? Da fuhren am Tag knapp hundert Autos pro Stunde vorbei. Und man konnte praktisch keins davon ausschließen. Die Leiche passte in den Kofferraum jedes noch so kleinen Wagens.

Trotzdem hoffte und guckte sie weiter, und als das Video zu Ende war, hatte ihr die Arbeit absolut nichts gebracht.

Wieder klopfte Clarence und steckte den Kopf in ihr Büro. »Sie werden's nicht glauben, Boss.«

»Ich höre?«

»Als Erstes einmal können Sie den vermissten Mann, diesen Baye, vergessen. Raten Sie mal, wo er war.«

»Wo?«

»Lag im Krankenhaus in der Bronx. Seine Frau geht auf eine Geschäftsreise, und der Typ hat nichts Besseres zu tun, als loszuziehen und sich von einer Prostituierten ausrauben zu lassen.«

Muse verzog das Gesicht. »Ein Arzt aus Livingston geht in diese Gegend und sucht sich da eine Prostituierte?«

»Was soll ich dazu sagen – manche Leute fühlen sich fast magisch zu den Slums hingezogen. Aber deshalb bin ich auch nicht hier.« Clarence setzte sich, ohne dass sie ihn dazu aufgefordert hatte, was eigentlich nicht seine Art war. Er hatte die Hemdsärmel aufgekrempelt, und durch die fleischigen Gesichtszüge war der Anflug eines Lächelns zu erkennen.

»Der Acura von den Cordovas steht immer noch auf dem Hotelparkplatz«, sagte er. »Die örtliche Polizei hat da an die Zimmertüren geklopft, aber sie war nicht da. Also bin ich weiter zurückgegangen.«

»Zurück?«

»Zurück zum letzten Ort, von dem wir wissen, dass sie da war. Zur *Palisades Mall*. Das ist ein riesiges Einkaufszentrum, und die haben da ein ziemlich ausgefeiltes Sicherheitssystem. Also hab ich bei denen angerufen.«

»Beim hauseigenen Sicherheitsdienst?«

»Genau, und jetzt kommt's: Da ist gestern gegen fünf Uhr nachmittags ein Typ reingekommen und hat gesagt, er hätte gesehen, wie eine Frau zu ihrem grünen Acura MDX gegangen ist, ein paar Sachen hinten eingeladen hat und dann mit einem Mann aus einem daneben stehenden weißen Lieferwagen gesprochen hat. Dieser Zeuge hat erzählt, dass die Frau in den Lieferwagen eingestiegen ist, sie wurde nicht mit Gewalt reingedrängt oder -gezogen oder so, aber als sie drin war, ist die Tür dann plötzlich zugefallen. Der Zeuge hat sich nichts weiter dabei gedacht, aber dann ist noch eine andere Frau dazugekommen und in den Acura eingestiegen. Daraufhin sind beide Wagen zusammen weggefahren.«

Muse lehnte sich zurück. »Der Lieferwagen und der Acura?«

»Genau.«

»Und diese andere Frau ist den Acura gefahren?«

»Ja. Dieser Typ hat das jedenfalls beim Sicherheitsdienst gemeldet, und die denken sich, also, na und? Sie nehmen das auf, legen es zu den Akten und kümmern sich nicht weiter drum. Na ja, was sollen sie auch machen? Aber dann, als ich sie anrufe, fällt's ihnen wieder ein, und sie holen die Akte raus. Also, erstens ist das alles direkt vorm *Target* passiert. Zweitens war es 17 Uhr 15, als dieser Typ das Ganze im Büro vom Sicherheitsdienst erzählt hat. Und wir wissen, dass Reba Cordova ihren Einkauf bei *Target* um 16 Uhr 52 bezahlt hat. Auf der Kreditkartenabrechnung ist die Uhrzeit angegeben.«

Irgendwo in Muses Kopf begannen die Alarmglocken zu läuten – sie wusste aber nicht, warum.

»Rufen Sie bei *Target* an«, sagte sie. »Die haben doch bestimmt auch Überwachungskameras.«

»Wir stehen schon mit der Zentrale von *Target* in Verbindung. In höchstens ein paar Stunden haben wir die Videos. Da ist noch was. Könnte wichtig sein, muss aber nicht. Wir haben rausgekriegt, was sie bei *Target* gekauft hat. Ein paar DVDs für Kinder, Kinderunterwäsche, Kinderkleidung – alles für Kinder.«

»Nicht unbedingt das, was man kauft, wenn man sich mit dem Geliebten aus dem Staub machen will.«

»Genau, es sei denn, man nimmt die Kinder mit, was sie aber nicht getan hat. Außerdem haben wir den Acura auf dem Hotelparkplatz geöffnet, und darin keine *Target*-Tüte gefunden. Der Ehemann hat im Haus nachgeguckt, ob die Tüten da sind, weil sie ja noch einen Zwischenstopp gemacht haben könnte. Er hat nichts gefunden.«

Muses Nacken fing an zu kribbeln.

»Was ist?«, fragte Clarence.

»Ich will diesen Bericht vom Sicherheitsdienst sehen. Und besorgen Sie die Telefonnummer von diesem Mann – dem, der erzählt hat, dass die Frau im Lieferwagen verschwunden ist. Wir müssen rauskriegen, woran er sich noch erinnert – detaillierte Beschreibungen der Fahrzeuge, Fahrer und so weiter. Das ist der Mann vom Sicherheitsdienst bestimmt nicht so genau mit ihm durchgegangen. Das will ich alles wissen.«

»Okay.«

Sie unterhielten sich noch ein paar Minuten, aber Muse schwirrte der Kopf, und ihr Puls raste. Als Clarence gegangen war, griff sie zum Telefon und drückte die Kurzwahltaste mit der Handynummer ihres Chefs Paul Copeland.

»Hallo?«

»Wo sind Sie?«, fragte Muse.

»Ich habe Cara gerade vor der Schule abgesetzt.«

»Ich muss eine Theorie durchgehen, und dazu brauch ich Sie, Cope.«

»Wann?«

»So bald wie möglich.«

»Ich soll mich noch mit meiner Zukünftigen in einem Restaurant treffen, um die Sitzordnung endgültig festzulegen.«

»Die Sitzordnung?«

»Ja, Muse. Die Sitzordnung. Damit die Leute wissen, wo sie sitzen sollen.«

»Ist Ihnen das wichtig?«

»Nein, nicht die Bohne.«

»Dann lassen Sie Lucy das machen.«

»Klar, aber das macht sie doch sowieso. Sie schleppt mich immer mit, ich darf dann aber kein Wort dazu sagen. Sie meinte schon, soll mich hübsch anziehen, ich wäre sowieso nur zu Dekorationszwecken dabei.«

»Das sollte dann ja kein Problem sein, Cope.«

»Das stimmt, aber ich möchte nicht nur wegen meines hübschen Körpers wahrgenommen werden. Ich habe auch ein Gehirn.«

»Und genau das brauche ich jetzt«, sagte Muse.

»Warum, was gibt's denn?«

»Ich entwickle gerade eine ziemlich verrückte Theorie, und Sie müssen mir sagen, ob da was dran sein könnte oder ob ich mich völlig verrannt habe.«

»Ist das wichtiger als die Entscheidung, wer bei Tante Carol und Onkel Jerry am Tisch sitzt?«

»Nein, es geht nur um Mord.«

»Ich werde mich opfern. Bin schon unterwegs.«

*

Jill wachte vom Klingeln des Telefons auf.

Sie war in Yasmins Schlafzimmer. Yasmin versuchte mit aller Macht, sich den Mitschülerinnen anzupassen, indem sie so tat, als ob sie extrem scharf auf Jungs wäre. Also hing an einer Wand ein Poster von Zac Efron, dem Hauptdarsteller aus den *Highschool-Musical*-Filmen, an der anderen eins von den Sprouse-Zwillingen aus der Fernsehserie *Hotel Zack und Cody*. Dann noch eins von Miley Cyrus in *Hannah Montana* – okay, das war ein Mädchen, kein heißer Bursche, trotzdem wirkte das Ganze ziemlich krampfig.

Yasmins Bett stand an der Tür, Jill schlief am Fenster. Beide Betten lagen voller Plüschtiere. Yasmin hatte Jill einmal erzählt, das Beste an der Scheidung wäre der Wettkampf im Verwöhnen – weil beide Eltern versuchten, den anderen durch immer größere Geschenke auszustechen. Yasmin sah ihre Mutter nur vier- bis fünfmal im Jahr, aber sie schickte dauernd irgendwelche Sachen. So war sie zu zwanzig *Build-A-Bear*-Teddys gekommen, von denen einer wie ein Cheerleader und ein anderer, der seinen Platz direkt neben Jills Kissen hatte, wie eine Popsängerin mit Strassshorts, rückenfreiem Oberteil und einem Kopfbügelmikrofon vor dem Pelzgesicht gekleidet war. Ein Riesenhaufen *Webkinz*-Plüschtiere, darunter allein drei Nilpferde, lagen auf dem Fußboden. Alte

Ausgaben vom *J14*-Magazin, *Teen People* und *Popstar* stapelten sich auf dem Nachttisch. Außerdem war der Fußboden mit einem von diesen Langflorteppichen bedeckt, die, wie ihre Eltern ihr erzählt hatten, spätestens in den Siebzigern aus der Mode gekommen waren, jetzt aber offenbar in Teenager-Schlafzimmern ein unerwartetes Comeback feierten. Auf dem Schreibtisch stand ein brandneuer iMac.

Yasmin kannte sich mit Computern gut aus. Genauso wie Jill.

Jill richtete sich im Bett auf. Yasmin sah sie blinzelnd an. Aus der Ferne hörte Jill eine knurrige Stimme am Telefon. Mr Novak. Der Homer-Simpson-Wecker auf dem Nachttisch zwischen ihnen zeigte Viertel nach sieben an.

Ziemlich früh für einen Anruf, dachte Jill. Besonders am Wochenende.

Die Mädchen waren gestern Abend lange wach geblieben. Zuerst waren sie mit Mr Novak und seiner nervigen neuen Freundin Beth zum Abendessen und hinterher in einem Eiscafé gewesen. Beth war ungefähr zweiundvierzig Jahre alt und lachte über alles, was Mr Novak sagte, wie, na ja, wie die nervigen Klassenkameradinnen das auch immer machten, um den Jungs zu gefallen. Jill war davon ausgegangen, dass man da irgendwann rauswuchs. Da hatte sie sich wohl getäuscht.

Yasmin hatte einen Plasmafernseher in ihrem Zimmer. Sie durften so viele Filme gucken, wie sie wollten. »Ist doch schließlich Wochenende«, hatte er mit einem breiten Lächeln gesagt. »Viel Spaß.« Also hatten sie sich etwas Popcorn in der Mikrowelle gemacht und einen Film geguckt, der erst ab dreizehn in Begleitung Erwachsener und sogar einen, der erst ab siebzehn war – Jills Eltern wären wahrscheinlich ausgeflippt, wenn sie das gewusst hätten.

Jill stand auf. Sie musste pinkeln, im Moment dachte sie aber daran, was gestern Abend zu Hause passiert war und ob ihr Vater Adam aufgetrieben hatte. Sie machte sich Sorgen. Sie hatte auch schon versucht, Adam auf dem Handy zu erreichen. Dass er einen Bogen um Mom und Dad machte war schon in Ordnung, das konnte sie verstehen. Aber sie hätte es nie für möglich gehalten, dass er nicht auf die Anrufe und Nachrichten seiner kleinen Schwester reagierte. Sonst hatte Adam sich immer bei ihr gemeldet.

Dieses Mal nicht.

Und das bereitete Jill noch mehr Sorgen.

Sie sah auf ihrem Handy nach.

»Wonach guckst du?«, fragte Yasmin.

»Ich wollte nur wissen, ob Adam angerufen hat.«

»Und?«

»Nee. Nichts.«

Yasmin schwieg.

Es klopfte leise an der Tür, dann wurde sie geöffnet. Mr Novak steckte den Kopf ins Zimmer und flüsterte: »Hey, warum seid ihr schon wach?«

»Das Telefon hat uns geweckt«, sagte Yasmin.

»Wer war das?«, fragte Jill.

Mr Novak sah sie an. »Deine Mutter.«

Jill erstarrte. »Was ist los?«

»Gar nichts, meine Kleine«, sagte Mr Novak, und Jill merkte sofort, dass das eine Lüge war. »Sie wollte nur wissen, ob wir dich heute noch hierbehalten können. Ich hab gedacht, wir könnten nachher in die Mall oder vielleicht ins Kino gehen. Was haltet ihr davon?«

»Warum soll ich hierbleiben?«, fragte Jill.

»Das weiß ich nicht, meine Kleine. Sie hat gesagt, dass etwas dazwischengekommen ist, und mich darum gebeten. Aber ich soll dir sagen, dass sie dich liebhat und alles in Ordnung ist.«

Jill sagte nichts. Er log. Das wusste sie. Und Yasmin wusste es auch. Die beiden Mädchen sahen sich an. Nachzuhaken hatte keinen Sinn. Er würde es ihnen nicht sagen. Er beschützte sie, weil ihre elfjährigen Seelen die Wahrheit noch nicht verkraftet hätten – oder so ein Blödsinn, den Erwachsene sich immer zur Rechtfertigung ihrer Lügen zurechtlegten.

»Ich muss noch mal kurz weg«, sagte Mr Novak.

»Wo gehst du hin?«, fragte Yasmin.

»Ins Büro. Ich muss ein paar Unterlagen holen. Aber Beth ist gerade vorbeigekommen. Sie sieht unten fern, falls ihr was braucht.«

Yasmin grinste. »Sie ist gerade vorbeigekommen?«

»Ja.«

»Als ob sie nicht hier geschlafen hätte? Stimmt's, Dad? Für wie alt hältst du uns?«

Er runzelte die Stirn. »Das reicht jetzt aber, junge Dame.«

»Wenn du meinst.«

Er schloss die Tür. Jill setzte sich aufs Bett. Yasmin rückte näher an sie heran.

»Was glaubst du, was da passiert ist?«, fragte Yasmin.

Jill antwortete nicht, aber die Richtung, die ihre Gedanken nahmen, gefiel ihr absolut nicht.

*

Cope betrat Muses Büro. Er sah ziemlich flott aus in seinem neuen blauen Anzug, dachte Muse.

»Geben Sie heute noch eine Pressekonferenz?«, fragte Muse.

»Wie kommen Sie drauf?«

»Der flotte Anzug.«

»Sagt man noch flott?«

»Das sollte man auf jeden Fall, wenn Sie schon so aussehen.«

»Auch wieder wahr. Ich bin der Inbegriff von Flottheit. Fast schon eine Flotte. Eine Flottille. Die flotte Lotte.«

Loren Muse hielt ein Blatt Papier hoch. »Gucken Sie mal, was ich gerade reingekriegt habe.«

»Was ist das?«

»Frank Tremonts Abschiedsgesuch. Er will in den Ruhestand gehen.«

»Ein herber Verlust.«

»Genau.«

Muse sah ihn an.

»Diese Nummer da gestern mit dem Reporter.«

»Was ist damit?«

»Ein bisschen herablassend fand ich das schon«, sagte Muse. »Sie hätten mich nicht zu retten brauchen.«

»Ich wollte Sie nicht retten. Wenn überhaupt, hatte ich Ihnen eine Falle gestellt.«

»Wieso?«

»Entweder hatten Sie was in der Hand, das Tremont aus den Socken haut, oder eben nicht. Es war klar, dass einer von Ihnen ziemlich dumm dasteht.«

»Es ging also um ihn oder mich?«

»Genau. Tremont ist ein Schwätzer und bringt viel Unruhe in die Abteilung. Ich wollte ihn aus ganz eigennützigen Motiven loswerden.«

»Und wenn ich nichts in der Hand gehabt hätte?«

Cope zuckte die Achseln. »Dann hätten *Sie* jetzt vielleicht Ihr Abschiedsgesuch eingereicht.«

»Und das Risiko sind Sie einfach eingegangen.«

»Welches Risiko? Tremont ist faul und ein Schwachkopf. Wenn er zu besseren Ergebnissen als Sie gekommen wäre, hätten Sie es nicht verdient, die Abteilung zu leiten.«

»Eins zu null für Sie.«

»Jetzt reicht es aber auch. Sie haben mich doch nicht angerufen, damit wir uns über Frank Tremont unterhalten. Also, was gibt's?«

Sie erzählte ihm alles über das Verschwinden von Reba Cordova – vom Zeugen bei *Target*, dem Lieferwagen und dem am Ramada Hotel in East Hanover geparkten Acura. Cope saß ihr gegenüber und sah sie mit grauen Augen an. Er hatte tolle Augen, solche, die ihre Farbe je nach Lichteinfall veränderten. Loren Muse war ein bisschen in Paul Copeland verknallt, andererseits war sie auch ein bisschen in seinen Vorgänger verknallt gewesen, der deutlich älter gewesen war und vollkommen anders ausgesehen hatte. Vielleicht stand sie einfach auf Autoritätspersonen.

Es war aber eigentlich nur eine harmlose Schwärmerei, die auf Respekt basierte, keine tiefe Sehnsucht. Sie hatte keine schlaflosen Nächte, verzehrte sich nicht nach ihm, und er spielte weder in sexuellen noch irgendwelchen anderen Fantasien eine Rolle. Sie schätzte Paul Copelands Attraktivität, ohne ihn zu begehren. Sie suchte in jedem Mann, mit dem sie ausging, nach dieser Eigenschaft, fand sie aber weiß Gott nie.

Muse kannte die Vergangenheit ihres Chefs, die furchtbaren Zeiten, die er durchgemacht hatte, und wusste daher, dass die Enthüllungen der letzten Zeit für ihn die Hölle gewesen sein mussten. Sie hatte ihm sogar geholfen, diese schweren Zeiten zu überstehen. Wie so viele Männer hatte auch Paul Copeland im Leben ein paar heftige Schrammen abbekommen, aber sie standen ihm. Viele Politiker – und er war Politiker, er war in einer öffentlichen Wahl in dieses Amt gewählt worden – waren zwar ehrgeizig, hatten aber nie gelitten. Cope schon. Er war dadurch einfühlsamer als viele seiner Kollegen, aber auch nicht so schnell bereit, die typischen Rechtfertigungen der Verteidigung zu akzeptieren.

Muse führte sämtliche ihnen bekannte Fakten über Reba Cordovas Verschwinden auf, ließ ihre Theorien aber erst mal außen vor. Er sah sie an und nickte langsam.

»Soll ich raten?«, sagte Cope. »Sie glauben, dass irgendeine Verbindung zwischen dieser Reba Cordova und Ihrer Unbekannten besteht.«

»Genau.«

»Und wie soll die aussehen? Ein Serienmörder?«

»Schon möglich, aber Serienmörder arbeiten meistens allein. In diesem Fall war noch eine Frau beteiligt.«

»Okay, dann erzählen Sie mir doch mal, warum Sie eine Verbindung zwischen diesen beiden Fällen sehen.«

»Erstens der Modus Operandi.«

»Zwei weiße Frauen in ungefähr dem gleichen Alter«, sagte Cope. »Eine wird wie eine Prostituierte bekleidet am Straßenstrich in Newark gefunden. Die andere, tja, da wissen wir nicht, wo sie ist.«

»Das gehört auch dazu, aber mir ist vor allem ein Punkt ins Auge gefallen: Der Versuch, uns abzulenken und zu täuschen.«

»Ich kann Ihnen nicht folgen.«

»Wir haben es mit zwei wohlhabenden Frauen zu tun, beide Anfang vierzig, und beide sind innerhalb von vierundzwanzig Stunden verschwunden. Das sind seltsame Parallelen. Es geht aber weiter: Wir wissen, dass die Täter im ersten Fall, also bei unserer Unbekannten, einen ziemlich großen Aufwand getrieben haben, um uns in die Irre zu führen, richtig?«

»Richtig.«

»Tja, und bei Reba Cordova haben sie das Gleiche gemacht.«

»Indem sie den Wagen bei einem Hotel geparkt haben.«

Sie nickte. »In beiden Fällen haben die Täter versucht, uns mit irreführenden Hinweisen auf die falsche Fährte zu locken. Bei der Unbekannten haben sie es so eingerichtet, dass wir sie für eine Hure halten. Bei Reba Cordova haben sie es so dargestellt, als ob sie ihren Mann erst betrogen hätte und dann mit ihrem Liebhaber durchgebrannt wäre.«

»Äh.« Cope verzog das Gesicht. »Das ist aber ziemlich dünn.«

»Ja, aber besser als gar nichts. Ohne rassistisch werden zu wollen, aber wie oft brennt eine attraktive Ehefrau und Mutter aus einem Vorort wie Livingston einfach Hals über Kopf mit ihrem Liebhaber durch?«

»Das kommt schon mal vor.«

»Natürlich, aber dann hätte sie es besser geplant, oder? Sie wäre nicht erst zur Shopping-Mall gefahren, weil ihre Tochter in der

Nähe Schlittschuhunterricht hat, um Kinderunterwäsche zu kaufen, und die dann, na ja – wegzuwerfen und zu ihrem Liebhaber zu fahren? Und dann ist da noch dieser Zeuge, ein Stephen Errico, der gesehen hat, dass sie beim *Target* in einen Lieferwagen gestiegen ist. Und dass hinterher eine andere Frau im Acura weggefahren ist.«

»Und das ist wirklich so passiert?«

»Ja.«

»Okay, aber trotzdem. Welche Verbindungen sehen Sie noch zwischen Reba Cordova und Ihrer Unbekannten?«

Muse zog eine Augenbraue hoch. »Das Beste hab ich mir für den Schluss aufgehoben.«

»Gott sei Dank.«

»Kommen wir wieder zurück auf Stephen Errico.«

»Den Zeugen in der Mall?«

»Genau. Errico hat seinen Bericht abgegeben. So für sich genommen klingt das nach nichts – das soll jetzt kein Vorwurf an den Sicherheitsdienst vom *Palisades* sein. Aber ich habe seinen Namen im Internet recherchiert. Er hat ein eigenes Blog, in dem er auch ein Foto von sich hat. Er ist groß, kräftig gebaut, hat einen buschigen Bart und trägt ein Grateful-Dead-T-Shirt. Als ich mit ihm gesprochen habe, ist mir außerdem aufgefallen, dass er auf Verschwörungstheorien steht. Außerdem möchte Errico möglichst an allem teilhaben, was um ihn herum passiert. Sie kennen solche Typen – wenn er in die Mall geht, hofft er, dass er einen Ladendieb sieht.«

»Okay.«

»Aber genau dadurch ist er ein guter Beobachter und kann extrem präzise Aussagen machen. Errico sagte also, er hätte gesehen, dass eine Frau, auf die Reba Cordovas Beschreibung passt, in einen weißen Chevrolet-Lieferwagen eingestiegen ist. Und er hat sich doch tatsächlich das Kennzeichen des Lieferwagens aufgeschrieben.«

»Und?«

»Ich hab das überprüft. Es gehört einer Helen Kasner aus Scarsdale, New York.«

»Besitzt sie einen weißen Lieferwagen?«

»Ja, und sie war gestern in der *Palisades Mall*.«

Cope nickte. Er wusste, worauf sie hinauswollte. »Also vermuten sie, dass jemand Ms Kasners Nummernschilder ausgetauscht hat?«

»Genau. Ein uralter Trick, aber trotzdem sehr effektiv – erst klaut man sich einen Wagen, um damit ein Verbrechen zu begehen, dann tauscht man noch die Kennzeichen aus, falls der Diebstahl zu schnell bemerkt wird. Das ist noch ein Täuschungsmanöver. Viele Täter wissen aber nicht, dass es am wirkungsvollsten ist, wenn sie die Kennzeichen von einem Fahrzeug vom gleichen Typ nehmen. Dadurch stiftet man noch mehr Verwirrung.«

»Also gehen Sie davon aus, dass der Lieferwagen auf dem *Target*-Parkplatz geklaut war.«

»Meinen Sie nicht?«

»Wahrscheinlich haben Sie Recht«, sagte Cope. »Das würde Mr Erricos Geschichte natürlich noch mehr Bedeutung verleihen. Ich sehe ein, dass wir uns ernsthafte Sorgen um Reba Cordova machen müssen. Eine Verbindung zu unserer Unbekannten sehe ich allerdings immer noch nicht.«

»Dann gucken Sie sich das mal an.«

Sie drehte den Bildschirm ihres Computers zu ihm. Cope sah ihn an.

»Was ist das?«

»Das Video einer Überwachungskamera aus der Nähe des Fundorts unserer Unbekannten. Als ich es mir heute Morgen angesehen habe, dachte ich erst, das wäre absolute Zeitverschwendung. Aber jetzt …« Muse hatte das Video entsprechend vorbereitet. Sie klickte auf den PLAY-Button. Ein weißer Lieferwagen erschien. Sie klickte PAUSE, und das Bild blieb stehen.

Cope rückte näher heran. »Ein weißer Lieferwagen.«

»Ja, ein weißer Chevrolet-Lieferwagen.«

»Davon muss es in New Jersey tausende geben«, sagte Cope. »Konnten Sie das Kennzeichen erkennen?«

»Ja.«

»Dann darf ich wohl davon ausgehen, dass es mit dem von dieser Ms Kasner übereinstimmt?«

»Nein.«

Copes Augen verengten sich. »Nein?«

»Nein. Es ist ein anderes Kennzeichen.«

»Und was soll das dann?«

Loren Muse deutete auf den Bildschirm. »Dieses Kennzeichen – JYL 419 – gehört einem Mr David Pulkingham aus Armonk, New York.«

»Besitzt Mr Pulkingham auch einen weißen Lieferwagen?«

»Ja. Und er war heute in der *Palisades Mall*.«

»Könnte er unser Mann sein?«

»Er ist dreiundsiebzig und nicht vorbestraft.«

»Also glauben Sie, dass das Kennzeichen noch einmal umgetauscht wurde.«

»So ist es.«

Clarence Morrow steckte den Kopf ins Büro. »Boss?«

»Ja.«

Als er Paul Copeland sah, richtete er sich auf, als ob er gleich salutieren wollte. »Guten Morgen, Herr Staatsanwalt.«

»Hey, Clarence.«

Clarence wartete.

»Schon okay«, sagte Muse. »Was haben Sie?«

»Ich habe gerade mit Helen Kasner telefoniert.«

»Und?«

»Und ich habe sie gebeten, die Nummernschilder an ihrem Lieferwagen zu überprüfen. Sie hatten Recht. Jemand hat sie ausgetauscht, ohne dass sie was davon mitgekriegt hat.«

»Noch was?«

»Ja, genau das, was wir gesucht haben. Das Nummernschild, das sie jetzt am Wagen hat.« Er deutete auf den weißen Lieferwagen auf dem Computermonitor. »Das ist das von Mr David Pulkingham.«

Muse sah Cope an, lächelte und drehte die Handflächen nach oben. »Reicht Ihnen das als Verbindung?«

»Ja«, sagte Cope. »Das reicht.«

19

Yasmin flüsterte: »Los, komm.«

Jill sah ihre Freundin an. Der kleine Schnurrbart in ihrem Gesicht, der den ganzen Ärger ausgelöst hatte, war verschwunden, aber aus irgendeinem Grund konnte Jill ihn immer noch sehen. Yasmins Mutter war irgendwo aus dem Süden – Florida oder so – wo sie jetzt lebte, zu Besuch gekommen und war dann mit Yasmin zu irgendeinem schicken Arzt gefahren, der eine Elektroresektion durchgeführt hatte. Seitdem sah sie besser aus, was die Schulbesuche aber nicht das kleinste bisschen weniger schrecklich gemacht hatte.

Sie saßen am Küchentisch. Beth, die »Freundin *du semaine*«, wie Yasmin sie nannte, hatte versucht, sie mit einem edlen Omlettefrühstück mit Würstchen und Beths »berühmten Pfannkuchen« zu beeindrucken, aber zu ihrer maßlosen Enttäuschung hatten die Mädchen abgewinkt und lieber ein paar tiefgefrorene Waffeln in den Toaster gesteckt und Schokoladenstreusel darübergekippt.

»Gut, Mädchen, lasst es euch schmecken«, hatte Beth zwischen den Zähnen hervorgepresst. »Ich setz mich ein bisschen in den Garten und genieß den Sonnenschein.«

Kaum war Beth durch die Tür verschwunden, stand Yasmin schon auf und schlich zum Erkerfenster. Beth war nicht zu sehen. Yasmin sah nach rechts, dann nach links, dann fing sie an zu lächeln.

»Was ist?«, fragte Jill.

»Guck mal«, sagte Yasmin.

Jill stand auf und ging zu ihrer Freundin.

»Siehst du das. Hinten in der Ecke, hinter dem großen Baum.«

»Ich seh nichts.«

»Dann guck mal genauer hin«, sagte Yasmin.

Es dauerte einen Moment, dann sah Jill einen grauen Schwaden vorbeiziehen, und sie verstand, was Yasmin gemeint hatte. »Beth raucht?«

»Bingo. Sie ist hinter den Baum verschwunden und hat sich eine angesteckt.«

»Aber warum versteckt sie sich?«

»Vielleicht will sie nicht in Anwesenheit von ach so leicht beeinflussbaren Jugendlichen rauchen«, sagte Yasmin mit einem sarkastischen Grinsen. »Oder sie will nicht, dass mein Dad was davon erfährt. Er kann Raucher nicht ausstehen.«

»Und, verpfeifst du sie?«

Yasmin zuckte lächelnd die Achseln. »Keine Ahnung. Alle anderen verpfeifen wir ja schließlich auch, oder?« Sie fing an in einer Handtasche herumzuwühlen. Jill schnappte kurz nach Luft.

»Ist das Beths?«

»Ja.«

»Das kannst du doch nicht machen.«

Yasmin verzog kurz das Gesicht und wühlte weiter.

Jill trat näher heran und sah hinein. »Hast du was gefunden?«

»Nee.« Yasmin ließ die Handtasche herabsinken. »Komm, ich zeig dir was.«

Sie legte die Handtasche auf den Küchentresen und ging die Treppe hoch. Jill folgte ihr. Im Bad oben an der Treppe war ein

Fenster. Yasmin sah kurz hinaus. Jill auch. Beth stand wirklich hinter dem Baum – von hier konnten sie sie deutlich sehen –, und sie saugte an der Zigarette, als hätte sie nach einigen Minuten unter Wasser endlich einen Luftschlauch gefunden. Sie zog tief und lange, schloss die Augen, und die Falten in ihrem Gesicht glätteten sich.

Yasmin ging wortlos weiter. Sie winkte Jill, dass sie ihr folgen sollte. Sie gingen ins Schlafzimmer ihres Vaters. Yasmin ging direkt zum Nachttisch und öffnete die Schublade.

Jill war nicht schockiert. Vielmehr war das eine ihrer Gemeinsamkeiten. Beide gingen den Dingen gern auf den Grund. Jill nahm an, dass das alle Jugendlichen bis zu einem gewissen Grad machten, aber zu Hause nannte ihr Dad sie oft *Harriet, die kleine Detektivin.* Sie schlich überall hin und tauchte immer dort auf, wo sie nicht hingehörte. Mit acht hatte Jill in einer Schublade alte Fotos von ihrer Mutter gefunden. Sie lagen ganz hinten unter einem Stapel alter Postkarten und Hüten ohne Krempe, die sie von einer Florenz-Reise in ihren Semesterferien mitgebracht hatte.

Ein Foto zeigte einen Jungen, der ungefähr in ihrem damaligen Alter, also acht oder neun Jahre alt war. Er stand neben einem vielleicht ein oder zwei Jahre jüngeren Mädchen. Jill erkannte in dem Mädchen sofort ihre Mutter. Sie drehte das Foto um. Jemand hatte in zierlichen Buchstaben »Tia und Davey« und eine Jahreszahl daraufgeschrieben.

Von einem Davey hatte sie noch nie etwas gehört. Aber sie lernte etwas daraus. Auch Eltern versuchten, Sachen geheim zu halten.

»Hier, guck mal«, sagte Yasmin.

Jill sah in die Schublade. Ganz oben lag eine Packung Kondome. »Ieeh, voll krass.«

»Glaubst du, er hat eins davon heut Nacht mit Beth benutzt?«

»Darüber will ich gar nicht nachdenken.«

»Was glaubst du, wie es mir geht. Er ist schließlich mein Vater.«

Yasmin schloss die Schublade und öffnete die darunter. Plötzlich flüsterte sie.

»Jill?«

»Was ist?«

»Guck dir das mal an.«

Yasmin schob ihre Hand an ein paar alten Pullovern, irgendeiner Metallschachtel und ein paar Socken vorbei, dann hielt sie an. Lächelnd zog sie etwas nach vorne.

Jill zuckte zurück. »Was will …?«

»Eine Pistole.«

»Ich weiß, dass das eine Pistole ist.«

»Die ist geladen.«

»Leg sie wieder hin. Unglaublich, dass dein Vater eine geladene Pistole in der Schublade hat.«

»Das haben viele Väter. Soll ich dir zeigen, wie man sie entsichert?«

»Nein.«

Aber Yasmin zeigte es ihr trotzdem. Beide sahen die Waffe ehrfürchtig an. Yasmin gab sie Jill. Zuerst hob Jill abwehrend die Hand und weigerte sich, sie anzufassen, aber irgendwie fand sie die Form und die Farbe dann doch faszinierend. Sie legte sie in die Handfläche. Sie staunte über das Gewicht, die Kühle und die Schlichtheit.

»Soll ich dir ein Geheimnis verraten?«, fragte Yasmin.

»Klar.«

»Du musst aber versprechen, dass du es niemandem weitersagst.«

»Natürlich sag ich es nicht weiter.«

»Als ich die zum ersten Mal entdeckt hab, hab ich mir vorgestellt, dass ich Mr Lewiston damit abknalle.«

Jill legte die Waffe behutsam weg.

»Ich hab es richtig vor mir gesehen. Ich geh mit der Pistole im Rucksack in die Klasse. Manchmal überleg ich dann, ob ich warten soll, bis die Stunde vorbei ist, ihn erst erschieß, wenn keiner mehr da ist, dann die Fingerabdrücke von der Pistole abwische und abhau. Oder ich fahr zu ihm nach Hause – ich weiß, dass er drüben in West Orange wohnt –, das ist besser, weil mich niemand verdächtigt, wenn ich ihn da umbringe. Aber ich überleg auch, wie das wohl wäre, wenn ich ihn gleich im Klassenzimmer abknall, wenn die anderen auch da sind und das alle mitkriegen, und danach würd ich vielleicht noch auf sie zielen, aber dann denk ich, nee, das wäre zu sehr wie in Columbine, und ich bin ja kein Grufti-Psychopath oder so was.«

»Yasmin?«

»Ja.«

»Du machst mir ein bisschen Angst.«

Yasmin lächelte. »Ach, du weißt schon, das war nur so ein Gedanke. Völlig harmlos. Ich mach das nicht und auch sonst nix.«

Schweigen.

»Er wird dafür bezahlen«, sagte Jill. »Das weißt du doch, oder? Mr Lewiston, meine ich.«

»Ja, ich weiß«, sagte Yasmin.

Sie hörten ein Auto vorfahren. Mr Novak kam nach Hause. Ganz ruhig nahm Yasmin die Pistole, legte sie in die Schublade und schob alles wieder richtig hin. Sie ließ sich Zeit, hatte keine Eile, selbst als die Haustür geöffnet wurde und ihr Vater rief: »Yasmin? Mädchen? Wo seid ihr?«

Yasmin schloss die Schublade, lächelte und ging zur Tür.

»Wir kommen schon, Dad!«

*

Tia packte gar nicht erst.

Nachdem sie das Telefonat mit Mike beendet hatte, lief sie sofort nach unten in die Lobby. Brett rieb sich den Schlaf aus den Augen, und seine wirren Haare wirkten noch vollkommen unberührt. Er erklärte sich sofort bereit, sie in die Bronx zu fahren.

Bretts Lieferwagen war vollgestopft mit Computer-Equipment und roch wie eine Haschpfeife, aber er trat das Gaspedal kräftig durch. Tia führte neben ihm ein paar Telefongespräche. Sie weckte Guy Novak, erzählte ihm, dass Mike einen Unfall hatte und fragte, ob er Jill noch ein paar Stunden dabehalten konnte. Er hatte sich verständnisvoll gezeigt und sofort eingewilligt.

»Und was soll ich Jill sagen?«, hatte Guy Novak noch gefragt.

»Sagen Sie einfach, dass was dazwischengekommen ist. Sie soll sich keine Sorgen machen.«

»Geht klar.«

»Danke, Guy.«

Tia setzte sich aufrecht hin und starrte auf die Straße, als ob das die Fahrt verkürzen würde. Sie überlegte, was passiert sein konnte. Mike hatte gesagt, dass er Adam über ein im Handy eingebautes GPS geortet hätte. Adam wäre in einer ziemlich zweifelhaften Gegend in der Bronx gewesen. Mike war hingefahren, glaubte, DJ Huff gesehen zu haben, und dann war er überfallen worden.

Adam wurde immer noch vermisst – oder er hatte, wie beim letzten Mal, einfach beschlossen, für ein paar Tage abzutauchen.

Sie rief bei Adams Freunden Clark und Olivia an. Beide hatten Adam nicht gesehen. Bei den Huffs erreichte sie niemanden. Den größten Teil der Nacht und selbst heute Morgen hatte die Vorbereitung auf die Befragung ihre Furcht im Zaum gehalten – zumindest bis Mike aus dem Krankenhaus angerufen hatte. Das war vorbei. Unbändige Angst hatte sie erfasst und ließ sie nicht mehr los. Sie rutschte auf ihrem Sitz hin und her.

»Sind Sie okay?«, fragte Brett.

»Geht schon.«

Aber es ging ihr schlecht. Sie musste immer wieder an den Abend denken, als Spencer Hill verschwunden war und Selbstmord begangen hatte. Sie erinnerte sich an Betsys Anruf …

»Kannst du Adam fragen, ob er Spencer gesehen hat …?«

Die Panik in Betsys Stimme. Die bodenlose Angst, die keine Sekunde der Erleichterung zuließ. Sie hatte sich Sorgen gemacht – und, wie man hinterher feststellte, vollkommen zu Recht.

Tia schloss die Augen. Sie konnte plötzlich kaum noch atmen. Ihr Brustkorb war wie blockiert. Sie schnappte ein paarmal nach Luft.

»Soll ich ein Fenster aufmachen?«, fragte Brett.

»Nicht nötig.«

Sie sammelte sich noch einen Moment und rief dann im Krankenhaus an. Nach ein paar Minuten bekam sie den behandelnden Arzt ans Telefon, der ihr aber nichts Neues sagte. Man hatte Mike zusammengeschlagen und ausgeraubt. Wenn sie das richtig verstand, hatten mehrere Männer ihren Mann in einer Gasse überfallen. Er hatte eine Gehirnerschütterung davongetragen und war mehrere Stunden bewusstlos gewesen, aber jetzt war er auf dem Weg der Besserung und würde keine bleibenden Schäden davontragen.

Hester Crimstein erwischte sie zu Hause. Ihre Chefin brachte eine mäßige Sorge für Tias Ehemann und Sohn zum Ausdruck – und größte Sorge für ihren Fall.

»Ihr Sohn ist doch vor Kurzem schon mal ausgerissen, oder?«, fragte Hester.

»Ein Mal.«

»Na ja, dann ist das jetzt wohl das zweite Mal. Meinen Sie nicht auch?«

»Es könnte noch mehr dahinterstecken.«

»Was sollte das sein?«, fragte Hester. »Also, wann war die Befragung noch mal?«

»Um drei Uhr nachmittags.«

»Ich stelle einen Antrag auf Vertagung. Wenn dem nicht stattgegeben wird, müssen Sie wieder hin.«

»Das soll doch wohl ein Witz sein, oder?«

»Nach allem, was Sie mir erzählt haben, können Sie hier sowieso nichts machen. Sie sind die ganze Zeit telefonisch erreichbar.

Ich lass Ihnen meinen Privatjet fertig machen, dann können Sie von Teterboro aus nach Bosten zurückfliegen.«

»Wir sprechen hier über meine Familie.«

»Genau, und ich spreche darüber, dass Sie ein paar Stunden von ihr getrennt sind. Sie werden nichts für das Wohlbefinden Ihres Mannes oder Ihres Sohnes tun können, wenn überhaupt, geht es höchstens um Ihr eigenes. Währenddessen habe ich es mit einem unschuldigen Menschen zu tun, der womöglich für fünfundzwanzig Jahre ins Gefängnis geht, wenn wir das Ding verbocken.«

Tia wollte auf der Stelle kündigen, bekam sich dann aber doch noch in den Griff und beruhigte sich so weit, dass sie sagte: »Versuchen Sie, die Vertagung durchzukriegen.«

»Ich ruf zurück.«

Tia beendete das Gespräch und sah das Handy in ihrer Hand an wie ein unschönes Geschwür. War das eben wirklich passiert?

Als sie zu Mike ins Krankenhauszimmer kam, war Mo schon da. Die Fäuste in die Hüften gestemmt stapfte er mit großen Schritten im Zimmer auf und ab. Er hatte Tränen in den Augen. »Ihm geht's gut«, sagte er, als sie hereinkam. »Er ist grad wieder eingeschlafen.«

Tia ging zu Mikes Bett. Die anderen beiden Betten im Zimmer waren auch belegt, die Patienten hatten aber gerade keinen Besuch. Als Tia Mikes Gesicht ansah, kam es ihr vor, als würde ihr jemand einen Betonklotz in den Bauch rammen.

»O mein Gott ...«

Mo trat hinter sie und legte ihr die Hände auf die Schultern. »Das sieht schlimmer aus, als es ist.«

Sie wollte ihm glauben. Sie hatte nicht gewusst, was sie erwartete, aber das? Sein rechtes Auge war zugeschwollen. Auf einer Wange war ein Schnitt wie von einem Rasiermesser, die andere war dick und dunkelblau angelaufen. Die Lippe war aufgeplatzt. Ein Arm steckte unter der Decke, am Unterarm des anderen sah sie jedoch zwei große Blutergüsse.

»Was haben sie mit ihm gemacht?«, flüsterte sie.

»Die sind schon so gut wie tot«, sagte Mo. »Hast du mich verstanden? Die finde ich, und ich schlag sie gar nicht erst zusammen. Ich bring sie gleich um.«

Tia legte die Hand auf den Unterarm ihres Mannes. Ihr Mann. Ihr attraktiver, starker Ehemann. Sie hatte sich in Dartmouth in diesen Mann verliebt. Sie hatte das Bett mit ihm geteilt, Kinder mit ihm gezeugt, ihn als ihren Lebensgefährten ausgewählt. Natürlich dachte man nicht oft darüber nach, aber so war es einfach. Man wählte sich einen Mitmenschen aus, mit dem man sein Leben verbringen wollte – eine erschreckende Vorstellung, wenn man richtig darüber nachdachte. Warum hatte sie zugelassen, dass sie sich auch nur ein klein wenig auseinanderlebten? Warum hatte sie die Routine zur Routine werden lassen und nicht jede Sekunde alles darangesetzt, ihr Zusammenleben zu verbessern und noch leidenschaftlicher zu machen?

»Ich liebe dich so sehr«, flüsterte sie.

Er blinzelte und öffnete die Augen. Sie sah, dass auch er Angst im Blick hatte – und das war vielleicht das Schlimmste überhaupt. Seit sie Mike kannte, hatte sie ihn nie ängstlich gesehen. Sie hatte ihn auch nie weinen sehen. Wahrscheinlich weinte er schon gelegentlich, aber er gehörte zu den Männern, die das heimlich taten. Er wollte denen, die ihn brauchten, eine starke Schulter bieten, an die sie sich anlehnen konnten, und – so altmodisch das auch klang – genau das brauchte sie.

Er sah mit weit aufgerissenen Augen in die Luft, als sähe er dort einen imaginären Angreifer.

»Mike«, sagte Tia. »Ich bin hier.«

Sein Blick wanderte zu ihrem Gesicht, sie sahen sich an, aber die Angst verschwand nicht aus seinen Augen. Falls ihre Anwesenheit ihn beruhigte, merkte man es ihm nicht an. Tia nahm seine Hand.

»Du wirst schon wieder«, sagte sie.

Er sah ihr weiter in die Augen, und jetzt begriff sie es. Schon bevor er den Mund aufmachte, wusste sie, was er sagen würde.

»Was ist mit Adam? Wo ist er?«

20

Wieder sah Dolly Lewiston das Auto an ihrem Haus vorbeifahren.

Es wurde langsamer. Wie beim letzten Mal. Und dem Mal davor.

»Das ist er wieder«, sagte sie.

Ihr Mann, Joe Lewiston, Lehrer in der fünften Klasse, sah nicht aus dem Fenster. Er konzentrierte sich etwas zu sehr auf die Korrektur der Klassenarbeiten.

»Joe?«

»Ich hab's gehört, Dolly«, fauchte er. »Und was soll ich jetzt dagegen tun?«

»Dass kann er nicht machen.« Sie sah ihm hinterher, bis das Auto in der Ferne verschwunden war. »Vielleicht sollten wir die Polizei rufen?«

»Und was sagen wir denen dann?«

»Dass er uns verfolgt.«

»Er fährt durch unsere Straße. Das ist ja schließlich nicht verboten.«

»Er bremst und fährt langsamer.«

»Das ist auch nicht verboten.«

»Du kannst ihnen ja erzählen, was passiert ist.«

Er grunzte, starrte aber weiter auf die Arbeit. »Da wird die Polizei bestimmt großes Mitleid mit mir haben.«

»Wir haben auch ein Kind.«

Tatsächlich hatte sie gerade die kleine Allie, ihre dreijährige Tochter, im Computer beobachtet. Auf der Website vom *K-Little*

Gym konnte man sein Kind über eine Webcam im Zimmer beobachten – beim Essen, Spielen mit Bauklötzen, Lesen, Singen,
bei der Kleingruppen- und Einzelarbeit, ganz egal –, man konnte
immer nachgucken, was sie gerade machten. Aus diesem Grund
hatte Dolly sich für *K-Little* entschieden.

Genau wie Joe arbeitete auch sie in der Grundschule. Joe unterrichtete in der fünften Klasse der Mount-Riker-Schule. Sie unterrichtete eine zweite Klasse in Paramus. Dolly Lewiston hätte
gerne aufgehört zu arbeiten, aber sie brauchten beide Gehälter.
Ihr Mann liebte seine Arbeit immer noch, Dolly hingegen war die
Liebe fürs Unterrichten irgendwann abhandengekommen. Man-
chen Freunden war aufgefallen, dass das ungefähr zur Zeit von Al-
lies Geburt geschehen war, sie glaubte jedoch, dass das nicht der
einzige Grund war. Trotzdem machte sie immer noch ihre Arbeit
und widerstand den Klagen der Eltern, aber eigentlich wollte sie
nur noch die *K-Little*-Website angucken und sich vergewissern,
dass ihr kleines Baby in Sicherheit war.

Guy Novak, der Mann, der seit einigen Tagen immer wieder
langsam an ihrem Haus vorbeifuhr, hatte seine Tochter nicht beobachten oder sich vergewissern können, dass sie in Sicherheit
war. Auf einer Ebene verstand Dolly daher vollkommen, was in
ihm vorging und hatte sogar Verständnis für seine Frustration.
Trotzdem würde sie ihm nicht erlauben, ihrer Familie Schaden
zuzufügen. Oft musste man sich einfach nur entscheiden zwischen
sich und den anderen, und sie würde es nicht zulassen, dass ihre
Familie in Mitleidenschaft gezogen wurde.

Sie drehte sich um und sah Joe an. Er saß mit gesenktem Kopf
und geschlossenen Augen vor der Arbeit.

Sie ging zu ihm und legte ihm die Hand auf die Schulter. Er
zuckte zusammen, als sie ihn berührte. Es war nur ein kurzes Zucken, aber es ging ihr durch Mark und Bein. Er war schon seit
Wochen so angespannt. Sie ließ ihre Hand auf seiner Schulter
liegen, nahm sie nicht wieder weg, und er entspannte sich lang-

sam. Sie massierte seine Schultern. Früher mochte er das. Es dauerte ein paar Minuten, aber dann entspannten sich auch die Schultern.

»Das wird schon«, sagte sie.

»Ich hab einfach die Nerven verloren«, sagte er.

»Ich weiß.«

»Ich hab alles gegeben, wie immer, und dann …«

»Ich versteh das.«

Das tat sie wirklich. Genau deshalb war Joe Lewiston ein guter Lehrer. Er war mit Leidenschaft bei der Sache. Dadurch hörten seine Schüler ihm zu – er erzählte zwischendurch Witze und überschritt auch gelegentlich die Grenze dessen, was als angemessenes Verhalten eines Lehrers gegenüber seinen Schülern galt. Aber genau dafür liebten sie ihn. Sie passten besser auf und lernten mehr. Manchmal beschwerten sich Eltern über Joes Mätzchen, aber er hatte genug Fürsprecher, die das wieder ausglichen. Eine große Mehrheit von Eltern kämpfte darum, dass ihre Kinder in Mr Lewistons Klasse kamen. Sie freuten sich, wenn ihre Kinder Spaß an der Schule hatten und dass ein Lehrer mit Begeisterung bei der Sache war und seine Arbeit nicht nur als Routinejob betrachtete. Er war eben ganz das Gegenteil von Dolly.

»Ich habe diesem Mädchen wirklich weh getan«, sagte er.

»Aber das war doch keine Absicht. Und die anderen Kinder und ihre Eltern mögen dich immer noch.«

Er sagte nichts.

»Sie kommt darüber weg. Irgendwann ist das vergessen, Joe. Das wird schon wieder.«

Seine Unterlippe fing an zu zittern. Seine ganze Welt war zusammengebrochen. Sosehr sie ihn auch liebte und wusste, dass er ein viel besserer Lehrer war als sie, wusste sie doch auch, dass er psychisch nicht besonders stabil und belastbar war, obwohl die meisten Menschen das glaubten. Er stammte aus einer großen Familie, war das jüngste von fünf Geschwistern, vor allem aber war

sein Vater zu dominant gewesen. Er hatte seinen jüngsten, lie-
benswürdigsten Sohn immer wieder herabgesetzt, woraufhin dieser auf die Ausweichstrategie verfallen war, immer komisch und
unterhaltsam zu sein. Joe Lewiston war der beste Mann, den sie
kannte, aber er war schwach.

Das störte sie nicht. Dann musste sie eben stark sein. Sie musste die Familie zusammenhalten – und die Welt ihres Mannes.

»Tut mir leid, dass ich dich so angefahren habe«, sagte Joe.

»Schon vergessen.«

»Du hast Recht. Das geht vorbei.«

»Genau.« Sie küsste ihn auf den Hals und dann auf den Punkt
hinter dem Ohrläppchen, an dem er am liebsten geküsst wurde.
Sie ließ die Zunge sanft kreisen. Dann wartete sie darauf, dass
er leise stöhnte. Das passierte aber nicht. Dolly flüsterte: »Vielleicht solltest du einen Moment lang mit dem Korrigieren Pause
machen, hm?«

Er zuckte ein kleines bisschen weg. »Ich, äh, muss das wirklich
noch fertig machen.«

Dolly richtete sich auf und trat einen Schritt zurück. Als Joe
Lewiston merkte, was er getan hatte, versuchte er die Situation
zu retten.

»Könnte ich vielleicht später noch auf das Angebot zurückkommen?«, fragte er.

Das war ihr Spruch, wenn sie nicht in Stimmung war. Eigentlich eine ganz normale Ehefrauenmasche, oder? In dem Punkt
war er immer der Fordernde gewesen –, da hatte er nie irgendeine Schwäche gezeigt – aber in den letzten Monaten, seit seinem
»Versprecher«, wenn man das so nennen konnte, hatte sich auch
das verändert.

»Natürlich«, sagte sie.

Dolly wandte sich ab.

»Wo willst du hin?«, fragte er.

»Ich komm gleich wieder«, sagte sie. »Ich muss noch mal kurz in den Supermarkt, und hinterher hol ich dann Allie ab. Dann kannst du in Ruhe die Arbeiten zu Ende korrigieren.«

Dolly Lewiston rannte die Treppe hoch, ging ins Internet, suchte Guy Novaks Adresse raus und sah im Routenplaner nach dem kürzesten Weg dahin. Sie checkte auch ihren E-Mail-Account in der Schule – da gab es immer irgendwelche Beschwerden von Eltern –, aber der funktionierte seit vorgestern nicht mehr.

»Meine E-Mails in der Schule funktionieren immer noch nicht«, rief sie nach unten.

»Ich guck mir das noch mal an«, antwortete er.

Dolly druckte die Wegbeschreibung zu Guy Novaks Haus aus, faltete das Blatt Papier zusammen und steckte es in die Tasche. Auf dem Weg nach draußen küsste sie ihren Mann von oben auf den Kopf. Er sagte ihr, dass er sie liebte. Sie erwiderte, dass sie ihn auch liebte.

Dann schnappte sie sich ihren Schlüsselbund und machte sich auf den Weg zu Guy Novak.

*

Tia sah es in ihren Gesichtern. Die Polizisten nahmen Adams Verschwinden nicht ernst.

»Ich dachte, Sie könnten vielleicht eine Suchmeldung rausgeben oder so was«, sagte Tia.

Die beiden Polizisten vor ihr boten einen fast schon komischen Anblick. Ein winziger Lateinamerikaner in Uniform namens Guttierez und eine große Schwarze, die sich als Detective Clare Schlich vorgestellt hatte.

Schlich antwortete. »Ihr Sohn erfüllt nicht die Kriterien für eine Suchmeldung.«

»Warum nicht?«

»Wir bräuchten zumindest irgendwelche Anzeichen, die auf eine Entführung hindeuten.«

»Aber er ist sechzehn und wird vermisst.«

»Ja.«

»Was für Hinweise brauchen Sie denn noch?«

Schlich zuckte die Achseln. »Ein Zeuge wäre gut.«

»Es gibt nicht bei jeder Entführung Zeugen.«

»Das ist richtig, Ma'am. Trotzdem brauchen wir Hinweise auf eine Entführung oder die Androhung körperlicher Gewalt. Gab es etwas in der Art?«

Tia fand ihr Verhalten nicht direkt unverschämt – herablassend traf es wohl besser. Dann nahmen die beiden ganz vorschriftsgemäß ihre Meldung auf. Sie taten Tias und Mikes Besorgnis nicht als unbegründet ab, machten aber deutlich, dass sie nicht alles stehen und liegen lassen und den gesamten Polizeiapparat auf diesen Fall ansetzen würden. Clare Schlich verdeutlichte ihre Position mit ein paar gezielten Fragen und Rückfragen auf Mikes und Tias Äußerungen.

»Sie haben den Computer Ihres Sohnes ausspioniert?«

»Sie haben das GPS an seinem Handy aktiviert?«

»Sie waren so besorgt über sein Verhalten, dass Sie ihm in die Bronx gefolgt sind?«

»Er ist schon einmal ausgerissen?«

Ganz einfach. Tia gab den beiden Polizisten keine Schuld an der Situation, aber sie dachte nur daran, dass Adam verschwunden war.

Guttierez hatte vorher schon einmal mit Mike gesprochen. Er ergänzte: »Sie hatten gesagt, dass Sie Daniel Huff Junior auf der Straße gesehen haben – DJ Huff –, und meinten, dass er womöglich mit Ihrem Sohn unterwegs gewesen sein könnte?«

»Ja.«

»Ich habe mich gerade mit seinem Vater unterhalten. Wissen Sie, dass er auch bei der Polizei ist?«

»Ja.«

»Er hat mir erzählt, dass sein Sohn die ganze Nacht zu Hause war.«

Tia sah Mike an. Irgendwo in seinem Hinterkopf explodierte etwas. Seine Pupillen zogen sich zu winzigen Punkten zusammen. Diesen Blick hatte sie schon ein paarmal bei ihm gesehen.
Sie legte ihm eine Hand auf den Arm, aber er ließ sich nicht
beruhigen.

»Er lügt«, sagte Mike.

Der Polizist zuckte die Achseln. Tia sah, dass Mikes dick ge-
schwollenes Gesicht dunkler wurde. Er sah erst sie, dann Mo an
und sagte: »Lasst uns gehen. Jetzt gleich.«

Der Arzt wollte Mike noch einen Tag zur Beobachtung im
Krankenhaus behalten, aber daran war nicht zu denken. Tia wusste, dass sie jetzt nicht die besorgte Ehefrau spielen durfte. Sie
wusste, dass Mikes Körper wieder heilen würde. Er war verdammt
hart im Nehmen. Das war seine dritte Gehirnerschütterung – die
ersten beiden hatte er auf dem Eishockeyfeld erlitten. Mike hatte Zähne verloren und mehr Nähte im Gesicht, als ein Mann haben sollte, er hatte sich zweimal die Nase und einmal den Kiefer
gebrochen, trotzdem hatte er nicht ein einziges Spiel verpasst –
und meistens hatte er die Spiele, in denen er sich die Verletzungen zugezogen hatte, sogar noch zu Ende gespielt.

Tia wusste auch, dass es keinen Sinn hatte, über diesen Punkt
einen Streit mit ihrem Mann anzufangen. Das wollte sie auch gar
nicht. Sie wollte, dass er aufstand und ihren Sohn suchte. Außerdem würde es ihm viel mehr wehtun, wenn er nichts tun konnte.

Mo half Mike beim Hinsetzen. Tia half ihm beim Anziehen.
Die Kleidung war blutverschmiert. Mike war das egal. Er stand
auf. Auf dem Weg zur Tür spürte Tia, dass ihr Handy vibrierte. Sie
betete darum, dass es Adam war. Er war es nicht.

Hester Crimstein sparte sich die Begrüßung.

»Haben Sie etwas von Ihrem Sohn gehört?«

»Nein. Die Polizei hält ihn für einen Ausreißer.«

»Ist er das denn nicht?«

Das nahm Tia den Wind aus den Segeln.

»Ich glaube nicht.«

»Brett hat mir erzählt, dass Sie ihm nachspioniert haben«, sagte Hester.

Brett und sein großes Mundwerk, dachte sie. Na toll. »Ich habe seine Internetaktivitäten überwacht.«

»Das sag ich doch.«

»Adam würde nicht einfach so ausreißen.«

»Wow, das ist bestimmt das erste Mal, dass Eltern so etwas sagen.«

»Ich kenne meinen Sohn.«

»Das ist auch so ein Satz«, legte Hester nach. »Ich habe schlechte Nachrichten. Die Vertagung wurde abgelehnt.«

»Hester ...«

»Lassen Sie mich erst ausreden, bevor Sie sagen, dass Sie nicht nach Boston zurückfahren. Ich habe eine Limousine bestellt, die Sie abholt. Sie steht schon vor dem Krankenhaus.«

»Ich kann nicht ...«

»Hören Sie mir einfach zu, Tia. Das sind Sie mir schuldig. Der Fahrer bringt Sie zum Teterboro-Airport. Der liegt bei Ihnen um die Ecke. Ich habe ein Privatflugzeug. Sie haben ein Handy. Sobald es irgendwelche Neuigkeiten gibt, kann der Fahrer Sie da hinbringen. Im Flugzeug ist auch ein Telefon. Wenn Sie in der Luft etwas hören, kann mein Pilot sie blitzschnell an einem Flughafen in der Nähe absetzen. Vielleicht taucht Adam in, was weiß ich, Philadelphia wieder auf. Dann kann es nicht schaden, ein Privatflugzeug zur Verfügung zu haben.«

Mike sah Tia fragend an. Tia schüttelte den Kopf und bedeutete ihnen mit einer Geste, dass sie weitergehen sollten. Das taten sie.

»Wenn Sie in Boston sind«, fuhr Hester fort, »führen Sie die Befragung durch. Wenn während der Befragung irgendetwas passiert, brechen Sie sofort ab und fliegen mit dem Privatflugzeug zurück. Von Boston nach Teterboro braucht man vierzig Minuten. Und höchstwahrscheinlich wird Ihr Junge irgendwann mit einer typischen Teenager-Ausrede vor Ihnen stehen, weil er mit ein paar Freunden was getrunken hat. In jedem Fall sind Sie nach spätestens zwei Stunden wieder zu Hause.«

Tia massierte ihre Nasenwurzel.

Hester sagte: »Klingt doch plausibel, oder?

»Ja.«

»Gut.«

»Aber ich kann nicht.«

»Warum nicht?«

»Ich könnte mich nicht konzentrieren.«

»Ach, das ist doch Unsinn. Sie wissen, was ich mit dieser Befragung erreichen will.«

»Sie wollen, dass ich mit ihm kokettiere. Mein Mann liegt im Krankenhaus …«

»Er wurde schon wieder entlassen. Ich weiß alles, Tia.«

»Gut, mein Mann ist überfallen worden, und mein Sohn wird vermisst. Glauben Sie wirklich, dass mir danach zumute ist, ganz kokett eine Befragung durchzuführen?«

»Ob Ihnen danach zumute ist? Wen interessiert denn, ob Ihnen danach zumute ist? Sie sollen es einfach nur machen, Tia. Die Freiheit eines Menschen steht auf dem Spiel.«

»Sie müssen sich jemand anderen suchen.«

Schweigen.

»Ist das Ihr letztes Wort«, fragte Hester.

»Ja«, sagte Tia, »das ist mein letztes Wort. Bin ich jetzt meinen Job los?«

»Jetzt noch nicht«, sagte Hester. »Aber demnächst. Weil Sie mir klargemacht haben, dass ich mich nicht auf Sie verlassen kann.«

»Ich werde hart dafür arbeiten, Ihr Vertrauen zurückzugewinnen.«

»Das wird nichts. Bei mir kriegt man keine zweite Chance. Ich habe genug Anwälte in meiner Kanzlei, die nie eine brauchen.

Also lasse ich Sie wieder Routinesachen machen, bis Sie kündigen. Schade eigentlich. Ich glaube, Sie hätten Potential gehabt.«

Hester Crimstein legte auf.

Sie verließen das Krankenhaus. Mike hatte seine Frau nicht aus den Augen gelassen. »Tia?«

»Ich will jetzt nicht darüber reden.«

Mo fuhr sie nach Hause.

Tia fragte: »Was machen wir jetzt?«

Mike schluckte eine Schmerztablette. »Du könntest vielleicht Jill abholen.«

»Okay. Und was macht ihr?«

»Ich möchte mich als Erstes«, sagte Mike, »mit Daniel Huff darüber unterhalten, warum er gelogen hat.«

21

Mo sagte: »Dieser Huff ist ein Bulle, oder?«

»Stimmt.«

»Dann wird der sich wohl nicht so leicht einschüchtern lassen.«

Sie hatten schon vor dem Haus der Huffs gehalten, standen fast genau da, wo Mike geparkt hatte, bevor seine ganze Welt zu Bruch gegangen war. Er hörte nicht auf Mo. Er stürmte einfach zur Tür. Mo folgte ihm. Mike klopfte und wartete. Dann drückte er auf den Klingelknopf und wartete weiter.

Niemand öffnete.

Mike ging ums Haus herum zur Hintertür. Er klopfte auch da. Immer noch nichts. Er ging zum Fenster, schirmte die Augen mit den Händen ab und sah ins Haus. Da rührte sich nichts. Er probierte sogar noch den Türknauf. Die Tür war verschlossen.

»Mike?«

»Er lügt, Mo.«

Sie gingen zurück zum Wagen.

»Wohin?«, fragte Mo.

»Lass mich fahren.«

»Nein. Wohin?«

»Zum Polizeirevier. Da arbeitet Huff.«

Die Fahrt war gerade einmal einen Kilometer lang. Mike dachte über Daniel Huffs kurzen Arbeitsweg nach. Was für ein Glück, wenn man so schnell bei der Arbeit war. Mike selbst hatte schon viele Stunden im Stau auf der Brücke verbracht, dann fragte er sich, warum er über so etwas Banales nachdachte und merkte, dass er komisch atmete und dass Mo ihn aus dem Augenwinkel beobachtete.

»Mike?«

»Was ist?«

»Du musst Ruhe bewahren.«

Mike runzelte die Stirn. »Und das ausgerechnet von dir?«

»Ja, ausgerechnet von mir. Und du kannst dich jetzt entweder über den Aberwitz und die Ironie freuen, dass gerade ich Vernunft predige, oder du denkst darüber nach, ob es nicht einen ziemlich guten Grund geben könnte, wenn ich dich zur Zurückhaltung ermahne. Du kannst doch nicht einfach in eine Polizeiwache marschieren und fuchsteufelswild auf einen Polizisten losgehen.«

Mike sagte nichts. Das Polizeirevier war eine ehemalige Bibliothek oben auf einem Hügel, wo es praktisch keine Parkplätze gab. Mo fuhr langsam weiter und suchte eine Lücke.

»Hast du mich verstanden?«

»Ja, Mo, ich hab dich verstanden.«

Vor ihnen war kein freier Parkplatz.

»Ich fahr rüber auf die andere Seite.«

Mike sagte: »Dafür haben wir keine Zeit. Ich mach das allein.«

»Vergiss es.«

Mike sah ihn an.

»Scheiße, Mike, du siehst furchtbar aus.«

»Wenn du mich fahren willst, ist mir das recht, Mo. Aber du bist nicht mein Babysitter. Also lass mich jetzt hier raus. Mit Huff muss ich sowieso allein reden. Wenn du neben mir stehst, wird er nur misstrauisch. Bei einem Gespräch unter vier Augen kann ich mit ihm von Vater zu Vater reden.«

Mo hielt am Straßenrand an. »Dann vergiss aber nicht, was du gerade gesagt hast.«

»Was meinst du?«

»Von Vater zu Vater. Er ist auch Vater.«

»Und was soll das heißen?«

»Denk mal drüber nach.«

Beim Aussteigen spürte Mike, wie ihm der Schmerz von den Rippen durch den ganzen Körper schoss. Mit Schmerzen war das bei ihm so eine Sache – seine Schmerzschwelle lag nicht nur sehr hoch, manchmal beruhigten ihn Schmerzen sogar. Er mochte den Muskelkater nach einem harten Training. Beim Eishockey hatten seine Gegner oft versucht, ihn mit harten Bodychecks einzuschüchtern, womit sie jedoch oft nur das Gegenteil erreicht hatten. Wenn er richtig einen mitbekam, rief das meistens eine Art Jetzt-erst-recht-Haltung hervor.

Er war davon ausgegangen, dass in der Wache nichts los war. Er war erst einmal da gewesen, um sich die Genehmigung zu holen, den Wagen über Nacht auf der Straße zu lassen. Die Stadt hatte eine Verordnung erlassen, derzufolge es verboten war, nach zwei Uhr Nachts auf der Straße zu parken, sie erneuerten aber gerade die Einfahrt, also brauchte er eine auf eine Woche befristete Genehmigung. Damals hatte nur ein Polizist an der Rezeption gesessen, und die anderen Schreibtische waren leer gewesen.

Heute waren mindestens fünfzehn Polizisten im Revier, die alle sehr geschäftig wirkten.

»Kann ich Ihnen helfen?«

Der uniformierte Beamte wirkte zu jung für seinen Job an der

Rezeption. Vielleicht war aber auch das nur wieder ein Beispiel dafür, wie sehr das Fernsehen unsere Sicht auf die Welt formte, jedenfalls erwartete man an dieser Stelle immer einen ergrauten Veteranen, wie den Typen aus *Polizeirevier Hill Street*, der am Ende jeder Dienstbesprechung sagte: »Und seid vorsichtig da draußen.« Der Beamte vor ihm sah aus wie zwölf. Außerdem sah er Mike mit unverhohlener Überraschung an und deutete auf sein Gesicht.

»Sind Sie deshalb hier?«

»Nein«, sagte Mike. Die anderen Polizisten bewegten sich schneller. Sie reichten sich Ordner, unterhielten sich oder klemmten sich Telefonhörer zwischen Kopf und Schulter.

»Ich möchte Officer Huff sprechen.«

»Meinen Sie Captain Huff?«

»Ja.«

»Darf ich fragen, worum es geht?«

»Sagen Sie ihm, dass Mike Baye hier ist.«

»Wie Sie sehen, sind wir gerade sehr beschäftigt.«

»Das ist mir auch aufgefallen«, sagte Mike. »Ist irgendwas passiert?«

Der junge Polizist musterte Mike mit einem Blick, der eindeutig besagte, dass das Mike nichts anginge. Mike schnappte noch ein paar Gesprächsfetzen über einen beim Ramada Hotel geparkten Wagen auf, weiter erfuhr er aber nichts.

»Wenn Sie noch einen Moment Platz nehmen würden, während ich versuche, Captain Huff zu erreichen.«

»Natürlich.«

Mike ging zu einer Bank und setzte sich. Neben ihm füllte ein Mann im Anzug ein Formular aus. Ein Polizist rief: »Wir haben jetzt mit allen Angestellten gesprochen, von denen hat sie keiner gesehen.« Mike überlegte kurz, worum es ging, das machte er aber eigentlich nur, um seinen Blutdruck nicht zu sehr in die Höhe schießen zu lassen.

Huff hatte gelogen.

Mike behielt den jungen Beamten im Auge. Der telefonierte kurz, blickte dann auf, als er den Hörer aufgelegt hatte, und da wusste Mike schon, dass er eine abschlägige Antwort erhalten würde.

»Mr Baye?«

»Dr Baye«, korrigierte Mike. Dieses Mal mochte es arrogant wirken, aber manchmal behandelten die Leute einen Arzt einfach anders. Nicht häufig, aber manchmal.

»Dr Baye, ich fürchte, wir sind heute Vormittag sehr beschäftigt. Captain Huff hat mich gebeten, Ihnen zu versichern, dass er Sie so bald wie möglich anruft.«

»Das reicht mir nicht«, sagte Mike.

»Wie bitte?«

Das Revier war ziemlich offen. Es gab eine knapp einen Meter hohe Trennwand – warum haben alle Polizeiwachen so eine Trennwand? Wen soll die aufhalten? – mit einer kleinen Schwingtür. Auf einer der Türen dahinter stand groß CAPTAIN. Mit schnellen Schritten – die in Brustkorb und Gesicht viele neue Schmerzen hervorriefen – ging er an der Rezeption vorbei.

»Sir?«

»Machen Sie sich keine Mühe, ich kenne den Weg.«

Er stieß die Schwingtür auf und eilte zum Büro des Captains.

»Halt. Sofort stehen bleiben!«

Mike konnte sich nicht vorstellen, dass der Bursche schießen würde, also lief er weiter. Bevor ihn jemand aufhalten konnte, erreichte er die Tür. Er ergriff den Knauf und drehte ihn um. Nicht abgeschlossen. Er öffnete die Tür.

Huff saß am Schreibtisch und telefonierte.

»Was soll denn der …?«

Der junge Polizist von der Rezeption folgte Mike auf dem Fuß und wollte sich schon auf ihn stürzen, aber Huff winkte ab.

»Das ist schon in Ordnung.«

»Tut mir leid, Captain. Er ist einfach reingerannt.«

»Kein Problem. Machen Sie die Tür zu, ja?«

Das schien dem Burschen nicht zu gefallen, er tat aber, was man ihm gesagt hatte. Eine Wand des Büros war verglast. Der junge Polizist stellte sich davor und sah hinein. Mike warf ihm einen finsteren Blick zu und wandte sich dann wieder an Huff.

»Sie haben gelogen«, sagte er.

»Ich habe zu tun, Mike.«

»Ich habe Ihren Sohn gesehen, bevor ich überfallen wurde.«

»Nein, das haben Sie nicht. Er war zu Hause.«

»Das ist Quatsch.«

Huff stand nicht auf. Er forderte Mike auch nicht auf, Platz zu nehmen. Er verschränkte die Hände hinter dem Kopf und lehnte sich zurück. »Für so was hab ich jetzt wirklich keine Zeit.«

»Mein Sohn war bei Ihnen am Haus. Dann ist er in die Bronx gefahren.«

»Woher wissen Sie das, Mike?«

»Ich habe eine GPS-Suche nach dem Handy meines Sohns durchgeführt.«

Huff zog die Augenbrauen hoch. »Wow.«

Er musste das schon gewusst haben. Das hatten seine Kollegen aus New York ihm bestimmt erzählt. »Warum lügen Sie, Huff?«

»Wie genau arbeitet das GPS?«

»Was?«

»Vielleicht war er gar nicht bei DJ. Vielleicht war er irgendwo im Nachbarhaus. Die Lubetkins, zwei Häuser neben uns, haben auch einen Sohn in dem Alter. Oder, verdammt, vielleicht war er auch bei mir im Haus, bevor ich von der Arbeit gekommen bin. Oder er war nur in der Nähe, hat überlegt, ob er reinkommen soll und sich dann doch anders entschieden.«

»Ist das Ihr Ernst?«

Es klopfte an der Tür. Ein anderer Polizist sah ins Büro. »Mr Cordova ist hier.«

»Bring ihn in Raum A«, sagte Huff. »Ich komme sofort.«

Der Polizist nickte und schloss die Tür. Huff stand auf. Er war ein großer Mann mit nach hinten gekämmten Haaren. Normalerweise strahlte er diese Polizistenruhe aus wie auch gestern, bei dem Zusammentreffen vor seinem Haus. Er versuchte immer noch, diese Fassade aufrechtzuerhalten, jetzt merkte man ihm die Anstrengung jedoch an. Er sah Mike in die Augen. Mike hielt dem Blick stand.

»Mein Sohn war die ganze Nacht zu Hause.«

»Das ist eine Lüge.«

»Ich muss jetzt los. Ich rede mit Ihnen nicht mehr darüber.«

Er ging zur Tür. Mike trat ihm in den Weg.

»Ich muss mit Ihrem Sohn sprechen.«

»Gehen Sie mir aus dem Weg, Mike.«

»Nein.«

»Ihr Gesicht.«

»Was ist damit?«

»Es sieht aus, als ob Sie schon genug Prügel bezogen hätten«, sagte Huff.

»Wollen Sie probieren, was ich noch draufhabe?«

Huff sagte nichts.

»Ach, kommen Sie, Huff. Ich bin ein verwundeter Mann. Versuchen Sie's ruhig noch mal.«

»Noch mal?«

»Vielleicht waren Sie ja auch da?«

»Was?«

»Ihr Sohn war jedenfalls da. Also los. Aber diesmal Mann gegen Mann. Ohne irgendwelche Mitstreiter, die sich auf mich stürzen, wenn ich nicht hingucke. Also machen Sie schon. Stecken Sie die Pistole weg, und schließen Sie die Bürotür ab. Sagen Sie Ihren Kumpels, dass sie uns in Ruhe lassen sollen. Und dann gucken wir mal, was für ein harter Bursche Sie wirklich sind.«

Huff hätte fast gelächelt. »Glauben Sie wirklich, das hilft Ihnen, Ihren Sohn zu finden?«

Und da fiel es Mike wieder ein – das was Mo gesagt hatte. Er hatte etwas von eins gegen eins und Mann gegen Mann gesagt, aber eigentlich hätte er das tun sollen, was Mo ihm geraten hatte: Er hätte von Vater zu Vater mit ihm sprechen müssen. Es hätte Huff zwar auch nicht gefallen, wenn Mike ihn daran erinnert hätte. Ganz im Gegenteil. Mike versuchte, seinen Sohn zu retten – und genau das wollte Huff auch. Mike interessierte sich absolut nicht für DJ Huff – genauso wenig wie Huff sich für Adam Baye interessierte.

Beide wollten nur ihre Söhne schützen. Dafür kämpfte Huff. Egal ob er gewann oder verlor, er würde seinen Sohn nicht aufgeben. Und so war es bei allen Eltern – bei denen von Clark und Olivia und den anderen. Und das war Mikes Fehler gewesen. Tia und er sprachen mit den Eltern, die sich ohne zu zögern auf eine Granate werfen würden, um ihre Sprösslinge zu schützen. Dabei mussten sie irgendwie dafür sorgen, dass sie die elterlichen Schutzwälle umgingen.

»Adam wird vermisst«, sagte Mike.

»Das ist mir bekannt.«

»Ich habe mit der New Yorker Polizei darüber gesprochen. Aber mit wem kann ich hier sprechen? Wer hilft mir hier bei der Suche nach meinem Sohn?«

*

»Sag Cassandra, dass ich sie vermisse«, flüsterte Nash.

Und dann, es hatte lange gedauert, war Reba Cordovas Leidenszeit endlich vorbei.

Nash fuhr zum *U-Store-It*-Selbstlager an der Route 15 in Sussex County.

Er setzte mit dem Lieferwagen zurück vor seine garagenförmige Lagereinheit. Es war inzwischen dunkel. Sie waren ganz allein. Um der extrem unwahrscheinlichen Möglichkeit vorzubeugen, dass sie hier trotzdem jemand sah, hatte er die Leiche in einem

Mülleimer verstaut. Selbstlager waren ideal für so etwas. Er erinnerte sich, dass er etwas über eine Entführung gelesen hatte, bei der die Kidnapper ihr Opfer in so ein Lager gesperrt hatten. Es war dann versehentlich erstickt. Aber Nash kannte auch die anderen Geschichten – solche, bei denen einem die Lunge kollabierte. Jeder kannte diese Plakate mit den Vermissten, und manchmal fragte man sich, wo diese Kinder von den Milchkartons waren, oder die Frauen, die nur kurz das Haus verlassen hatten, und manchmal, und zwar häufiger, als man es wahrhaben wollte, lagen diese Vermissten gefesselt, geknebelt und häufig sogar lebendig in Selbstlagern wie diesem.

Wie Nash wusste, glaubte die Polizei, dass Verbrecher immer einem bestimmten Muster folgten. Für gewöhnlich mochte das stimmen – die meisten Verbrecher waren schließlich Idioten –, aber Nash machte genau das Gegenteil. Mariannes Gesicht hatte er bis zur Unkenntlichkeit zertrümmert, Rebas hingegen nicht angerührt. Zum Teil war das ein rein logistisches Problem. Er wusste, dass er Mariannes wahre Identität verbergen konnte. Bei Reba hingegen hatte er keine Chance. Wahrscheinlich hatte ihr Mann längst eine Vermisstenanzeige aufgegeben, und wenn jetzt irgendwo eine frische Leiche gefunden wurde, konnte sie noch so blutverschmiert und verstümmelt sein, die Polizei käme trotzdem schnell auf den Gedanken, dass es sich um Reba Cordova handeln könnte.

Also veränderte er den Modus Operandi: Er ließ die Leiche gleich ganz verschwinden.

Das war der Trick. Mariannes Leiche hatte Nash ganz bewusst an einem Ort abgelegt, an dem man sie fand, Reba hingegen würde einfach verschwinden. Er hatte ihren Wagen auf den Hotelparkplatz gestellt. Die Polizei würde glauben, dass sie dort ein Stelldichein gehabt hatte. Also würden die Ermittlungen sich darauf konzentrieren. Die Polizei würde Rebas Vorgeschichte durchleuchten, um festzustellen, ob sie irgendwelche Verbindungen zu einem

Liebhaber fand. Und wenn noch eine Extraportion Glück dazukam, hatte Reba wirklich ein Verhältnis. Dann würde die Polizei sich auf den Liebhaber einschießen. Im Endeffekt änderte das aber nicht viel, denn wenn keine Leiche gefunden wurde, gab es keine Hinweise auf ein Verbrechen, weshalb sie irgendwann schließen würden, dass Reba ihren Mann und ihre Familie verlassen hatte. Dann gab es keine Verbindung zwischen Reba und Marianne.

Also würde er sie hierlassen. Wenigstens für eine Weile.

Pietra saß wieder mit diesem leeren Blick neben ihm. Vor vielen Jahren war sie eine hinreißende junge Schauspielerin in dem Land gewesen, das damals noch Jugoslawien hieß. Es war zu ethnischen Säuberungen gekommen. In einem Krieg, dessen Grausamkeit jede normale Vorstellungskraft überstieg, waren ihr Mann und ihr Sohn vor ihren Augen ermordet worden. Pietra hatte nicht so viel Glück gehabt – sie hatte überlebt. Nash hatte damals als Söldner gearbeitet. Er hatte sie gerettet – jedenfalls das, was noch von ihr übrig war. Seit damals erwachte Pietra nur zum Leben, wenn sie eine Rolle spielte, wie in der Bar, als sie sich Marianne geschnappt hatten. Sonst war sie leer. Diese serbischen Soldaten hatten ihren Körper ausgehöhlt und nur die leere Hülle zurückgelassen.

»Ich habe es Cassandra versprochen«, sagte er zu ihr. »Das verstehst du doch, oder?«

Pietra sah zur Seite. Er betrachtete ihr Profil.

»Das ist eine große Belastung für dich, stimmt's?«

Pietra sagte nichts. Sie legten Rebas Leiche in eine Mischung aus Holzhäckseln und Mist. Darin würde sie sich eine Weile halten. Das Risiko, noch ein Nummernschild zu klauen, war Nash zu groß. Also nahm er das schmale, schwarze Isolierband und machte aus dem F ein E – wahrscheinlich reichte das schon. In der Ecke des Lagerraums hatte er ein paar weitere »Verkleidungen« für den Lieferwagen. Ein Magnetschild mit Werbung für *Tremesis* Farben. Eins mit der Aufschrift *Cambridge Institute*. Er entschied sich aber für einen Stoßstangenaufkleber, den er letztes Jahr im Oktober bei einem religiösen Kongress unter dem Titel *DIE LIEBE DES HERRN* gekauft hatte. Auf dem Aufkleber stand:

GOTT GLAUBT NICHT AN ATHEISTEN

Nash lächelte. Was für eine nette, gottesfürchtige Empfindung. Das Wichtigste daran war aber, dass es einem auffiel. Er klebte es mit doppelseitigem Klebeband an, so dass er es bei Bedarf leicht wieder abziehen konnte. Die Leute würden den Aufkleber lesen und entweder beleidigt oder beeindruckt sein. Auf jeden Fall fiel er auf. Und wenn einem so etwas auffiel, achtete man nicht auf das Kennzeichen.

Sie stiegen wieder in den Wagen.

Bevor er Pietra kennen gelernt hatte, hatte Nash nie geglaubt, dass die Augen die »Fenster zur Seele« seien. Aber bei ihr war das ganz unverkennbar. Ihre Augen waren wunderschön, blau mit gelben Funken, trotzdem sah man, dass nichts dahinter war, dass jemand die Kerze ausgeblasen hatte und sie nie wieder entzündet werden konnte.

»Ich musste das tun, Pietra. Das verstehst du doch.«

Endlich sagte sie etwas. »Es hat dir Spaß gemacht.«

Das war keine Wertung. Sie kannte Nash schon so lange, dass er gar nicht versuchte zu lügen.

»Na und?«

Sie sah zur Seite.

»Was ist los, Pietra?«

»Ich weiß, was mit meiner Familie passiert ist«, sagte sie.

Nash sagte nichts.

»Ich habe gesehen, wie mein Sohn und mein Mann furchtbar gelitten haben. Und sie haben mich leiden sehen. Das war das Letzte, was sie vor ihrem Tod gesehen haben – wie ich mit ihnen litt.«

218

»Das weiß ich doch«, sagte Nash. »Und du hast Recht, dass mir das Spaß gemacht hat. Aber normalerweise macht es dir auch Spaß, oder?«

Sie antwortete ohne zu zögern. »Ja.«

Die meisten Leute glaubten, es müsste umgekehrt sein – dass das Opfer so grausamer Gewalt einen natürlichen Widerwillen gegen jedes weitere Blutvergießen entwickelte. Aber so lief das in Wirklichkeit nicht. Gewalt brachte neue Gewalt hervor – aber nicht nur die übliche Rache oder Vergeltung. Das geschändete Kind wuchs zu einem Kinderschänder heran. Der Sohn, der traumatisiert war, weil er Zeuge der Misshandlungen geworden war, die sein Vater seiner Mutter zugefügt hatte, schlug aller Wahrscheinlichkeit nach seine Frau.

Warum?

Warum lernten wir Menschen nie die Lektion, die wir lernen müssten? Welcher Teil in unserem Bauplan zog uns dahin, wo wir krank werden mussten?

Pietra hatte nach ihrer Rettung auf Rache gesonnen. Während sie sich langsam erholte, konnte sie an nichts anderes denken. Drei Wochen nach ihrer Entlassung aus dem Krankenhaus hatten Nash und Pietra einen der Soldaten ausfindig gemacht, der ihre Familie gefoltert hatte. Er war allein gewesen. Nash hatte ihn gefesselt und geknebelt. Er hatte Pietra die Rosenschere gegeben und sie mit ihm allein gelassen. Es hatte drei Tage gedauert, bis der Soldat tot war. Schon am Ende des ersten Tags hatte er Pietra angefleht, ihn zu töten. Sie hatte ihm den Wunsch nicht erfüllt.

Sie hatte jeden Augenblick genossen.

Im Nachhinein hielten die meisten Menschen Rache für eine unerfüllbare Empfindung. Sie kamen sich leer vor, nachdem sie einem anderen Menschen etwas so Schreckliches angetan hatten, selbst wenn dieser Mensch das verdient hatte. Bei Pietra war das anders. Nach dieser Erfahrung war ihr Verlangen sogar noch gewachsen. Und das war einer der Hauptgründe dafür, dass sie heute bei ihm war.

»Und was ist hier jetzt anders?«, fragte er.

Nash wartete lange. Dann antwortete sie doch noch.

»Das Unwissen«, sagte Pietra mit gedämpfter Stimme. »Die *ewige* Unsicherheit. Jemandem Schmerzen zufügen, das machen wir einfach.« Sie schaute sich im Lagerraum um. »Aber einen Mann den Rest seines Lebens in der Unsicherheit lassen, was mit seiner geliebten Frau passiert ist ...« Sie schüttelte den Kopf. »Das finde ich viel schlimmer.«

Nash legte ihr eine Hand auf den Arm. »Daran lässt sich jetzt erst mal nichts ändern. Das verstehst du doch, oder?«

Sie nickte und sah stur geradeaus. »Aber irgendwann?«

»Ja, Pietra. Irgendwann. Wenn das erledigt ist und wir das alles hinter uns haben, dann sagen wir ihm irgendwie die Wahrheit.«

22

Als Guy Novak wieder in seine Einfahrt einbog, hatte er die Hände in der Zehn-vor-Zwei-Position. Er hatte das Lenkrad so fest umklammert, dass seine Fingerknöchel weiß geworden waren. Er saß nur da, hatte den Fuß noch auf der Bremse, und sehnte sich so sehr nach einer anderen Empfindung als dieser unglaublichen Ohnmacht, die ihn gerade erfüllte.

Er betrachtete sich im Rückspiegel. Sein Haar wurde dünner. Der Scheitel wanderte langsam weiter zum Ohr. Es war noch nicht so weit, dass er die Haare offensichtlich über eine Glatze kämmte, aber fing es nicht immer so an? Der Scheitel rutschte so langsam weiter herunter, dass man die tagtäglichen oder wöchentlichen Veränderungen gar nicht bemerkte, und ehe man sich's versah, kicherten die Leute hinterm Rücken über einen.

Guy starrte den Mann im Spiegel an und konnte nicht glauben, dass er das war. Trotzdem würde der Scheitel immer weiter nach unten wandern. Das wusste er. Die langen Strähnen waren immer noch besser als der Chromglanz oben auf dem Kopf.

Er nahm die rechte Hand vom Lenkrad, drückte den Schalthebel auf Parken und machte den Motor aus. Dann sah er sich den Mann im Rückspiegel noch einmal kurz an.

Erbärmlich.

Kein richtiger Mann. Ganz und gar nicht. Langsam an einem Haus vorbeizufahren … Was musste das für ein harter Kerl sein. Jetzt zeig doch mal ein bisschen Mumm, Guy – oder hast du Angst, dem Schwein was anzutun, das die Zukunft deiner Tochter auf dem Gewissen hat?

Was für ein Vater war das? Was für ein Mann?

Ein erbärmlicher.

Ja, natürlich hatte Guy sich beim Rektor beschwert, er hatte gepetzt wie ein kleines Kind. Der Rektor hatte die angemessenen verständnisvollen und mitfühlenden Laute von sich gegeben und dann wie erwartet gar nichts getan. Lewiston unterrichtete noch immer. Er fuhr abends noch immer nach Hause, gab seiner hübschen Frau einen Kuss und hob dann vermutlich eine kleine Tochter hoch in die Luft und lauschte ihrem Kichern. Guys Frau, Yasmins Mutter, hatte sie verlassen, als Yasmin noch keine zwei Jahre alt war. Die meisten Leute gaben seiner Ex die Schuld daran, dass sie die Familie verlassen hatte, aber in Wahrheit war er nicht Manns genug gewesen. Also war seine Ex mit anderen Männern ins Bett gegangen, und nach einer Weile war es ihr dann auch egal gewesen, ob er das merkte.

Das war's dann mit seiner Frau gewesen. Er hatte nicht die Kraft gehabt, sie festzuhalten. Okay, das war eine Sache.

Aber jetzt ging es um seine Tochter.

Yasmin, seine entzückende Tochter. Das einzig Mannhafte, was er je im Leben vollbracht hatte – seinem Kind ein Vater zu sein.

Seine Tochter großzuziehen. Ihr wichtigster Haltepunkt im Leben zu sein.

War es denn nicht seine wichtigste Lebensaufgabe, sie zu beschützen?

Gute Arbeit, Guy.

Und jetzt hatte er nicht einmal den Mut, für sie zu kämpfen. Was hätte Guys Vater dazu gesagt? Er hätte gespottet und ihn so angesehen, dass Guy sich vollkommen wertlos vorkam. Er hätte ihn einen Waschlappen genannt, denn George Novak hätte allen Beteiligten mit ein paar kräftigen Schlägen das Licht ausgeblasen, wenn man seiner Familie zu nahe getreten wäre.

Und genau das Gleiche hätte Guy auch gern getan.

Er stieg aus und ging zur Tür. Seit zwölf Jahren wohnte er mittlerweile hier. Er erinnerte sich noch, wie er Hand in Hand mit seiner Frau zum ersten Mal auf dieses Haus zugegangen war und wie sie ihn dabei angelächelt hatte. Hatte sie damals schon hinter seinem Rücken mit anderen Männern herumgebumst? Wahrscheinlich. Noch Jahre nachdem sie ihn verlassen hatte, hatte Guy sich gefragt, ob Yasmin wirklich seine Tochter war. Er hatte versucht, den Gedanken beiseitezuschieben, sich einzureden, dass es keine Rolle spielte, und die Zweifel, die an ihm nagten, zu ignorieren. Aber irgendwann hatte er es nicht mehr ausgehalten. Vor zwei Jahren hatte Guy heimlich einen Vaterschaftstest machen lassen. Drei quälende Wochen vergingen, bis er das Ergebnis in der Hand hatte, aber am Ende war es das wert gewesen.

Yasmin war sein Kind.

Vielleicht klang auch das erbärmlich, aber seit er die Wahrheit kannte, war er ein besserer Vater. Er achtete darauf, dass sie glücklich war. Er stellte ihre Bedürfnisse über seine. Er liebte Yasmin und kümmerte sich um sie und behandelte sie nie herablassend, so wie sein Vater es mit ihm gemacht hatte.

Aber er hatte sie nicht beschützt.

Er blieb stehen und betrachtete das Haus. Wenn er es verkaufen wollte, konnte ein bisschen frische Farbe nicht schaden. Die Sträucher mussten auch zurückgeschnitten werden.

»Hey!«

Eine ihm unbekannte Frauenstimme. Guy drehte sich um und blinzelte ins Sonnenlicht. Er war verblüfft, als er Lewistons Frau aus einem Wagen steigen sah. Ihr Gesicht war verzerrt vor Wut. Sie kam auf ihn zu.

Guy stand wie angewurzelt da.

»Was soll der Scheiß?«, fuhr sie ihn an. »Warum fahren Sie so langsam an meinem Haus vorbei?«

Guy, der nie besonders schlagfertig gewesen war, antwortete: »Das ist ein freies Land.«

Dolly Lewiston blieb nicht stehen. Sie kam so schnell auf ihn zu, dass er Angst bekam, sie würde ihn schlagen. Er hob tatsächlich die Hände zur Abwehr und trat einen Schritt zurück. Jetzt war er wieder ganz der erbärmliche Schwächling, der nicht nur Angst davor hatte, sich für seine Tochter einzusetzen, sondern sich auch nicht traute, der Frau ihres Peinigers entgegenzutreten.

Sie blieb stehen und fuchtelte mit ausgestrecktem Zeigefinger direkt vor seinem Gesicht herum. »Halten Sie sich von meinem Haus fern, verstanden?«

Es dauerte einen Moment, bis er seine Gedanken sortiert hatte. »Wissen Sie, was Ihr Mann meiner Tochter angetan hat?«

»Er hat einen Fehler gemacht.«

»Er hat sich über ein elfjähriges Mädchen lustig gemacht.«

»Ich weiß, was er getan hat. Es war dumm. Es tut ihm furchtbar leid. Sie haben ja keine Vorstellung, wie sehr er darunter leidet.«

»Er hat meiner Tochter das Leben zur Hölle gemacht.«

»Und jetzt wollen Sie uns das Gleiche antun?«

»Ihr Mann sollte kündigen«, sagte Guy.

»Wegen eines dummen Versprechers?«

»Er hat ihr die Kindheit genommen.«

»Jetzt werden Sie mal nicht melodramatisch.«

»Erinnern Sie sich wirklich nicht mehr daran, wie das damals war – für den Außenseiter der Klasse, das Kind, das Tag für Tag gehänselt wurde? Meine Tochter war glücklich. Sie war nicht perfekt, nein. Aber glücklich. Und jetzt …«

»Hören Sie, es tut mir wirklich leid. Das meine ich ganz ernst. Trotzdem halten Sie sich ab sofort von meiner Familie fern.«

»Wenn er sie geschlagen hätte, ihr eine Ohrfeige verpasst hätte oder so was, dann wäre er hochkant rausgeflogen. Dabei ist das, was er Yasmin angetan hat, viel schlimmer.«

Dolly Lewiston verzog das Gesicht. »Sind Sie noch ganz dicht?«

»Das lass ich nicht einfach so durchgehen.«

Sie trat einen Schritt auf ihn zu. Dieses Mal wich er nicht zurück. Ihre Gesichter waren nur noch etwa dreißig Zentimeter voneinander entfernt. Sie flüsterte: »Glauben Sie wirklich, eine Beleidigung wäre das Schlimmste, was Ihrer Tochter passieren kann?«

Er öffnete den Mund, bekam aber nichts heraus.

»Mr Novak, Sie versuchen, meine Familie zu zerstören. Meine Familie. Die Menschen, die ich liebe. Mein Mann hat einen Fehler gemacht. Er hat sich dafür entschuldigt. Aber Sie suchen trotzdem Rache. Und wenn das so bleibt, werden wir uns verteidigen.«

»Wenn Sie über einen Prozess sprechen …«

Sie gluckste: »O nein«, flüsterte sie dann weiter. »Ich spreche nicht über Gerichte.«

»Worüber dann?«

Dolly Lewiston legte den Kopf auf die Seite. »Sind Sie jemals in eine tätliche Auseinandersetzung geraten, Mr Novak?«

»Ist das eine Drohung?«

»Das ist eine Frage. Sie haben gesagt, was mein Mann getan hat, wäre schlimmer als ein tätlicher Angriff. Ich kann Ihnen versichern, Mr Novak, dass das nicht stimmt. Ich kenne da ein paar Leute. Wenn ich denen Bescheid sage – ich brauche nur anzudeuten, dass mir jemand Schaden zufügen will –, dann kommen die nachts vorbei, wenn Sie schlafen. Wenn Ihre Tochter schläft.«

Guys Mund war trocken. Er versuchte, seine Knie davon abzuhalten, zu Gummi zu werden.

»Das klingt eindeutig nach einer Drohung, Mrs Lewiston.«

»Es ist aber keine. Es ist eine Tatsache. Wenn Sie uns angreifen wollen, werden wir nicht einfach so auf dem Arsch sitzen bleiben und Sie gewähren lassen. Ich werde alles auffahren, was in meiner Macht steht. Haben Sie das verstanden?«

Er antwortete nicht.

»Tun Sie sich einen Gefallen, Mr Novak. Kümmern Sie sich um Ihre Tochter, nicht um meinen Mann. Lassen Sie's gut sein.«

»Das werde ich nicht.«

»Dann stehen Sie erst ganz am Anfang Ihrer Leidensgeschichte.«

Dolly Lewiston drehte sich um und ging ohne ein weiteres Wort. Guy Novak zitterten die Beine. Er blieb stehen und sah ihr nach, als sie in ihren Wagen stieg und wegfuhr. Sie drehte sich nicht noch einmal um, trotzdem konnte er ein Lächeln auf ihrem Gesicht sehen.

Die ist doch übergeschnappt, dachte Guy.

Aber was bedeutete das für ihn? Sollte er klein beigeben? Hatte er nicht sein ganzes erbärmliches Leben lang immer wieder klein beigegeben? War das nicht die ganze Zeit schon das Problem – dass er ein Mann war, den man schikanieren konnte?

Er öffnete die Eingangstür und ging ins Haus.

»Alles in Ordnung?«

Das war Beth, seine neueste Freundin. Sie versuchte mit aller Macht, ihm zu gefallen. Das taten sie alle. In seiner Altersgruppe herrschte großer Männermangel, daher versuchten fast alle alleinstehenden Frauen den Männern zu gefallen, ohne dabei allzu verzweifelt zu erscheinen – und das gelang den meisten nicht ganz. So war das mit der Verzweiflung. Man konnte sie maskieren und verstecken, nach einer Weile kam ihr Geruch trotzdem immer wieder durch.

Guy hoffte, dass er das hinter sich lassen konnte. Er hoffte auch, dass die Frauen das hinter sich lassen konnten, damit sie ihn wirklich wahrnahmen. Aber im Moment lief es nun mal so, daher blieben all diese Beziehungen sehr oberflächlich. Die Frauen wollten mehr. Sie versuchten aber, keinen Druck zu machen, wodurch sich natürlich großer Druck entwickelte. Frauen wollten Nester bauen. Sie suchten Nähe. Er ließ das nicht zu. Trotzdem blieben sie so lange, bis er sich von ihnen trennte.

»Alles okay«, sagte er. »Tut mir leid, dass es so lange gedauert hat.«

»Kein Problem.«

»Ist mit den Mädchen alles in Ordnung?«

»Ja. Jills Mutter war hier und hat ihre Tochter abgeholt. Yasmin ist oben auf ihrem Zimmer.«

»Gut, prima.«

»Hast du Hunger, Guy? Soll ich dir was zu essen machen?«

»Nur wenn du was mitisst.«

Beth strahlte ihn kurz an, und aus irgendeinem Grunde fühlte er sich dadurch schuldig. In Gegenwart der Frau, mit der er ausging, fühlte er sich gleichzeitig wertlos und überlegen. Wieder empfand er Abscheu vor sich selbst.

Sie kam zu ihm und küsste ihn auf die Wange. »Du entspannst dich ein bisschen, und ich mach uns ein Mittagessen.«

»Gut. Ich guck nur noch mal eben, ob ich neue E-Mails gekriegt habe.«

Oben am Computer stellte er fest, dass er nur eine neue Mail bekommen hatte. Sie kam von einem anonymen Hotmail-Account, und als er die kurze Nachricht las, gefror ihm das Blut in den Adern:

Bitte, Sie müssen Ihre Pistole besser verstecken.

*

Tia wünschte sich fast, dass sie Hester Crimsteins Angebot angenommen hätte. Sie saß in ihrem Haus und überlegte, ob sie sich je im Leben überflüssiger vorgekommen war. Sie hatte Adams Freunde angerufen, von denen wusste keiner etwas. Angst erfasste sie. Jill, die recht empfindsam für die Stimmungen ihrer Eltern war, merkte bald, dass irgendetwas ganz und gar nicht stimmte.

»Wo ist Adam, Mommy?«

»Wir wissen es nicht, mein Schatz.«

»Ich hab ihn auf dem Handy angerufen«, sagte sie. »Er ist nicht rangegangen.«

»Ich weiß. Wir suchen ihn.«

Sie sah ihrer Tochter ins Gesicht. Es sah so erwachsen aus. Das zweite Kind wuchs ganz anders auf als das erste. Beim ersten war man überfürsorglich. Man beobachtete jeden Schritt und hielt jeden einzelnen Atemzug für einen Teil von Gottes himmlischem Plan. Erde, Mond, die Sterne und die Sonne kreisten alle nur um das Erstgeborene.

Tia dachte über Geheimnisse, unausgesprochene Gedanken und innere Ängste nach und wie sie versucht hatte, dieses Innenleben ihres Sohns zu erforschen. Sie fragte sich, ob sein Verschwinden bestätigte, dass dieser Weg der richtige gewesen war, oder ob gerade das ihn vertrieben hatte. Natürlich war ihr klar, dass wir alle unsere Probleme hatten. Tia litt unter Angstzuständen. So achtete sie gewissenhaft darauf, dass die Kinder bei jeder sportlichen Betätigung einen Helm trugen – und auch eine Schutzbrille, wenn das irgendwie sinnvoll war. Sie wartete an der Bushaltestelle, bis die Kinder eingestiegen waren – auch jetzt noch, wo Adam viel zu alt dafür war und das nicht ausstehen konnte, so dass sie sich meistens irgendwo versteckte und dann alles beobachtete. Sie litt, wenn ihre Kinder eine belebte Straße überquerten oder mit dem Fahrrad in die Stadt fuhren. Sie mochte auch die morgendlichen Fahrgemeinschaften nicht, bei denen die Mütter ihre Kinder reihum zur Schule fuhren, weil sie nicht sicher war, ob die anderen Mütter auch vorsichtig genug fuhren. Sie merkte sich alle tragischen Geschichten über Kinder, ganz egal ob es sich um Autounfälle, Entführungen oder Flugzeugunglücke handelte oder ob ein Kind durch einen Unfall im Swimmingpool ertrunken war. Sie hörte es sich im Radio an, guckte es in den Fernsehnachrichten an und dann sah sie noch ins Internet und las jeden Artikel, der darüber erschienen war, während Mike seufzend versuchte, sie zu beruhigen, indem er ihr erzählte, wie unendlich klein die Wahrscheinlichkeit war, dass einem so etwas zustieß, und ihr statistisch bewies, dass ihre Angst unbegründet war, doch das half alles nichts.

Auch diese sehr unwahrscheinlichen Ereignisse traten irgendwann ein und betrafen irgendwelche Menschen. Und jetzt hatte es sie getroffen.

Waren das alles nur Angstzustände gewesen – oder hatte sie die ganze Zeit Recht gehabt?

Wieder klingelte Tias Handy, sie griff hastig danach und hoffte aus ganzem Herzen, dass es Adam war. Er war es nicht. Die Nummer war unterdrückt.

»Hallo?«

»Mrs Baye? Hier spricht Detective Schlich.«

Die große Polizistin aus dem Krankenhaus. Wieder erfasste sie neue Angst. Man sollte meinen, sie könnte irgendwann nicht mehr wachsen, aber man stumpfte einfach nicht ab. »Ja?«

»Wir haben das Handy Ihres Sohnes in der Nähe des Ortes gefunden, an dem Ihr Mann überfallen wurde, in einem Mülleimer.«

»Also war er da?«

»Ja, aber davon sind wir auch vorher schon ausgegangen.«

»Und jemand hat ihm das Handy geklaut.«

»Das ist eine andere Frage. Wir nehmen eher an, dass jemand – wahrscheinlich Ihr Sohn selbst – Ihren Mann dort gesehen hat, daraufhin durchschaut hat, wie er da gefunden werden konnte, und das Handy einfach weggeworfen hat.«

»Aber das ist nur eine Vermutung.«

»Ja, Mrs Baye, das ist nur eine Vermutung.«

»Trägt diese Entwicklung dazu bei, dass Sie den Fall jetzt ernst nehmen?«

»Wir haben ihn von Anfang an ernst genommen«, sagte Schlich.

»Sie wissen schon, was ich meine.«

»Ja. Hören Sie, wir nennen die Straße die Vampirmeile, weil da tagsüber niemand unterwegs ist. Absolut keiner. Aber heute Abend, wenn die Clubs und die Bars wieder öffnen, dann werden wir hingehen und ein paar Fragen stellen, okay?«

Heute Abend? Das waren ja noch Stunden.

»Wenn sich bis dahin noch irgendetwas ergibt, melde ich mich bei Ihnen.«

»Danke.«

Als Tia das Handy zur Seite legte, sah sie, dass ein Auto ihre Einfahrt heraufkam. Sie trat ans Fenster. Betsy Hill, Spencers Mutter, stieg aus und ging auf die Tür zu.

*

Ilene Goldfarb wachte am frühen Morgen auf und schaltete die Kaffeemaschine an. Sie schlüpfte in den Morgenmantel und die Hausschuhe und ging die Einfahrt hinunter, um die Zeitung zu holen. Herschel, ihr Mann, lag noch im Bett. Ihr Sohn Hal war gestern bis tief in die Nacht unterwegs gewesen, wie es sich für einen Teenager im letzten Jahr der Highschool gehörte. Hal hatte seine Zulassung für Princeton, die Universität, auf der sie auch gewesen war, schon in der Tasche. Er hatte hart gearbeitet, um sie zu bekommen. Im letzten halben Jahr ließ er jetzt ein bisschen Dampf ab, und sie hatte nichts dagegen einzuwenden.

Die Morgensonne erwärmte die Küche. Ilene saß mit untergeschlagenen Beinen auf ihrem Lieblingsstuhl. Sie schob die medizinischen Zeitschriften zur Seite. Das war ein ziemlicher Stapel –

sie waren nicht alle für sie, die namhafte Transplantationschirurgin, sondern auch für ihren Mann, der im Valley Hospital in Ridgewood arbeitete und als der beste Herzspezialist im Norden New Jerseys galt.

Ilene trank einen Schluck Kaffee. Sie las die Zeitung. Sie dachte an die einfachen Freuden im Leben und wie selten sie die Gelegenheit hatte, ihnen zu frönen. Sie dachte an Herschel, der oben noch schlief, wie attraktiv er gewesen war, als sie sich während ihres Medizinstudiums kennen gelernt hatten, wie ihre Ehe der irren Arbeitsbelastung und den Härten des Medizinstudiums standgehalten hatte und auch die Praktika, die Zeiten als Assistenzärzte, die chirurgischen Weiterbildungen, die viele Arbeit überstanden hatte.

Sie dachte an ihre Gefühle für ihn, die im Lauf der Zeit nachgelassen und sich in etwas verwandelt hatten, das sie als durchaus angenehm empfand, und gleichzeitig daran, wie Herschel sie aufgefordert hatte, sich zu setzen und eine »Trennung auf Probe« vorgeschlagen hatte, jetzt, wo Hal drauf und dran war, das Nest zu verlassen.

»Was ist noch übrig geblieben?«, hatte Herschel gefragt und die Hände ausgebreitet. »Wenn du an uns als Paar denkst, was ist dann noch davon übrig geblieben, Ilene?«

So allein in der Küche, nur knapp zwei Meter von der Stelle entfernt, wo der Mann, mit dem sie seit vierundzwanzig Jahren verheiratet war, ihr diese Frage gestellt hatte, klangen ihr diese Worte immer noch in den Ohren.

Ilene hatte sich immer wieder angetrieben, sie hatte so hart gearbeitet, sie war immer aufs Ganze gegangen und hatte alles bekommen: die unglaubliche Karriere, die wunderbare Familie, das große Haus, Respekt von Freunden und Kollegen. Und jetzt fragte ihr Mann sie, was noch übrig geblieben war. Und hatte er nicht Recht? Dieses Nachlassen der Gefühle war so langsam verlaufen, so allmählich, dass sie es gar nicht richtig mitgekriegt hatte. Oder nicht hatte mitkriegen wollen. Oder mehr gewollt hatte. Wer wusste das schon?

Sie sah zur Treppe. Sie war versucht, sofort wieder nach oben zu gehen, zu Herschel ins Bett zu kriechen und stundenlang mit ihm zu vögeln, wie sie das vor Jahren gemacht hatten, und so diese »Was ist übrig geblieben«-Zweifel direkt aus seinem Kopf zu bumsen. Aber sie kriegte den Hintern einfach nicht hoch. Es ging einfach nicht. Also las sie die Zeitung, schlürfte ihren Kaffee und wischte sich die Tränen aus den Augen.

»Hey, Mom.«

Hal öffnete den Kühlschrank und trank direkt aus der Orangensaftpackung. Früher hätte sie ihm das verboten – sie hatte es jahrelang versucht –, aber Hal war der Einzige, der im Haus Orangensaft trank, und auf solche Dinge wird viel zu viel Zeit verschwendet. Er zog bald aus und ging zur Uni. Ihre gemeinsame Zeit neigte sich dem Ende zu. Warum sollten sie den Rest mit solchem Unsinn belasten?

»Hey, Großer. Warst du lange unterwegs?«

Er trank weiter, zuckte dann die Achseln. Er trug Shorts und eine graues T-Shirt. Unter seinem Arm klemmte ein Basketball.

»Spielst du in der Highschool-Sporthalle?«, fragte sie.

»Nein, in der Heritage.« Dann trank er noch einen Schluck und fragte: »Bei dir alles okay?«

»Bei mir? Klar. Wieso nicht?«

»Deine Augen sind rot.«

»Mir geht's gut.«

»Außerdem hab ich diese Typen hier gesehen.«

Er meinte die FBI-Agenten. Sie waren hier gewesen und hatten Fragen über ihre Praxis gestellt, über Mike, und auch über andere Dinge, die sie einfach nicht einordnen konnte. Normalerweise hätte sie mit Herschel darüber gesprochen, aber der war damit beschäftigt, sich auf den Rest seines Lebens vorzubereiten, den er ohne sie verbringen wollte.

»Ich dachte, du warst unterwegs«, sagte sie.

»Ich hab Ricky später abgeholt und bin dabei noch mal hier vorbeigekommen. Die haben ja wie Cops ausgesehen, oder so.«

Ilene Goldfarb schwieg.

»Waren das Cops?«

»Das ist nicht so wichtig. Mach dir darüber keine Sorgen.«

Er hakte nicht nach, tippte den Ball auf und verschwand damit durch die Tür. Zwanzig Minuten später klingelte das Telefon. Sie sah auf die Uhr. Acht. Um diese Zeit konnte es eigentlich nur die Praxis sein, dabei hatte sie gar keinen Bereitschaftsdienst. Aber die Telefonisten machten öfter mal Fehler und leiteten die Nachrichten zum falschen Arzt weiter.

Sie sah aufs Display und las LORIMAN.

Ilene nahm den Hörer ab und meldete sich.

»Hier ist Susan Loriman«, sagte eine Stimme.

»Ja, guten Morgen.«

»Ich will nicht mit Mike über diese …«, Susan Loriman suchte einen Moment lang nach dem richtigen Wort, »… diese Situation sprechen. Über die Spendersuche wegen Lucas.«

»Dafür habe ich Verständnis«, sagte sie. »Meine nächste Sprechstunde ist am Dienstag, wenn Sie wollen …«

»Können wir uns heute treffen?«

Ilene wollte protestieren. Einer Frau, die sich so in Schwierigkeiten gebracht hatte, wollte sie im Moment wirklich nicht helfen. Aber dann bremste sie sich und rief sich ins Gedächtnis, dass es ja nicht um Susan Loriman ging. Es ging um ihren Sohn, Ilenes Patienten Lucas.

»Ja, ich denke, das können wir machen.«

23

Bevor Betsy Hill klopfen konnte, hatte Tia die Tür schon geöffnet und fragte ohne jede Begrüßung: »Kannst du mir sagen, wo Adam ist?«

Betsy Hill erschrak, als sie die Frage hörte. Ihre Augen weiteten sich, und sie blieb stehen. Als sie Tias Miene sah, schüttelte sie schnell den Kopf. »Nein«, sagte sie. »Ich weiß nicht, wo er ist.«

»Was willst du dann hier?«

Betsy Hill schüttelte immer noch den Kopf. »Adam ist verschwunden?«

»Ja.«

Betsy wurde blass. Tia hatte nur eine sehr vage Vorstellung von den schrecklichen Erinnerungen, die sie mit dieser Frage bei Betsy heraufbeschwor. Hatte Tia nicht auch schon daran gedacht, wie sehr das Ganze dem ähnelte, was Spencer passiert war?

»Tia?«

»Ja.«

»Hast du schon auf dem Dach der Highschool nachgeguckt?«

Da hatte man Spencer gefunden.

Tia sagte nichts, es gab nichts zu diskutieren. Sie rief Jill zu, dass sie gleich wieder zurückkäme – Jill war fast alt genug, um eine Weile allein bleiben zu können, außerdem ließ es sich nicht ändern – dann rannten die beiden Frauen zu Betsy Hills Wagen.

Betsy fuhr. Tia saß stocksteif auf dem Beifahrersitz. Sie waren zwei Blocks gefahren, als Betsy sagte: »Ich habe gestern mit Adam gesprochen.«

Tia hörte die Worte, sie drangen aber nicht ganz zu ihr durch. »Was?«

»Hast du von der Internetseite gehört, die ein paar Mitschüler im Gedenken an Spencer bei MySpace eingerichtet haben?«

Tia versuchte, gegen den Nebel anzukämpfen und zuzuhören.

Die Internetseite in Gedenken an Spencer bei MySpace? Sie erinnerte sich, dass sie vor ein paar Monaten mal davon gehört hatte.

»Ja.«

»Da hatte jemand ein neues Foto eingestellt.«

»Ich versteh nicht, was du meinst.«

»Es wurde direkt vor Spencers Tod gemacht.«

»Ich dachte, er war an dem Abend allein«, sagte Tia.

»Das dachte ich auch.«

»Ich versteh dich immer noch nicht.«

»Ich glaube«, sagte Betsy Hill, »Adam war an dem Abend mit Spencer zusammen.«

Tia drehte sich zu ihr um. Betsy Hill sah auf die Straße. »Und darüber habt ihr gestern gesprochen?«

»Ja.«

»Auf dem Parkplatz nach der Schule.«

Tia fiel der Chat mit CeeJay8115 wieder ein:

Was ist los?

Seine Mutter hat mich nach der Schule abgefangen.

Tia fragte: »Warum bist du nicht zu mir gekommen?«

»Weil ich nicht wissen wollte, was du dazu sagst, Tia«, sagte Betsy. In ihrer Stimme lag eine gewisse Schärfe. »Ich wollte wissen, was Adam dazu sagt.«

Die Highschool, ein langgestreckter, ziemlich trostloser Backsteinbau, erschien vor ihnen. Betsy hatte den Wagen noch gar nicht ganz angehalten, als Tia schon aus der Tür sprang und auf das Gebäude zurannte. Sie wusste, dass Spencers Leiche auf einem der niedrigeren Flachdächer gefunden worden war, einem altbekannten und seit Jahrzehnten etablierten Rauchertreffpunkt. Die Jugendlichen stiegen auf ein Fenstersims und kletterten von da die Dachrinne hoch.

»Warte«, rief Betsy Hill.

Aber Tia war schon fast da. Es war Samstag, trotzdem standen viele Autos auf dem Parkplatz. Lauter SUVs und Minivans. Es fanden Kinderbasketballspiele und Fußballtraining statt. Die Eltern standen mit Starbucks-Kaffeebechern an den Seitenlinien, plapperten in Handys, schossen Fotos mit Teleobjektiven, fummelten an ihren Blackberrys herum. Tia war nie besonders gern zu den Sportveranstaltungen gegangen, an denen Adam teilgenommen hatte, denn sosehr sie sich auch dagegen gesträubt hatte, am Ende war sie immer mit vollem Herzen dabei gewesen. Dabei konnte sie diese ehrgeizigen Eltern nicht ausstehen, die ganz und gar in den sportlichen Erfolgen ihrer Kinder aufgingen. Sie fand diese Eltern engstirnig und jämmerlich und wollte nicht zu ihnen gehören. Wenn sie ihrem Sohn aber bei einem Wettkampf zusah, empfand sie so starke Gefühle und machte sich so ungeheure Sorgen um Adams Zufriedenheit, dass seine guten und schlechten Szenen im Spiel sie extrem mitnahmen.

Tia blinzelte ein paarmal, um die Tränen aus ihren Augen zu bekommen, und rannte weiter. Vor dem Fenster blieb sie dann wie angewurzelt stehen.

Der Sims war weg.

»Sie haben den Sims abgebaut, nachdem sie Spencer da gefunden hatten«, sagte Betsy, die ihr nachgelaufen war. »Die Kids sollten da nicht mehr raufkommen. Tut mir leid, das hatte ich vergessen.«

Tia sah sie an. »Jugendliche finden immer einen Weg«, sagte sie.

»Ich weiß.«

Tia und Betsy suchten nach einer anderen Möglichkeit, aufs Dach zu kommen, fanden aber keine. Sie rannten um den Seitenflügel der Schule zum Haupteingang. Die Tür war abgeschlossen, also klopften sie so lange, bis ein Hausmeister im Overall erschien, der den Namen *Karl* auf die Brust gestickt hatte.

»Die Schule ist geschlossen«, sagte er durch die verglaste Tür.

»Wir müssen aufs Dach«, rief Tia.

»Aufs Dach?« Er runzelte die Stirn. »Wieso das denn?«

»Bitte«, sagte Tia. »Sie müssen uns reinlassen.«

Der Blick des Hausmeisters wanderte nach links, und als er Betsy Hill sah, zuckte er zusammen. Zweifelsohne hatte er sie erkannt. Ohne ein weiteres Wort schloss er die Tür auf.

»Hier entlang«, sagte er.

Alle drei rannten los. Tias Herz schlug so heftig, dass sie fürchtete, es könnte ihr die Rippen brechen. Sie hatte immer noch Tränen in den Augen. Karl öffnete eine Tür und deutete in die Ecke. An der Wand war eine Leiter angebracht, die eher an ein U-Boot erinnerte. Tia zögerte keine Sekunde. Sie rannte hin und fing an zu klettern. Betsy Hill folgte direkt hinter ihr.

Sie kamen auf der anderen Seite des Dachs raus. Die Highschool war über hundert Jahre alt. Fast zweitausend Schüler besuchten sie. Im Lauf der Jahre waren diverse Anbauten dazugekommen – und damit auch Dächer. Sie waren auf einem etwa achtzig Jahre alten Flügel. Spencers Leiche war auf einem flachen Anbau aus den Sechzigern gefunden worden.

Tia rannte über Schotter und Teer. Betsy blieb ihr auf den Fersen. Die Dächer der Anbauten waren unterschiedlich hoch. Einmal mussten sie fast ein ganzes Stockwerk hinunterspringen. Beide zögerten keine Sekunde.

»Da um die Ecke«, rief Betsy.

Sie bogen nach rechts ab und hielten an.

Da lag keine Leiche.

Das war das Wichtigste. Adam war nicht hier oben. Aber jemand war hier gewesen.

Da lagen zerbrochene Bierflaschen, Zigarettenkippen und offenbar auch Reste von Joints. Wie hatten sie die früher noch genannt? *Roaches?* Aber Tia war nicht deshalb so erstarrt.

Da standen auch Kerzen.

Jede Menge Kerzen. Die meisten waren runtergebrannt, so dass nur noch ein Wachsfleck übrig geblieben war. Tia ging hin und berührte sie. Die meisten waren hart, aber ein paar waren noch weich, als ob sie vor Kurzem noch gebrannt hätten.

Tia drehte sich um. Betsy Hill stand stocksteif da. Sie rührte sich nicht. Sie weinte auch nicht. Sie stand nur da und starrte die Kerzen an.

»Betsy?«

»Da haben sie Spencers Leiche gefunden«, sagte sie.

Tia kniete sich hin und sah sich die Stelle genau an.

»Genau da, wo jetzt die Kerzen stehen. Ganz genau da. Ich bin hier oben gewesen, bevor sie die Leiche untersucht haben. Ich hatte darauf bestanden. Sie wollten ihn runterbringen, aber ich wollte ihn erst noch sehen. Ich wollte sehen, wo mein Junge gestorben war.«

Betsy trat einen Schritt näher heran. Tia bewegte sich nicht.

»Ich bin über den Sims hochgeklettert, den sie jetzt abgeschlagen haben. Ein Polizist wollte mir hochhelfen. Ich hab ihm gesagt, dass er die Pfoten wegnehmen soll. Dann hab ich ihnen gesagt, dass sie ein paar Schritte zurücktreten sollen. Ron hat gedacht, ich wäre übergeschnappt. Er wollte mir das noch ausreden. Ich bin trotzdem hochgeklettert. Und Spencer lag genau da. Genau an der Stelle, wo du jetzt stehst. Er hat auf der Seite gelegen und die Beine angezogen wie ein Säugling in der Gebärmutter. So hat er auch immer geschlafen. Wie ein Embryo. Bis er zehn war, hat er beim Schlafen auch am Daumen gelutscht. Hast du deinen Kindern je beim Schlafen zugeguckt, Tia?«

Tia nickte. »Ich glaub, das machen alle Eltern.«

»Und was glaubst du, warum sie das tun?«

»Weil sie dann so unschuldig aussehen.«

»Vielleicht.« Betsy lächelte. »Ich glaub aber, das liegt daran, dass wir sie dann einfach anstarren und sie bewundern können, ohne dass wir uns komisch vorkommen. Wenn du sie am Tag so anstarren würdest, würden dich doch alle für durchgeknallt halten. Aber wenn sie schlafen ...«

Ihre Stimme erstarb. Sie sah sich um und sagte: »Das Dach ist ziemlich groß.«

Tia war etwas verwirrt vom plötzlichen Themenwechsel. »Stimmt.«

»Das Dach ist wirklich groß«, wiederholte Betsy. »Und hier liegen überall Flaschenscherben und so was.

Sie sah Tia an. Die wusste nicht, was sie sagen sollte, und antwortete nur. »Ja und?«

»Die Kerzen stehen genau da, wo Spencers Leiche gefunden wurde«, fuhr Betsy fort. »Das stand nicht in der Zeitung. Woher kannten sie dann diese Stelle? Wenn Spencer an dem Abend allein war, woher wussten diejenigen, die die Kerzen aufgestellt haben, dass sie genau da hingehörten?«

*

Mike klopfte an die Tür.

Dann wartete er auf dem Treppenabsatz. Mo saß im Wagen. Sie waren nur gut einen Kilometer von dem Ort entfernt, an dem Mike gestern Abend überfallen worden war. Er wollte zurück in die Gasse, gucken, was er wiedererkannte, ob er sich an etwas erinnerte oder was auch immer. Eigentlich wusste er gar nicht genau, was er da wollte. Er probierte nur ein bisschen herum und hoffte, dass ihm irgendetwas ins Auge fiel, das ihn auf die Spur seines Sohns brachte.

Und dieser Zwischenstopp war wohl der erfolgversprechendste.

Er hatte Tia angerufen und ihr erzählt, dass er bei den Huffs kein Glück gehabt hatte. Tia hatte ihm von Betsy Hill und dem Besuch in der Highschool berichtet. Betsy war noch bei Tia gewesen.

Tia sagte: »Nach dem Selbstmord war Adam extrem zugeknöpft.«

»Ich weiß.«

»Dann ist an dem Abend vielleicht noch mehr passiert.«

»Was zum Beispiel?«

Schweigen.

»Ich muss mich noch weiter mit Betsy unterhalten«, sagte Tia.

»Sei aber vorsichtig, ja?«

»Wie meinst du das?«

Mike antwortete nicht, sie wussten aber beide, wovon er sprach. So unangenehm diese Tatsache auch sein mochte, aber es bestand die Möglichkeit, dass ihre Interessen und die der Hills nicht mehr übereinstimmten. Sie wollten es nicht aussprechen, wussten es aber beide.

»Versuchen wir doch erst mal, ihn zu finden«, sagte Tia.

»Ich bin ja dabei. Mach du da weiter, ich such ihn hier.«

»Ich liebe dich, Mike.«

»Ich liebe dich auch.«

Mike klopfte noch einmal. Im Haus tat sich nichts. Er wollte gerade ein drittes Mal klopfen, als die Tür geöffnet wurde. Anthony, der Türsteher, stand vor ihm. Er verschränkte die kräftigen Arme und sagte: »Sie sehen richtig beschissen aus.«

»Vielen Dank für das Kompliment.«

»Wie haben Sie mich gefunden?«

»Ich hab mir im Internet Fotos der Footballmannschaft von Dartmouth aus den letzten Jahren angeguckt. Und weil Sie erst letztes Jahr Ihren Abschluss gemacht haben, steht auf der Seite mit den Absolventen noch Ihre aktuelle Adresse.«

»Clever«, sagte Anthony mit einem leichten Lächeln. »Wir ehemaligen Dartmouth-Studenten, wir sind schon sehr clever.«

»Ich bin in der Gasse überfallen worden.«

»Ich weiß. Wer hat denn wohl die Polizei gerufen?«

»Sie?«

Er zuckte die Achseln. »Kommen Sie. Gehen wir ein bisschen spazieren.«

Anthony schloss die Tür hinter sich. Er trug Sportkleidung, Shorts und eins von diesen eng anliegenden, ärmellosen Shirts, die auf einmal angesagt waren – und zwar nicht nur bei Burschen wie Anthony, die das tragen konnten, sondern auch bei alten Knackern wie ihm, bei denen das eigentlich gar nicht ging.

»Das ist nur ein Sommerjob«, sagte Anthony. »Die Arbeit im Club, meine ich. Macht aber Spaß. Ab Herbst studiere ich Jura an der Columbia.«

»Meine Frau ist Anwältin.«

»Ich weiß. Und Sie sind Arzt.«

»Woher wissen Sie das?«

Er grinste. »Sie sind nicht der Einzige, der alte Unikontakte nutzen kann.«

»Sie haben mich im Internet gesucht?«

»Nein. Ich hab Ken Karl angerufen, der ist jetzt Eishockeytrainer, hat früher aber auch mal die *Defensive Line* der Football-Mannschaft trainiert. Ich hab Sie beschrieben und erzählt, dass Sie angeblich mal in der Studentennationalmannschaft gespielt haben. Er hat sofort ›Mike Baye‹ gesagt. Er meinte, Sie wären einer der besten Eishockeyspieler gewesen, die die Uni je gehabt hat. Sie halten immer noch irgendeinen Torjägerrekord.«

»Heißt das, uns verbindet was, Anthony?«

Der große Mann antwortete nicht.

Sie gingen die kurze Treppe hinunter auf die Straße. Anthony wandte sich nach rechts. Ein Mann, der ihnen entgegenkam, rief: »Yo, Ant!«, und die beiden Männer begrüßten sich mit einem komplizierten Händeschüttelritual, bevor sie weitergingen.

Mike sagte: »Erzählen Sie mir, was gestern Abend passiert ist.«

»Drei oder vier junge Burschen haben Sie zu Brei getreten. Ich hab den Radau gehört. Als ich rüberkam, sind sie abgehauen. Einer von denen hatte ein Messer in der Hand. Ich dachte, Sie sind hinüber.«

»Sie haben sie vertrieben?«

Anthony zuckte die Achseln.

»Danke.«

Wieder ein Achselzucken.

»Haben Sie sie gesehen?«

»Die Gesichter nicht. Aber es waren Weiße. Waren stark tätowiert. Schwarze Klamotten. Ziemlich fertige, hagere Typen und meiner Meinung nach total breit. Außerdem waren sie scheißwütend. Einer hat sich die Nase gehalten und geflucht.« Wieder lächelte Anthony. »Ich glaub, Sie haben sie gebrochen.«

»Und Sie haben dann die Cops gerufen?«

»Ja. Unglaublich, dass Sie schon wieder auf den Beinen sind. Ich dachte, die hätten Sie mindestens eine Woche außer Gefecht gesetzt.«

Sie gingen weiter.

»Gestern Abend, der Bursche mit der Schulmannschaftsjacke«, sagte Mike. »Hatten Sie ihn schon mal gesehen?«

Anthony antwortete nicht.

»Meinen Sohn haben Sie auf dem Foto auch erkannt.«

Anthony blieb stehen. Er zog eine Sonnenbrille aus dem Kragen und setzte sie auf. So sah man seine Augen nicht mehr. Mike wartete.

»Unsere *Big-Green*-Verbindung hat ihre Grenzen, Mike.«

»Sie haben gesagt, Sie finden es unglaublich, dass ich schon wieder auf den Beinen bin.«

»Das stimmt.«

»Wollen Sie wissen, warum?«

Er zuckte die Achseln.

»Mein Sohn wird immer noch vermisst. Er heißt Adam. Er ist sechzehn, und ich glaube, er ist in großer Gefahr.«

Anthony ging weiter. »Das tut mir leid.«

»Ich brauche ein paar Informationen.«

»Seh ich aus wie die Gelben Seiten? Ich lebe hier. Ich rede nicht über das, was ich hier sehe.«

»Jetzt kommen Sie mir nicht mit diesem ›Kodex der Straße‹ oder solchem Scheiß.«

»Dann kommen Sie mir nicht mit dem ›Dartmouth-Studenten müssen zusammenhalten‹-Scheiß.«

Mike legte dem großen Mann eine Hand auf den Arm. »Ich brauche Ihre Hilfe.«

Anthony zog den Arm weg und ging schneller. Mike holte ihn ein.

»Sie werden mich nicht los, Anthony.«

»Das hab ich auch nicht erwartet«, sagte er. »Waren Sie gern da?«

»Wo?«

»In Dartmouth.«

»Ja«, sagte Mike. »Ich war sehr gern da.«

»Ich auch. Es war eine ganz andere Welt. Wenn Sie wissen, was ich meine.«

»Das weiß ich.«

»Hier im Viertel hat keiner was von der Uni gewusst.«

»Wie sind Sie dahin gekommen?«

Er lächelte und rückte die Sonnenbrille zurecht. »Sie meinen, wie kommt ein großer schwarzer *Brother* von der Straße aufs blütenweiße Dartmouth?«

»Ja«, sagte Mike. »Genau das hab ich gemeint.«

»Ich war ein guter Footballspieler, vielleicht sogar sehr gut. Ich wurde in die *Division* 1A berufen. Damit hätte ich auf eine der großen zehn Sportuniversitäten gehen können.«

»Aber?«

»Aber ich kannte meine Grenzen. Für eine Profikarriere war ich nicht gut genug. Was hätte mir das dann gebracht? Ich hätte da keine vernünftige Ausbildung gekriegt und wäre mit irgendeinem wertlosen Diplom abgegangen. Also hab ich mich für Dartmouth entschieden. Die haben mir nicht nur die Studiengebühren erlassen, sondern auch noch den Lebensunterhalt bezahlt. Jetzt hab ich einen geisteswissenschaftlichen Abschluss von einer Ivy-League-Universität.«

»Und damit gehen Sie jetzt auf die Columbia Law?«

»Ja.«

»Und dann? Ich meine, nach dem Studium?«

»Ich bleib hier im Viertel. Ich mach das nicht, um hier rauszukommen. Mir gefällt's hier. Ich will es nur verbessern.«

»Gut, wenn man für was einsteht.«

»Klar, und genau das Gegenteil von einem Spitzel.«

»Vor der Geschichte können Sie nicht einfach davonlaufen, Anthony.«

»Ich weiß.«

»Unter anderen Umständen würde ich gern weiter mit Ihnen über unsere Alma Mater plaudern.«

»Aber Sie müssen ein Kind retten.«

»Genau.«

»Ich hab Ihren Sohn schon mal gesehen. Glaub ich wenigstens, obwohl die für mich alle gleich aussehen in ihren schwarzen Klamotten und mit den vergrätzten Mienen, die aussehen, als ob die Welt ihnen alles geboten hätte und sie das einfach ankotzt. Es fällt mir schwer, Mitleid zu haben. Hier zieht man sich mit irgendwas zu, weil man aus der Realität fliehen will. Aber wovor zum Teufel fliehen diese Kids? Vor einem schönen Haus und liebenden Eltern?«

»So einfach ist das nicht«, sagte Mike.

»Offenbar nicht.«

»Ich hab mich auch von ganz unten hochgearbeitet. Und manchmal glaub ich sogar, dass das einfacher ist. Es ist ganz normal, dass man ehrgeizig ist, wenn man nichts hat. Dann weiß man, was man erreichen will.«

Anthony sagte nichts.

»Mein Sohn ist ein guter Junge. Er steckt gerade in einer schwierigen Phase. Meine Aufgabe ist es, ihn zu schützen, bis er da wieder rausgefunden hat.«

»Ihre Aufgabe, nicht meine.«

»Haben Sie ihn gestern Abend gesehen, Anthony?«

»Könnte sein. Ich weiß nicht viel. Wirklich nicht.«

Mike sah ihn nur an.

»Da ist ein Club für minderjährige Kids. Angeblich soll es ein sicherer Ort sein, an dem die Teens ungestört abhängen können. Die haben da Berater und Therapeuten und alles Mögliche, aber es heißt auch, dass das nur eine Fassade ist, damit die Kids da in Ruhe abfeiern können.«

»Wo ist der?«

»Zwei, drei Blocks von meinem Club entfernt.«

»Und was bedeutet es, dass das nur eine Fassade ist, damit die Teens ungestört abfeiern können?«

»Was soll das schon bedeuten? Drogen, Alkohol für Minderjährige und so weiter. Es gibt auch Gerüchte über Gehirnwäsche und solchen Scheiß. Das glaub ich aber nicht. Eins weiß ich aber genau: Leute, die nicht dazugehören, machen einen großen Bogen darum.«

»Und was heißt das nun wieder?«

»Das heißt, dass der Laden außerdem den Ruf hat, dass er gefährlich ist. Was weiß ich, vielleicht hängt die Mafia da mit drin. Auf jeden Fall macht denen keiner Ärger. Mehr wollte ich damit nicht sagen.«

»Und Sie glauben, da war mein Sohn drin?«

»Wenn er sich als Sechzehnjähriger hier in der Gegend rumtreibt, geh ich davon aus. Ja, ich glaube, er ist da hingegangen.«

»Hat der Laden auch einen Namen?«

»Club Jaguar, glaube ich. Ich hab auch die Adresse.«

Er gab sie ihm. Mike gab ihm eine Visitenkarte.

»Da stehen sämtliche Telefonnummern von mir drauf«, sagte Mike.

»Mhm.«

»Wenn Sie meinen Sohn sehen …«

»Ich bin kein Babysitter, Mike.«

»Das ist kein Problem. Mein Sohn ist ja auch kein Baby mehr.«

*

Tia hielt das Foto von Spencer Hill in der Hand.

»Ich weiß nicht, warum du so sicher bist, dass Adam das Bild gemacht hat.«

»Das war ich auch nicht«, sagte Betsy Hill. »Bis ich es ihm gezeigt habe.«

»Vielleicht ist er nur durchgedreht, weil er ein Foto von seinem toten Freund gesehen hat.«

»Könnte sein«, stimmte Betsy in einem Ton zu, der eindeutig besagte: *Auf keinen Fall.*

»Und du bist sicher, dass das Foto an dem Abend gemacht wurde, als er gestorben ist?«

»Ja.«

Tia nickte. Beide schwiegen. Sie waren wieder im Haus der Bayes. Jill sah oben fern. Ein paar Geräuschfetzen von *Hannah Montana* drangen nach unten. Tia saß reglos da. Genau wie Betsy Hill.

»Und was bedeutet das jetzt deiner Meinung nach, Betsy?«

»Alle haben gesagt, dass sie Spencer an dem Abend nicht gesehen haben. Dass er allein war.«

»Und du glaubst jetzt, sie haben ihn gesehen.«

»Ja.«

Tia drängte ein bisschen. »Und was bedeutet es, wenn er nicht allein war?«

Betsy überlegte. »Das weiß ich nicht.«

»Du hast doch eine Selbstmordnachricht gekriegt, oder?«

»Als Textnachricht. Die kann jeder schicken.«

Wieder wurde Tia bewusst, dass sie beide als Mütter nicht die gleichen Interessen hatten. Wenn das stimmte, was Betsy Hill über das Foto sagte, dann hatte Adam gelogen. Und wenn Adam gelogen hatte, wusste eigentlich niemand, was an dem Abend wirklich passiert war.

Also erzählte Tia Betsy nichts von Adams Chat mit CeeJay8115 und der Zeile über die Mutter, die ihn nach der Schule abgefangen hatte. Wenigstens noch nicht. Erst musste sie noch mehr wissen.

»Ich hab damals ein paar Zeichen übersehen«, sagte Betsy.

»Zum Beispiel?«

Betsy Hill schloss die Augen.

»Betsy?«

»Ich hab ihm mal nachspioniert. Na ja, eigentlich nicht richtig spioniert, aber … Spencer hat an seinem Computer gesessen, und als er aus dem Zimmer gegangen ist, hab ich mich einfach reinge-schlichen. Weil ich sehen wollte, was er sich so anguckt. Na ja, du kennst das ja. Das hätte ich natürlich nicht machen dürfen. Das war falsch – so in seine Privatsphäre einzudringen.«

Tia sagte nichts.

»Auf jeden Fall hab ich ein paarmal auf den Zurück-Button ge-klickt, du weißt schon, oben im Browser?«

Tia nickte.

»Und da … Er hatte sich ein paar Selbstmord-Internetseiten angesehen. Da waren wohl Geschichten von Jugendlichen drauf, die sich umgebracht hatten. So was. Ich hab da nicht lange gele-sen oder so. Ich bin auch nicht aktiv geworden. Ich hab es ein-fach verdrängt.«

Tia sah sich Spencer auf dem Foto an. Sie suchte nach irgend-welchen Anzeichen dafür, dass dieser Junge ein paar Stunden spä-ter tot sein würde. Als ob man ihm das irgendwie am Gesicht ansehen könnte. Sie entdeckte nichts, aber was hieß das schon?

»Hast du Ron das Foto gezeigt?«, fragte sie.

»Ja.«

»Was hat er dazu gesagt?«

»Er meinte, dass das doch eigentlich keinen Unterschied macht. Er sagt, unser Sohn hat Selbstmord begangen, was willst du da jetzt noch machen, Betsy. Er glaubt, ich mache das, um die ganze Sache abzuschließen.«

»Stimmt das nicht?«

»Abschließen«, wiederholte Betsy, sie spie das Wort fast aus, als ob sie einen schlechten Geschmack im Mund hätte. »Was soll das überhaupt heißen? Also ob da irgendwo vor mir eine Tür wäre, durch die ich hindurchgehe und dann hinter mir abschließe. Und Spencer bleibt dahinter auf der anderen Seite? Das will ich nicht, Tia. Kannst du dir etwas Obszöneres vorstellen, als so eine Sache abzuschließen?«

Sie schwiegen wieder, so dass das lästige Tonspurlachen von Jills Fernsehserie das einzige Geräusch war.

»Die Polizei hält euren Sohn für einen Ausreißer«, sagte Betsy. »Und meinen hält sie für einen Selbstmörder.«

Tia nickte.

»Aber was ist, wenn sie Unrecht hat? Was ist, wenn sie bei unseren beiden Jungs Unrecht hat?«

24

Nash saß im Lieferwagen und überlegte, was er als Nächstes machen sollte.

Er war ganz normal aufgewachsen. Er wusste, dass diese Psychiatertypen diese Aussage gern genauer überprüfen und nach sexuellem Missbrauch, Ausschweifungen oder Auswüchsen religiösen Konservatismus suchen würden. Nash nahm an, dass sie nichts finden würden. Er hatte gute Eltern und Geschwister. Vielleicht zu gut. Sie hatten ihn gedeckt, wie es sich für eine ordentliche Familie gehörte. Vielleicht würden manche Leute das im Nachhinein als Fehler ansehen, aber es musste schon sehr viel passieren, bis die eigene Familie die Wahrheit akzeptierte.

Nash war intelligent und merkte daher schon früh, dass er das war, was manche Menschen »gestört« nannten. Es gab den alten Spruch vom Teufelskreis, in dem ein seelisch instabiler Mensch sich befand, weil seine Krankheit ihn daran hinderte, diese seelische Instabilität zu erkennen. Das war falsch. Man konnte erkennen, dass man verrückt war, und das tat man auch. Nash wusste, dass er einen Fehler im System hatte. Er wusste, dass er anders war und nicht der Norm entsprach. Er fühlte sich deshalb nicht unbedingt unterlegen – aber auch nicht überlegen. Er wusste, dass seine Gedanken häufiger abschweiften und an sehr finstere Orte wanderten, und dass es ihm da gefiel. Er fühlte nicht so wie viele andere und empfand kein Mitleid, wenn andere litten. Und die meisten anderen taten auch nur so.

Und genau das war es eben: Sie taten nur so.

Pietra saß neben ihm auf dem Beifahrersitz.

»Warum glaubt der Mensch immer, dass er was Besonderes ist?«, fragte er sie.

Sie sagte nichts.

»Vergessen wir mal, dass dieser Planet – nee, dieses Sonnensystem – so unbedeutend und winzig ist, dass wir das nicht einmal richtig erfassen können. Versuch es mal so. Stell dir vor, du wärst an einem riesigen Strand. Und dann stell dir vor, dass du ein winziges Sandkorn in die Hand nimmst. Nur ein einziges. Dann blickst du diesen langen Strand auf und ab, der in beide Richtungen bis zum Horizont reicht. Was meinst du, wäre unser ganzes Sonnensystem im Verhältnis zum Universum so klein wie das Sandkorn im Verhältnis zum ganzen Strand?«

»Keine Ahnung.«

»Tja, das wäre auch falsch, wenn du das glauben würdest. Das Sonnensystem ist noch viel, viel kleiner. Versuch es so: Stell dir vor, du hättest immer noch dieses winzige Sandkorn in der Hand. Aber jetzt nimmst du nicht nur den Strand, an dem du stehst, sondern alle Strände auf der ganzen Erde, einfach alle, die an der kalifornischen Küste und die an der Ostküste, von Maine bis runter nach Florida, und die am Indischen Ozean und an der afrikanischen Küste. Stell dir den ganzen Sand vor, die ganzen Strände auf der ganzen Erde, und jetzt guck dir das Sandkorn an, das du in der Hand hast, und trotzdem, *trotzdem*, ist unser ganzes *Sonnensystem* – von der Erde brauchen wir gar nicht erst anzufangen – noch kleiner als das, wenn man es mit dem Rest des Universums vergleicht. Kannst du dir überhaupt vorstellen, wie unbedeutend wir sind?«

Pietra sagte nichts.

»Aber selbst das vergiss mal für einen Moment«, fuhr Nash fort, »weil der Mensch selbst hier, auf diesem Planeten, vollkommen unbedeutend ist. Begeben wir uns mit dieser Argumentationslinie doch mal eben zurück auf die Erde, okay?«

Sie nickte.

»Weißt du, dass die Dinosaurier länger auf diesem Planeten gelebt haben als der Mensch?«

»Ja.«

»Aber das ist noch längst nicht alles. Das ist nur ein Punkt, der zeigt, dass der Mensch nichts Besonderes ist – die Tatsache, dass wir selbst auf diesem unvorstellbar winzigen Planeten nicht den Großteil der Zeit die Herrscher waren. Aber lass uns noch einen Schritt weiter gehen – ist dir klar, wie viel länger die Dinosaurier auf der Erde geherrscht haben als wir? Was meinst du? Doppelt so lange? Fünfmal so lange? Zehnmal?«

Sie sah ihn an. »Ich weiß es nicht.«

»Vierundvierzigtausendmal länger.« Jetzt gestikulierte er hektisch, verlor sich völlig vor Glück über seine Argumentation. »Stell dir das mal vor. Vierundvierzigtausendmal länger. Das sind mehr als hundertzwanzig Jahre für jeden einzelnen Tag. Das ist doch unbegreiflich. Glaubst du, dass wir Menschen noch vierundvierzigtausendmal länger überleben, als wir es bisher getan haben?«

»Nein«, sagte sie.

Nash lehnte sich zurück. »Wir sind ein Nichts. Die Menschheit. Ein Nichts. Trotzdem glauben wir immer, dass wir was Besonderes sind. Wir halten uns für wichtig oder für Gottes Lieblinge. Lachhaft.«

Nash hatte auf der Universität John Lockes Naturzustand studiert – die Idee, dass die beste Regierung möglichst wenig regierte, weil das, vereinfacht dargestellt, am ehesten dem Naturzustand oder Gottes Plan entsprach. Aber in diesem Zustand waren wir Tiere. Es war Unsinn zu glauben, dass wir ihnen überlegen waren oder über ihnen standen und dass Liebe und Freundschaft mehr sind, als die Wahnvorstellungen eines intelligenteren Gehirns, eines Gehirns, das die Sinnlosigkeit der Welt erkannt hatte und daher einen Ausweg finden musste, um sich von diesem Wissen abzulenken und zu beruhigen.

War Nash also normal, weil er die finstere Seite sah – oder machten die meisten Menschen sich etwas vor? Aber dennoch.

Aber dennoch hatte Nash sich viele Jahre lang nach Normalität gesehnt.

Er hatte ihre Sorglosigkeit gesehen und wollte daran teilhaben. Ihm wurde klar, dass er weit überdurchschnittlich intelligent war. Er war ein Einserschüler mit fast perfekten Ergebnissen in den Universitätszulassungstests. Er hatte sich im Williams College immatrikuliert und dort einen Abschluss in Philosophie gemacht – wobei er die ganze Zeit versucht hatte, den Wahn im Zaum zu halten. Aber der Wahn drängte nach außen.

Und warum sollte er ihn nicht ausleben?

Er besaß einen primitiven Instinkt, seine Eltern und Geschwister zu schützen, aber der Rest der Weltbevölkerung war ihm egal. Sie waren nur Kulisse, Requisiten, mehr nicht. Die Wahrheit war – eine Wahrheit, die er schon früh erkannt hatte –, dass es ihm gewaltige Freude machte, anderen Leid zuzufügen. Das war schon immer so gewesen. Warum, wusste er nicht. Manche Menschen ziehen Freude aus einer sanften Meeresbrise, aus einer herzlichen Umarmung oder daraus, den entscheidenden Korb in einem Basketballspiel geworfen zu haben. Nash zog seine Freude daraus, die Erde von einem weiteren Bewohner zu befreien. Das hatte er sich nicht gewünscht oder ausgesucht, er musste aber hinnehmen, dass es so war. Manchmal gelang es ihm, dagegen anzukämpfen, manchmal auch nicht.

Dann hatte er Cassandra kennen gelernt.

Es war wie bei einem von diesen wissenschaftlichen Experimenten gewesen, wo man zu Anfang eine klare Flüssigkeit hatte, dann tat jemand einen Tropfen hinein – einen Katalysator –, wodurch sich schlagartig alles veränderte: die Farbe, die Textur und die Struktur. So kitschig das auch klang, aber Cassandra war sein Katalysator gewesen.

Er hatte sie gesehen, sie hatte ihn berührt, und er hatte sich verwandelt.

Plötzlich konnte er lieben. Die Liebe war da. Er hatte Hoffnungen und Träume, den Wunsch aufzuwachen und sein Leben mit einem anderen Menschen zu teilen. Sie hatten sich im zweiten Studienjahr auf dem Williams College kennen gelernt. Cassandra war schön, aber es steckte noch mehr dahinter. Alle Jungs waren in sie verknallt, aber nicht im Sinne der sexuellen Fantasien, wie man sie von Studenten erwartet. Mit ihrem eigentümlichen Gang und dem wissenden Lächeln war Cassandra eher die Frau, mit der man eine Familie gründen wollte. In ihrer Gegenwart dachte man an einen Hauskauf, ans Rasenmähen, an Grillabende mit der Familie und Freunden, und daran, wie man ihr den Schweiß von der Stirn wischte, während sie das gemeinsame Kind zur Welt brachte. Alle waren hingerissen von ihrer Schönheit, noch beeindruckender war aber ihre Güte. Sie war etwas ganz Besonderes und konnte keiner Fliege etwas zu Leide tun, was man auch instinktiv spürte.

Und etwas davon hatte er auch in Reba Cordova entdeckt, nur

ein kleines bisschen, und dann hatte er einen Stich verspürt, als er sie umgebracht hatte, nicht schlimm, aber einen kleinen Stich. Er dachte daran, was ihr Mann jetzt durchmachte, denn obwohl es ihn eigentlich nicht interessierte, wusste Nash doch, wie man sich in so einer Situation fühlte.

Cassandra.

Ihre fünf Brüder hatten sie verehrt, genau wie ihre Eltern sie verehrt hatten, und immer, wenn man an ihr vorbeiging und sie einen anlächelte, selbst wenn man ein Fremder war, spürte man tief im Herzen einen Ruck. In ihrer Familie hieß sie nur Cassie. Nash gefiel das nicht. Für ihn war sie Cassandra, und er liebte sie, und an dem Tag, an dem er sie heiratete, verstand er, was die Menschen meinten, wenn sie von jemandem sagten, er wäre »gesegnet«.

Sie waren zu den jährlichen Homecoming-Feiern und zu den Jubiläen ihres Semesters zum Williams College zurückgekehrt und hatten dann immer im Porches Inn in North Adams übernachtet. Er hatte das Bild von ihr noch vor Augen, als sie ihm in dem grauen Haus den Kopf auf den Bauch gelegt hatte, den Blick zur Decke gerichtet, während er ihre Haare streichelte und sie sich über Gott und die Welt unterhielten. So sah er sie jetzt, wenn er an sie dachte, das war das Bild, das er von ihr hatte – bevor sie krank geworden war und die Ärzte sagten, sie hätte Krebs, worauf sie seine schöne Cassandra aufgeschnitten hatten und sie gestorben war, genau wie jeder andere bedeutungslose Organismus auf diesem winzigen Staubkorn von einem Planeten.

Ja, Cassandra war gestorben, und seitdem war er sicher, dass alles Scheiße war, ein schlechter Witz, und als sie dann tot war, hatte Nash nicht mehr die Kraft, sich um den Wahn in sich zu sorgen. Es war nicht nötig. Also ließ er ihn raus, ganz ungehindert, auf einmal in einem großen Schwall. Und einmal rausgelassen, konnte er ihn nicht mehr kontrollieren.

Ihre Verwandten hatten versucht, Nash zu trösten. Sie hatten ihren »Glauben« und erklärten Nash immer wieder, dass er »gesegnet« war, ihr jemals so nahe gewesen zu sein, und dass sie an einem wunderschönen Ort bis in alle Ewigkeit auf ihn wartete. Das brauchten sie wohl, dachte er. Die Familie hatte sich gerade erst von einer anderen Tragödie erholt – ihr ältester Bruder Curtis war drei Jahre vorher bei irgendeinem misslungenen Einbruch umgekommen –, aber in dem Fall war Curtis wenigstens schon immer ein Unruhestifter, einer, der nur Ärger gemacht hatte. Cassandra hatte der Tod ihres Bruders schwer mitgenommen, sie hatte tagelang geweint, bis Nash schon den Wahn rauslassen wollte, um ihre Schmerzen so vielleicht irgendwie zu lindern, aber am Ende konnten diejenigen, die ihren Glauben hatten, Curtis' Tod vernünftig erklären. Ihr Glaube hatte es ihnen ermöglicht, den Verlust als Teil eines größeren Plans zu sehen.

Aber wie sollte man es erklären, wenn man einen so liebevollen und guten Menschen wie Cassandra verlor?

Das konnte man nicht. Also sprachen ihre Eltern über das Jenseits, ohne allerdings wirklich daran zu glauben. Alle anderen glaubten auch nicht daran. Warum sollte man sonst über den Tod weinen, wenn man doch glaubte, die Ewigkeit voller Glückseligkeit zu verbringen? Warum sollte man den Verlust eines Menschen betrauern, wenn dieser Mensch dann an einem besseren Ort war? War das dann nicht furchtbar selbstsüchtig, einen geliebten Menschen von einem besseren Ort fernzuhalten? Und wenn man daran glaubte, die Ewigkeit gemeinsam mit dem geliebten Partner im Paradies verbringen zu dürfen, hatte man doch nichts zu befürchten – schließlich war das Leben nicht einmal einen Atemzug von der Ewigkeit entfernt.

Nash wusste, dass die Menschen weinten und trauerten, weil sie tief im Innersten wussten, dass das alles nur Blödsinn war.

Cassandra war nicht mit ihrem Bruder Curtis in weißes Licht getaucht. Das wenige, was von ihr übrig geblieben war, das, was der Krebs und die Chemotherapie nicht schon vorher zerstört hatten, verrottete jetzt in der Erde.

Bei der Beerdigung hatte ihre Familie auch von Schicksal und einem göttlichen Plan und solchem Unsinn gesprochen. Dass es das Schicksal seiner geliebten Frau gewesen war – ein kurzes Leben zu führen, in dem sie alle Menschen, denen sie begegnete, tief berührte, in dem sie ihn in ungeahnte Höhen hob, worauf er dann, als sie starb, mit einem lauten Knall wieder auf die Erde aufschlug. Das war auch sein Schicksal gewesen. Er dachte darüber nach. Selbst in ihrer Gegenwart war es ihm manchmal schwer gefallen, seine Natur zu unterdrücken – seinen eigentlichen Naturzustand, in dem er Gott am nächsten war. Wäre er überhaupt in der Lage gewesen, diesen inneren Frieden aufrechtzuerhalten? Oder war er von Anfang an dazu verdammt, wieder in die Finsternis zurückzukehren und etwas zu zerstören, auch wenn Cassandra überlebt hätte?

Er konnte es nicht sagen. Aber auf jeden Fall war dies jetzt sein Schicksal.

Pietra sagte: »Sie hätte nie etwas verraten.«

Sie sprach von Reba.

»So genau wissen wir das nicht.«

Pietra sah aus dem Seitenfenster.

»Irgendwann identifiziert die Polizei Mariannes Leiche«, sagte er. »Oder jemand merkt, dass Marianne vermisst wird. Und dann hören die sich in ihrem Freundeskreis um. Spätestens da hätte Reba es ihnen erzählt.«

»Du opferst viele Menschenleben.«

»Bisher nur zwei.«

»Und die Überlebenden? Deren Leben verändern sich auch.«

»Ja.«

»Warum?«

»Du weißt, warum.«

»Willst du behaupten, dass Marianne damit angefangen hat?«

»Angefangen wohl nicht. Aber sie hat dem Ganzen eine ganz neue Dynamik gegeben.«

»Also musste sie sterben?«

»Sie hat eine Entscheidung getroffen, mit der sie Leben verändern und damit möglicherweise auch zerstören konnte.«

»Also musste sie sterben?«, wiederholte Pietra.

»Jede Entscheidung ist bedeutsam, Pietra. Jeder von uns spielt Tag für Tag Gott. Wenn eine Frau sich ein Paar teure Schuhe kauft, hätte sie für das Geld auch einen Menschen vorm Verhungern retten können. In gewissem Sinne waren ihr die Schuhe wichtiger als ein Menschenleben. Wir alle töten, um uns das Leben bequemer zu machen. Wir sagen es nicht so. Aber wir tun es.«

Sie widersprach nicht.

»Was ist mit dir los, Pietra?«

»Nichts. Vergiss es.«

»Ich hab's Cassandra versprochen.«

»Ja. Das hast du schon gesagt.«

»Wir müssen das unter Verschluss halten, Pietra.«

»Glaubst du, dass wir das schaffen?«

»Ja.«

»Und wie viele müssen wir dafür noch umbringen?«

Die Frage verwirrte ihn. »Ist dir das wirklich wichtig? Reicht es dir?«

»Ich meine nur jetzt. Heute. In dieser Angelegenheit. Wie viele bringen wir noch um?«

Nash überlegte. Dabei wurde ihm klar, dass Marianne womöglich von Anfang an die Wahrheit gesagt hatte. Wenn das zutraf, musste er zum Anfang zurückgehen und das Problem an der Quelle ausmerzen.

»Mit etwas Glück«, sagte er, »nur einen.«

*

»Wow«, sagte Loren Muse. »Hätte die Frau denn überhaupt noch langweiliger sein können?«

Clarence lächelte. Sie gingen Reba Cordovas Kreditkartenabrechnungen durch. Es gab absolut keine Überraschungen. Sie hatte Lebensmittel, Schulsachen und Kinderkleidung gekauft. Bei *Sears* hatte sie einen Staubsauger gekauft und wieder umgetauscht. Bei *PC Richard* hatte sie eine Mikrowelle gekauft. Ihre Kreditkartendaten waren bei einem chinesischen Restaurant namens *Baumgarts* gespeichert, wo sie jeden Dienstagabend ein Abendessen bestellte und abholte.

Ihre E-Mails waren genauso langweilig. Sie verabredete sich mit anderen Eltern und Kindern zum Spielkreis. Sie stand mit dem Tanzlehrer ihrer Tochter und dem Fußballtrainer ihres Sohns in Kontakt. Sie war im E-Mail-Verteiler der Willard School. Sie hielt sich über die Termine ihrer Tennisgruppe und möglicher Ersatzspielerinnen auf dem Laufenden, für den Fall, dass jemand nicht konnte. Sie bekam den Rundbrief mit Möbelsonderangeboten von der *Williams-Sonoma Pottery Barn* und den mit Haustiertipps und Angeboten von *PetSmart*. In einer Mail an ihre Schwester erkundigte sie sich nach dem Namen eines Leseespezialisten, weil ihre Tochter in der Schule nicht mitkam.

»Ich hätte nie gedacht, dass es solche Menschen wirklich gibt«, sagte Muse.

Das stimmte nicht. Muse sah sie bei *Starbucks*, die aufgedrehten Frauen mit Kaninchenaugen, die Coffeeshops für den perfekten Ort für Mutter-und-Kind-Treffen hielten, bei denen sie mit den anderen Mommys – alle mit Uniabschlüssen, ehemalige Intellektuelle – ausschließlich und ununterbrochen über ihre Sprösslinge schwafelten, als ob es nie ein anderes Kind auf dieser Welt gegeben hätte, während Madison, Brittany und Kyle wild herumtollten und den Laden auf den Kopf stellten. Die Mütter quasselten über das A-a ihrer Kinder – wirklich, über ihren Stuhlgang! –, über das erste Wort, das ihr Kind gesprochen hatte, über die soziale Kompetenz ihres Sprösslings, über Montessori-Schulen, über Turnstunden, über *Baby-Einstein*-DVDs, und dabei hatten alle dieses hirnlose Grinsen im Gesicht, als ob ein Alien ihnen den Kopf ausgesaugt hätte, und Muse verachtete sie einerseits, andererseits bemitleidete sie sie, und vor allem gab sie sich alle Mühe, bloß nicht neidisch zu werden.

Loren Muse hatte sich natürlich geschworen, dass sie nie eine dieser Mommys werden würde, wenn sie je Kinder haben sollte. Aber konnte man das wirklich so genau wissen? Bei solchen Blankoerklärungen fielen ihr immer die Leute ein, die behaupteten, sie würden lieber sterben als ins Altersheim zu gehen oder ihren erwachsenen Kindern zur Last zu fallen – und dass fast alle Bekannten in ihrer Altersgruppe Eltern hatten, die entweder im Altersheim waren oder ihren Kindern zur Last fielen – und dass sie alle nicht sterben wollten.

Wenn man etwas von außen betrachtete, war es einfach, leichtfertig kleinliche Urteile abzugeben.

»Was ist mit dem Alibi des Ehemanns?«, fragte Loren.

»Die Polizei in Livingston hat Cordova vernommen. Das scheint ziemlich solide zu sein.«

Muse deutete mit dem Kinn auf die Akten. »Und ist der Mann genauso langweilig wie seine Frau?«

»Ich bin noch beim Durchgucken der Mails, Anruflisten und Kreditkartenabrechnungen, aber bisher sieht's ganz danach aus.«

»Haben wir sonst noch was?«

»Tja, in der Annahme, dass der oder die gleichen Killer für Reba Cordovas Verschwinden und die Ermordung der Unbekannten verantwortlich sein könnten, haben wir eine Streife abgestellt, um die bekannten Prostituiertentreffpunkte zu checken, ob da womöglich noch eine Leiche abgeladen wird.«

Loren Muse hielt das für extrem unwahrscheinlich, einen Versuch war es trotzdem wert. Ein mögliches Szenario sah so aus, dass ein Serienmörder sich unter freiwilliger oder unfreiwilliger Mithilfe einer Komplizin Frauen aus den Vororten schnappte, sie umbrachte und sie dann als Prostituierte ausstaffierte. Ein paar Kollegen prüften jetzt in den Datenbanken, ob es in der Umgebung Morde nach diesem Schema gegeben hatte. Bisher waren sie nicht fündig geworden.

Muse glaubte sowieso nicht an diese Theorie. Psychologen und Profiler hätten allerdings schon bei dem Gedanken einen Orgasmus bekommen, dass ein Serienkiller Vorortmütter ermordete und als Prostituierte ausstaffierte. Sie würden lange Vorträge halten über die Rollenfestlegung von Frauen als Mütter und Nutten. Trotzdem glaubte Muse nicht daran. Eine Frage passte nicht in dieses Szenario, eine Frage, die sie schon von dem Moment an gequält hatte, als ihr klar geworden war, dass die Unbekannte keine Straßendirne war: Warum war die Frau nicht als vermisst gemeldet worden?

Ihrer Ansicht nach gab es darauf zwei mögliche Antworten. Erstens: Niemand wusste, dass sie vermisst wurde. Die Unbekannte war im Urlaub oder sollte auf einer Geschäftsreise sein oder so etwas. Oder zweitens: Sie war von einem Bekannten umgebracht worden. Und dieser Bekannte wollte nicht, dass sie als vermisst galt.

»Wo ist denn der Ehemann jetzt?«

»Cordova? Er ist noch bei den Kollegen in Livingston. Die klappern das Viertel ab und fragen, ob jemand einen weißen Lieferwagen gesehen hat. Das Übliche halt.«

Muse nahm einen Bleistift vom Schreibtisch. Sie steckte den Radiergummi in den Mund und kaute.

Es klopfte. Sie blickte zur Tür und sah den künftigen Ruheständler Frank Tremont.

Den dritten Tag in Folge im selben braunen Anzug, dachte Muse. Beeindruckend.

Er sah sie an und wartete. Eigentlich hatte sie jetzt keine Zeit dafür, aber wahrscheinlich brachte man das am besten schnell hinter sich.

»Clarence, würden Sie uns bitte allein lassen?«

»Klar, Boss, selbstverständlich.«

Als er ging, nickte Clarence Frank Tremont kurz zu. Tremont erwiderte es nicht. Als Clarence verschwunden war, schüttelte er den Kopf und sagte: »Hat er Sie Boss genannt?«

»Ich habe ziemlich wenig Zeit, Frank.«

»Haben Sie meinen Brief gekriegt?«

Das Abschiedsgesuch. »Hab ich.«

Schweigen.

»Ich hab was für Sie«, sagte Tremont.

»Was ist los?«

»Bis zum Monatsende bin ich noch im Dienst«, sagte er. »Also muss ich wohl auch noch arbeiten, stimmt's?«

»Stimmt.«

»Und dabei ist mir was aufgefallen.«

Sie lehnte sich zurück und hoffte, dass er sich beeilte.

»Ich hab mir diesen weißen Lieferwagen noch mal genauer angeguckt. Der, der in beiden Fällen beteiligt war.«

»Okay.«

»Ich glaub nicht, dass er geklaut worden ist, wenigstens nicht hier in der Gegend. Weil wir hier keine passende Diebstahlsanzeige vorliegen haben. Also hab ich ein paar Autovermietungen angerufen und gefragt, ob jemand so einen Lieferwagen gemietet hat.«

»Und?«

»Es gab ein paar, aber die meisten konnte ich sofort ausfindig machen und feststellen, dass da alles rechtmäßig gelaufen ist.«

»Also ist das eine Sackgasse?«

Frank Tremont lächelte. »Hätten Sie was dagegen, wenn ich mich einen Moment setze?«

Sie winkte in Richtung Stuhl.

»Ich hab noch was ausprobiert«, sagte er. »Wie Sie schon sagten, ist dieser Typ ziemlich clever. Die erste Leiche hat er so hergerichtet, dass sie wie eine Nutte aussah. Beim zweiten Opfer hat er den Wagen auf einem Hotelparkplatz geparkt. Er hat die Kennzeichen ausgetauscht und alles Mögliche. Er geht nicht nach dem klassischen Muster vor. Also hab ich mir überlegt, was wohl besser, also schwerer zu finden wäre, als so einen Wagen zu klauen oder zu mieten.«

»Ich höre?«

»Man kauft sich im Internet einen Gebrauchtwagen. Kennen Sie diese Auto-Internetseiten?«

»Eigentlich nicht, nein.«

»Da werden Unmengen von Autos verscherbelt. Ich hab letztes Jahr selbst einen Wagen bei *autoused.com* verkauft. Manchmal findet man da echte Schnäppchen – und weil das Privatverkäufe sind, gibt's da auch nicht so viel Papierkram. Die Neu- und Gebrauchtwagenhändler können wir noch relativ gut überprüfen, aber wer findet schon ein Auto, das übers Internet verkauft wurde?«

»Und weiter?«

»Dann hab ich die beiden größten Internetanbieter angerufen. Ich hab sie aufgefordert, ihre Daten aus den letzten vier Wochen durchzugucken und mir alle weißen Chevrolet-Lieferwagen rauszusuchen, die in der Zeit verkauft wurden. Ich hab sechs Stück gefunden. Da hab ich dann angerufen. Vier wurden per Scheck bezahlt, da haben wir also die Adressen. Zweimal wurde bar bezahlt.«

Muse lehnte sich zurück. Sie hatte den Radiergummi immer noch im Mund. »Ziemlich clever. Man kauft einen Gebrauchtwagen und zahlt bar. Man gibt einen falschen oder überhaupt keinen Namen an, kriegt die Papiere, lässt den Wagen aber gar nicht erst zu und versichert ihn auch nicht. Dann klaut man sich die Kennzeichen von einem ähnlichen Modell, und damit ist die Sache geritzt.«

»Schon.« Tremont lächelte. »Aber einen Schwachpunkt gibt's doch noch.«

»Welchen?«

»Den Typen, der ihnen den Wagen verkauft hat.«

»Ihnen?«

»Ja. Ein Mann und eine Frau. Beide Mitte dreißig, sagt er. Ich bin noch hinter einer genauen Personenbeschreibung her, aber vielleicht haben wir sogar was Besseres. Der Verkäufer, Scott Parsons aus Kasselton, arbeitet bei *Best Buy*. Die haben da ein ziemlich gutes Überwachungssystem. Volldigital, da wird alles gespeichert. Er meinte, sie könnten vielleicht noch einen Zeitrafferfilm von den Käufern haben. Er hat einen Firmentechniker beauftragt, und der ist auch schon an der Sache dran. Außerdem hab ich eine Streife hingeschickt, die Parsons herholt, damit er sich die Fahndungsfotodatei anguckt, so dass wir ein möglichst gutes Bild von ihnen kriegen.«

»Haben wir einen Phantombildzeichner hier, der mit ihm arbeiten kann?«

Tremont nickte. »Ist veranlasst.«

Das war eine stichhaltige Spur – die beste, die sie hatten. Muse wusste nicht recht, was sie sagen sollte.

»Welchen Hinweisen gehen wir noch nach?«, fragte Tremont.

Sie erzähle ihm von den nichtssagenden Kreditkartenabrechnungen, Anruflisten und E-Mails. Tremont lehnte sich zurück und legte die Hände auf die Wampe.

»Als ich eben reingekommen bin«, sagte Tremont, »haben sie mächtig auf dem Bleistift rumgekaut. Worüber haben Sie nachgedacht?«

»Wir sollten jetzt annehmen, dass wir es mit einem Serienkiller zu tun haben.«

»Meinen Sie wirklich?«, fragte er.

»Nein.«

»Kann ich mir auch nicht vorstellen«, sagte Tremont. »Also gehen wir noch mal durch, was wir bisher wissen.«

Muse stand auf und ging auf und ab. »Zwei Opfer. Mehr bisher nicht. Wenigstens nicht hier in der Umgebung. Wir haben ein paar Leute darauf angesetzt, das zu prüfen, aber gehen wir doch erst mal davon aus, dass wir nichts weiter finden. Gehen wir davon aus, dass wir es nur mit Reba Cordova – die, nach allem, was wir bisher wissen, noch am Leben sein könnte – und unserer Unbekannten zu tun haben.

Tremont sagte: »Okay.«

»Und jetzt gehen wir noch einen Schritt weiter. Nehmen wir an, es gibt einen Grund dafür, dass diese beiden Frauen die Opfer waren.«

»Zum Beispiel?«

»Das weiß ich noch nicht, aber machen wir erst mal weiter. Wenn es einen Grund dafür gibt ... Vergessen Sie das. Selbst wenn es keinen Grund gibt und wir davon ausgehen, dass wir es nicht mit einem Serienkiller zu tun haben, muss es eine Verbindung zwischen den beiden Opfern geben.«

Tremont nickte und merkte dann, worauf sie hinauswollte. »Und wenn es eine Verbindung zwischen ihnen gibt«, sagte er, »ist die Wahrscheinlichkeit hoch, dass sie sich kannten.«

Muse erstarrte. »Genau.«

»Und wenn Reba Cordova die Unbekannte kannte ...« Tremont lächelte zu ihr hoch.

»Dann könnte Neil Cordova die Unbekannte auch kennen. Rufen Sie die Polizei in Livingston an. Sie sollen Cordova herbringen. Vielleicht kann er sie identifizieren.«

»Bin schon dabei.« Tremont stand auf und wollte das Büro verlassen

»Frank?«

Er drehte sich zu ihr um.

»Gute Arbeit«, sagte sie.

»Ich bin ein guter Cop«, sagte er.

Sie antwortete nicht.

Er deutete auf sie. »Als Cop sind Sie auch gut, Muse. Vielleicht sogar fantastisch. Als Chefin aber nicht. Eine gute Chefin hätte nämlich das Beste aus ihren guten Cops rausgeholt. Das haben Sie nicht hingekriegt. Sie müssen lernen, wie man andere Leute einsetzt.«

Muse schüttelte den Kopf. »Klar, Frank, das muss es sein. Es liegt an meinen schlechten Führungsqualitäten, dass Sie den Fall verbockt und die Unbekannte für eine Prostituierte gehalten haben. Eindeutig mein Fehler.«

Er lächelte. »Ich hatte mir den Fall geangelt«, sagte er.

»Und dann haben Sie's verbockt.«

»Vielleicht bin ich das am Anfang falsch angegangen, aber ich bin noch da. Ganz egal, was ich von Ihnen halte. Ganz egal, was Sie von mir halten. Am Ende zählt nur, ob meinem Opfer Gerechtigkeit widerfährt.«

25

Mo fuhr zu dem Gebäude in der Bronx, dessen Adresse Anthony Mike gegeben hatte.

»Du wirst es nicht glauben«, sagte Mo.

»Was?«

»Wir werden verfolgt.«

Mike war so geistesgegenwärtig, sich nicht umzudrehen und den Beschattern so zu erkennen zu geben, dass sie entdeckt worden waren.

»Blauer viertüriger Chevrolet. Steht in zweiter Reihe kurz vor der nächsten Kreuzung. Zwei Männer, beide mit Yankee-Kappen und Sonnenbrillen.«

Gestern Abend hatte es hier auf der Straße von Menschen gewimmelt. Jetzt war sie praktisch leer. Die wenigen sichtbaren Personen lagen entweder schlafend in Hauseingängen oder sie staksten bemerkenswert lethargisch mit schlaff herunterhängenden Armen umher. Mike erwartete beinahe noch, dass ein Tumbleweedstrauch durch die Straße wehte.

»Geh du rein«, sagte Mo. »Ich ruf einen Freund an und sag ihm das Kennzeichen. Mal sehen, was er rauskriegt.«

Mike nickte. Beim Aussteigen versuchte er, einen unauffälligen Blick auf den Chevrolet zu werfen. Er sah ihn aber kaum und guckte sicherheitshalber nicht noch ein zweites Mal hin. Dann ging er zum Eingang. Auf der grauen Stahltür stand CLUB JAGUAR. Mike drückte den Klingelknopf. Ein Summer ertönte, und er stieß die Tür auf.

Die Wände waren leuchtend gelb gestrichen, wie man es sonst von *McDonald's* kannte oder von Kinderstationen in Krankenhäusern, die es mit der vermeintlich kindgerechten Einrichtung etwas zu gut gemeint hatten. Rechts hing ein Schwarzes Brett mit diversen Zetteln, auf denen man sich für Beratungstermine, Musikstunden, Bücherdiskussionen, und diverse Therapiegruppen für Drogenabhängige, Alkoholiker und körperlich oder seelisch Misshandelte einschreiben konnte. Auf diversen Anschlägen mit Abreißzetteln, auf denen die Telefonnummer stand, wurden Mitbewohner oder -bewohnerinnen für Wohnungen gesucht. Jemand wollte für hundert Dollar eine Couch verkaufen. Ein anderer wollte Gitarrenverstärker loswerden.

Er ging weiter zum Empfang. Eine junge Frau mit einem Ring in der Nase sah ihn an und fragte: »Kann ich Ihnen helfen?«

Er hatte das Foto von Adam in der Hand. »Haben Sie diesen Jungen gesehen?« Er legte das Bild vor ihr auf den Schreibtisch.

»Ich bin hier nur die Rezeptionistin«, sagte sie.

»Auch Rezeptionistinnen haben Augen. Ich habe gefragt, ob Sie ihn gesehen haben.«

»Ich darf nicht über unsere Gäste sprechen.«

»Ich erwarte nicht, dass Sie etwas über ihn sagen. Ich möchte nur wissen, ob Sie ihn gesehen haben.«

Ihre Lippen wurden schmal. Jetzt sah er, dass sie auch um den

Mund herum gepierct war. Sie sah schweigend zu ihm auf. So kam er nicht weiter.

»Gibt es hier einen Verantwortlichen? Kann ich ihn oder sie sprechen?«

»Das ist Rosemary.«

»Wunderbar. Kann ich sie sprechen?«

Die gut gepiercte Rezeptionistin griff zum Telefon. Sie deckte die Sprechmuschel mit der Hand ab und murmelte etwas hinein. Ein paar Sekunden darauf lächelte sie Mike zu und sagte: »Miss McDevitt erwartet Sie. Dritte Tür rechts.«

Mike wusste selbst nicht genau, was er erwartet hatte, aber Rosemary McDevitt war auf jeden Fall eine Überraschung. Sie war jung, zierlich und strahlte eine Art rohe Sinnlichkeit aus, die einen an einen Puma erinnerte. Sie hatte dunkle Haare mit einer violetten Strähne darin, außerdem schlängelte sich eine Tätowierung von der Schulter den Hals hinauf. Ihr einziges Oberteil war eine ärmellose, schwarze Lederweste. Sie hatte braungebrannte Arme und trug eine Ledermanschette um den Bizeps.

Sie stand auf, lächelte und streckte ihm die Hand entgegen. »Willkommen.«

Er schüttelte ihre Hand.

»Wie kann ich Ihnen helfen?«

»Ich heiße Mike Baye.«

»Hallo, Mike.«

»Äh, hallo. Ich suche meinen Sohn.«

Er stand direkt vor ihr. Mike war eins achtundsiebzig groß und überragte die Frau um fast zwanzig Zentimeter. Rosemary McDevitt sah sich Mikes Foto an. Ihre Miene verriet nichts.

»Kennen Sie ihn?«, fragte Mike.

»Ihnen ist schon klar, dass ich darauf nicht antworten darf.«

Sie versuchte, Mike das Foto zurückzugeben, aber Mike nahm es nicht an. Sein aggressives Verhalten hatte ihn nicht weit gebracht, also riss er sich zusammen und atmete tief durch.

»Ich habe nicht verlangt, dass Sie einen Vertrauensbruch begehen ...«

»Doch, Mike, das haben Sie.« Sie lächelte freundlich. »Genau das haben Sie verlangt.«

»Ich versuche nur, meinen Sohn zu finden. Weiter nichts.«

»Sieht das hier etwa wie ein Fundbüro aus?«

»Er wird vermisst.«

»Dies ist eine Zufluchtsstätte, Mike. Wissen Sie, was das bedeutet? Viele Jugendliche kommen zu uns auf der Flucht vor ihren Eltern.«

»Ich mache mir Sorgen, dass er in Gefahr ist. Er ist gegangen, ohne jemandem etwas davon zu sagen. Er ist gestern Abend hier gewesen, und ...«

»Brr.« Sie hob die Hand und unterbrach ihn.

»Er ist gestern Abend hier gewesen? Das haben Sie gerade gesagt, stimmt's, Mike?«

»Stimmt.«

Ihre Augen verengten sich. »Woher wissen Sie das, Mike?«

Die dauernde Benutzung seines Namens ging ihm auf die Nerven. »Wie bitte?«

»Woher wissen Sie, dass Ihr Sohn hier war?«

»Das ist eigentlich nicht weiter wichtig.«

Sie lächelte und trat einen Schritt zurück. »Da bin ich anderer Ansicht.«

Er musste das Thema wechseln. Er sah sich um. »Was ist das hier eigentlich genau?«

»Wir sind so eine Art Zwitter.« Rosemary musterte ihn mit einem Blick, der ihm sagte, dass sie wusste, was er mit dieser Frage bezweckte. »Betrachten Sie es als eine Art Jugendzentrum, aber mit einem neuen Dreh.«

»Inwiefern?«

»Erinnern Sie sich noch an diese Programme mit dem Mitternachtsbasketball?«

»Das war in den Neunzigern, oder? Dadurch wollte man die Jugendlichen von der Straße fernhalten.«

»Genau. Über den Erfolg und Misserfolg möchte ich jetzt nicht weiter diskutieren, auf jeden Fall richteten sich die Programme an Kids aus den armen Innenstadtvierteln – und viele Leute haben darin eine rassistische Unterströmung gesehen. Na ja, da sollte mitten in der Innenstadt Basketball gespielt werden. Was soll man dazu noch sagen?«

»Also machen Sie das anders?«

»Erstens richten wir uns nicht nur an die Armen. Das klingt vielleicht ein bisschen reaktionär, aber ich weiß nicht, ob dies der beste Ort für afroamerikanische oder andere Teenager aus den Innenstädten ist. Das müssen die unter sich ausmachen. Außerdem kann ich mir nicht vorstellen, dass man die Verlockungen so langfristig eindämmen kann. Sie sollen ja verstehen, dass sie aus dieser Lebenssituation nicht durch Waffen oder Drogen herauskommen, und ich bezweifele doch sehr, dass sie das durch Basketballspielen lernen.«

Eine Gruppe junger Männer schlurfte an ihrem Büro vorbei. Alle trugen das typische Grufti-Schwarz und diverse Accessoires aus dem Bereich Nieten und Ketten. Die Hosen hatten alle einen extrem weiten Schlag, so dass man ihre Schuhe nicht sehen konnte.

»Hey, Rosemary.«

»Hey, Jungs.«

Sie gingen weiter. Rosemary wandte sich wieder an Mike. »Wo wohnen Sie?«

»New Jersey.«

»In einem Vorort, stimmt's?«

»Ja.«

»Die Teens bei Ihnen. Wodurch geraten die so in Schwierigkeiten.«

»Keine Ahnung. Drogen und Alkohol.«

»Genau. Sie wollen feiern. Sie glauben, dass sie sich langweilen – vielleicht tun sie das auch wirklich, wer weiß? –, also wollen sie ausgehen, einen draufmachen, sich besaufen oder bekiffen, flirten und alles Mögliche. Genau das bieten wir ihnen hier. Die wollen nämlich gar nicht Basketball spielen.«

»Sie können hier einen draufmachen?«

»Nicht so, wie Sie jetzt denken. Kommen Sie, ich zeig's Ihnen.«

Sie verließen das Zimmer und folgten dem hellgelben Flur. Mike blieb neben ihr. Sie hielt sich sehr aufrecht. Am Ende des Flurs zog sie einen Schlüssel aus der Tasche, öffnete eine Tür und ging die Treppe hinunter. Mike folgte ihr.

Es war eine Disco oder ein Club oder wie immer man das heutzutage nannte. Da standen gepolsterte Bänke, runde Leuchttische und niedrige Hocker. Es gab eine Kabine für den DJ und eine Tanzfläche aus Holz, zwar keine Spiegelkugel, aber verschiedene bunte bewegliche Lichtstrahler. An der Rückwand war ein Graffiti mit den Worten CLUB JAGUAR.

»Das wollen Teenager«, sagte Rosemary McDevitt. »Einen Ort, an dem sie Dampf ablassen können. An dem sie sich amüsieren und mit ihren Freunden abhängen können. Wir schenken hier keinen Alkohol aus, aber alkoholfreie Drinks, die wie alkoholische aussehen. Wir haben gut aussehende Barkeeper und Kellnerinnen. Wir machen das, was gute Clubs sonst auch machen. Der Hauptpunkt ist aber, dass sie hier sicher sind. Verstehen Sie das? Kids wie Ihr Sohn kommen in die Stadt und versuchen, sich falsche Papiere zu besorgen. Sie wollen Drogen kaufen oder an Alkoholika rankommen, obwohl sie noch minderjährig sind. Wir arbeiten dagegen an, indem wir einen Teil davon anbieten und sie so auf eine gesündere Bahn lenken.«

»Mit dem Laden hier?«

»Nicht nur. Wir bieten auch Beratungen an, wenn sie die brauchen. Wir haben Leseclubs und Gruppentherapien, oder sie können in den Computerraum gehen und mit der Xbox, der Playstation 3 oder den anderen Sachen spielen, die man normalerweise mit einem Jugendzentrum in Verbindung bringt. Aber das Wichtigste ist tatsächlich dieser Club hier. Der macht uns, entschuldigen Sie den Teenagerjargon, einfach cool.«

»Es gibt Gerüchte, dass Sie Alkohol ausschenken.«

»Diese Gerüchte sind falsch. Die meisten Gerüchte dieser Art werden von den anderen Clubs in Umlauf gebracht, weil sie Kunden an uns verlieren.«

Mike sagte nichts.

»Hören Sie, sagen wir, Ihr Sohn ist in die Stadt gekommen, weil er hier abfeiern wollte. Er könnte da vorne die 3rd Avenue entlanggehen und in einer der Seitenstraßen Kokain kaufen. Und der Typ, der meist im Hauseingang rund fünfzig Meter von hier entfernt steht, verkauft sogar Heroin. Sie finden hier jede Droge, die Ihnen einfällt, und die Kids kaufen sie hier auch auf der Straße. Und wenn nicht, kommen sie mit irgendwelchen falschen Papieren in einen Club, in dem sie sich dann besaufen oder sonst was. Wir sind hier, um sie zu schützen. Hier können sie Dampf ablassen, ohne sofort mit Drogen in Berührung zu kommen.«

»Kommen hier auch Straßenkinder rein?«

»Wir würden sie nicht rausschmeißen, aber es gibt andere Organisationen, die dafür besser geeignet sind. Wir versuchen nicht, das Leben der Jugendlichen so sehr zu verändern, weil ich, ehrlich gesagt, nicht glaube, dass das funktioniert. Ein Jugendlicher, der auf die schiefe Bahn geraten ist oder aus einer völlig kaputten Familie stammt, braucht erheblich mehr Hilfe, als wir ihm hier bieten können. Unser Ziel ist es, die im Großen und Ganzen anständigen Jugendlichen vor dem Abgleiten zu schützen. Da haben wir es oft mit dem umgekehrten Problem zu tun – diese Eltern bemuttern ihre Kinder oft viel zu sehr. Sie lassen sie überhaupt nicht aus den Augen. Dadurch haben die Teenager überhaupt keinen Platz zum Rebellieren mehr.«

So hatte er selbst im Lauf der Jahre Tia gegenüber immer wieder argumentiert. Wir lassen ihnen keine Freiräume. Mike war früher ganz allein unterwegs. Fast jeden Samstag hatte er den ganzen Tag im Branch Brooks Park gespielt und war erst spät Abends nach Hause gekommen. Heutzutage konnten seine eigenen Kinder nicht einmal die Straße überqueren, ohne dass Tia oder er ganz genau aufpassten, in der Befürchtung, dass ... ja was eigentlich?

»Also stellen Sie ihnen diesen Raum zur Verfügung?«

»Genau.«

Er nickte. »Wer leitet das Ganze?«

»Ich. Ich hab vor drei Jahren damit angefangen, nachdem mein Bruder an einer Überdosis gestorben war. Greg war ein guter Junge. Er war sechzehn. Er hat keinen Sport getrieben und war daher nicht besonders beliebt und so. Er fühlte sich sehr stark gegängelt von unseren Eltern und der Gesellschaft im Allgemeinen. Das war erst das zweite Mal, dass er Drogen ausprobiert hat.«

»Das tut mir leid.«

Sie zuckte die Achseln, drehte sich um und ging die Treppe wieder hinauf. Er folgte ihr schweigend.

»Ms McDevitt?«

»Rosemary«, sagte sie.

»Rosemary. Ich will nicht, dass mein Sohn eine Nummer in irgendeiner Statistik wird. Er war gestern Abend hier. Wo er jetzt ist, weiß ich nicht.«

»Ich kann Ihnen nicht helfen.«

»Haben Sie ihn schon mal gesehen?«

Sie wandte ihm immer noch den Rücken zu. »Ich kämpfe hier für ein höheres Ziel, Mike.«

»Also ist mein Sohn entbehrlich.«

»Das habe ich nicht gesagt. Aber wir sprechen nicht mit Eltern. Nie. Dies ist ein Ort für Teenager. Wenn bekannt wird, dass ...«

»Ich werd niemand etwas davon sagen.«

»Es ist Teil der Statuten unserer Mission.«

»Und was ist, wenn Adam in Gefahr schwebt?«

»Dann würde ich Ihnen helfen, wenn ich könnte. Aber das trifft hier nicht zu.«

Mike wollte ihr widersprechen, aber dann sah er ein paar Gruftis am anderen Ende des Flurs.

»Sind das Gäste von Ihnen?«, fragte er und trat ins Büro.

»Gäste und Mitarbeiter.«

»Mitarbeiter?«

»Die machen so ziemlich alles. Sie helfen, den Laden sauber zu halten. Nachts feiern sie dann. Und dabei passen sie noch auf den Club auf.«

»Wie Türsteher?«

Sie wackelte nachdenklich mit dem Kopf. »Das wäre vielleicht etwas hart. Aber sie helfen denen, die zum ersten Mal kommen, sich hier zurechtzufinden. Sie sorgen für Ordnung. Sie halten die Augen offen und achten darauf, dass sich keiner einen Joint ansteckt oder auf der Toilette Drogen nimmt oder so was.«

Mike verzog das Gesicht. »Dann leiten die Insassen das Gefängnis.«

»Das sind gute Jungs.«

Mike schaute kurz zu der Gruppe hinüber, dann wandte er den Blick wieder Rosemary zu und betrachtete sie einen Moment lang. Sie war ziemlich spektakulär anzusehen. Ihr Modelgesicht hatte so spitze Wangenknochen, dass man sie auch als Brieföffner hätte benutzen können. Wieder sah Mike die Gruftis an. Es waren vier oder fünf – eine leicht verschwommene Masse in Schwarz und Silber. Sie versuchten, hart auszusehen, was ihnen allerdings gründlichst misslang.

»Rosemary?«

»Ja?«

»Irgendwie überzeugt mich Ihr Lobgesang nicht richtig«, sagte Mike.

»Mein Lobgesang?«

»Ihre Laudatio auf diesen Laden. In gewissem Sinne klingt das ja alles ganz logisch.«

»Aber?«

Er drehte sich um und sah ihr direkt in die Augen. »Ich glaube aber, Sie labern nur Scheiße. Wo ist mein Sohn?«

»Ich muss Sie bitten zu gehen.«

»Wenn Sie ihn verstecken, lass ich den Laden hier bis auf den letzten Stein auseinandernehmen.«

»Ab jetzt begehen Sie Hausfriedensbruch, Dr Baye.«

Sie sah den Flur entlang zur Grufti-Gruppe und nickte kurz. Sie schlurften auf Mike zu und kreisten ihn ein. »Gehen Sie jetzt bitte.«

»Werden Ihre …«, er malte Anführungszeichen in die Luft, »… ›Mitarbeiter‹ mich jetzt rausschmeißen?«

Der größte Grufti grinste und sagte: »Dich hat sich ja wohl vor kurzem schon mal jemand zur Brust genommen, Alter.«

Die anderen Gruftis kicherten. Mike sah nur eine nebulöse Mischung aus Schwarz, Blässe, Mascara und Metall. Sie wollten so hart sein und waren es nicht, aber vielleicht machte sie gerade die Verzweiflung, etwas sein zu wollen, was sie nicht waren, so unheimlich.

Mike überlegte, was er tun sollte. Der große Grufti war vielleicht Anfang zwanzig, schlaksig, mit großem Adamsapfel. Am liebsten hätte Mike ihm einfach einen überraschenden Schlag in den Solarplexus verpasst – wenn man einfach das Arschloch ausschaltete, den Anführer außer Gefecht setzte, wussten sie, dass man es ernst meinte. Andererseits hätte er ihm auch gern den Unterarm auf den hüpfenden Adamsapfel geknallt, so dass dem Grufti die nächsten vierzehn Tage lang die Stimmbänder weh taten. Aber wahrscheinlich stürzten sich die anderen dann auf ihn. Zwei oder drei konnte er vielleicht ausschalten, aber nicht alle.

Er überlegte noch, als ihm etwas ins Auge fiel. Die schwere Stahltür summte und öffnete sich. Dieses Mal stutzte Mike nicht nur beim Anblick der schwarzen Kleidung. Vor allem fielen ihm die dunklen Flecken um die Augen auf.

Außerdem hatte der gerade hereinkommende Grufti ein Pflaster über die Nase geklebt.

Über seine kürzlich gebrochene Nase, dachte Mike.

Ein paar Gruftis gingen zu dem Neuen und klatschten ihn träge ab. Sie bewegten sich, als ob sie in Ahornsirup schwammen. Auch ihre Stimmen klangen lahm und teilnahmslos, fast so, als wären sie auf *Prozac*. »Yo, Carson«, stammelte einer. »Carson, alter Kumpel«, krächzte ein anderer. Als sie die Hände hoben, um ihm auf den Rücken zu klopfen, schien auch diese Bewegung sie sehr anzustrengen. Carson ließ das aufwendige Begrüßungsritual routiniert über sich ergehen, als ob er das gewohnt wäre oder es ihm zustünde.

»Rosemary?«, sagte Mike.

»Ja.«

»Sie kennen nicht nur meinen Sohn, Sie kennen sogar mich.«

»Wieso?«

»Sie haben mich eben Dr Baye genannt.« Er behielt den Grufti mit der gebrochenen Nase im Auge. »Woher wissen Sie, dass ich Arzt bin?«

Er wartete die Antwort nicht ab. Das hätte nichts gebracht. Er lief zur Tür und verpasste dem großen Grufti auf dem Weg noch einen kräftigen Stoß. Der mit der gebrochenen Nase – Carson – sah ihn auf sich zukommen. Die blau angelaufenen Augen weiteten sich. Carson trat wieder vor die Tür. Mike rannte jetzt schneller, erreichte die Stahltür, bevor sie ins Schloss fiel, und war draußen.

Carson mit der gebrochenen Nase war ungefähr drei Meter vor ihm.

»Hey!«, rief Mike.

Der Drecksack drehte sich um. Die pechschwarzen Haare hingen wie ein Vorhang über ein Auge.

»Was ist mit deiner Nase passiert?«

Carson versuchte, der Antwort durch Spott auszuweichen: »Was ist mit Ihrem Gesicht passiert?«

Mike rannte weiter. Die anderen Gruftis waren jetzt auch aus dem Club gekommen. Sechs gegen einen. Aus dem Augenwinkel sah Mike, dass Mo ausstieg und auf sie zukam. Sechs gegen zwei – aber er hatte Mo an seiner Seite. Das konnte man durchaus probieren.

Er trat näher, bis er nur noch ein paar Zentimeter von Carsons gebrochener Nase entfernt war, und sagte: »Ein feiger Haufen Wichser hat sich gestern, als ich nicht hingeguckt habe, auf mich gestürzt. Das ist mit meinem Gesicht passiert.«

Carson versuchte weiterhin, den starken Mann zu markieren. »Ja, Pech gehabt.«

»Oh, danke, aber jetzt kommt die Pointe. Der größte Loser von diesen Wichsern hat von mir dann doch noch so einen auf die Nase gekriegt, dass die gebrochen ist.«

Carson zuckte die Achseln. »Einen Glückstreffer kann man immer mal landen.«

»Stimmt. Vielleicht möchte der feige Wichser es ja noch mal versuchen? Mann gegen Mann. Von Angesicht zu Angesicht.«

Der Anführer der Gruftis sah sich um und vergewisserte sich, dass seine Leute da waren. Die anderen Gruftis nickten, rückten Metallspangen zurecht, lockerten sich die Finger und wollten mit diesem Getue zeigen, dass sie bereit waren.

Mo ging auf den großen Grufti zu und packte ihn an der Kehle, bevor irgendjemand reagieren konnte. Der Grufti wollte etwas sagen, was durch Mos festen Griff aber erstickt wurde.

»Wenn sich jemand in den Kampf einmischt«, sagte Mo zu ihm, »tu ich dir weh. Nicht dem, der aus der Reihe tanzt. Nicht dem, der sich einmischt, sondern dir. Ich werde dir sehr weh tun, klar?«

Der große Grufti nickte langsam.

Mike sah Carson an. »Bist du so weit?«

»Hey, ich will doch gar nichts von Ihnen.«

»Ich aber von dir.«

Mike gab ihm einen Schubs – wie bei einem Streit auf dem Schulhof. Herausfordernd. Die anderen Gruftis wirkten verwirrt, wussten nicht, wie sie sich verhalten sollten. Mike schubste Carson noch einmal.

»Hey!«

»Was habt ihr mit meinem Sohn gemacht?«

»Hö? Mit wem?«

»Mit meinem Sohn, Adam Baye. Wo ist er?«

»Woher soll ich das wissen?«

»Ihr habt mich gestern Abend überfallen, ja? Wenn du nicht die Tracht Prügel deines Lebens kassieren willst, dann rede jetzt.«

Dann sagte eine andere Stimme: »Keine Bewegung! FBI!«

Mike blickte auf. Vor ihm standen die beiden Männer mit den Baseballkappen, die sie beschattet hatten. Beide hatten Pistolen in der einen, Polizeimarken in der anderen Hand.

Ein Agent sagte: »Michael Baye?«

»Ja?«

»Darryl LeCrue, FBI. Wir müssen Sie bitten mitzukommen.«

26

Als Betsy Hill sich verabschiedet hatte, schloss Tia die Haustür und ging nach oben. Sie schlich an Jills Zimmer vorbei in das Zimmer ihres Sohns. Sie zog Adams Schreibtischschublade heraus und durchwühlte seine Sachen. Die Spionage-Software auf den Computer zu spielen war ihr vollkommen richtig erschienen – warum hatte sie jetzt das Gefühl, etwas Falsches zu tun? Sie fing an, sich selbst zu hassen. Ihr ganzes Verhalten, das Eindringen in die Privatsphäre ihres Sohns, jetzt kam ihr das alles falsch vor.

Trotzdem suchte sie weiter.

Adam war ein Kind. Immer noch. In der Schublade war seit Ewigkeiten nicht mehr aufgeräumt worden, daher stieß sie, fast wie bei einer archäologischen Ausgrabung, auf unzählige Überbleibsel aus vergangenen »Ären« ihres Sohns: Baseballsammelbilder, Pokemon-Karten, Yu-Gi-Oh, ein Tamagotchi, dessen Batterie schon lange leer war, Crazy Bones – all die topaktuellen Dinge, die Kinder eine Zeit lang sammelten und dann links liegen ließen. Adam war mit den Sachen, die er damals unbedingt haben *musste*, besser umgegangen als viele andere Kinder. Er hatte weder nach immer mehr verlangt, noch sie sofort in die Ecke geschmissen, als sie nicht mehr angesagt waren.

Sie schüttelte den Kopf. Sie lagen immer noch in seiner Schublade.

Dazwischen lagen Kugelschreiber, Bleistifte und sein alter Zahnspangenbehälter. (Tia hatte ihn immer ermahnt, wenn er die Spange einmal nicht getragen hatte.) Anstecker von einem Disney-World-Besuch vor vier Jahren, alte Rangers-Eintrittskarten. Sie nahm die abgerissenen Eintrittskarten heraus und dachte an seinen freudig konzentrierten Gesichtsausdruck beim Angucken eines Eishockeyspiels. Dann fiel ihr ein, wie er und sein Vater ein Rangers-Tor gefeiert hatten – sie waren aufgesprungen, hatten sich abgeklatscht und dann den albernen Torsong angestimmt, der im Prinzip nur aus den Worten »Oh, oh, oh« und rhythmischem Klatschen bestand.

Dann fing sie an zu weinen.

Reiß dich zusammen, Tia.

Sie setzte sich an den Computer. Das war jetzt die Welt, in der Adam lebte. Im Zimmer eines Jugendlichen drehte sich alles um den Computer. Auf diesem Bildschirm spielte Adam die neuste Online-Version von *Halo*. Hier kommunizierte er mit Fremden und Freunden in Chatrooms. Via Facebook und MySpace pflegte er hier die Kontakte zu Freunden aus dem Internet und aus der realen Welt. Vor einiger Zeit hatte er auch ein bisschen Online-Poker gespielt, was ihm dann aber, zu Mikes und Tias Freude, schnell zu langweilig geworden war. Er sah sich auf YouTube komische Kurzfilme, Filmtrailer, Musikvideos und ja, auch schlüpfrige Sachen an. Und er hatte sich auch an Rollenspielen und Simulationen beteiligt – oder wie diese Programme hießen, in die manche Menschen genauso tief versinken konnten wie Tia in ein Buch, wobei sie nicht wusste, ob das gut oder schlecht war.

Dazu kamen noch diese ganzen Sexsachen – und die trieben sie zur Weißglut. Man wollte alles richtig machen und den Informationsfluss für die Kinder kontrollieren, hatte aber absolut keine Chance. Sobald man morgens das Radio einstellte, schwätzten die Moderatoren schon über Titten, Untreue und Orgasmen. Sobald man eine Zeitschrift aufschlug oder eine Fernsehserie einschaltete – tja, sich über die ewige Fleischbeschau zu beklagen war passé, aber wie sollte man dann damit umgehen? Sollte man seinem Kind erzählen, dass das falsch war? Aber was genau war daran eigentlich falsch?

Kein Wunder, dass die Menschen sich nach klaren Antworten wie sexueller Abstinenz vor der Ehe sehnten, aber erstens funktionierte das sowieso nicht, und zweitens wollte man den Kindern ja auch nicht vermitteln, dass Sex irgendwie falsch, böse oder gar tabu war – und trotzdem sollten sie noch nicht damit anfangen. Man wollte ihnen vermitteln, dass Sex eine gute und gesunde Sache war – sie es aber nicht tun durften. Wie sollen Eltern diesen Drahtseilakt bewältigen? Seltsamerweise erwarteten wir von unseren Kindern, dass sie die gleiche Einstellung vertraten, als ob unsere die beste und vernünftigste wäre – obwohl unsere Eltern in dieser Beziehung solchen Mist gebaut hatten. Aber wieso? Waren wir genau richtig erzogen worden, oder hatten wir diese Balance irgendwie in uns selbst gefunden? Würden unsere Kinder das auch tun?

»Hey, Mom.«

Jill stand in der Tür. Sie sah ihre Mutter fragend an, weil sie, wie Tia annahm, wohl überrascht war, sie in Adams Zimmer zu sehen. Einen Moment lang war es ganz still. Diese Stille hielt vielleicht gerade mal eine Sekunde, trotzdem hatte Tia den Eindruck, dass ein kalter Windhauch durchs Zimmer wehte.

»Hey, Schatz.«

Jill hatte Tias Blackberry in der Hand. »Darf ich BrickBreaker spielen?«

Jill spielte unglaublich gerne die Spiele auf dem Blackberry ihrer Mutter. Normalerweise hätte Tia jetzt kurz geschimpft, weil Jill sich den Blackberry schon genommen und erst hinterher gefragt hatte. Wie die meisten Kids machte Jill das fast immer so. Sie lieh sich Tias Blackberry, ihren iPod oder benutzte den Computer im Schlafzimmer, weil ihrer nicht so schnell war, oder sie ließ das schnurlose Telefon in ihrem Zimmer liegen, so dass Tia es erst suchen musste.

Aber es war einfach nicht der richtige Zeitpunkt für Tias Standardvortrag über verantwortliches Handeln.

»Natürlich. Aber wenn es klingelt, bring ihn mir bitte sofort.«

»Okay.« Jill sah sich im Zimmer um. »Was machst du hier?«

»Ich schau mich um.«

»Wonach suchst du?«

»Ich weiß es nicht. Vielleicht nach einem Hinweis, wo Adam sein könnte.«

»Das wird doch alles wieder gut, oder?«

»Natürlich, mach dir keine Sorgen.« Als ihr dann wieder einfiel, dass das Leben weiterging und sie sich außerdem nach ein bisschen Normalität sehnte, fragte Tia noch: »Hast du Hausaufgaben auf?«

»Hab ich schon fertig.«

»Gut. Ist sonst alles in Ordnung?«

Jill zuckte die Achseln.

»Willst du über irgendwas reden?«

»Nein, mir geht's gut. Ich mach mir nur Sorgen wegen Adam.«

»Ich weiß, mein Schatz. Wie läuft's denn so in der Schule?«

Wieder ein Achselzucken. Dumme Frage. Im Lauf der Jahre hatte Tia ihren beiden Kindern diese Frage mindestens tausendmal gestellt, und nie, nicht ein einziges Mal, hatte sie eine andere Antwort gekriegt als ein Achselzucken, ein knappes »Gut«, »Okay« oder »Wie immer«.

Tia verließ das Zimmer ihres Sohns. Da war nichts zu finden. Außerdem erwartete der Ausdruck des E-SpyRight-Berichts im Schlafzimmer auf sie. Sie schloss die Tür und fing an zu lesen. Heute Morgen hatte Adam E-Mails von seinen Freunden Clarke und Olivia bekommen, die aber ziemlich kurz gehalten waren. Beide wollten wissen, wo er war, und erwähnten, dass seine Eltern angerufen hatten und ihn suchten.

Eine Mail von DJ Huff war nicht dabei.

Hmm. DJ und Adam mailten sich häufig. Und plötzlich nichts mehr – als ob er wüsste, dass Adam nicht da war und antworten konnte.

Es klopfte leise an der Tür. »Mom?«

»Komm rein.«

Jill drehte den Knauf. »Ich hätte fast vergessen, dir das zu sagen. Die Praxis von Dr Forte hat angerufen. Ich habe Dienstag einen Zahnarzttermin.«

»Gut, danke.«

»Warum muss ich überhaupt schon wieder zu Dr Forte? Die Zahnreinigung war doch erst.«

Der Alltag. Wieder freute Tia sich darüber. »Es wäre möglich, dass du eine Zahnspange brauchst.«

»Schon?«

»Ja. Adam war dein …« Sie brach ab.

»Mein was?«

Sie drehte sich um und sah den E-SpyRight-Bericht auf dem Bett an. Das war der von heute, aber der nützte ihr nichts. Sie brauchte den, in dem die Original-E-Mail über die Party bei den Huffs war.

»Mom? Was ist los?«

Tia und Mike hatten die alten Berichte feinsäuberlich im Aktenvernichter entsorgt, die E-Mail hatte sie jedoch aufbewahrt, um sie Mike zu zeigen. Wo hatte sie die hingelegt? Sie sah neben ihrem Bett nach. Stapelweise Papier. Sie fing an, es durchzusehen.

»Kann ich dir irgendwie helfen?«, fragte Jill.

»Nein, schon gut, Schatz.«

Sie war nicht da. Tia richtete sich auf. Machte eigentlich nichts.

Tia ging schnell wieder online. Die E-SpyRight-Seite war unter den *Favoriten* aufgelistet. Sie meldete sich an und klickte auf den Archiv-Button. Dann klickte sie auf das entsprechende Datum.

Sie brauchte keinen Ausdruck. Als der Tag auf dem Bildschirm erschien, scrollte Tia nach unten, bis sie die »Huff Party«-E-Mail gefunden hatte. Die Mail selbst interessierte sie nicht, sie wusste, was da stand – die Huffs waren weg, und die Kids wollten feiern und sich mit irgendetwas zudröhnen –, aber wenn sie jetzt darüber nachdachte, was war da eigentlich passiert? Mike war hingefahren, und da hatte nicht nur keine Party stattgefunden, Daniel Huff war auch noch zu Hause gewesen.

Hatten die Huffs es sich anders überlegt?

Aber darum ging es jetzt auch nicht. Tia fuhr mit dem Mauszeiger zu der Stelle, die die meisten für die unwichtigste gehalten hätten.

Die Spalte mit den Daten und Zeiten.

Der E-SpyRight-Bericht zeigte einem nicht nur, wann die E-Mail abgeschickt worden war, sondern auch, wann Adam sie geöffnet hatte.

»Mom, was machst du?«

»Ich brauch noch einen Moment, Schatz.«

Tia griff zum Telefon und rief Dr Fortes Praxis an. Es war zwar

Samstag, aber sie wusste, dass der Zahnarzt oft am Wochenende arbeitete, weil die Kinder in der Woche noch so viele Termine nach der Schule hatten. Sie sah auf die Uhr, es klingelte drei-, dann viermal. Beim fünften Klingeln verlor sie fast den Mut, aber dann folgte die Erlösung.

»Praxis Dr Forte?«

»Hi, guten Morgen. Hier ist Tia Baye, Adam und Jills Mutter.«

»Ja, Mrs Baye, was kann ich für Sie tun?«

Tia versuchte, sich an den Namen der Rezeptionistin bei Dr Forte zu erinnern. Sie war schon seit Jahren da, kannte jeden, leitete schon fast die Praxis. Dann fiel er ihr ein. »Spreche ich mit Caroline?«

»Ja.«

»Hi, Caroline. Hören Sie, das mag jetzt etwas seltsam klingen, aber Sie müssen mir unbedingt einen Gefallen tun.«

»Tja, ich werde es versuchen. Nächste Woche ist allerdings ziemlich voll.«

»Nein, darum geht's nicht. Adam hatte am Achtzehnten um fünfzehn Uhr fünfundvierzig einen Termin bei Ihnen.«

Keine Antwort.

»Ich muss wissen, ob er bei Ihnen war?«

»Sie meinen, ob er einfach nicht gekommen ist, ohne den Termin abzusagen?«

»Ja.«

»Nein, dann hätte ich Sie angerufen. Adam war hundertprozentig hier.«

»Wissen Sie, ob er pünktlich da war?«

»Wenn Ihnen das weiterhilft, kann ich Ihnen die genaue Zeit geben, als er hier angekommen ist. Sie steht in unserer Anmeldedatei.«

»Ja, das wäre gut.«

Wieder entstand eine Pause. Tia hörte erst das Klicken einer Computertastatur, dann raschelte Papier.

»Adam ist früh hier gewesen, Mrs Baye – er war um fünfzehn Uhr zwanzig an der Anmeldung.«

Das klang plausibel, dachte Tia. Normalerweise ging er ja direkt von der Schule hin.

»Und wir haben ihn pünktlich – genau um fünfzehn Uhr fünfundvierzig ins Behandlungszimmer geholt. Beantwortet das Ihre Frage?«

Fast wäre Tia das Telefon aus der Hand gefallen. Irgendwas stimmte hier ganz und gar nicht. Sie sah noch einmal auf den Bildschirm – in die Spalte, in der das Datum und die Zeit aufgelistet waren. Die »Huff Party«-E-Mail war um 15.32 Uhr abgeschickt worden. Sie war um 15.37 geöffnet worden.

Da war Adam gar nicht zu Hause gewesen.

Das war vollkommen unlogisch, es sei denn ...

»Vielen Dank, Caroline.« Dann rief sie sofort Brett, ihren Computerexperten an. Er meldete sich: »Yo.«

Tia beschloss, ihn von Anfang an in die Defensive zu drängen. »Vielen Dank, dass Sie mich an Hester verraten haben.«

»Tia? Oh, hören Sie, das tut mir echt leid.«

»Ja, klar doch.«

»Nein, wirklich. Hester weiß über alles Bescheid, was hier im Büro läuft. Ist Ihnen klar, dass sie jeden Computer hier überwacht? Manchmal liest sie nur so aus Spaß die privaten E-Mails von den Mitarbeitern. Sie meint, solange die sich bei ihr im Büro aufhalten ...«

»Ich war nicht bei ihr im Büro.«

»Ich weiß. Tut mir leid.«

Jetzt musste es aber weitergehen. »Laut dem E-SpyRight-Bericht hat mein Sohn um fünfzehn Uhr siebenunddreißig eine E-Mail gelesen.«

»Und?«

»Und da war er gar nicht zu Hause. Kann er die auch woanders gelesen haben?«

»Wissen Sie das aus dem E-SpyRight-Bericht?«

»Ja.«

»Dann nicht. E-SpyRight überwacht nur das, was auf dem Computer passiert. Wenn er sich von einem anderen Computer eingeloggt und die E-Mail da gelesen hat, erscheint es nicht im Bericht.«

»Wie kann das dann sein?«

»Hmm. Erstens, sind Sie sicher, dass er nicht zu Hause war?«

»Absolut.«

»Dann muss jemand anders da gewesen sein. Und dieser Jemand war an seinem Computer.«

Tia schaute noch einmal auf den Bildschirm. »Hier steht, dass die E-Mail um fünfzehn Uhr achtunddreißig gelöscht wurde.«

»Dann ist jemand an den Rechner Ihres Sohns gegangen, hat die E-Mail gelesen und dann gelöscht.«

»Dann hat Adam sie also gar nicht gesehen, oder?«

»Wahrscheinlich nicht.«

Die drei ersten Verdächtigen schloss Tia sofort aus: Mike und sie selbst waren bei der Arbeit gewesen, und Jill war mit Yasmin zu den Novaks gegangen.

Also war keiner von ihnen zu Hause gewesen.

Wie konnte jemand anders hier eingedrungen sein, ohne irgendwelche Einbruchspuren zu hinterlassen? Sie dachte an den Schlüssel, der im Pseudo-Felsen am Zaunpfahl versteckt lag.

Ein kurzes Summen zeigte ihr, dass noch jemand anrief. Sie sah im Display, dass es Mo war.

»Brett, ich werde später noch mal anrufen.« Sie schaltete auf den zweiten Anruf. »Mo?«

»Du wirst es nicht glauben«, sagte er, »aber Mike ist gerade vom FBI verhaftet worden.«

*

Loren Muse saß im improvisierten Vernehmungsraum und betrachtete Neil Cordova eingehend.

Er war eher klein, hatte zierliche Knochen, war kompakt und auf eine fast zu makellose Art attraktiv. Wenn er neben seiner Frau stand, ähnelten die beiden sich etwas. Das wusste Muse, weil er Fotos mitgebracht hatte, auf denen sie zusammen zu sehen waren. Er hatte viele Fotos mitgebracht – auf Kreuzfahrten, an Stränden, bei Familienfeiern, auf Partys, im Garten. Neil und Reba Cordova waren fotogen, gesund und posierten gerne Wange an Wange. Sie sahen auf allen Fotos glücklich aus.

»Finden Sie sie bitte«, sagte Neil Cordova zum dritten Mal, seit er den Raum betreten hatte.

Sie hatte schon zweimal gesagt: »Wir tun, was wir können«, also sparte sie sich diesmal die Antwort.

Er fügte hinzu: »Ich will Ihnen helfen, wo ich nur kann.«

Neil Cordova hatte kurzgeschorene Haare und trug einen blauen Blazer und eine Krawatte – als ob man das von ihm erwartete, als ob schon die Kleidung dazu beitragen könnte, dass er nicht zusammenklappte. Seine Schuhe waren auf Hochglanz poliert. Muse dachte darüber nach. Ihr Vater hatte auch immer glänzende Schuhe getragen. »Beurteile einen Menschen danach, wie gut seine Schuhe geputzt sind«, hatte er seiner kleinen Tochter immer wieder eingeschärft. Gut zu wissen. Als die vierzehnjährige Loren Muse die Leiche ihres Vaters in der Garage gefunden hatte – er hatte sich dorthin zurückgezogen, um sich das Hirn aus dem Kopf zu blasen –, hatte er wirklich wunderbar glänzende Schuhe angehabt.

Prima Tipp, Dad. Vielen Dank für das Selbstmordprotokoll.

»Ich weiß, wie das ist«, fuhr Cordova fort. »Der Ehemann ist immer verdächtig, oder?«

Muse verzog keine Miene. »Im Moment können wir keine Möglichkeit ausschließen.«

»Ich mach einen Lügendetektortest, ich nehm mir auch keinen Anwalt, was Sie wollen, ganz egal. Ich will nur nicht, dass Sie Ihre Zeit damit verschwenden, eine falsche Spur zu verfolgen. Ich weiß, dass Reba mich nicht verlassen hat. Und ich habe nichts mit dem zu tun, was ihr passiert ist.«

Man glaubte niemandem, dachte Muse. Das war die Regel. Sie hatte Verdächtige vernommen, deren schauspielerische Fähigkeiten DeNiro arbeitslos gemacht hätten. Aber bisher sprach alles für ihn, und ihr Gefühl sagte auch, dass Neil Cordova die Wahrheit sprach. Außerdem spielte es im Moment überhaupt keine Rolle.

Muse hatte Cordova herbringen lassen, damit er die Leiche der Unbekannten identifizierte. Ganz egal, ob er ein Feind oder ein Verbündeter war, jetzt brauchte sie vor allem seine Kooperation. Also sagte sie: »Mr Cordova, ich glaube nicht, dass Sie Ihrer Frau Schaden zugefügt haben.«

Die Erleichterung merkte man ihm sofort an, sie verschwand dann aber fast ebenso schnell. Es ging ihm nicht um sich, das sah Muse. Er machte sich Sorgen um die schöne Frau auf den schönen Fotos.

»Hatte Ihre Frau in letzter Zeit irgendwelche Probleme?«

»Nein, eigentlich nicht. Sarah – unsere achtjährige Tochter …«, er sammelte sich, steckte die Faust in den Mund, schloss die Augen und biss auf einen Fingerknöchel, »… Sarah hat Probleme beim Lesen. Das habe ich der Polizei in Livingston auch gesagt, als sie dieselbe Frage gestellt haben. Darüber hat Reba sich Sorgen gemacht.«

Das half ihr nicht weiter, aber zumindest redete er.

»Ich möchte Ihnen eine Frage stellen, die etwas seltsam klingen mag«, sagte Muse.

Er nickte, beugte sich vor und wartete verzweifelt darauf, dass er ihr helfen konnte.

»Hat Reba mit Ihnen über irgendwelche Freunde oder Freundinnen gesprochen, die Probleme haben?«

»Ich weiß nicht genau, was Sie unter Problemen verstehen.«

»Fangen wir so an. Ich nehme an, dass niemand aus Ihrem Bekanntenkreis vermisst wird?«

»Sie meinen, wie meine Frau?«

»Ich meine überhaupt. Gehen wir einen Schritt weiter. Ist einer oder eine Ihrer Bekannten weg, vielleicht einfach nur im Urlaub?«

»Die Friedmans sind für eine Woche in Buenos Aires. Mrs Friedman ist eine gute Freundin von Reba.«

»Gut.« Sie wusste, dass Clarence das mitschrieb. Er würde dem nachgehen und prüfen, ob Mrs Friedman da war, wo sie hingehörte. »Sonst noch jemand?«

Neil Cordova kaute nachdenklich auf irgendetwas in seinem Mund herum, während er über die Frage nachdachte.

»Ich versuche gerade, ihre Freunde durchzugehen«, sagte er.

»Entspannen Sie sich. Das ist in Ordnung. Sind in Ihrem Freundeskreis in letzter Zeit seltsame Dinge vorgefallen, gibt es irgendwelche Schwierigkeiten, fällt Ihnen sonst irgendetwas ein?«

»Reba hat mir erzählt, dass die Colders Eheprobleme haben.«

»Das ist gut. Noch etwas?«

»Tonya Eastman hat vor Kurzem bei einer Mammografie ein unklares Ergebnis bekommen, ihrem Mann aber noch nichts davon erzählt. Sie hat Angst, dass er sie verlässt. Das hat Reba zumindest gesagt. Wollen Sie solche Sachen hören?«

»Ja. Fahren Sie fort.«

Er rasselte noch ein paar Dinge herunter. Clarence machte Notizen. Als Neil Cordova langsam die Puste ausging, kam Muse zum Kern ihres Anliegens.

»Mr Cordova?«

Sie sah ihm in die Augen.

»Sie müssen mir einen Gefallen tun. Ich möchte wirklich keine langen Erklärungen abgeben, warum das erforderlich ist oder was wir uns davon …«

Er unterbrach sie. »Inspector Muse?«

»Ja?«

»Verschwenden Sie keine Zeit mit langen Erklärungen. Was wollen Sie?«

»Wir haben eine Leiche gefunden. Es handelt sich eindeutig *nicht* um Ihre Frau. Haben Sie das verstanden? Es ist *nicht* Ihre Frau. Die Leiche wurde in der Nacht vor dem Verschwinden Ihrer Frau gefunden. Aber wir wissen nicht, um wen es sich handelt.«

»Und Sie glauben, ich könnte das wissen?«

»Ich möchte, dass Sie sich die mal ansehen.«

Neil Cordova hatte die Hände im Schoß gefaltet. Jetzt richtete er sich auf, bis er etwas zu gerade saß. »Okay«, sagte er. »Gehen wir.«

Muse hatte überlegt, ob sie die Identifikation durch Fotos vornehmen und Neil Cordova so den furchtbaren Anblick der Leiche ersparen konnte. Aber Bilder funktionieren oft nicht. Wenn sie ein gutes Foto von ihrem Gesicht hätten, wäre das vielleicht möglich gewesen, aber das sah so aus, als ob es zu lange unter einem Rasenmäher gelegen hätte. Es bestand nur noch aus Knochenfragmenten und kaputten Sehnen. Muse hätte ihm Fotos vom Körper vorlegen und ihm dazu die Größe und das Gewicht nennen können, die Erfahrung zeigte aber, dass es schwierig war, auf diese Weise ein Gefühl für die Proportionen zu bekommen.

Neil Cordova hatte sich nicht über den Ort seiner Vernehmung gewundert, aber das war verständlich. Sie waren in der Norfolk Street in Newark – dem Bezirksleichenschauhaus. Muse hatte es so arrangiert, damit sie nicht extra herfahren mussten. Sie öffnete die Tür. Cordova versuchte, aufrecht und mit hocherhobenem Kopf zu gehen. Er ging zügig und schwankte nicht, aber seine hängenden Schultern verrieten, wie er sich fühlte; Muse sah, wie sich der Blazer vorne ausbeulte.

Die Leiche war vorbereitet. Tara O'Neill, die Gerichtsmedizinerin, hatte ihr Gaze um den Kopf gewickelt, so dass man das Gesicht nicht sah. Das fiel Neil Cordova als Erstes auf – der Verband wie aus einem Mumienfilm. Er fragte, was das sollte.

»Das Gesicht ist extrem entstellt«, sagte Muse.

»Wie soll ich sie dann erkennen?«

»Wir hoffen an der Figur, durch die Größe, irgendwie.«

»Ich glaube, es würde mir helfen, wenn ich das Gesicht sehen könnte.«

»Es würde Ihnen nicht helfen, Mr Cordova.«

Er schluckte und sah sich die Leiche noch einmal an.

»Was ist mit ihr passiert?«

»Sie wurde übel zusammengeschlagen.«

Er drehte sich zu Muse um. »Glauben Sie, dass meiner Frau etwas Ähnliches passiert ist?«

»Ich weiß es nicht.«

Cordova schloss einen Moment lang die Augen, sammelte sich, öffnete sie wieder und nickte. »Okay.« Er nickte noch ein paarmal. »Okay, ich verstehe.«

»Ich weiß, dass es nicht leicht ist.«

»Mir geht's gut.« Sie sah, dass er feuchte Augen hatte. Er wischte sie sich mit dem Ärmel und sah dabei aus wie ein kleiner Junge, worauf sie ihn beinahe in den Arm genommen hätte. Er drehte sich wieder zur Leiche um.

»Kennen Sie die Frau?«

»Ich glaube nicht.«

»Lassen Sie sich Zeit.«

»Das Problem ist, dass sie nackt ist.« Er sah immer noch das bandagierte Gesicht an, als wollte er ihr Schamgefühl nicht verletzen. »Also, wenn ich sie kennen würde, hätte ich sie nie so gesehen. Verstehen Sie, was ich meine?«

»Ja. Würde es helfen, wenn wir sie irgendwie bekleiden?«

»Nein, das ist schon in Ordnung. Es ist bloß ...« Er runzelte die Stirn.

»Was ist?«

Neil Cordovas Blick verharrte auf dem Hals des Opfers. Dann wanderte er nach unten auf ihre Beine. »Können Sie sie umdrehen?«

»Auf den Bauch?«

»Ja. Ich muss ihre Beine von hinten sehen. Ja.«

Muse sah Tara O'Neill an, die sofort einen Mitarbeiter rief. Vorsichtig drehten sie die Unbekannte auf den Bauch. Cordova ging etwas näher an die Leiche heran. Muse rührte sich nicht, wollte seine Konzentration nicht stören. Tara O'Neill und der Mitarbeiter traten etwas zurück. Wieder wanderte Neil Cordovas Blick ihre Beine hinab, bis er an ihrem Knöchel verharrte.

Da war ein Muttermal.

Sekunden vergingen, schließlich sagte Muse: »Mr Cordova?«

»Ich weiß, wer das ist.«

Muse wartete. Er fing an zu zittern. Seine Faust schoss zum Mund. Er schloss die Augen.

»Mr Cordova.«

»Das ist Marianne«, sagte er. »Guter Gott, das ist Marianne.«

27

Dr Ilene Goldfarb setzte sich gegenüber von Susan Loriman in die Nische des Diners.

»Danke, dass Sie sich Zeit für mich nehmen«, sagte Susan.

Sie hatten überlegt, ob sie sich außerhalb der Stadt treffen sollten, aber am Ende hatte Ilene sich dagegen entschieden. Jeder, der sie sah, würde einfach denken, dass sich zwei Freundinnen zum gemeinsamen Mittagessen verabredet hatten, eine Beschäftigung, für die Ilene weder Zeit noch Lust hatte, zum einen, weil sie dafür zu viele Stunden bei der Arbeit im Krankenhaus verbrachte, und zum anderen, weil sie fürchtete, eine von den Damen zu werden, die, tja, sich zum Mittagessen verabredeten.

Selbst als ihre Kinder noch klein waren, hatte die klassische Mutterrolle sie nie gereizt. Sie war nie in Versuchung geraten, ihre Karriere als Ärztin aufzugeben, zu Hause zu bleiben und eine traditionellere Rolle im Leben ihrer Kinder einzunehmen. Ganz im Gegenteil – sie hatte es kaum erwarten können, dass der Mutterschaftsurlaub zu Ende war und sie, ohne als Rabenmutter dazustehen, wieder zur Arbeit gehen konnte. Ihren Kindern schien das nicht schlecht zu bekommen. Sie war zwar nicht immer zu Hause gewesen, aber in ihren Augen waren sie dadurch erheblich unabhängiger geworden und hatten eine sehr gesunde Lebenseinstellung.

Das hatte sie sich zumindest eingeredet.

Aber letztes Jahr hatte man im Krankenhaus ihr zu Ehren eine Party gegeben. Viele ihrer früheren Praktikanten und Assistenzärzte hatten ihrer Lieblingslehrerin die Aufwartung gemacht. Ilene hatte mitbekommen, wie eine ihrer besten Studentinnen Kelci vorgeschwärmt hatte, was für eine engagierte Lehrerin Ilene war, und wie stolz sie doch sein müsste, so eine Mutter zu haben. Kelci, die schon ein oder zwei Drinks intus hatte, hatte geantwortet: »Sie hat so viel Zeit hier im Krankenhaus verbracht, dass ich gar nichts von ihr mitgekriegt habe.«

Jau. Karriere, Mutterschaft, glückliche Ehe – mit diesen drei Bällen hatte sie ja mit fast beängstigender Lässigkeit jongliert, oder?

Bloß dass sie jetzt alle auf den Boden fielen und dort zerplatzten. Selbst ihre Karriere war in Gefahr, wenn das stimmte, was diese FBI-Agenten ihr erzählt hatten.

»Gibt es was Neues aus den Organspenderdateien?«, fragte Susan Loriman.

»Nein.«

»Dante und ich versuchen, etwas auf die Beine zu stellen. Eine große Organspendenrallye. Ich war in Lucas' Grundschule. Jill, Mikes Tochter, geht da auch hin. Ich habe mit ein paar Lehrern gesprochen. Denen gefällt die Idee. Wir machen es nächsten Samstag, dann können sich alle in die Organspenderdatei eintragen lassen.«

Ilene nickte. »Das könnte hilfreich sein.«

»Und Sie suchen doch auch weiter, oder? Es ist doch nicht hoffnungslos?«

Ilene war einfach nicht in Stimmung. »Große Hoffnung haben wir aber auch nicht.«

Susan Loriman biss sich auf die Unterlippe. Sie war so eine natürliche Schönheit, und Ilene musste sich bemühen, keinen Neid zu empfinden. Sie wusste, dass Männer komisch wurden, wenn so eine Frau in der Nähe war. Selbst Mike hatte in einem seltsamen Ton gesprochen, als Susan Loriman bei ihr im Büro war.

Die Kellnerin kam mit der Kaffeekanne an den Tisch. Ilene nickte auf die Frage, ob sie einen Kaffee wollte, Susan fragte jedoch, welche Kräutertees es gab. Die Kellnerin sah sie an, als hätte sie nach einem Einlauf gefragt. Susan bestellte irgendeinen Tee. Die Kellnerin kam mit einem Lipton-Teebeutel zurück und goss heißes Wasser in die Tasse.

Susan Loriman starrte auf ihr Getränk, als verberge sich darin ein göttliches Geheimnis.

»Lucas' Geburt war sehr schwer. Ich hatte eine Woche vorher eine Lungenentzündung bekommen und so heftig gehustet, dass mir davon eine Rippe gebrochen ist. Man hat mich sofort ins Krankenhaus gebracht und dabehalten. Ich hatte unbeschreibliche Schmerzen. Dante war die ganze Zeit bei mir. Er ist mir nicht von der Seite gewichen.«

Langsam führte Susan ihre Teetasse an die Lippen. Sie umfasste sie sanft mit beiden Händen, als ob sie einen verletzten Vogel retten wollte.

»Als wir festgestellt haben, dass Lucas krank ist, haben wir einen Familienrat abgehalten. Dante hat diese Tapferkeitsnummer abgezogen und darüber gesprochen, dass wir die Krankheit als Familie bekämpfen und sie auch besiegen würden – ›Wir sind die Lorimans‹, hat er immer wieder gesagt –, und hinterher ist er dann rausgegangen und hat so verzweifelt geweint, dass ich gedacht habe, er würde sich was antun.«

»Mrs Loriman?«

»Bitte sagen Sie Susan zu mir.«

»Susan, ich hab's begriffen. Er ist der perfekte Vater. Er hat Lucas gebadet, als er klein war. Er hat ihm die Windeln gewechselt und seine Fußballmannschaft trainiert, und er wäre vollkommen am Boden zerstört, wenn er erfahren würde, dass er nicht der Vater des Jungen ist. Hab ich das so richtig zusammengefasst?«

Susan Loriman trank noch einen Schluck Tee. Ilene dachte an Herschel und daran, dass ihr nichts geblieben war. Sie überlegte, ob Herschel eine Affäre hatte, vielleicht mit der niedlichen frisch geschiedenen Rezeptionistin, die über jeden seiner Witze lachte, und kam zu dem Schluss, dass die Antwort wahrscheinlich Ja lautete.

»Was ist noch übrig geblieben, Ilene …?«

Ein Mann, der so eine Frage stellte, hatte sich bereits aus der Ehe verabschiedet. Ilene hatte allerdings erst sehr spät bemerkt, dass er schon längst gegangen war.

Susan Loriman sagte: »Sie verstehen das nicht.«

»Ich weiß auch nicht, ob ich das verstehen muss. Sie wollen nicht, dass er es erfährt. Das habe ich kapiert. Ich habe verstanden, dass Dante verletzt wäre. Ich verstehe, dass Ihre Familie darunter leiden könnte. Also sparen Sie sich das bitte. Dafür habe ich wirklich keine Zeit. Ich könnte Ihnen jetzt einen Vortrag darüber halten, dass Sie daran neun Monate vor Lucas Geburt hätten denken sollen, aber es ist Wochenende, dies ist meine Freizeit, und ich habe meine eigenen Probleme. Und offen gestanden, interessieren mich Ihre moralischen Versäumnisse nicht, Mrs Loriman. Mich interessiert einzig und allein die Gesundheit Ihres Sohnes. Weiter nichts. Wenn die Zerstörung Ihrer Ehe zu seiner Heilung beiträgt, bin ich gerne bereit, Ihre Scheidungspapiere zu unterschreiben. Habe ich mich klar genug ausgedrückt?«

»Das haben Sie.«

Susan senkte den Blick. Sittsam. Ein Wort, das Ilene schon gehört, aber nie ganz verstanden hatte. Wie viele Männer würden bei dieser Geste schwach werden – wie viele waren dabei schwach geworden?

Sie durfte nicht persönlich werden. Ilene atmete tief durch und versuchte, ihre Gefühle und ihre eigene Situation für den Moment außer Acht zu lassen – ihren Abscheu vor Ehebruch, ihre Angst vor der Zukunft ohne den Mann, den sie als ihren Lebenspartner auserwählt hatte, ihre Sorgen über die Praxis und die Fragen, die die FBI-Agenten ihr gestellt hatten.

»Aber ich sehe wirklich keinen Grund dafür, dass er das erfahren muss«, sagte Ilene.

Susan blickte auf, und ein winziger Hoffnungsschimmer zeigte sich in ihrem Gesicht.

»Wir könnten den leiblichen Vater auch diskret ansprechen«, sagte Ilene. »Ihn bitten, einen Bluttest zu machen.«

Die Hoffnung verflog. »Das geht nicht.«

»Warum nicht?«

»Es geht einfach nicht.«

»Also, Susan, das ist Ihre beste Chance.« Ihr Ton war jetzt spitz. »Ich möchte Ihnen helfen, aber ich bin nicht hier, um mir die wundervollen Geschichten über Dante, den gehörnten Ehemann, anzuhören. Die Strukturen und Triebkräfte, die Ihre Familie ausmachen, interessieren mich zwar, allerdings nur zu einem gewissen Grad. Ich bin die Ärztin Ihres Sohns, nicht Ihr Therapeut oder Ihr Pfarrer. Wenn Sie Verständnis oder Erlösung suchen, bin ich der falsche Ansprechpartner. Wer ist der Vater?«

Susan schloss die Augen. »Sie verstehen das nicht.«

»Wenn Sie mir den Namen nicht nennen, sag ich es Ihrem Mann.«

Ilene hatte nicht geplant, das zu sagen, aber die Wut hatte sie gepackt und die Kontrolle übernommen.

»Sie stellen Ihr unbedachtes Handeln über die Gesundheit Ihres Sohns. Das ist erbärmlich. Und ich werde das nicht zulassen.«

»Bitte.«

»Wer ist der Vater, Susan?«

Susan Loriman blickte zur Seite und kaute auf ihrer Unterlippe.

»Wer ist der Vater?«

Schließlich antwortete sie: »Ich weiß es nicht.«

Ilene Goldfarb blinzelte. Die Antwort lag wie ein Abgrund zwischen ihnen, und Ilene wusste nicht, wie sie ihn überwinden sollte. »Verstehe.«

»Nein, das tun Sie nicht.«

»Sie haben mehr als einen Liebhaber gehabt. Ich weiß, dass das peinlich ist. Aber dann bestellen wir sie halt alle ein.«

»Ich hatte nicht mehr als einen Liebhaber. Ich hatte überhaupt keinen Liebhaber.«

Ilene wartete und wusste nicht, wohin das führen sollte.

»Ich wurde vergewaltigt.«

28

Mike saß im Vernehmungsraum und versuchte, ruhig zu bleiben. Vor ihm an der Wand befand sich ein großer, rechteckiger Spiegel, von dem er annahm, dass er aus halbdurchsichtigem Glas war. Die anderen Wände waren in Schultoilettengrün gehalten. Der Fußboden war aus grauem Linoleum.

Zwei Männer waren bei ihm im Raum. Einer saß in der Ecke, fast wie ein Kind, das etwas angestellt hatte. Er hatte den Kopf gesenkt, hielt in einer Hand einen Stift und in der anderen ein Klemmbrett. Der andere – einer der Agenten, die ihn vor dem Club Jaguar mit vorgehaltener Pistole und Marke festgenommen hatten – war ein Schwarzer mit einem Diamantstecker im linken Ohr. Er ging mit einer nicht brennenden Zigarette in der Hand auf und ab.

»Ich bin Special Agent Darryl LeCrue«, sagte der Schwarze. »Das ist Scott Duncan – der Verbindungsbeamte zwischen der Drogenfahndung und der Bundesstaatsanwaltschaft. Hat man Ihnen Ihre Rechte vorgelesen?«

»Ja.«

LeCrue nickte. »Und Sie sind bereit, mit uns zu sprechen?«

»Ja.«

»Bitte unterschreiben Sie die Verzichtserklärung, die vor Ihnen auf dem Tisch liegt.«

Mike unterschrieb. Normalerweise hätte er das nicht getan. Er wusste, dass man das nicht machte. Mo hatte Tia schon längst angerufen. Sie würde herkommen und ihn vertreten oder ihm einen Anwalt besorgen. Bis dahin sollte er eigentlich schweigen. Aber im Moment interessierte ihn das nicht.

LeCrue ging weiter auf und ab. »Wissen Sie, worum es hier geht?«, fragte er.

»Nein«, sagte Mike.

»Überhaupt keine Idee?«

»Nein.«

»Was wollten Sie im Club Jaguar?«

»Warum sind Sie mir gefolgt?«

»Dr. Baye?«

»Ja.«

»Ich bin Raucher, wissen Sie das?«

Die Frage verwirrte Mike. »Ich habe die Zigarette in Ihrer Hand gesehen.«

»Brennt sie?«

»Nein.«

»Glauben Sie, das gefällt mir?«

»Woher soll ich das wissen?«

»Genau das meine ich. Früher habe ich hier in diesem Raum geraucht. Nicht weil ich die Verdächtigen einschüchtern oder ihnen Rauch ins Gesicht blasen wollte, obwohl ich auch das gelegentlich gemacht habe. Nein, ich habe hier geraucht, weil ich gerne rauche. Es entspannt mich. Jetzt wo sie diese ganzen neuen Gesetze verabschiedet haben, darf ich mir hier keine mehr anstecken. Verstehen Sie, was ich meine?«

»Ich glaube schon.«

»Mit anderen Worten, das Gesetz verbietet mir, mich zu entspannen. So lange ich also hier drin bin, bin ich grantig. Ich trage diese Zigarette mit mir herum und sehne mich danach, sie anzünden zu dürfen. Aber das darf ich nicht. Das ist so, als ob man ein Pferd ans Wasser führt, es dann aber nicht trinken lässt. Also, ich erwarte jetzt kein Mitleid von Ihnen, aber Sie sollen verstehen, wie das ist, weil sie meine Nerven jetzt schon strapazieren.« Er schlug mit der Hand auf den Tisch, sprach dann aber ruhig weiter. »Ich werde Ihre Fragen nicht beantworten. Sie beantworten meine Fragen. Ist das so weit klar?«

Mike sagte: »Vielleicht sollte ich doch auf meinen Anwalt warten.«

»Cool.« Er wandte sich an Duncan. »Scott, haben wir genug, um ihn festzunehmen?«

»Ja.«

»Groovy. Dann machen wir das. Schließen wir ihn übers Wochenende weg. Was meinst du, wann wird der Haftrichter die Kaution festsetzen?

Duncan zuckte die Achseln. »Das wird noch ein paar Stunden dauern. Vielleicht auch erst morgen früh.«

Mike versuchte, sich seine Panik nicht anmerken zu lassen. »Wie lautet die Anklage?«

LeCrue zuckte die Achseln. »Wir finden schon was, oder, Scott?«

»Klar.«

»Es liegt also ganz bei Ihnen, Dr. Baye. Vorhin schienen Sie es noch eilig zu haben, hier wieder rauszukommen. Dann fangen wir doch am besten noch mal von vorn an und gucken dann, wie's so läuft. Also, was wollten Sie im Club Jaguar?«

Er hätte sich weiter wehren können, das hätte aber wohl nichts gebracht. Es hatte auch keinen Sinn, auf Tia zu warten. Er wollte hier raus. Er musste Adam suchen.

»Ich habe meinen Sohn gesucht.«

Er dachte, LeCrue würde auf diese Frage eingehen, der nickte aber nur und sagte: »Sie wollten gerade eine Schlägerei anzetteln, stimmt's?«

»Ja.«

»Hätte Ihnen das geholfen, Ihren Sohn zu finden?«

»Ich hatte es gehofft.«

»Können Sie mir das erklären?«

»Ich war gestern schon in der Gegend«, sagte Mike.

»Ja, das ist uns bekannt.«

Mike brach ab. »Sie sind mir gestern schon gefolgt?«

LeCrue lächelte, hielt als Erinnerung die Zigarette in die Luft und zog eine Augenbraue hoch.

»Erzählen Sie uns etwas über Ihren Sohn«, sagte LeCrue.

Warnlampen leuchteten in Mikes Hirn auf. Das gefiel ihm nicht – weder die Drohungen, noch dass man ihm gefolgt war und alles andere auch nicht, aber am wenigsten gefiel ihm, wie LeCrue nach seinem Sohn fragte. Trotzdem hatte er eigentlich keine Wahl.

»Er wird vermisst. Ich dachte, dass er vielleicht im Club Jaguar ist.«

»Und deshalb sind Sie da gestern Nacht hingefahren?«

»Ja.«

Mike erzählte ihm ziemlich alles. Es sprach nichts dagegen – schließlich hatte er den Polizisten im Krankenhaus und denen auf dem Polizeirevier auch schon die gleiche Geschichte erzählt.

»Warum machen Sie sich solche Sorgen um ihn?«

»Wir wollten gestern zu einem Rangers-Spiel gehen.«

»Eishockey?«

»Ja.«

»Wussten Sie, dass die Rangers verloren haben?«

»Nein.«

»War aber ein gutes Spiel. Viele Schlägereien.« Wieder lächelte LeCrue. »Ich bin einer von den wenigen Schwarzen hier, die Eishockey gucken. Früher war ich Basketballfan, aber die NBA langweilt mich inzwischen. Zu viele Fouls, wenn Sie wissen, was ich meine.«

Mike nahm an, dass das eine Art Ablenkungsmanöver war. Er sagte: »Mhm.«

»Und als Ihr Sohn nicht gekommen ist, haben Sie ihn in der Bronx gesucht?«

»Ja.«

»Und da hat man Sie dann überfallen.«

»Ja.« Dann: »Wenn ihr Jungs mich beschattet habt, warum habt ihr mir dann nicht geholfen?«

Er zuckte die Achseln. »Wer sagt denn, dass wir zugeguckt haben?«

Dann blickte Scott Duncan auf und ergänzte: »Wer sagt denn, dass wir nicht geholfen haben?«

Schweigen.

»Waren Sie da vorher schon mal?«

»Im Club Jaguar? Nein.«

»Nie?«

»Nie.«

»Nur um das klarzustellen: Sie wollen mir also erzählen, dass Sie vor dem gestrigen Abend noch nie im Club Jaguar waren?«

»Ich war auch gestern Abend nicht drinnen.«

»Wie bitte?«

»Gestern Nacht bin ich gar nicht so weit gekommen. Ich bin schon vorher überfallen worden.«

»Und wie sind Sie dann in der Gasse gelandet?«

»Ich bin jemandem gefolgt.«

»Wem?«

»Einem Klassenkameraden von meinem Sohn. Er heißt DJ Huff.«

»Sie behaupten also, dass Sie vor dem heutigen Tag noch nie im Club Jaguar waren?«

Mike versuchte, nicht allzu verärgert zu klingen: »So ist es. Hören Sie, Special Agent LeCrue, gibt es irgendeine Möglichkeit, das ganze Verfahren zu beschleunigen? Mein Sohn wird vermisst. Ich mache mir Sorgen um ihn.«

»Natürlich tun Sie das. Also machen wir weiter, okay? Was ist mit Rosemary McDevitt, der Präsidentin und Gründerin des Club Jaguar?«

»Was soll mit ihr sein?«

»Wann sind Sie ihr zum ersten Mal begegnet?«

»Heute.«

LeCrue sah Duncan an. »Glaubst du das, Scott?«

Scott Duncan hob die Hand mit der Handfläche nach unten und drehte sie ein paarmal nach rechts und links.

»Ich hab damit auch so meine Probleme.«

»Bitte hören Sie mir zu«, sagte Mike. »Ich muss hier raus und meinen Sohn suchen.«

»Haben Sie kein Vertrauen in Ihre Gesetzeshüter?«

»Doch, ich vertraue Ihnen. Ich glaub aber nicht, dass Sie meinem Sohn größte Priorität einräumen.«

»In Ordnung. Ich hätte da noch eine Frage. Wissen Sie, was eine Pharm-Party ist? Pharm wird in diesem Fall mit p-h geschrieben, nicht mit f.«

Mike überlegte. »Ich glaube, ich hab den Begriff schon mal gehört, ich kann ihn jetzt aber nicht richtig einordnen.«

»Dann kann ich Ihnen vielleicht behilflich sein, Dr Baye. Sie sind Doktor der Medizin, ist das richtig?«

»Ja.«

»Also ist es okay, wenn ich Sie Doktor nenne. Ich kann's nicht ausstehen, wenn ich jeden Schwachkopf mit einem Unidiplom ›Doktor‹ nennen soll – Biologen oder Chiropraktiker oder den Typen, der mir beim Pearl Express beim Bestellen meiner Kontaktlinsen hilft. Sie wissen schon, was ich meine.«

Mike versuchte, ihn wieder aufs Thema zurückzubringen. »Sie hatten nach Pharm-Partys gefragt.«

»Ja, das ist richtig. Und Sie haben es schließlich eilig und so, während ich hier die ganze Zeit plaudere. Also komm ich mal zur Sache. Sie sind Doktor der Medizin, also kennen Sie die absurden Preise, die für Medikamente verlangt werden, stimmt's?«

»Ja.«

»Also erzähl ich Ihnen, was eine Pharm-Party ist. Etwas vereinfacht heißt das, dass Teenager die Medizinschränke ihrer Eltern plündern. Heutzutage liegen in jedem Haushalt ein paar verschreibungspflichtige Medikamente rum – Vicodin, Adderall, Ritalin, Xanax, Prozac, Oxycodon, Paracetamol, Pethidin oder Valium. Sie kennen das. Die Teens machen also Folgendes: Sie klauen die Medikamente, treffen sich, kippen das ganze Zeug in eine Schüssel und machen eine Art Studentenfutter davon oder so was. Das ist völlig behämmert. Und das pfeifen sie sich dann rein.«

LeCrue brach ab. Dann griff er sich einen Stuhl, drehte ihn um und setzte sich rittlings darauf. Er sah Mike streng an. Mike blinzelte nicht.

Nachdem ein bisschen Zeit verstrichen war, sagte Mike: »Dann weiß ich ja jetzt, was eine Pharm-Party ist.«

»Das wissen Sie jetzt. So fängt das jedenfalls an. Ein paar Kids treffen sich, denken, hey, das Zeug ist legal – nicht wie Dope oder Kokain. Der kleine Bruder kriegt vielleicht noch Ritalin, weil er hyperaktiv ist. Daddy nimmt Oxycodon, um die Schmerzen nach der Knieoperation besser ertragen zu können. Na ja. Jedenfalls fühlen die Kids sich ziemlich sicher.

»Ich hab's begriffen.«

»Wirklich?«

»Ja.«

»Sehen Sie, wie einfach das ist? Liegen bei Ihnen zu Hause auch verschreibungspflichtige Medikamente herum?«

Mike dachte an sein eigenes Knie, das Percocet, das er sich dafür hatte verschreiben lassen, und wie er aufpassen musste, damit er nicht zu viel davon nahm. Die Tabletten lagen tatsächlich in seinem Medizinschrank. Würde er es überhaupt merken, wenn ein paar davon verschwanden? Und was war mit den Eltern, die sich nicht so gut mit Medikamenten auskannten? Wurden die überhaupt misstrauisch, weil ein paar Pillen fehlten?

»Wie Sie schon richtig festgestellt haben, gibt es die in jedem Haushalt.«

»Genau, also versuchen Sie mal eben, meiner Argumentation zu folgen. Sie kennen ja den Wert der Tabletten. Sie wissen, dass es diese Partys gibt. Also nehmen wir doch mal an, dass Sie eine unternehmerische Ader hätten. Was würden Sie dann tun? Sie würden das System weiterentwickeln. Sie würden versuchen, einen Gewinn daraus zu machen. Sagen wir, Sie sind die Bank und kriegen einen Anteil vom Profit. Vielleicht würden Sie die Kids noch ermutigen, mehr Medikamente aus den Medizinschränken zu klauen. Sie könnten ihnen ja auch Ersatzpillen besorgen.«

»Ersatzpillen?«

»Klar. Wenn die Pillen weiß sind, na ja, dann legen Sie einfach ein paar Aspirin-Generika rein. Wer merkt das schon? Sie können auch Zuckerpillen besorgen, die im Prinzip keine andere

Funktion haben, als auszusehen wie andere Tabletten. Verstehen Sie? Das merkt doch keiner. Es gibt einen riesigen Schwarzmarkt für verschreibungspflichtige Medikamente. Damit lässt sich eine schöne Stange Geld verdienen. Aber da kommt wieder Ihr unternehmerischer Geist ins Spiel. Deshalb wollen Sie keine lächerlichen Hauspartys mit acht Jugendlichen. Sie brauchen die große Bühne. Sie wollen an hunderte, wenn nicht tausende Kids rankommen. Also sagen wir mal, einen Club voller Kids.«

Jetzt verstand Mike. »Sie glauben, darauf hat sich der Club Jaguar spezialisiert?«

Plötzlich fiel Mike ein, dass Spencer Hill mit aus dem Medizinschrank seiner Eltern geklauten Medikamenten Selbstmord begangen hatte. Es gab jedenfalls solche Gerüchte.

LeCrue nickte und fuhr fort: »Und man könnte – wenn man wirklich unternehmerisch denkt – das Ganze sogar auf eine noch höhere Ebene bringen. Auf dem Schwarzmarkt haben alle Medikamente ihren Preis. Vielleicht liegt da noch ein bisschen Amoxicillin, das Sie nicht aufgebraucht haben. Oder Ihr Großvater hat noch ein paar Extra-Viagra im Haus. So genau hat das sowieso keiner im Auge, was, Doc?«

»Kaum jemand.«

»Genau, und wenn tatsächlich mal was fehlt oder so, na ja, dann schiebt man es wahrscheinlich darauf, dass man von der Apotheke beschummelt worden ist, dass man sich nicht mehr genau daran erinnert, wann man sie geholt hat, oder dass man zwischendurch eine außer der Reihe genommen hat. Es gibt fast keine Möglichkeit, darauf zu kommen, dass der Teenager im Haus sie geklaut hat. Sehen Sie, wie brillant das ist?«

Mike wollte fragen, was das mit ihm oder Adam zu tun hatte, aber er verkniff es sich.

LeCrue beugte sich näher an ihn heran und flüsterte: »Hey, Doc?«

Mike wartete.

»Wissen Sie, was die nächste Stufe auf dieser unternehmerischen Leiter wäre?«

»LeCrue?« Das war Duncan.

LeCrue sah sich um. »Was gibt's, Scott?«

»Das Wort gefällt Ihnen wohl. Unternehmerisch, mein ich.«

»Das tut's wirklich.« Er wandte sich wieder an Mike. »Gefällt es Ihnen auch, Doc?«

»Ein tolles Wort.«

LeCrue gluckste, als wären sie alte Freunde. »Jedenfalls findet ein cleverer, *unternehmerisch* denkender Jugendlicher immer Möglichkeiten, weitere Medikamente aus seinem Elternhaus abzuziehen. Wie? Vielleicht bestellt er die Folgelieferung einfach ein paar Tage früher. Wenn beide Eltern arbeiten und die Apotheke einen Lieferservice hat, kann man nach der Schule leicht vor den Eltern zu Hause sein. Und wenn die Eltern das Medikament dann nachbestellen wollen und nichts mehr kriegen, tja, dann denken sie auch wieder, dass der Apotheke ein Fehler unterlaufen ist oder sie sich verzählt haben. Merken Sie, wenn man erst einmal dabei ist, gibt es jede Menge Möglichkeiten, sich ein paar hübsche Dollar dazuzuverdienen. Das ist fast idiotensicher.«

Mike ging die Frage, die sich daraus ergab, durch den Kopf: Hatte Adam so etwas gemacht?

»Und wen sollen wir da überhaupt hochnehmen. Überlegen Sie mal. Das sind lauter reiche, minderjährige Jugendliche, die sich die besten Anwälte leisten können – und die fragen uns dann, wer denn wann was genau getan haben soll. Sie haben verschreibungspflichtige, aber ansonsten legale Medikamente aus ihren Elternhäusern mitgenommen? Wen interessiert das? Verstehen Sie, was für leicht verdientes Geld das ist?«

»Ich glaub schon.«

»Sie *glauben* schon, Dr. Baye? Kommen Sie, hören Sie auf mit den Spielchen. Sie *glauben* das nicht. Sie *wissen* es ganz genau. Das System ist fast perfekt. Also, wissen Sie, wie wir in so einem

Fall normalerweise vorgehen? Wir wollen doch nicht die dummen Teenager vor Gericht zerren, die sich gelegentlich den Kopf zudröhnen. Wir wollen an den großen Fisch rankommen. Aber wenn der große Fisch hier clever ist, dann würde sie – nehmen wir einfach mal an, dass es sich um eine Frau handelt, nicht dass man mir noch Sexismus unterstellt –, sie würde die Medikamente gar nicht anrühren, sondern das alles den minderjährigen Kids überlassen. Zum Beispiel ein paar dummen Gruftis, die erst noch ein paar Stufen auf der Evolutionsleiter hochklettern müssen, bevor man sie überhaupt als Loser bezeichnen kann. Die hätten dann das Gefühl, ernst genommen zu werden, und wenn unser weiblicher großer Fisch auch noch eine superscharfe Verbrecherbraut wäre, dann würden die wahrscheinlich praktisch alles für sie tun. Wenn Sie verstehen, was ich meine?«

»Klar«, sagte Mike. »Sie denken, dass Rosemary McDevitt das im Club Jaguar abzieht. Sie hat diesen Club, in den die minderjährigen Kids ganz legal reinkommen. In gewissem Sinne ist das logisch.«

»Und in welchem Sinne nicht?«

»Eine Frau, deren Bruder an einer Überdosis Drogen gestorben ist, soll mit Pillen handeln?«

Als Mike das sagte, lächelte LeCrue. »Sie hat Ihnen also diese rührselige Geschichte erzählt, ja? Über ihren Bruder, der kein Ventil hatte, dann zu heftig gefeiert hat und gestorben ist.«

»Ist das nicht wahr?«

»Kein Wort, soweit wir das beurteilen können. Sie behauptet, sie käme aus Breman in Indiana, aber wir haben das überprüft. In der Gegend ist nichts in der Art passiert.«

Mike sagte nichts.

Scott Duncan blickte von seinen Notizen auf. »Aber eine superscharfe Braut ist sie schon.«

»Zweifelsohne«, stimmte LeCrue zu. »Ein richtig süßes Schätzchen.«

»Ein Mann kann ganz raschelig werden, wenn so eine gutaus-sehende Frau in der Nähe ist.«

»So was kann da schon mal passieren, Scott. Das ist auch ihre Arbeitsweise. Sie macht sich die Typen mit Sex gefügig. Nicht dass ich was dagegen hätte, für eine Weile dieser Typ zu sein, wenn Sie wissen, was ich meine, Doc?«

»Tut mir leid, das weiß ich nicht.«

»Sind Sie schwul?«

Mike versuchte, nicht mit den Augen zu rollen. »Ja, okay, ich bin schwul. Können wir dann weitermachen?«

»Sie benutzt Männer, Doc. Nicht nur die blöden Kids, sondern auch klügere, ältere Männer.«

Er schwieg einen Moment lang. Mike sah erst Duncan, dann wieder LeCrue an. »Muss ich jetzt hastig nach Luft schnappen und nervös werden, weil mir plötzlich klar wird, dass Sie über mich sprechen?«

»Aber warum sollten wir so etwas denken?«

»Ich vermute, dass Sie es mir gleich erzählen.«

»Ich meine, schließlich ...«, LeCrue breitete die Hände aus wie ein Schauspielstudent im ersten Studienjahr, »... haben Sie uns doch gerade gesagt, dass Sie sie heute zum ersten Mal gesehen ha-ben. Ist doch richtig, oder?«

»Ja.«

»Und wir glauben Ihnen absolut. Also lassen Sie mich eine an-dere Frage stellen. Wie läuft die Arbeit? Im Krankenhaus, mei-ne ich.«

Mike seufzte. »Tun wir einfach mal so, als hätte mich Ihr plötz-licher Themenwechsel verunsichert. Hören Sie, ich weiß nicht, was ich Ihrer Ansicht nach getan haben soll. Ich vermute, es hat was mit dem Club Jaguar zu tun, und zwar nicht, weil ich was ge-tan habe, sondern weil nur ein Vollidiot das nicht inzwischen spitzgekriegt hätte. Normalerweise, um das noch einmal zu sagen, würde ich auf meinen Anwalt warten oder zumindest auf meine

Frau, die Anwältin ist, aber wie ich Ihnen auch schon wiederholt gesagt habe, wird mein Sohn vermisst. Also lassen Sie uns aufhören mit dem Quatsch. Sagen Sie mir einfach, was Sie wissen wollen, damit ich ihn endlich weitersuchen kann.«

LeCrue zog eine Augenbraue hoch. »Das macht mich voll an, wenn ein Verdächtiger so männlich und energisch auftritt. Macht es dich auch an, Scott?«

»Meine Brustwarzen«, sagte Scott nickend. »Die werden von Sekunde zu Sekunde härter.«

»Aber bevor das Ganze jetzt zu rührselig wird, hab ich doch noch ein paar Fragen. Haben Sie einen Patienten namens William Brannum?«

Wieder überlegte Mike, was er machen sollte, und entschied sich für eine Zusammenarbeit.

»Nicht dass ich wüsste.«

»Heißt das, dass Sie sich nicht an die Namen all Ihrer Patienten erinnern können?«

»Der Name kommt mir nicht bekannt vor, aber vielleicht war er bei meiner Kollegin, oder so.«

»Das wäre dann Ilene Goldfarb?«

Die sind aber gut vorbereitet, dachte Mike. »Das ist richtig.«

»Wir haben sie gefragt. Sie kann sich nicht an ihn erinnern.«

Mike platzte nicht mit der logischen Frage heraus: *Was, Sie haben mit ihr gesprochen?* Er versuchte, ruhig zu bleiben. Sie hatten schon mit Ilene gesprochen. Was zum Teufel war hier los?

LeCrue grinste wieder. »Sind Sie bereit, mir bei dieser Masche auf die nächste unternehmerische Stufe zu folgen, Dr Baye?«

»Wieso nicht?«

»Gut. Dann möchte ich Ihnen etwas zeigen.«

Er wandte sich wieder an Duncan. Der gab ihm einen braunen Aktendeckel. LeCrue steckte die nicht brennende Zigarette in den Mund und griff mit tabakgelben Fingernägeln hinein. Er zog ein Blatt Papier heraus und schob es über den Tisch zu Mike.

»Kommt Ihnen das bekannt vor?«

Mike sah auf das Blatt Papier. Es war die Fotokopie einer Verschreibung. Oben waren sein und Ilenes Name aufgedruckt. Darunter stand ihre Praxisanschrift im New York Presbyterian und ihre Lizenznummer. William Brannum hatte Oxycodon verschrieben bekommen.

Und das Rezept war unterschrieben von Dr Michael Baye.

»Kommt Ihnen das bekannt vor?«

Mike zwang sich zu schweigen.

»Dr Goldfarb hat nämlich gesagt, dass es nicht von ihr ist und sie den Patienten auch nicht kennt.«

Er schob einen weiteren Zettel rüber. Noch eine Rezeptkopie. Diesmal für Xanax. Auch von Dr Michael Baye unterschrieben. Dann folgte die nächste.

»Sagt Ihnen einer dieser Namen etwas?«

Mike antwortete nicht.

»Ach, das ist ja interessant. Soll ich Ihnen sagen, warum?«

Mike sah ihn an.

»Weil dies für Carson Bledsoe ist. Wissen Sie, wer das ist?«

Mike hatte so eine Ahnung, trotzdem fragte er: »Sollte ich?«

»Das ist der Jugendliche mit der gebrochenen Nase, mit dem Sie direkt vor Ihrer Festnahme am Club Jaguar fast Streit angefangen hätten.«

Die nächste unternehmerische Stufe, dachte Mike. Häng dich an einen Arztsohn. Klau Rezeptblöcke und schreib die Rezepte selbst aus.

»Also bestenfalls – das heißt, wenn es ab jetzt für Sie perfekt läuft, und die Götter auf Sie herablächeln – werden Sie nur Ihre Approbation verlieren und nie wieder als Arzt arbeiten dürfen. Das wäre aber noch der beste Fall. Sie hören auf, Arzt zu sein.«

Mike wusste, dass er jetzt am besten den Mund hielt.

»Wissen Sie, wir arbeiten schon eine ganze Weile an dem Fall. Wir beobachten den Club Jaguar. Wir wissen, was da abläuft. Wir hätten auch ein paar Jugendliche aus gutem Hause festnehmen können, aber das ist da wie fast überall – wenn man dem Ungeheuer nicht den Kopf abschlägt, bringt das nicht viel. Gestern Abend haben wir einen Tipp über ein großes Treffen gekriegt. Und genau da liegt das Problem, wenn man diese unternehmerische Stufe erreicht hat: Man braucht Mittelsmänner. Inzwischen versucht auch das organisierte Verbrechen ernsthaft, in diesem Markt einen Fuß in die Tür zu bekommen. Die haben gemerkt, dass sie mit Oxycodon genauso viel, wenn nicht sogar noch mehr als mit Kokain verdienen können. Jedenfalls haben wir den Club beobachtet. Und gestern Abend ist plötzlich irgendetwas schiefgelaufen. Sie, der Arzt, von dem die Rezepte stammen, tauchen da plötzlich auf. Und dann werden Sie tätlich angegriffen. Aber heute stehen Sie schon wieder da und fangen an, den Laden zu verwüsten. Wir, also die Drogenfahndung und die Bundesstaatsanwaltschaft – fürchten daher, dass der Club Jaguar ganz die Segel streicht und wir mit leeren Händen dastehen. Also mussten wir sofort zugreifen.«

»Ich habe nichts dazu zu sagen.«

»Natürlich haben Sie das.«

»Ich warte auf meinen Anwalt.«

»Diesen Weg einzuschlagen wäre ziemlich unklug von Ihnen. Wir sind nämlich gar nicht der Ansicht, dass Sie diese Rezepte ausgestellt haben. Wissen Sie, wir haben uns noch ein paar rechtmäßige Rezepte von Ihnen besorgt und dann die Handschriften verglichen. Diese Rezepte hier haben Sie nicht unterschrieben. Das heißt, dass Sie entweder die Rezeptblöcke weitergegeben haben – an einen echten Verbrecher – oder dass sie Ihnen jemand gestohlen hat.«

»Ich habe nichts zu sagen.«

»Sie können ihn nicht schützen, Doc. Eltern glauben immer, sie könnten das. Sie versuchen es immer wieder. Aber so läuft das nicht. Alle Ärzte, die ich kenne, haben zu Hause mindestens einen Rezeptblock liegen. Falls sie da mal ein Rezept ausstellen müssen. Es ist ziemlich einfach, Medikamente aus einem Medizinschrank zu klauen. Es ist aber wahrscheinlich sogar noch einfacher, einen Rezeptblock zu klauen.«

Mike stand auf. »Ich geh jetzt.«

»Vergessen Sie's. Ihr Sohn ist einer von den Jugendlichen aus gutem Hause, die ich gerade erwähnt habe, aber so wird er der große Strippenzieher. Für den Anfang können wir ihn wegen der Verabredung zur Verübung einer Straftat und dem Handel mit Betäubungsmitteln der Stufe zwei anklagen. Dafür wandert man eine ganze Weile in den Knast – die Höchststrafe liegt bei zwanzig Jahren Bundesgefängnis. Aber wir haben kein Interesse an Ihrem Sohn. Wir wollen Rosemary McDevitt. Und vielleicht ist da ja ein Deal drin.«

»Ich warte auf meinen Anwalt«, sagte Mike.

»Perfekt«, sagte LeCrue. »Ihre charmante Anwältin ist nämlich gerade eingetroffen.«

29

Vergewaltigt.

Als Susan Loriman das Wort ausgesprochen hatte, herrschte nicht etwa Stille, vielmehr hatte Ilene Goldfarb ein Rauschen in den Ohren, außerdem schien der Luftdruck schlagartig abzunehmen, als ob das ganze Diner zu schnell an Höhe verlor.

Vergewaltigt.

Ilene Goldfarb wusste nicht, was sie sagen sollte. Sie hatte schon viele schlechte Nachrichten gehört, einen Großteil davon sogar selbst überbracht, aber das hatte sie absolut kalt erwischt. Schließlich entschied sie sich für die klassische Allzweck-Zeitschinder-Floskel.

»Das tut mir leid.«

Susan Lorimans hatte ihre Augen nicht nur geschlossen, sie hatte sie wie ein Kind zugekniffen. Ihre Hände umfassten immer noch schützend die Teetasse. Ilene überlegte, ob sie Susan berühren sollte, entschied sich aber dagegen. Die Kellnerin kam auf sie zu, aber Ilene schüttelte kurz den Kopf. Susan hatte die Augen immer noch zusammengekniffen.

»Ich hab Dante nie etwas davon erzählt.«

Ein Kellner ging mit einem klappernden Tablett vorbei. Eine Frau am Nachbartisch versuchte zu lauschen, als Ilene ihr aber einen finsteren Blick zuwarf, wandte sie sich ab.

»Ich hab überhaupt niemandem davon erzählt. Als ich schwanger wurde, dachte ich, dass es von Dante war. Auf jeden Fall hab ich's gehofft. Und als Lucas dann auf die Welt kam, hab ich es womöglich gewusst. Aber ich hab das dann verdrängt. Ich hab einfach mein Leben fortgesetzt. Das ist lange her.«

»Sie haben die Vergewaltigung nicht angezeigt?«

Sie schüttelte den Kopf. »Sie dürfen es niemandem erzählen. Bitte.«

»Okay.«

Sie saßen sich schweigend gegenüber.

»Susan?«

Sie blickte auf.

»Ich weiß, dass es lange her ist ...«, fing Ilene an.

»Elf Jahre«, sagte Susan.

»Natürlich. Aber Sie sollten trotzdem überlegen, ob Sie nicht noch Anzeige erstatten.«

»Was?«

»Wenn er gefasst wird, können wir ihn testen. Vielleicht sitzt er auch schon irgendwo im Gefängnis. Vergewaltiger hören meistens nicht nach einer Tat auf.«

Susan schüttelte den Kopf. »Wir veranstalten diese Organspendenrallye in der Schule.«

»Wissen Sie, wie klein die Chance ist, dass wir einen genau passenden Spender finden?«

»Es muss einfach klappen.«

»Susan, Sie müssen zur Polizei gehen.«

»Bitte hören Sie auf damit.«

Und dann ging Ilene ein eigenartiger Gedanke durch den Kopf. »Kennen Sie Ihren Vergewaltiger?«

»Was? Nein.«

»Sie sollten wenigstens einmal ernsthaft über meine Frage nachdenken.«

»Der wird nicht gefasst, okay? Ich muss los.« Susan glitt aus der Nische und stellte sich vor Ilene. »Wenn es die Möglichkeit gäbe, meinem Sohn zu helfen, würde ich das tun. Aber die gibt es nicht. Bitte, Dr Goldfarb. Unterstützen Sie uns bei der Organspendenrallye. Helfen Sie mir bei der Suche nach anderen Möglichkeiten. Bitte, Sie kennen jetzt die Wahrheit. Sie müssen es dabei belassen.«

*

In seinem Klassenraum wischte Joe Lewiston die Tafel mit einem Schwamm ab. Der Beruf des Lehrers hatte sich in den letzten Jahren sehr verändert, unter anderem waren auch die grünen Tafeln durch neue, trocken abwischbare, weiße ersetzt worden, aber Joe hatte darauf bestanden, dieses Überbleibsel aus der vergangenen Generation zu behalten. Der Staub, das Klacken der Kreide und das Abwischen mit einem Schwamm waren für ihn eine Reminiszenz an die Vergangenheit, die ihm immer wieder ins Gedächtnis rief, wer er war und was er tat.

Joe wischte die Tafel mit dem riesigen, etwas zu nassen Schwamm ab, so dass Wasser die Tafel hinunterlief. Er jagte den kleinen Kaskaden mit dem Schwamm hinterher, wischte möglichst gerade auf und ab und versuchte, sich ganz dieser einfachen Aufgabe zu widmen.

Fast hätte es funktioniert.

Er nannte diesen Klassenraum »Lewiston Land«. Das gefiel den Kids, allerdings, wie er ehrlich zugeben musste, nicht einmal halb so gut wie ihm selbst. Er legte großen Wert darauf, anders zu sein als viele seiner Kollegen, nicht nur vor der Klasse zu stehen, den Stoff auswendig zu lernen und ihn so gelangweilt abzuspulen, dass die Schüler ihn, den Vortragenden, sofort wieder vergaßen. Er wollte, dass seine Schüler sich »heimisch« fühlten. Sie schrieben eine Art Tagebuch über seinen Unterricht – genau wie er. Er las die Tagebücher der Schüler, und sie durften seins lesen. Er wurde nie laut. Wenn ein Jugendlicher eine gute oder anderweitig erwähnenswerte Leistung erbrachte, machte er ein Häkchen neben seinen Namen. Wenn sich einer danebenbenahm, radierte er eins aus. So einfach war das. Er hielt nichts davon, Jugendliche herauszuheben oder sie an den Pranger zu stellen.

Er sah, wie die anderen Lehrer vor seinen Augen alterten. Ihr Enthusiasmus schwand mit jeder Klasse, die sie unterrichteten. Seiner nicht. Für den Geschichtsunterricht kleidete er sich häufig im Stil der Zeit, über die sie sprachen. Er veranstaltete ungewöhnliche Rätselspiele, bei denen man Matheaufgaben lösen musste, um die nächste Belohnung zu erhalten. Die Klasse durfte ihren eigenen Film drehen. In diesem Raum, im Lewiston Land, passierte so viel Gutes – aber es gab auch diesen einen Tag, an dem er hätte zu Hause bleiben sollen, weil sein grippaler Infekt noch nicht ganz abgeklungen war und er noch Bauchschmerzen hatte, außerdem war die Klimaanlage der Schule ausgefallen, und er hatte sich wahnsinnig schlecht gefühlt und hatte noch Schweißausbrüche gehabt und ...

Warum hatte er das gesagt? Gott, es war furchtbar, einem Kind so etwas anzutun.

Er schaltete seinen Computer an. Seine Hände zitterten. Er rief die Schul-Website seiner Frau auf. Das Passwort lautete jetzt JoeLovesDolly.

Eigentlich war mit ihrem E-Mail-Account alles in Ordnung.

Dolly kannte sich nicht besonders gut mit Computern und dem Internet aus. Also hatte Joe sich auf ihre Seite eingeloggt und das Passwort geändert. Darum »funktionierten« ihre E-Mails nicht richtig. Sie hatte das alte – also jetzt falsche – Passwort eingegeben und war daher nicht reingekommen.

In der sicheren Abgeschiedenheit dieses Raums, den er so sehr liebte, sah Joe Lewiston sich an, was für E-Mails sie bekommen hatte. Er hoffte, dass er keine E-Mail von diesem Absender mehr fand.

Aber da war sie.

Er biss die Zähne zusammen, um nicht laut aufzuschreien. Er konnte Dolly nicht ewig hinhalten, irgendwann würde sie wissen wollen, was mit ihren E-Mails los war. Mehr als ein Tag blieb ihm nicht mehr. Und er glaubte nicht, dass ein Tag ausreichte.

*

Tia setzte Jill wieder bei Yasmin ab. Falls Guy Novak sich davon gestört fühlte oder er auch nur überrascht war, ließ er sich das nicht anmerken. Tia hatte sowieso keine Zeit, das herauszubekommen. Sie raste zum FBI-Stabsbüro am Federal Plaza 26. Hester Crimstein traf direkt nach ihr ein. Sie trafen sich im Wartezimmer.

»Gehen Sie noch mal kurz Ihre Rolle durch«, sagte Hester. »Sie geben die liebende Frau. Ich bin der alternde Leinwandstar, der den Anwalt gibt.«

»Schon klar.«

»Sie sagen da drinnen kein Wort. Lassen Sie mich das machen.«

»Deshalb hab ich Sie angerufen.«

Hester Crimstein ging zur Tür. Tia folgte ihr. Hester öffnete sie und stürmte hindurch. Mike saß an einem Tisch. Außerdem waren noch zwei Männer im Raum. Einer saß in der Ecke. Der andere stand leicht gebeugt vor Mike. Als Tia und Hester den Raum betraten, richtete der gebeugte sich auf und sagte: »Guten Tag. Ich bin Special Agent Darryl LeCrue.«

»Das interessiert mich nicht«, sagte Hester.

»Entschuldigung?«

»Nein, eine Entschuldigung kann ich nicht akzeptieren. Ist mein Mandant verhaftet?«

»Diverse Hinweise sprechen dafür, dass …«

»Das interessiert mich nicht. Auf diese Frage kann man mit Ja oder Nein antworten. Ich wiederhole: Ist mein Mandant verhaftet?«

»Wir hoffen, dass es nicht erforderlich …«

»Interessiert mich immer noch nicht.« Hester sah Mike an. »Dr Baye, bitte stehen Sie sofort auf, und verlassen Sie diesen Raum. Ihre Frau begleitet Sie in die Lobby. Da warten Sie auf mich.«

LeCrue sagte: »Einen Moment noch, Ms Crimstein.«

»Sie kennen mich?«

Er zuckte die Achseln. »Ja.«

»Woher?«

»Aus dem Fernsehen.«

»Wollen Sie ein Autogramm?«

»Nein.«

»Wieso nicht? Ist aber auch egal – Sie kriegen sowieso keins. Mein Mandant ist hier erst mal fertig. Wenn Sie ihn in Haft nehmen wollten, hätten Sie das längst getan. Also verlässt er jetzt diesen Raum, und dann werden wir ein nettes Gespräch führen. Falls ich es danach für erforderlich halte, werde ich ihn wieder herholen, damit er mit Ihnen spricht. Ist das so weit klar?«

LeCrue sah seinen Partner in der Ecke an.

Hester sagte: »Die richtige Antwort lautet: Wie Kloßbrühe, Ms Crimstein.«

Dann sah Hester Mike an und sagte: »Gehen Sie.«

Mike stand auf. Er verließ mit Tia zusammen den Raum. Sie

hörten, wie hinter ihnen die Tür ins Schloss fiel. Dann fragte Mike: »Wo ist Jill?«

»Bei den Nowaks.«

Er nickte.

»Erklärst du mir, was hier los ist?«, fragte Tia.

Das tat er. Er erzählte ihr alles – vom Besuch im Club Jaguar, vom Treffen mit Rosemary McDevitt, wie er fast in eine Schlägerei geraten wäre, wie die FBIler dazwischengegangen waren und auch von den Pharm-Partys.

»Club Jaguar«, sagte Mike, nachdem er fertig war. »Erinnerst du dich an Adams kurzen Chat?«

»Mit CeeJay8115«, sagte sie.

»Genau. Das sind nicht die Initialen einer Person. Es steht für Club Jaguar.«

»Und die 8115?«

»Keine Ahnung. Vielleicht gibt es noch mehr Leute mit den Initialen.«

»Glaubst du, dass sie das ist – diese Rosemary?«

»Ja.«

Sie versuchte, die Informationen zu verarbeiten. »Klingt irgendwie logisch. Spencer Hill hat Medikamente aus dem Medizinschrank seines Vaters geklaut und damit Selbstmord begangen. Vielleicht war das bei so einer Pharm-Party. Vielleicht haben die da oben auf dem Dach eine veranstaltet.«

»Dann glaubst du, dass Adam da gewesen ist?«

»Das passt doch alles zusammen. Sie haben da eine Pharm-Party veranstaltet. Sie haben die Medikamente gemischt und glaubten, das sei sicher …«

»Hat Spencer dann überhaupt Selbstmord begangen?«, fragte Mike.

»Er hat diese SMS herumgeschickt.«

Beide schwiegen. Aus Angst vor möglichen Schlussfolgerungen wollten sie den Gedanken nicht weiterspinnen.

»Wir müssen Adam finden«, sagte Mike. »Konzentrieren wir uns ganz darauf, okay?«

Tia nickte. Die Tür zum Vernehmungsraum öffnete sich, und Hester kam heraus. Sie kam auf sie zu und sagte: »Nicht hier drinnen. Draußen können wir reden.«

Sie ging weiter. Mike und Tia standen auf und folgten ihr. Auch im Fahrstuhl sagte Hester nichts. Unten marschierte sie dann durch die Drehtür nach draußen. Wieder folgten Mike und Tia ihr.

»Bei mir im Wagen«, sagte Hester.

Es war eine Stretchlimousine mit Fernseher, Kristallgläsern und einer leeren Dekantierkaraffe. Hester gab ihnen die guten Plätze in Fahrtrichtung. Sie setzte sich gegenüber.

»In öffentlichen Gebäuden sind inzwischen so viele Überwachungskameras, da traue ich mich nicht mehr zu reden«, sagte sie. Dann wandte sie sich an Mike. »Darf ich davon ausgehen, dass Sie Ihre Frau auf den neuesten Stand gebracht haben?«

»Ja.«

»Dann können Sie sich vermutlich denken, welchen Deal die vorgeschlagen haben. Sie haben jede Menge Rezepte mit offenbar gefälschten Unterschriften von Ihnen. Die Leute im Club Jaguar waren klug genug, nicht immer das gleiche sondern viele unterschiedliche Medikamente aufzuschreiben. Sie haben die Rezepte nicht nur hier in New Jersey eingelöst, sondern auch in anderen Bundesstaaten, bei Internetapotheken, überall. Die Folgerezepte genauso. Das FBI hat eine ziemlich simple Theorie, wie sie an die Rezeptblöcke gekommen sind.«

»Sie glauben, Adam hat sie geklaut«, sagte Mike.

»Genau. Und dafür haben sie diverse Hinweise.«

»Zum Beispiel?«

»Sie wissen zum Beispiel, dass Adam auf Pharm-Partys gegangen ist. Das behaupten sie jedenfalls. Außerdem haben sie gestern Abend die Straße vor dem Club Jaguar beobachtet. Sie haben gesehen, dass Adam da reingegangen ist, und später sind Sie dann auch noch da aufgetaucht.«

»Dann haben sie auch gesehen, wie ich angegriffen worden bin?«

»Angeblich sind Sie in einer dunklen Gasse verschwunden, worauf die erst gar nicht richtig mitgekriegt haben, was da los war. Weil sie ja den Club beschattet haben.«

»Aber Adam war da gewesen?«

»Das behaupten sie jedenfalls. Mehr wollten sie mir aber nicht verraten. Ob sie mitgekriegt haben, dass er wieder gegangen ist zum Beispiel. Aber eins ist klar – die suchen Ihren Sohn. Er soll als Kronzeuge gegen den Club Jaguar oder die Besitzer auftreten. Er ist noch ein Kind, sagen sie. Wenn er mit ihnen zusammenarbeitet, dann kriegt er nur einen kräftigen Klaps auf die Finger.«

»Was haben Sie gesagt?«, fragte Tia.

»Am Anfang hab ich ein bisschen mitgespielt. Ich habe aber bestritten, dass Ihr Sohn etwas von den Partys oder den Rezeptblöcken gewusst hat. Dann hab ich gefragt, wie der Deal bezüglich der Anklage und des zu erwartenden Urteils aussieht. Sie waren aber noch nicht bereit, einen konkreten Vorschlag zu machen.«

Tia sagte: »Adam würde Mikes Rezeptblöcke nicht klauen. So etwas tut er nicht.«

Hester sah sie nur an. Tia merkte, wie naiv ihr Einspruch klang.

»Sie wissen, wie das läuft«, sagte Hester. »Es spielt überhaupt keine Rolle, was Sie oder ich glauben. Ich habe Sie über deren Arbeitshypothese informiert. Außerdem haben die ein Druckmittel. Sie, Dr Baye.«

»Inwiefern?«

»Die behaupten, dass sie keineswegs vollkommen überzeugt davon sind, dass Sie nicht doch irgendetwas mit der Geschichte zu tun haben. Schließlich wären Sie ja gestern auf dem Weg zum Club Jaguar in eine gewaltsame Auseinandersetzung mit mehreren Personen geraten, die dort aus und ein gehen. Und woher hätten Sie von dem Club wissen sollen, wenn Sie nicht irgendetwas damit zu tun hätten. Was haben Sie da in der Gegend gemacht?«

»Ich habe meinen Sohn gesucht.«

»Und woher haben Sie gewusst, dass Ihr Sohn dort ist? Sie brauchen das nicht zu beantworten, wir wissen alle Bescheid, aber Sie verstehen, worauf ich hinauswill. Die können das so hinbiegen, dass es aussieht, als ob Sie mit dieser Rosemary McDevitt unter einer Decke stecken. Sie sind kein Jugendlicher, sondern erwachsen und dazu noch Arzt. Das würde der Spezialeinheit eine hübsche Schlagzeile garantieren – und Sie würden wohl für eine ganze Weile hinter Gitter wandern. Und wenn Sie so dumm sind, auch noch die Schuld für Ihren Sohn auf sich zu nehmen, können die immer noch behaupten, dass Sie mit ihm unter einer Decke gesteckt haben. In dem Szenario hätte Adam damit angefangen. Er ist auf Pharm-Partys gegangen. Dann haben er und die Lady aus dem Club Jaguar die Chance gesehen, noch mehr Geld zu machen, indem sie einen echten Arzt mit ins Boot holen. Daraufhin haben sie Sie angesprochen.«

»Das ist doch irre.«

»Nein, eigentlich nicht. Die können Ihre Rezepte vorlegen. In deren Augen ist das ein ziemlich handfestes Beweismittel. Wissen Sie, um wie viel Geld es da geht? Oxycodon ist ein Vermögen wert. Das grassiert in gewissen Kreisen. Außerdem könnte man an Ihnen, Dr. Baye, ein wunderbares Exempel statuieren. Sie wären ein ausgezeichnetes Lehrbeispiel dafür, dass Ärzte mit ihren Rezepten sehr vorsichtig umgehen müssen. Im Endeffekt könnte ich Sie da vielleicht raushauen. Wahrscheinlich würde mir das auch gelingen. Aber um welchen Preis?«

»Und was schlagen Sie jetzt vor?«

»Obwohl ich eine Kooperation im Allgemeinen verabscheue, könnte das in diesem Fall Ihre beste Chance sein. Aber für eine endgültige Entscheidung ist es noch zu früh. Zuerst müssen wir Adam finden. Dann machen wir ihm mal richtig die Hölle heiß, bis er uns erzählt, was da wirklich passiert ist. Und erst danach treffen wir eine Entscheidung.

*

Loren Muse gab Neil Cordova das Foto.

»Das ist Reba«, sagte er.

»Ich weiß«, sagte Muse. »Das Bild stammt von einer Überwachungskamera im *Target*, wo sie gestern eingekauft hat.«

Er blickte auf. »Und was nützt uns das?«

»Sehen Sie diese Frau hier?«

Muse tippte mit dem Zeigefinger auf sie.

»Ja.«

»Kennen Sie sie?«

»Nein, ich glaub nicht. Haben Sie noch mehr Bilder von ihr?«

Muse gab ihm das zweite Bild. Neil Cordova konzentrierte sich nur darauf, hoffte inständig, etwas zu finden, ihr helfen zu können. Aber dann schüttelte er nur den Kopf. »Wer ist das?«

»Ein Zeuge hat gesehen, dass Ihre Frau in einen Lieferwagen gestiegen ist, worauf eine andere Frau mit Rebas Acura weggefahren ist. Wir haben dem Zeugen die Videos aus der Überwachungskamera gezeigt. Er sagte, das sei die Frau gewesen.«

Neil Cordova sah sich das Bild noch einmal an. »Ich kenne sie nicht.«

»Okay, Mr Cordova, vielen Dank. Jetzt entschuldigen Sie mich einen Moment, ich bin gleich wieder da.«

»Kann ich das Bild behalten? Falls mir doch noch was einfällt?«

»Selbstverständlich.«

Er starrte darauf, war immer noch benommen von der Identifikation der Leiche. Muse verließ den Raum. Sie ging den Flur entlang. Die Rezeptionistin winkte sie durch. Sie klopfte an Paul Copelands Tür. Er rief sie herein.

Cope saß an einem Tisch und hatte einen Bildschirm vor sich. Hier in den Räumen der Bezirksstaatsanwaltschaft arbeiteten sie nicht mit halbdurchsichtigen Spiegeln in den Verhörräumen. Sie benutzten Kameras. Cope hatte das Gespräch mitverfolgt. Er starrte immer noch auf den Bildschirm und beobachtete Neil Cordova.

»Wir haben gerade noch was erfahren«, sagte Cope.

»Und was?«

»Marianne Gillespie hat im *Travelodge* in Livingston ein Zimmer gehabt. Eigentlich sollte sie heute Vormittag auschecken. Dazu kommt die Aussage von einem Hotelangestellten, der gesehen hat, dass Marianne einen Mann in ihr Zimmer mitgenommen hat.«

»Wann?«

»Er war sich nicht ganz sicher, es muss aber vor vier oder fünf Tagen gewesen sein, also ziemlich bald nachdem sie da eingezogen ist.«

Muse nickte. »Das ist ein verdammt großes Ding.«

Cope ließ den Bildschirm nicht aus den Augen. »Vielleicht sollten wir eine Pressekonferenz einberufen. Und dieses Foto von der Frau vergrößern, das wir aus der Überwachungskamera haben. Einfach mal ausprobieren, ob sie jemand erkennt.«

»Könnte man machen. Ich wende mich mit so etwas aber nur sehr ungern an die Öffentlichkeit, solange das nicht unvermeidbar ist.«

Cope betrachtete weiter den Ehemann. Muse überlegte, welche Gedanken ihm dabei wohl durch den Kopf gingen. Cope hatte selbst viele Tragödien durchlebt, darunter auch den Tod seiner ersten Frau. Muse sah sich im Büro um. Auf dem Tisch lagen fünf originalverpackte iPods. »Was ist das?«, fragte sie.

»Das sind iPods.«

»So weit war ich auch schon. Ich wollte wissen, warum die da liegen.«

Cope beobachtete Cordova weiter. »Fast hoffe ich, dass er das war.«

»Cordova? Der war's nicht.«

»Ich weiß. Man spürt ja fast, wie er leidet.«

Schweigen.

»Die iPods sind für die Brautjungfern«, sagte Cope.

»Nett.«

»Vielleicht sollte ich mit ihm reden.«

»Mit Cordova?«

Cope nickte.

»Das könnte helfen«, sagte sie.

»Lucy steht auf traurige Lieder«, sagte er. »Wussten Sie doch, oder?«

Obwohl sie auch eine Brautjungfer war, kannte Muse Lucy weder besonders lange, noch besonders gut. Sie nickte trotzdem, was Cope aber nicht sah, weil er immer noch auf den Monitor starrte.

»Ich stelle ihr jeden Monat eine CD zusammen. Ziemlich kitschig, ich weiß. Aber sie steht drauf. Also suche ich Monat für Monat nach den traurigsten Songs, die ich finden kann. So richtig herzzerreißende Lieder. In diesem Monat sind zum Beispiel *Congratulations* von Blue October und *Seed* von Angie Aparo dabei.«

»Die sagen mir beide nichts.«

Er lächelte. »Das wird sich ändern. Wir laden die kompletten Playlists auf den iPod.«

»Klasse Idee«, sagte sie. Muse spürte einen Stich. Cope stellte für die Frau, die er liebte, CDs zusammen. Was war die doch für ein Glückspilz.

»Ich hab mich immer gefragt, was Lucy an diesen Songs findet. Also, sie setzt sich immer in ein dunkles Zimmer, hört sie sich an und heult. So reagiert sie auf diese Musik. Ich hab das erst nicht verstanden, bis ich vor einem Monat ein Stück von Missy Higgins gehört habe. Kennen Sie die?«

»Nein.«

»Sie ist fantastisch. Die Musik haut einen um. In dem einen

Stück erzählt sie von einem Exlover, und dass sie mit dem Gedanken nicht klarkommt, dass eine andere ihn berührt, obwohl
sie weiß, dass sie das muss.«

»Traurig.«

»Genau. Dabei ist Lucy doch gerade glücklich, stimmt's? Das
läuft richtig gut zwischen uns. Wie haben uns endlich gefunden
und heiraten. Warum hört sie sich dann immer noch dieses herzzerreißende Zeug an?«

»Ist das eine Frage?«

»Nein, Muse. Ich will Ihnen etwas erklären. Ich hatte das wie
gesagt bis vor Kurzem auch nicht begriffen, aber das funktioniert
ungefähr so: Diese traurigen Lieder sind eine sichere Quelle, sich
Schmerzen zuzufügen. Es ist Ablenkung, dabei aber ganz kont-
rolliert. Und vielleicht kann sie sich dabei vorstellen, dass echte
Schmerzen auch so seien. Was natürlich nicht stimmt. Und Lucy
weiß das auch. Auf echte Schmerzen kann man sich nicht vorbe-
reiten. Die zerreißen einen einfach.«

Sein Telefon summte. Cope wandte den Blick vom Bildschirm
ab und griff zum Hörer. »Copeland«, meldete er sich. Dann sah
er Muse an. »Sie haben Marianne Gillespies nächste Angehörige
ausfindig gemacht. Da müssen Sie wohl hin.«

30

Als die beiden Mädchen allein im Schlafzimmer waren, fing Yasmin an zu weinen.

»Was ist los?«, fragte Jill.

Yasmin deutete auf ihren Computer und sagte: »Die Leute sind
voll fies.«

»Was ist passiert?«

»Ich zeig's dir. Das ist total gemein.«

Jill nahm sich einen Stuhl und setzte sich neben ihre Freundin. Sie knabberte an einem Fingernagel.

»Yasmin?«

»Was ist?«

»Ich mach mir Sorgen wegen meinem Bruder. Und mit meinem Dad stimmt auch was nicht. Deshalb hat Mom mich ja auch wieder hergebracht.«

»Hast du deine Mom gefragt, was los ist?«

»Die sagt mir sowieso nichts.«

Yasmin wischte sich beim Tippen die Tränen ab. »Die wollen uns immer nur beschützen, was?«

Jill fragte sich, ob Yasmin das ironisch oder ernst gemeint hatte – aber wahrscheinlich war es eine Mischung aus beidem. Yasmin blickte wieder auf den Bildschirm. Sie zeigte darauf.

»Hier, guck dir das an.«

Es war eine MySpace-Seite mit dem Titel: *»Männlich oder Weiblich? – Die Geschichte der XY.«* Im Hintergrund waren Unmengen an Affen und Gorillas zu sehen. Unter Lieblingsfilme stand *Planet der Affen* und *Hair*. Dazu lief Peter Gabriels Stück *Shock the Monkey*. Dazu waren noch Links zu National-Geographic-Videos eingebaut, in denen es immer um Affen ging. Dazu ein YouTube-Kurzfilm mit dem Titel: »Dancing Gorilla.«

Das Schlimmste war aber das Bild – ein Schulfoto von Yasmin mit einem aufgemalten Bart.

Jill flüsterte: »Das ist ja unglaublich.«

Yasmin fing wieder an zu weinen.

»Wie bist du auf die Seite gestoßen?«

»Marie Alexandra, die blöde Zicke, hat mir den Link geschickt. Und der halben Klasse gleich mit.«

»Wer hat die Seite gemacht?«

»Ich weiß es nicht. Wahrscheinlich sie selbst. Sie klingt in ihrer Mail ganz besorgt, aber ich hab sie fast dabei kichern gehört, als sie das geschrieben hat.«

»Und die Mail hat sie auch noch an andere Mitschüler geschickt?«

»Ja. An Heidi, Annie, …«

Jill schüttelte den Kopf. »Tut mir echt leid.«

»Das tut dir leid?«

Jill sagte nichts.

Yasmin lief rot an. »Irgendjemand wird dafür büßen.«

Jill sah ihre Freundin an. Vor diesem Vorfall war Yasmin außerordentlich nett und fast schon liebenswürdig gewesen. Sie hatte Klavier gespielt, getanzt und über alberne Filme gelacht. Jetzt sah Jill nur noch die Wut in ihr. Das machte ihr Angst. In den letzten Tagen war so viel danebengegangen. Ihr Bruder war weggelaufen, ihr Vater steckte in irgendwelchen Schwierigkeiten, und jetzt wurde Yasmin auch noch wütender als je zuvor.

»Yasmin, Jill?«

Mr Novak rief sie von unten. Yasmin wischte sich die Tränen aus dem Gesicht. Sie öffnete die Tür und rief: »Ja, Daddy?«

»Ich hab euch ein bisschen Popcorn gemacht.«

»Wir kommen sofort.«

»Beth und ich haben überlegt, ob wir vier in die Mall fahren sollen. Wir können ins Kino gehen oder ihr könnt an den Automaten spielen. Was haltet ihr davon?«

»Wir kommen gleich runter.«

Yasmin schloss die Tür.

»Mein Dad muss hier raus. Sonst dreht er noch durch.«

»Wieso?«

»Das war vollkommen irre vorhin. Mr Lewistons Frau war hier.«

»Hier bei euch? Niemals.«

Yasmin nickte mit weit aufgerissenen Augen. »Also, ich glaub wenigstens, dass sie das war. Ich kenn sie ja nicht. Aber sie war mit seiner alten Schrottkiste hier.«

»Und was ist dann passiert?«

»Sie haben sich gestritten.«

»Mein Gott.«

»Ich hab kein Wort verstanden. Aber sie sah ziemlich genervt aus.«

Von unten: »Das Popcorn ist fertig!«

Die Mädchen gingen runter. Guy Novak erwartete sie. Er lächelte angestrengt. »Im *IMAX* läuft der neue Spiderman-Film«, sagte er.

Es klingelte an der Tür.

Guy Novak drehte sich um. Sein Körper erstarrte.

»Dad?«

»Ich geh schon hin«, sagte er.

Er ging zur Tür. Mit etwas Abstand folgten die beiden Mädchen. Beth war auch da. Mr Novak sah aus dem kleinen Fenster, runzelte die Stirn und öffnete die Tür. Eine Frau stand davor. Jill sah Yasmin an. Die schüttelte den Kopf. Das war nicht Mr Lewistons Frau.

Mr Novak fragte: »Was kann ich für Sie tun?«

Die Frau spähte an ihm vorbei, sah die beiden Mädchen und sah Yasmins Dad dann wieder an.

»Sind Sie Guy Novak?«, fragte sie.

»Ja.«

»Ich heiße Loren Muse. Können wir uns unter vier Augen unterhalten?«

*

Loren Muse stand in der Tür.

Sie sah die beiden Mädchen hinter Guy Novak. Die eine war vermutlich seine Tochter, die andere, tja, vielleicht gehörte sie zu der Frau, die noch hinter den beiden Mädchen stand. Die Frau war, wie sie schnell feststellte, nicht Reba Cordova. Sie sah gut und halbwegs entspannt aus, aber man konnte nie wissen. Muse behielt sie im Auge, suchte nach irgendwelchen Zeichen dafür, dass sie unter Druck stand.

Im Flur waren keine Anzeichen von Gewalt oder Zerstörung zu

sehen. Die Mädchen wirkten etwas schüchtern, ansonsten aber ganz normal. Vor dem Klingeln hatte Muse kurz das Ohr an die Tür gedrückt. Sie hatte nichts Ungewöhnliches gehört, nur dass Guy Novak etwas von Popcorn und einem Film nach oben gerufen hatte.

»Worum geht es?«, fragte Guy Novak.

»Es wäre besser, wenn wir uns allein unterhalten könnten.«

Sie betonte das Wort *allein* und hoffte, dass er den Hinweis verstand.

»Wer sind Sie?«, fragte er.

In Anwesenheit der Mädchen wollte Muse sich nicht als Ermittlerin der Staatsanwaltschaft zu erkennen geben. Also beugte sie sich vor, sah die Mädchen an, und sah Guy Novak dann fest in die Augen. »Es wäre besser, wenn wir uns allein unterhalten könnten, Mr Novak.«

Endlich begriff er. Er wandte sich an die Frau und sagte: »Beth, geh doch mit den Mädchen in die Küche und gib ihnen das Popcorn.«

»Okay.«

Muse wartete, bis die drei verschwunden waren. Sie versuchte, Guy Novak einzuschätzen. Er wirkte ziemlich fahrig, aber sein Verhalten ließ darauf schließen, dass ihr Erscheinen ihn weniger verängstigte als verärgerte.

Clarence Morrow, Frank Tremont und ein paar Streifenpolizisten waren in der Nähe und behielten die Umgebung im Auge. Noch bestand die schwache Hoffnung, dass Guy Novak Reba Cordova entführt hatte und sie irgendwo hier festhielt, allerdings erschien Loren das mit jeder Sekunde unwahrscheinlicher.

Guy Novak bat sie nicht ins Haus. »Und was ist jetzt?«

Muse zeigte ihm ihre Marke.

»Soll das ein Witz sein?«, fragte er. »Hat Lewiston Sie angerufen?«

Muse hatte keine Ahnung, wer Lewiston war, beschloss aber,

ihn erst einmal reden zu lassen. Also wackelte sie scheinbar unschlüssig mit dem Kopf.

»Das ist ja unglaublich. Ich bin doch nur an ihrem Haus vorbeigefahren. Weiter nichts. Seit wann ist das denn verboten?«

»Kommt drauf an«, sagte Muse.

»Worauf.«

»Auf die Absicht, die Sie damit verfolgten.«

Guy Novak schob seine Brille hoch. »Wissen Sie, was der Mann meiner Tochter angetan hat?«

Sie hatte keine Ahnung, aber auf jeden Fall hatte es Guy Novak beunruhigt. Das gefiel ihr – damit konnte sie arbeiten.

»Ich höre mir gern auch Ihre Version an«, sagte sie.

Dann begann er darüber zu schimpfen, was ein Lehrer zu seiner Tochter gesagt hatte. Muse sah ihm ins Gesicht. Wie bei Neil Cordova hatte sie auch hier nicht den Eindruck, dass der Mann ihr etwas vorspielte. Er fluchte über die Ungerechtigkeit, die man seiner Tochter Yasmin angetan hatte, und dass der Lehrer noch nicht einmal welche auf die Finger bekommen hatte.

Als er Luft holte, fragte Muse: »Was sagt Ihre Frau dazu?«

»Ich bin nicht verheiratet.«

Das wusste Muse natürlich. »Oh, ich dachte, die Frau bei den Mädchen ...«

»Beth. Sie ist nur eine Freundin.«

Wieder wartete sie und hoffte, dass er weitererzählte.

Er atmete ein paarmal tief durch und sagte: »In Ordnung, ich hab's begriffen.«

»Begriffen?«

»Ich nehme an, dass die Lewistons Sie angerufen und sich beschwert haben. Ich hab's begriffen. Ich werde mit meinem Anwalt darüber sprechen, welche Möglichkeiten mir zur Verfügung stehen.«

Muse erkannte, dass sie so nicht weiterkam. Sie musste es anders versuchen. »Darf ich Sie noch etwas anderes fragen?«

»Wieso nicht?«

»Wie hat Yasmins Mutter auf die Sache reagiert?«

Seine Augen verengten sich. »Warum fragen Sie das?«

»Das ist doch eine naheliegende Frage.«

»Yasmins Mutter nimmt keinen sehr großen Anteil an Yasmins Leben.«

»Trotzdem. Bei so einem einschneidenden Ereignis?«

»Marianne hat uns verlassen, als Yasmin noch klein war. Sie lebt in Florida und sieht ihre Tochter vielleicht vier- oder fünfmal im Jahr.«

»Wann war sie zum letzten Mal hier oben?«

Er runzelte die Stirn. »Was hat das denn damit ... Moment, kann ich Ihre Marke noch mal sehen?«

Muse zog sie raus. Dieses Mal sah er sie sich genauer an. »Sie sind vom Bezirk?«

»Ja.«

»Haben Sie was dagegen, dass ich bei Ihnen im Büro anrufe und das bestätigen lasse?«

»Ganz wie Sie wollen.« Muse griff in die Tasche und zog ihre Visitenkarte heraus. »Hier.«

Er las sie laut vor. »Loren Muse. Chefermittlerin.«

»Ja.«

»Chef«, wiederholte er. »Wie kommt das? Sind Sie persönlich mit den Lewistons befreundet?«

Wieder fragte Muse sich, ob das ein cleveres Ablenkungsmanöver war oder ob Guy Novak das ernst meinte.

»Bitte sagen Sie mir, wann Sie Ihre Exfrau zum letzten Mal gesehen haben.«

Er rieb sich das Kinn. »Hatten Sie nicht gesagt, dass es um die Lewistons geht?«

»Bitte beantworten Sie nur meine Frage. Wann haben Sie Ihre Exfrau zum letzten Mal gesehen?«

»Vor drei Wochen.«

»Was wollte sie hier?«

»Sie hat Yasmin besucht.«

»Haben Sie mit ihr gesprochen?«

»So gut wie gar nicht. Sie hat Yasmin hier abgeholt. Dabei hat sie mir versprochen, dass sie sie zu einer bestimmten Zeit zurückbringt. Normalerweise hält Marianne sich daran. Sie verbringt nicht gern viel Zeit mit Ihrer Tochter.«

»Haben Sie hinterher noch mal mit ihr gesprochen?«

»Nein.«

»Mhm. Wissen Sie, wo sie normalerweise wohnt, wenn sie hier zu Besuch ist?«

»Im Travelodge an der Mall.«

»Ist Ihnen bekannt, dass sie die letzten vier Tage da gewohnt hat?«

Er sah Loren überrascht an. »Sie hat gesagt, dass sie nach Los Angeles fährt.«

»Wann hat Sie Ihnen das gesagt?«

»Sie hat mir eine E-Mail geschickt – äh, gestern glaube ich.«

»Kann ich die mal sehen?«

»Die E-Mail? Die habe ich gelöscht.«

»Wissen Sie, ob Ihre Frau einen Liebhaber hatte?«

Ein fast schon höhnisches Grinsen breitete sich auf seinem Gesicht aus. »Sie hatte bestimmt ein paar, aber darüber weiß ich nichts.«

»Auch hier in der Gegend?«

»Früher hat sie auch Männer hier in der Gegend gehabt.«

»Könnten Sie uns ein paar Namen nennen?«

Guy Novak schüttelte den Kopf. »Ich weiß keine, und sie interessieren mich auch nicht.«

»Warum sind Sie so verbittert, Mr Novak?«

»Ich weiß nicht, ob man das noch *verbittert* nennen kann.« Er nahm die Brille ab, sah sich stirnrunzelnd einen kleinen Schmutzfleck darauf an und versuchte, ihn am T-Shirt abzuwischen. »Ich habe Marianne geliebt, was sie aber wirklich nicht verdient hatte. Wenn man es freundlich ausdrücken will, könnte man sie selbstzerstörerisch nennen. Diese Stadt hat sie gelangweilt. Ich habe sie gelangweilt. Das Leben hat sie gelangweilt. Sie hat mich serienweise betrogen. Sie hat ihre Tochter verlassen, und auch danach war sie nichts als eine einzige riesige Enttäuschung. Vor zwei Jahren hat Marianne Yasmin versprochen, dass sie mit ihr nach Disney World fährt. Einen Tag vor der Abfahrt hat sie mir telefonisch abgesagt. Ohne auch nur einen Grund anzugeben.«

»Zahlen Sie Unterhalt für Ihre Exfrau oder für Ihre Tochter?«

»Weder noch. Ich habe das alleinige Sorgerecht.«

»Hat Ihre Exfrau noch Freunde hier in der Gegend?«

»Das kann ich Ihnen nicht genau sagen, aber ich bezweifle es.«

»Was ist mit Reba Cordova?«

Guy Novak überlegte einen Moment lang. »Damals, als Marianne noch hier gewohnt hat, waren die beiden enge Freundinnen. Sehr enge sogar. Ich habe nie ganz verstanden, warum. Sie könnten kaum verschiedener sein. Aber das wäre durchaus möglich. Ich würde sagen, wenn Marianne den Kontakt zu irgendjemand hier aufrechterhalten hat, dann am ehesten zu Reba.«

»Wann haben Sie Reba Cordova zum letzten Mal gesehen?«

Er sah nachdenklich nach rechts oben. »Das ist schon eine ganze Weile her. Ich weiß nicht. Vielleicht bei einem Treffen in der Schule oder so.«

Wenn er tatsächlich weiß, dass seine Exfrau ermordet worden ist, dachte Muse, ist er ziemlich cool.

»Reba Cordova wird vermisst.«

Guy Novak öffnete den Mund und schloss ihn dann wieder. »Und Sie denken, dass Marianne etwas damit zu tun hat?«

»Glauben Sie das?«

»Sie ist selbstzerstörerisch. Das Schlüsselwort ist dabei aber das *selbst*. Ich glaube nicht, dass sie jemand anderem Schaden zufügen würde, außer vielleicht ihrer eigenen Familie.«

»Mr Novak, ich würde gern mit Ihrer Tochter sprechen.«

»Warum?«

»Weil wir glauben, dass Ihre Exfrau ermordet wurde.«

Sie sagte es ziemlich beiläufig und wartete auf seine Reaktion. Die kam mit einer gewissen Verzögerung, als ob die Worte ihn einzeln und nacheinander erreichten und er sie nur ganz langsam verarbeiten könnte. Ein paar Sekunden lang tat er gar nichts. Er stand nur da und starrte ins Leere. Dann verzog er das Gesicht, als hätte er sich verhört.

»Ich versteh … Sie *glauben*, dass Marianne ermordet wurde?«

Muse sah nach hinten und nickte. Clarence kam auf die Tür zu.

»Wir haben eine Frauenleiche in einer Gasse gefunden, die wie eine Prostituierte gekleidet war. Neil Cordova glaubt, dass es sich um Ihre Exfrau Marianne Gillespie handelt. Daher müssen wir jetzt Folgendes tun. Sie, Mr Novak, fahren mit meinem Kollegen zur Gerichtsmedizin, um den Leichnam persönlich in Augenschein zu nehmen. Haben Sie das verstanden?«

Benommen sagte er: »Marianne ist tot?«

»Ja, das nehmen wir jedenfalls an. Aber wir brauchen Ihre Hilfe. Ermittler Morrow wird Sie zur Leiche fahren und Ihnen noch ein paar Fragen stellen. Ihre Freundin Beth kann bei den Kindern bleiben. Ich bleibe auch hier. Wenn Sie nichts dagegenhaben, würde ich Ihrer Tochter gern ein paar Fragen über ihre Mutter stellen.«

»Gut«, sagte er. Und das nahm viel Druck von ihr. Wenn er erst einmal lange hin und her überlegt hätte, tja, der Exmann ist immer ein guter Tatverdächtiger. Sie war sich auch immer noch nicht hundertprozentig sicher, dass er nichts damit zu tun hatte. Sie konnte auch an einen weiteren großen Schauspieler aus der Liga von DeNiro oder Cordova geraten sein. Aber auch in diesem Fall konnte sie sich das nicht richtig vorstellen. Es spielte jetzt aber auch keine Rolle. Clarence würde ihn sowieso vernehmen.

Clarence sagte: »Sind Sie bereit, Mr Novak?«

»Ich muss es meiner Tochter sagen.«

»Es wäre mir lieber, wenn Sie das nicht tun«, sagte Muse.

»Wie bitte?«

»Wie ich schon sagte, sind wir noch gar nicht sicher, ob es sich bei der Leiche wirklich um Ihre Frau handelt. Falls es nötig ist, werde ich es Ihnen überlassen, es Ihrer Tochter zu sagen.«

Guy Novak nickte benommen. »Okay.«

Clarence ergriff seinen Arm und sagte leise: »Kommen Sie, Mr Novak. Hier entlang.«

Muse sah ihnen nicht nach. Sie trat ins Haus und ging in die Küche. Die beiden Mädchen saßen mit weit aufgerissenen Augen am Tisch und taten, als äßen sie Popcorn.

Eins der Mädchen fragte: »Wer sind Sie?«

Muse lächelte knapp. »Ich heiße Loren Muse. Ich arbeite für den Bezirk.«

»Wo ist mein Vater?«

»Bist du Yasmin?«

»Ja.«

»Dein Vater hilft meinen Beamten. Er kommt bald zurück. Aber jetzt muss ich dir ein paar Fragen stellen, okay?«

31

Betsy Hill saß auf dem Fußboden im Zimmer ihres Sohns. Sie hatte Spencers altes Handy in der Hand. Der Akku war schon seit Langem leer. Also hielt sie es einfach fest, starrte es an und wusste nicht, was sie tun sollte.

Einen Tag nachdem ihr Sohn tot aufgefunden worden war, hatte sie Ron beim Ausräumen des Zimmers erwischt – genau wie er Spencers Stuhl vom Esstisch in den Keller geräumt hatte. Betsy hatte ihm sehr deutlich zu verstehen gegeben, dass er damit auf-

hören sollte. Bis zu einem gewissen Punkt konnte man sich ver-
biegen, aber irgendwann zerbrach man – den Unterschied hatte
sogar Ron verstanden.

Noch Tage nach dem Selbstmord hatte sie schluchzend in Fötushaltung auf dem Fußboden gelegen. Sie hatte wahnsinnige
Bauchschmerzen gehabt und einfach nur sterben wollen. Die To-
desqualen hätten überwältigend werden und sie dann verschlingen sollen. Aber das war nicht geschehen. Sie legte die Hände
auf das Bett ihres Sohns und strich die Laken glatt. Dann legte
sie ihr Gesicht auf sein Kissen – aber sein Geruch war verflogen.

Wie hatte das passieren können?

Sie dachte an ihr Gespräch mit Tia Baye, überlegte, was das
bedeutete und welche Schlussfolgerungen sich daraus ergaben.
Eigentlich gar keine. Letztlich war Spencer tot. Da hatte Ron
schon Recht. Auch wenn sie jetzt die Wahrheit erfuhren, änderte
das daran nichts – und auch ihre Wunden würden nicht schneller verheilen. Selbst wenn sie die Wahrheit erfuhr, würde es sie
nicht dieser verdammten Akzeptanz näherbringen, weil sie die eigentlich gar nicht suchte. Welche Mutter – eine Mutter, die bei
ihrem Kind schon so viele Fehler gemacht hatte – würde einfach
so weiterleben, die Schmerzen hinter sich lassen und das Ganze
irgendwie vergessen wollen?

»Hey.«

Sie blickte auf. Ron stand in der Tür. Er versuchte, ihr zuzulä-
cheln. Sie steckte das Handy in ihre Gesäßtasche.

»Alles in Ordnung?«, fragte er.

»Ron?«

Er wartete.

»Ich muss erfahren, was an dem Abend wirklich passiert ist.«

Ron sagte: »Ich weiß.«

»Wir bekommen ihn dadurch nicht zurück«, sagte sie. »Das ist
mir klar. Wahrscheinlich geht es uns dann nicht einmal besser.
Aber ich denke, wir müssen es trotzdem versuchen.«

»Warum?«, fragte er.

»Ich weiß es nicht.«

Ron nickte. Er trat ins Zimmer und wollte sich zu ihr herunterbeugen. Einen Moment lang dachte sie, er wollte sie umarmen, und bei dem Gedanken erstarrte ihr Körper. Als er das sah, stoppte er, blinzelte ein paarmal und richtete sich wieder auf.

»Ich geh lieber wieder«, sagte er.

Er drehte sich um und verschwand. Betsy zog das Handy aus der Tasche. Sie steckte das Ladegerät ein und schaltete es an. Sie hielt das Handy weiter umklammert, krümmte sich in die Fötushaltung und fing an zu weinen. Sie dachte an ihren Sohn, der in genau so einer Fötushaltung – war auch das erblich? – da oben auf dem harten, kalten Dach gelegen hatte.

Sie sah die Rufliste in Spencers Handy durch. Sie fand keine Überraschung. Außerdem hatte sie das schon mehrmals gemacht, das war allerdings ein paar Wochen her. Spencer hatte Adam Baye an dem Abend dreimal angerufen. Ungefähr eine Stunde bevor er den Abschiedstext abgeschickt hatte, hatte er es zum letzten Mal versucht. Der Anruf habe nur eine Minute gedauert. Adam hatte gesagt, Spencer habe ihm eine wirre Nachricht auf der Mailbox hinterlassen. Und sie fragte sich jetzt, ob Adam sie belogen hatte.

Die Polizei hatte das Handy auf dem Dach neben Spencers Leiche gefunden.

Sie hielt es fest und schloss die Augen. Sie war fast eingeschlafen, dämmerte in einem Zustand zwischen Schlaf und Wachheit dahin, als das Telefon klingelte. Im ersten Moment dachte sie, es wäre Spencers Handy, aber es war das Festnetztelefon.

Eigentlich wollte sie liegen bleiben und später den Anrufbeantworter abhören, aber dann fiel ihr ein, dass es Tia Baye sein könnte. Sie rappelte sich auf. Spencer hatte auch ein Telefon in seinem Zimmer. Sie sah aufs Display, konnte die Nummer aber nicht zuordnen.

»Hallo?«

Stille.

»Hallo?«

Dann sagte eine tränenerstickte Jungenstimme: »Ich hab Sie mit meiner Mom auf dem Dach gesehen.«

Betsy richtete sich auf. »Adam?«

»Es tut mir so leid, Mrs Hill.«

»Von wo rufst du an?«, fragte sie.

»Von einem Münztelefon.«

»Und wo ist das?«

Sie hörte ihn weiterschluchzen.

»Adam?«

»Ich war mit Spencer oft bei Ihnen im Garten. Hinten, zwischen den Bäumen wo früher die Schaukel stand. Wissen Sie, wo ich meine?«

»Ja.«

»Wir können uns da treffen.«

»Gut. Wann?«

»Spencer und ich waren gern da, weil man sehen kann, ob jemand kommt. Wenn Sie jemandem erzählen, dass wir uns da treffen, dann seh ich den da. Versprechen Sie mir, dass Sie das nicht tun.«

»Versprochen. Wann?«

»In einer Stunde.«

»Okay.«

»Mrs Hill?«

»Ja?«

»Was mit Spencer passiert ist«, sagte Adam, »das war meine Schuld.«

*

Als Mike und Tia in ihre Straße einbogen, sahen sie den Mann mit den langen Haaren und den schmutzigen Fingernägeln auf ihrem Rasen auf und ab gehen.

Mike fragte: »Ist das nicht Brett?«

Tia nickte. »Er hat sich diese E-Mail noch mal angeguckt. Die mit der Party bei den Huffs.«

Sie fuhren die Einfahrt hinauf. Susan und Dante Loriman waren auch draußen. Dante winkte. Mike winkte zurück. Er sah Susan an. Angestrengt hob sie die Hand, drehte sich dann um und ging in ihr Haus. Mike winkte noch mal kurz und wandte sich dann ab. Dafür hatte er jetzt keine Zeit.

Sein Handy klingelte. Mike sah aufs Display.

»Wer ist das?«, fragte Tia.

»Ilene«, antwortete er. »Die ist auch vom FBI vernommen worden. Ich muss rangehen.«

Sie nickte. »Ich spreche mit Brett.«

Tia stieg aus dem Wagen. Brett ging immer noch auf und ab und führte dabei ein angeregtes Selbstgespräch. Als Tia ihn ansprach, blieb er stehen.

»Irgendjemand will Sie da verarschen, Tia«, sagte Brett.

»Wieso?«

»Ich muss mir Adams Computer noch mal genauer angucken, damit ich sicher bin.«

Tia hatte noch mehr Fragen, aber die jetzt zu stellen wäre nur Zeitverschwendung gewesen. Sie schloss die Tür auf und ließ Brett ins Haus. Er kannte den Weg.

»Haben Sie oder Ihr Mann irgendjemandem erzählt, was ich auf dem Computer installiert habe?«, fragte er.

»Von dem Überwachungsprogramm? Nein. Na ja, doch, gestern Abend haben wir es der Polizei erzählt.«

»Und davor? Wusste das da schon jemand?«

»Nein. Besonders stolz waren wir darauf nicht. Ach, warten Sie, unser Freund Mo wusste Bescheid.«

»Wer?«

»Er ist so eine Art Patenonkel von Adam. Mo würde niemals etwas tun, was Adam schadet.«

Brett zuckte die Achseln. Sie kamen in Adams Zimmer. Der Computer lief. Brett setzte sich davor und fing an zu tippen. Er rief Adams E-Mails auf und startete irgendein Programm. Zeichenreihen liefen die Seite herunter. Tia hatte keine Ahnung, was sie da sah.

»Wonach suchen Sie?«

Er klemmte eine Strähne hinter die Ohren und konzentrierte sich auf den Bildschirm. »Also, die E-Mail, nach der Sie gefragt haben, wurde gelöscht, ja? Ich will nur nachgucken, ob zum Absenden ein Timer verwendet wurde – nein – und dann ...« Er brach ab. »Moment ... Okay, ja.«

»Was ja?«

»Das ist komisch, mehr kann ich noch nicht sagen. Sie haben gesagt, dass Adam nicht zu Hause war, als die E-Mail ankam. Aber wir wissen, dass die E-Mail an diesem Computer gelesen wurde, richtig?«

»Richtig.«

»Haben Sie irgendeine Idee, wer das gewesen sein könnte?«

»Eigentlich nicht. Von uns war keiner zu Haus.«

»Jetzt wird's nämlich wirklich interessant. Die E-Mail wurde nicht nur an Adams Computer gelesen, sie wurde auch von hier abgeschickt.«

Tia verzog das Gesicht. »Also ist jemand hier eingebrochen, hat Adams Computer angestellt, ihm eine E-Mail geschickt, in der steht, dass bei den Huffs eine Party stattfindet, dann hat er diese E-Mail geöffnet, gelesen und wieder gelöscht.«

»So sieht es aus.«

»Und was soll das?«

Brett zuckte die Achseln. »Mir fällt da nur eins ein. Da wollte Sie jemand verarschen – um Sie zu verwirren.«

»Aber es wusste doch niemand etwas über das E-SpyRight. Außer Mike, mir, Mo und ...«, Tia versuchte Brett in die Augen zu sehen, der senkte aber sofort den Blick, »... Ihnen.«

»Hey, gucken Sie mich nicht so an.«

»Sie haben es Hester Crimstein erzählt.«

»Das tut mir leid. Aber sie war die Einzige, die das von mir erfahren hat.«

Tia überlegte. Und dann sah sie sich Brett mit seinen schmutzigen Fingernägeln, dem Dreitagebart und dem coolen, wenn auch abgewetzten T-Shirt an und überlegte, wie sie diesem Mann, den sie eigentlich gar nicht besonders gut kannte, so eine Aufgabe hatte anvertrauen können – und wie dumm das von ihr gewesen war.

Woher wollte sie wissen, dass das, was er erzählte, überhaupt stimmte?

Er hatte ihr gezeigt, dass sie sich an so weit entfernten Orten wie Boston einloggen und die Berichte lesen konnte. War der Gedanke, dass er sich auch ein Passwort eingerichtet hatte, mit dem er das Programm steuern und die Berichte lesen konnte, wirklich sehr weit hergeholt? Wie sollte sie das feststellen? Wer wusste überhaupt, was für Programme da auf dem Computer waren? Manche Firmen spielten Spyware auf, wenn man auf ihre Internetseite ging, weil sie wissen wollten, wo man sonst noch surfte. Beim Einkaufen bekam man diese Rabattkarten, damit die Konzerne erfuhren, was man sonst noch kaufte. Wer konnte da schon sagen, was diese Computerhersteller schon vor dem Verkauf alles auf der Festplatte installiert hatten? Suchmaschinen speicherten, nach welchen Begriffen man suchte, und weil der Speicherplatz inzwischen so billig war, brauchten sie diese Daten nie wieder zu löschen.

War da der Gedanke wirklich so absurd, dass Brett mehr wusste, als er zugab?

*

»Hallo?«

Ilene Goldfarb sagte: »Mike?«

Mike sah Tia und Brett ins Haus gehen. Er hielt das Handy ans Ohr. »Was gibt's?«, fragte er.

»Ich habe mich mit Susan Loriman über Lucas' leiblichen Vater unterhalten.«

Das überraschte Mike. »Wann?«

»Heute. Sie hatte mich angerufen. Wir haben uns im Diner getroffen.«

»Und?«

»Das ist eine Sackgasse.«

»Der echte Vater?«

»Ja.«

»Wieso?«

»Sie will, dass ich das vertraulich behandle.«

»Den Namen des Vaters? Schade.«

»Nicht den Namen des Vaters.«

»Was dann?«

»Sie hat mir den Grund dafür genannt, warum dieser Weg uns nicht weiterbringt.«

Mike sagte: »Ich kann dir nicht folgen.«

»Vertrau mir einfach. Sie hat mir die Situation erklärt. Es ist wirklich eine Sackgasse.«

»Ich versteh nicht, wieso?«

»Das ging mir genauso, bis Susan es mir erklärt hat.«

»Und sie will, dass der Grund vertraulich behandelt wird.«

»Richtig.«

»Dann nehme ich an, dass es irgendeine Peinlichkeit ist. Deshalb wollte sie auch mit dir sprechen und nicht mit mir.«

»Ich würde es nicht peinlich nennen.«

»Wie würdest du es dann nennen?«

»Das klingt ja fast so, als ob du meiner Einschätzung nicht traust?«

Mike führte das Telefon ans andere Ohr. »Ilene, normalerweise würde ich dir mein Leben anvertrauen.«

»Aber?«

»Aber ich bin gerade von einer Spezialeinheit der Drogenfahndung und der Bundesstaatsanwaltschaft in die Mangel genommen worden.«

Schweigen.

»Mit dir haben sie auch gesprochen, stimmt's?«, fragte Mike.

»Das haben sie.«

»Warum hast du mir nichts davon gesagt?«

»Sie haben gesagt, wenn ich dir etwas davon sage, wäre das eine Behinderung der Justiz. Sie haben gedroht, dass sie Anklage wegen Billigung von Straftaten erheben würden, was dazu führen könnte, dass ich die Praxis verliere.«

Mike sagte nichts.

»Vergiss nicht«, fuhr sie fort, »dass auch mein Name auf den Rezeptblöcken steht.« Ihre Stimme klang jetzt scharf.

»Ich weiß.«

»Was zum Teufel geht da vor, Mike?«

»Das ist eine lange Geschichte.«

»Stimmt das, was sie dir vorwerfen?«

»Sag bitte, dass du das nicht ernst meinst.«

»Sie haben mir Kopien von deinen Rezepten vorgelegt und eine Liste mit den Medikamenten gegeben, die du verschrieben hast. Das waren alles nicht unsere Patienten. Und mindestens die Hälfte der darauf verschriebenen Medikamente benutzen wir überhaupt nicht.«

»Ich weiß.«

»Es geht auch um meine Karriere«, sagte sie. »Das war zuerst meine Praxis. Du weißt, wie viel sie mir bedeutet.«

Da war etwas in ihrer Stimme, ein Schmerz, der über die nachvollziehbare Verletztheit hinausging. »Tut mir leid, Ilene. Ich versuch selbst noch rauszukriegen, was da los ist.«

»Ich denke, ich habe eine eingehendere Erklärung verdient als: ›Das ist eine lange Geschichte‹.«

»Ehrlich gesagt weiß ich selbst nicht, was los ist. Adam wird vermisst. Ich muss ihn finden.«

»Was meinst du mit vermisst?«

Er fasste kurz zusammen, was passiert war. Als er fertig war, sagte Ilene: »Ich möchte nur ungern die Frage stellen, die sich daraus ergibt.«

»Dann lass es.«

»Ich will meine Praxis nicht verlieren, Mike.«

»Das ist jetzt unsere Praxis, Ilene.«

»Auch wieder wahr. Also, wenn ich dir dabei irgendwie helfen kann ...«, setzte sie an.

»Dann melde ich mich.«

*

Nash hielt vor Pietras Wohnung in Hawthorne. Sie brauchten ein paar Tage lang Abstand voneinander. Das merkte er. Langsam traten Risse auf. Sie würden immer irgendwie verbunden bleiben – nicht so eng, wie er mit Cassandra verbunden war, das konnte man nicht vergleichen. Aber da war etwas zwischen ihnen, eine Anziehung, die sie immer wieder zusammenführte. Anfangs war es wohl vor allem Dankbarkeit gewesen, da wollte sie sich dafür revanchieren, dass er sie in diesem grässlichen Land gerettet hatte, obwohl sie eigentlich gar nicht gerettet werden wollte. Vielleicht lag deshalb auf dieser Rettung auch ein Fluch, der ihn jetzt befallen hatte, so dass er in ihrer Schuld stand und nicht umgekehrt.

Pietra sah aus dem Fenster. »Nash?«

»Ja.«

Sie kratzte sich kurz am Hals. »Die Soldaten, die meine Verwandten abgeschlachtet haben. Und die unaussprechlichen Sachen, die sie ihnen angetan haben – und mir auch ...«

Sie brach ab.

»Ich hör dir zu«, sagte er.

»Glaubst du, dass das alles Mörder, Vergewaltiger und Folterer waren – dass sie so was auch gemacht hätten, wenn kein Krieg gewesen wäre?«

Nash antwortete nicht.

»Der eine, den wir hinterher gefunden haben, war der Bäcker«, sagte sie. »Wir haben immer bei ihm eingekauft. Die ganze Familie. Er hat viel gelächelt. Und er hat uns kleine Lutscher geschenkt.«

»Worauf willst du hinaus?«

»Wenn es keinen Krieg gegeben hätte«, sagte Pietra, »hätten sie einfach ganz normal weitergelebt. Sie wären ihren Berufen als Bäcker, Schmied oder Zimmermann nachgegangen. Sie wären keine Mörder geworden.«

»Meinst du, dass gilt auch für dich?«, fragte er. »Wärst du auch einfach weiter Schauspielerin gewesen?«

»Um mich geht's mir gar nicht«, sagte Pietra. »Mich interessieren nur die Soldaten.«

»Gut, in Ordnung. Du glaubst also, dass der Druck, unter dem sie im Krieg standen, für ihr Verhalten verantwortlich ist.«

»Du nicht?«

»Nein.«

Sie wandte ihm langsam den Kopf zu. »Wieso nicht?«

»Dein Argument ist, dass der Krieg sie gezwungen hat, auf eine Art zu handeln, die nicht ihrer Natur entspricht.«

»Ja.«

»Aber vielleicht ist genau das Gegenteil passiert«, sagte er. »Vielleicht hat der Krieg sie befreit und ihr wahres Ich zum Vorschein gebracht. Ist es nicht vielleicht eher die Gesellschaft, und nicht der Krieg, die die Menschen zwingt, sich auf eine Art zu verhalten, die nicht ihrer Natur entspricht?«

Pietra öffnete die Tür und stieg aus. Er sah ihr nach, als sie in dem Gebäude verschwand. Er legte den Gang ein und machte sich auf den Weg zu seinem nächsten Ziel. Eine halbe Stunde später parkte er in einer Seitenstraße zwischen zwei Häusern, die leer zu sein schienen. Der Lieferwagen sollte nicht auf dem Parkplatz gesehen werden.

Nash klebte sich den falschen Schnurrbart an und setzte eine Baseballkappe auf. Er ging drei Blocks zu einem großen Backsteingebäude. Es wirkte verlassen. Nash war sicher, dass die Vordertür abgeschlossen war. Aber ein Nebeneingang war mit einem Streichholzbrief verklemmt. Er zog die Tür auf und ging die Treppe hinunter.

An den Flurwänden hingen Bilder von Kindern. Dann kam ein Schwarzes Brett mit Aufsätzen.

Nash blieb stehen und las ein paar. Sie waren von Drittklässlern geschrieben und handelten alle nur von ihnen. So wurden Kinder heutzutage erzogen. Sie sollten nur an sich selbst denken. *Du* bist faszinierend. *Du* bist einzigartig und etwas ganz Besonderes, und kein Mensch ist gewöhnlich – wodurch wir, wenn man richtig darüber nachdachte, eigentlich alle ganz gewöhnlich waren.

Er ging in das Klassenzimmer im Tiefgeschoss. Joe Lewiston saß im Schneidersitz auf dem Fußboden. Er hatte ein paar Zettel in der Hand und Tränen in den Augen. Als Nash eintrat, blickte er auf.

»Es bringt nichts«, sagte Joe Lewiston. »Sie schickt immer noch diese Mails.«

32

Muse befragte Marianne Gillespies Tochter eingehend, aber Yasmin wusste nichts.

Yasmin hatte ihre Mutter nicht gesehen. Sie hatte nicht einmal gewusst, dass sie wieder in der Stadt war.

»Ich dachte, sie ist in L.A.«, sagte Yasmin.

»Hat sie dir das gesagt«, fragte Muse.

»Ja.« Dann: »Na ja, sie hat mir eine E-Mail geschickt.«

Muse erinnerte sich, dass Guy Novak ihr das Gleiche gesagt hatte. »Hast du die noch?«

»Muss ich mal nachgucken. Ist mit Marianne alles okay?«

»Du nennst deine Mutter beim Vornamen?«

Yasmin zuckte die Achseln. »Sie wollte ja eigentlich gar keine Mutter sein. Also hab ich mir irgendwann gedacht, warum soll ich sie immer wieder daran erinnern? Seitdem nenn ich sie Marianne.«

Sie werden so schnell erwachsen, dachte Muse. Dann fragte sie noch einmal. »Hast du die E-Mail noch?«

»Wahrscheinlich. Müsste eigentlich bei mir im Rechner sein.«

»Kannst du sie mir ausdrucken?«

Yasmin runzelte die Stirn. »Aber Sie wollen mir nicht sagen, worum es geht.« Das war keine Frage.

»Nichts, worum man sich jetzt schon Sorgen machen müsste.«

»Verstehe. Sie wollen also, dass sich die kleine Tochter keine Sorgen macht. Wenn es um Ihre Mutter gehen würde und Sie so alt wie ich wären, würden Sie dann nicht wissen wollen, was los ist?«

»Gutes Argument. Aber wir wissen wirklich noch nichts. Dein Dad kommt bald wieder. Ich würde die E-Mail wirklich gern sehen.«

Yasmin ging die Treppe hinauf. Ihre Freundin blieb unten. Normalerweise hätte Muse Yasmin allein befragt, aber die Anwesenheit ihrer Freundin schien sie zu beruhigen.

»Wie war dein Name noch?«, fragte Muse.

»Jill Baye.«

»Kennst du Yasmins Mom, Jill?«

»Ich hab sie ein paarmal gesehen.«

»Du siehst besorgt aus.«

Jill verzog das Gesicht. »Wenn sich eine Polizistin bei mir nach der Mutter meiner Freundin erkundigt, muss ich mir wohl Sorgen machen.«

Diese Kids.

Yasmin kam mit einem Blatt Papier die Treppe wieder heruntergetrottet. »Hier ist sie.«

Muse las:

Hi! Ich bin für ein paar Wochen in Los Angeles. Ich melde
mich, wenn ich wieder da bin.

Das erklärte vieles. Muse hatte sich gefragt, warum die Unbekannte nicht vermisst gemeldet worden war. Ganz einfach. Sie lebte allein in Florida. Mit ihrem Lebensstil und dieser E-Mail hätte es Monate oder sogar noch länger dauern können, bis jemand aufgefallen wäre, dass etwas nicht stimmte.

»Hilft Ihnen das?«, fragte Yasmin.

»Ja, danke.«

Tränen traten Yasmin in die Augen. »Sie ist aber trotzdem meine Mom.«

»Ich weiß.«

»Sie liebt mich.« Yasmin fing an zu weinen. Muse ging einen Schritt auf sie zu, aber das Mädchen hob die Hand und hielt sie auf Distanz. »Sie weiß einfach nicht, was man als Mutter so macht. Sie versucht's ja, aber sie begreift's einfach nicht.«

»Schon okay. Ich verurteile sie nicht oder so was.«

»Dann sagen Sie mir, was passiert ist. Bitte.«

Muse sagte: »Das kann ich nicht.«

»Aber es ist was Schlimmes, oder? Das können Sie mir doch sagen. Ist es was Schlimmes?«

Muse wollte ehrlich zu dem Mädchen sein, aber dies war weder der richtige Ort noch der richtige Zeitpunkt.

*

Nash sagte: »Beruhig dich.«

Joe Lewiston erhob sich in einer flüssigen Bewegung aus dem

Schneidersitz. Lehrer, dachte Nash, waren diese Bewegung wohl gewöhnt. »Tut mir leid. Ich hätte dich da nicht mit reinziehen sollen.«

»Es war richtig, dass du mich angerufen hast.«

Nash sah seinen ehemaligen Schwager an. Ein ehemaliger Schwager, weil man bei *Ex* sofort an Scheidung dachte. Cassandra Lewiston, seine geliebte Frau, hatte fünf Brüder gehabt. Joe Lewiston, der jüngste, war ihr der liebste gewesen. Als ihr ältester Bruder Curtis vor etwas mehr als zehn Jahren ermordet worden war, hatte das Cassandra schwer mitgenommen. Sie hatte tagelang nur im Bett gelegen und geweint, und manchmal, obwohl er wusste, dass solche Gedanken Unsinn waren, überlegte er doch, ob die damals erlittenen Qualen sie nicht krank gemacht hatten. Womöglich hatte sie sich so sehr über den Tod ihres Bruders gegrämt, dass ihr Immunsystem in Mitleidenschaft gezogen wurde. Vielleicht lauerte der Krebs in jedem von uns, diese bösartigen Zellen, die das Leben aus dem Körper saugten, und wartete nur auf den richtigen Moment, wenn die Abwährkräfte geschwächt waren, um dann zuzuschlagen.

»Ich verspreche dir, dass ich herausbekomme, wer Curtis umgebracht hat«, hatte Nash zu seiner geliebten Frau gesagt.

Aber er hatte dieses Versprechen nicht gehalten, was Cassandra aber eigentlich egal gewesen war. Sie war keine Freundin von Rache. Sie vermisste einfach nur ihren großen Bruder. Also hatte er ihr damals gleich noch etwas geschworen. Er hatte ihr geschworen, dass er es nicht noch einmal zulassen würde, dass sie solche Qualen litt. Er würde alle schützen, die sie liebte. Und zwar für immer.

Dieses Versprechen hatte er an ihrem Totenbett noch einmal wiederholt.

Er hatte damals den Eindruck gehabt, dass es sie beruhigte.

»Wirst du für sie da sein?«, hatte Cassandra gefragt.

»Ja.«

»Und sie werden auch für dich da sein.«

Darauf hatte er nichts gesagt.

Joe kam auf ihn zu. Nash ließ den Blick durchs Klassenzimmer streifen. In vieler Hinsicht hatten sich Klassenzimmer seit seinen Schülertagen kaum verändert. Die handgeschriebene Schulordnung und das Schreibschriftalphabet in Groß- und Kleinbuchstaben hingen immer noch an der Wand. Alles war voller Farbspritzer. An einer Wäscheleine trockneten ein paar neuere Bilder.

»Es ist noch was passiert«, sagte Joe.

»Erzähl.«

»Guy Novak fährt immer an meinem Haus vorbei. Er bremst ab und starrt uns an. Ich glaube, er jagt Dolly und Allie damit Angst ein.«

»Seit wann macht er das?«

»Seit ungefähr einer Woche.«

»Und warum erzählst du mir das jetzt erst?«

»Ich fand das nicht so wichtig. Ich dachte, er hört schon wieder damit auf.«

Nash schloss die Augen. »Und warum findest du es jetzt doch wichtig?«

»Weil Dolly sich so aufgeregt hat, als er das heute Morgen wieder gemacht hat.«

»Guy Novak ist heute Morgen an deinem Haus vorbeigefahren?«

»Ja.«

»Und du glaubst, er macht das, weil er dich schikanieren will?«

»Warum sollte er das sonst machen?«

Nash schüttelte den Kopf. »Wir lagen von Anfang an falsch.«

»Wie meinst du das?«

Aber es brachte nichts, ihm das zu erklären. Dolly Lewiston bekam immer noch diese E-Mails. Das konnte nur eins bedeuten. Von Marianne kamen sie nicht, obwohl sie nach langem Leiden doch noch zugegeben hatte, dass sie dafür verantwortlich war.

Guy Novak musste sie geschickt haben.

Er dachte an Cassandra und sein Versprechen. Er wusste jetzt, was er tun musste, um sein Versprechen zu halten.

Joe Lewiston sagte: »Ich bin ja so ein Idiot.«

»Hör mir zu, Joe.«

Joe war furchtbar verängstigt. Nash war froh, dass Cassandra ihren kleinen Bruder nie so sehen musste. Er dachte daran, wie Cassandra am Ende ausgesehen hatte. Ihr waren die Haare ausgefallen. Ihre Haut war gelb. Sie hatte offene Wunden am Kopf und im Gesicht gehabt. Sie hatte keine Kontrolle mehr über ihren Stuhlgang. Die Schmerzen waren zwischenzeitlich offenbar unerträglich geworden, aber sie hatte ihm das Versprechen abgenommen, dass er sich da nicht einmischen würde. Sie hatte die Lippen geschürzt und ihre Augen waren aus den Höhlen gequollen, als würde sie innerlich von stählernen Klauen zerrissen werden. In den letzten Tagen ihres Lebens war ihr Mund so wund, dass sie nicht einmal mehr sprechen konnte. Nash hatte einfach bei ihr am Bett gesessen, zugesehen und gespürt, wie die Wut in ihm hochkochte.

»Das wird schon wieder, Joe.«

»Was wirst du machen?«

»Mach dir darüber keine Sorgen, okay? Ich regel das schon, das versprech ich dir.«

*

Betsy Hill wartete zwischen den Bäumen hinter ihrem Haus auf Adam.

Dieses kleine Gehölz lag zwar auf ihrem Grundstück, sie pflegten es aber nicht. Vor ein paar Jahren hatten Scott und sie überlegt, ob sie es roden und einen Pool dahin bauen sollten, aber dafür hätten sie sich finanziell ziemlich strecken müssen, und die Zwillinge waren damals sowieso noch zu klein. Also war das nicht passiert. Vorher, als Spencer neun war, hatte Ron dort ein kleines Fort für ihn gebaut. Die Kids hatten da viel gespielt. Außerdem hatten sie eine Schaukel daneben gestellt, die sie bei *Sears* gekauft hatten. Beides war längst abgerissen oder zerfallen, aber wenn sie genau hinsah, fand Betsy immer noch den einen oder anderen Nagel oder ein rostiges Stück Rohr.

Ein paar Jahre später fing Spencer dann wieder an, sich hier mit seinen Freunden zu treffen. Betsy hatte einmal ein paar leere Bierflaschen gefunden. Sie hatte überlegt, ob sie mit Spencer darüber sprechen sollte, aber jedes Mal, wenn sie das Thema anschnitt, zog er sich noch weiter zurück. Er war ein Teenager, der ein Bier getrunken hatte. Na und?

»Mrs Hill?«

Als sie sich umdrehte stand Adam hinter ihr. Er war von der anderen Seite gekommen, über das Grundstück der Kadisons.

»Du meine Güte«, sagte sie. »Was ist denn mit dir passiert?«

Sein Gesicht war schmutzverschmiert und verschwollen. Ein Arm war dick bandagiert. Sein Hemd war zerrissen.«

»Mir geht's gut.«

Betsy hatte auf Adams Warnung gehört und seine Eltern nicht angerufen. Sie fürchtete, damit diese Gelegenheit zu zerstören. Das war vielleicht falsch, aber in den letzten Monaten hatte sie so viele falsche Entscheidungen getroffen, dass es auf die eine auch nicht mehr ankam.

Trotzdem sagte sie als Nächstes: »Deine Eltern machen sich große Sorgen um dich.«

»Ich weiß.«

»Was ist passiert, Adam. Wo bist du gewesen?«

Er schüttelte den Kopf. Irgendwie erinnerte er Betsy dabei an seinen Vater. Je älter die Jugendlichen wurden, desto deutlicher sah man die Ähnlichkeit – sie sahen nicht nur aus wie ihre Eltern, sie entwickelten auch die gleichen Eigenarten. Adam war groß geworden, er war schon größer als sein Vater und fast schon ein Mann.

»Ich nehme an, dass das Foto schon lange auf der Website ist«, sagte Adam. »Ich guck mir die eigentlich nie an.«

»Nicht?«

»Nein.«

»Darf ich fragen, warum?«

»Für mich hat das nicht viel mit Spencer zu tun. Zum Beispiel kenn ich die Mädels gar nicht, die die Seite eingerichtet haben. Außerdem hab ich genug, was mich an ihn erinnert. Darum guck ich die mir gar nicht an.«

»Weißt du, wer das Foto gemacht hat?«

»DJ Huff, glaub ich. Ganz genau weiß ich's aber nicht, weil ich da ja auch nur im Hintergrund bin. Ich guck auch in die andere Richtung. Aber DJ hat ziemlich viele Fotos auf der Seite eingestellt. Wahrscheinlich hat er einfach alle hochgeladen, auf denen Spencer ist, und gar nicht mitgekriegt, dass das von dem Abend war.«

»Was ist da passiert, Adam?«

Adam fing an zu weinen. Vor ein paar Sekunden hatte sie ihn noch für fast erwachsen gehalten. Aber jetzt war der Mann verschwunden, und der Junge kam wieder zum Vorschein.

»Wir haben uns gestritten.«

Betsy stand einfach nur da. Fast zwei Meter lagen zwischen ihnen, trotzdem spürte sie, wie sein Herz raste.

»Darum hatte er auch den blauen Fleck im Gesicht«, sagte Adam.

»Hast du ihn geschlagen?«

Adam nickte.

»Ihr wart doch Freunde«, sagte Betsy. »Warum habt ihr euch geprügelt?«

»Wir haben gekifft und was getrunken. Es ging um ein Mädchen. Dann haben wir uns in die Haare gekriegt. Es gab Streit, und er wollte mir eine knallen. Ich bin ausgewichen und hab ihm dann ins Gesicht geschlagen.«

»Wegen eines Mädchens?«

Adam senkte den Blick.

»Wer war noch da?«, fragte sie.

Adam schüttelte den Kopf. »Das ist nicht wichtig.«

»Für mich schon.«

»Sollte es aber nicht. Schließlich war ich derjenige, der sich mit ihm gestritten hat.«

Betsy versuchte, sich das vorzustellen. Ihr Sohn. Ihr hübscher Sohn verlebte seinen letzten Tag auf der Erde, und sein bester Freund hatte ihn ins Gesicht geschlagen. Sie versuchte, ruhig zu sprechen, was ihr aber nicht gelang. »Ich versteh das alles nicht. Wo seid ihr gewesen?«

»Eigentlich wollten wir in die Bronx fahren. Da gibt's einen Club, in den Jugendliche in unserem Alter reindürfen.«

»In der Bronx?«

»Aber bevor wir losgekommen sind, hat's den Streit zwischen Spencer und mir gegeben. Ich hab ihn geschlagen und böse beschimpft. Ich war total sauer auf ihn. Und er ist dann abgehauen. Ich hätte bei ihm bleiben müssen. Bin ich aber nicht. Ich hab ihn gehen lassen. Dabei hätte ich wissen müssen, was er vorhat.«

Betsy Hill stand völlig benommen da. Sie erinnerte sich daran, was Ron gesagt hatte, dass niemand ihren Sohn gezwungen hatte, Wodka und Pillen aus ihrem Haus zu klauen.

»Wer hat meinen Sohn getötet?«, fragte sie.

Aber sie wusste es.

Sie hatte es von Anfang an gewusst. Sie hatte nach Erklärungen für das Unerklärliche gesucht, und vielleicht hätte sie irgendwann auch eine gefunden, aber die Menschen und ihr Verhalten waren normalerweise viel komplexer. Es gab Zwillinge, die beide genau gleich erzogen worden waren, und trotzdem wurde der eine am Ende lieb und nett und der andere ein Mörder. Manche Menschen sprachen da einfach von einem Systemfehler, sagten, dass die Erbanlangen wichtiger waren als die Erziehung, aber manchmal lag es nicht einmal daran – manchmal war es nur eine zufälliges Begebenheit, die das Leben eines Menschen grundsätzlich veränderte, etwas, das in der Luft lag, und mit gerade diesen Chemikalien im Kopf eines Menschen eine Verbindung einging. Das konnte alles Mögliche sein, und nach der Tragödie suchten die Menschen dann nach Gründen, und häufig fanden sie auch welche, aber hinterher wusste man sowieso immer alles besser.

»Erzähl mir, was passiert ist, Adam.«

»Er hat hinterher noch versucht, mich anzurufen«, sagte Adam. »Da waren diese Anrufe. Aber ich hab gesehen, dass er das war und bin nicht rangegangen. Er hat nur die Mailbox gekriegt. Er war vorher schon total breit. Und dann noch down und völlig fertig. Das hätte ich merken müssen. Ich hätte ihm vergeben müssen. Hab ich aber nicht. Das war das Letzte, was ich von ihm gehört habe. Er hat gesagt, dass es ihm leidtut und dass er einen Ausweg weiß. Er hatte vorher schon ein paarmal an Selbstmord gedacht. Wir haben alle schon mal davon gesprochen. Aber bei ihm war das was anderes. Das war ernster. Und ich hab mich mit ihm geprügelt. Ich hab ihn beschimpft und gesagt, dass ich ihm das nie verzeihen werde.«

Betsy Hill schüttelte den Kopf.

»Er war ein guter Junge, Mrs Hill.«

»Er hat die Medikamente aus unserem Haus geklaut, aus dem Medizinschrank …«, sagte sie mehr zu sich selbst als zu ihm.

»Ich weiß. Das haben wir alle gemacht.«

Seine Worte brachten sie aus der Fassung. Sie konnte sich nicht mehr konzentrieren. »Ein Mädchen? Ihr habt euch um ein Mädchen gestritten?«

»Es war meine Schuld«, sagte Adam. »Ich hab die Beherrschung verloren. Ich hab nicht auf ihn aufgepasst. Ich hab meine Mailbox zu spät abgehört. Danach bin ich so schnell ich konnte zur Schule gefahren und aufs Dach geklettert. Aber da war er schon tot.«

»Du hast ihn gefunden?«

Er nickte.

»Und du hast nichts gesagt?«

»Ich war zu feige. Aber das ist vorbei. Jetzt ist Schluss.«

»Womit ist Schluss?«

»Tut mir furchtbar leid, Mrs Hill. Ich konnte ihn nicht retten.«

Dann sagte Betsy: »Ich auch nicht, Adam.«

Sie trat einen Schritt auf ihn zu, aber Adam schüttelte den Kopf.

»Jetzt ist Schluss«, wiederholte er.

Dann trat er zwei Schritte zurück, drehte sich um und rannte davon.

33

Paul Copeland stand vor einer Unmenge von Mikrofonen und sagte: »Wir brauchen Ihre Hilfe bei der Suche nach einer Frau namens Reba Cordova.«

Muse sah vom Bühnenrand zu. Auf den Bildschirmen erschien ein herzergreifend schönes Foto von Reba. Ihr Lächeln verleitete sofort zum Mitlächeln, falls es einem nicht, so wie in dieser Situation, das Herz zerriss. Unter dem Foto war eine Telefonnummer eingeblendet.

»Außerdem bitten wir um Unterstützung bei der Suche nach *dieser* Frau.«

Jetzt wurde das Foto von der Überwachungskamera im *Target* eingeblendet.

»Sie wird zur weiteren Aufklärung im Zusammenhang mir der vermissten Reba Cordova gesucht. Falls Sie etwas über sie wissen, rufen Sie uns bitte unter der unten eingeblendeten Telefonnummer an.«

Die Spinner würden sofort zum Hörer greifen, aber in Muses Augen überwogen in dieser Situation die potenziellen Vorteile. Sie hatte erhebliche Zweifel, dass jemand Reba Cordova in den letzten Tagen gesehen hatte, aber es bestand eine realistische Chance, dass jemand die Frau vom Überwachungsfoto erkannte. Muse hoffte es jedenfalls.

Neben Cope standen Rebas Töchter und ihr Mann Neil. Er blickte mit hocherhobenem Kopf in die Kamera, trotzdem sah man, dass er zitterte. Die beiden hübschen Mädchen mit den riesengroßen Augen boten einen fast unerträglichen Anblick, fast wie Flüchtlingskinder in einem Kriegsbericht, die mit fassungslosen Blicken ihr zerbombtes Haus ansehen. Den Nachrichtensendern gefiel die fotogene, trauernde Familie natürlich. Cope hatte Cordova angeboten, dass er gar nicht oder allein an der Pressekonferenz teilnehmen könnte, das war für Neil Cordova jedoch nicht in Frage gekommen.

»Wir müssen alles in unserer Macht Stehende tun, um sie zu retten. Sonst machen die Mädchen mir oder sich selbst später noch Vorwürfe.«

»Das könnte ein traumatisches Erlebnis für sie werden«, hielt Cope dagegen.

»Wenn ihre Mutter tot ist, wird das für sie sowieso die Hölle. Dann sollen sie wenigstens sicher sein, dass wir alles Erdenkliche getan haben.«

Muses Handy vibrierte. Ein Blick aufs Display verriet ihr, dass Clarence Morrow dran war. Er musste noch im Leichenschauhaus sein. Das wurde aber auch Zeit.

»Es ist die Leiche von Marianne Gillespie«, sagte Clarence. »Der Exmann ist sich sicher.«

Muse trat etwas vor, so dass Cope sie sehen konnte. Als er sie ansah, nickte sie kurz. Dann sprach Cope wieder ins Mikrofon: »Außerdem haben wir eine Leiche identifiziert, zwischen deren Tod und dem Verschwinden von Mrs Cordova womöglich ein

Zusammenhang besteht. Bei der Toten handelt es sich um eine Marianne Gillespie ...«

Muse wandte sich ab und sprach ins Handy: »Haben Sie Novak vernommen?«

»Ja. Ich glaube nicht, dass er was damit zu tun hat. Was meinen Sie?«

»Ich glaub das auch nicht.«

»Er hatte kein Motiv. Die Frau vom Überwachungsvideo ist nicht seine Freundin, und die Beschreibung von dem Mann im Lieferwagen passt nicht auf ihn.«

»Bringen Sie ihn nach Hause. Und geben Sie ihm etwas Zeit, damit er es seiner Tochter erzählen kann.«

»Wir sind schon unterwegs. Novak hat seine Freundin schon angerufen, damit sie die Mädchen von den Nachrichtensendungen fernhält, bis er wieder zurück ist.«

Auf dem Bildschirm erschien ein Foto von Marianne Gillespie. Eigenartigerweise hatte Novak überhaupt keine alten Fotos von seiner Exfrau mehr gehabt, Reba Cordova war im letzten Frühjahr bei Marianne in Florida zu Besuch gewesen und hatte ein paar Schnappschüsse gemacht. Das ausgewählte Bild war eigentlich am Pool entstanden, und Marianne trug einen Bikini, sie hatten es jedoch zu einem Porträtfoto zurechtgestutzt. Muse war aufgefallen, dass Marianne so eine Art Sexbombe gewesen war, die allerdings schon bessere Jahre gesehen hatte. Ihre Haut war nicht mehr so glatt und straff wie sie früher wohl gewesen war, aber sie hatte immer noch dieses gewisse Etwas.

Schließlich trat Neil Cordova ans Mikrofon. Wie immer erfolgte ein Blitzlichtgewitter, das die Uneingeweihten bei solchen Veranstaltungen erschreckte. Cordova blinzelte nur ein paarmal. Er wirkte jetzt ruhiger, hatte eine Art Pokerface aufgesetzt. Er erzählte, dass er seine Frau liebte, dass sie eine wunderbare Mutter war, und dass jeder, der irgendwelche Informationen hatte, doch bitte die unten eingeblendete Telefonnummer anrufen sollte.

»Psst.«

Muse drehte sich um. Frank Tremont. Er winkte sie zu sich.

»Wir haben was«, flüsterte er.

»Schon?«

»Die Witwe von einem Polizisten aus Hawthorne hat angerufen. Sie meint, die Frau auf dem Foto lebt allein in der Wohnung unter ihr. Sie soll irgendwo aus Europa kommen und Pietra heißen.«

*

Bevor er sich aus der Schule auf den Heimweg machte, sah Joe
Lewiston noch in sein Postfach.

Da lag schon wieder ein Flugblatt und eine Nachricht von den
Lorimans mit der Bitte, ihnen bei der Suche nach einem Organ-
spender für ihren Sohn Lucas zu helfen. Joe hatte noch kein Kind
von den Lorimans unterrichtet, er kannte die Mutter nur vom Sehen. Manche Lehrer behaupteten zwar, sie stünden darüber, aber
natürlich fielen allen die scharfen Mütter ins Auge. Und zu denen gehörte Susan Loriman allemal.

Auf dem Flugblatt – das war schon das dritte, das er in die Finger bekam – stand, dass am nächsten Freitag ein »Berufsmedizi-
ner« in die Schule käme, um Blutproben zu nehmen.

*Bitte zeigen Sie sich großherzig, und helfen Sie uns, Lucas das Le-
ben zu retten …*

Joe fühlte sich schrecklich. Die Lorimans versuchten fieberhaft,
ihren Sohn zu retten. Mrs Loriman hatte ihn angerufen und um
Unterstützung gebeten: »Ich weiß, dass Sie bisher keins von unseren Kindern unterrichtet haben, aber Sie werden in der Schule
von allen als Führungspersönlichkeit anerkannt«, und Joe hatte
sich gedacht – egoistisch wie die Menschen nun einmal sind –,
dass er dadurch vielleicht seinen durch die XY-Affäre etwas lä-
dierten Ruf wieder aufpolieren könnte – oder zumindest sein
schlechtes Gewissen beruhigen. Er dachte an sein eigenes Kind,

stellte sich vor, wie es wäre, wenn die kleine Allie krank und mit Schmerzen im Krankenhaus läge und Schläuche in ihr steckten, durch die diverse Flüssigkeiten in sie hinein- und wieder aus ihr herausflössen. Dieser Gedanke hätte seine Probleme eigentlich in eine angemessene Perspektive rücken müssen, tat er aber nicht. Es gab immer jemanden, dem es noch schlechter ging als einem selbst. Wirklich beruhigend war das offenbar nicht.

Beim Fahren dachte er an Nash. Drei von Joes großen Brüdern lebten noch, er hatte aber mehr Vertrauen in Nash als in jeden von ihnen. Auf den ersten Blick hatten Nash und Cassie absolut nicht zueinander gepasst, aber gemeinsam waren sie immer als Einheit in Erscheinung getreten. Joe hatte zwar von solchen Fällen gehört, er hatte so etwas aber weder vorher noch seitdem erlebt. Und bei Dolly und ihm war es weiß Gott nicht so.

So kitschig das auch klingen mochte, aber bei Cassie und Nash waren wirklich zwei Personen zu einer Einheit verschmolzen.

Als Cassie starb, war das mehr als niederschmetternd gewesen. Keiner hatte damit gerechnet, dass es wirklich so weit kommen würde. Auch nach der Diagnose noch nicht. Selbst dann nicht, als die ersten Symptome der schrecklichen Krankheit auftraten. Alle hatten gedacht, Cassie würde das schon irgendwie schaffen. Als sie ihrer Krankheit dann erlag, hätte davon eigentlich niemand mehr schockiert sein dürfen. Trotzdem waren es alle.

Joe hatte gemerkt, dass Nash sich sehr viel stärker als die anderen veränderte – oder mit der Trennung dieser übergeordneten Einheit war einfach etwas in ihm kaputtgegangen. Die ungeheure Kälte, die Nash hinterher ausstrahlte, beruhigte Joe seltsamerweise, weil Nash für nur wenige Menschen überhaupt etwas empfand. Äußerlich warme und herzliche Menschen taten so, als ob sie für jedermann da wären, aber wenn es hart auf hart kam, so wie jetzt, wandte man sich lieber an einen starken Freund, der im Grunde seines Herzens nur seine eigenen Interessen verfolgte und sich nicht dafür interessierte, ob etwas richtig oder falsch war, sondern einfach dafür sorgte, dass die Probleme des Menschen, der ihm etwas bedeutete, aus der Welt geschafft wurden.

So war Nash.

»Ich hab's Cassandra versprochen«, hatte Nash ihm nach der Beerdigung erklärt. »Ich werd dich beschützen.«

Bei jedem anderen hätte das absurd oder beunruhigend geklungen, aber bei Nash wusste man, was er meinte, und dass er alles tun würde, was in seiner fast übermenschlichen Macht stand, um Wort zu halten. Es war beängstigend und aufregend, und jemandem wie Joe, dem unsportlichen Sohn, den sein strenger Vater ignoriert hatte, bedeutete das sehr viel.

Als Joe ins Haus kam, saß Dolly am Computer. Sie hatte einen merkwürdigen Gesichtsausdruck, und Joe rutschte das Herz in die Hose.

»Wo warst du?«, fragte Dolly.

»In der Schule.«

»Warum?«

»Ich wollte noch ein paar Sachen erledigen.«

»Meine E-Mail funktioniert immer noch nicht.«

»Ich guck mir das gleich noch mal an.«

Dolly stand auf. »Willst du einen Tee?«

»Ja, danke, das wäre nett.«

Sie küsste ihn auf die Wange. Joe setzte sich an den Computer. Er wartete, bis sie das Zimmer verlassen hatte, dann meldete er sich bei seinem Provider an. Er wollte gerade seine E-Mails ansehen, als ihm auf seiner Homepage etwas ins Auge fiel.

Auf der ersten Seite zirkulierten Fotos zu Leitartikeln. Erst kamen internationale Nachrichten, dann Lokalnachrichten, Sport und Unterhaltung. Ein Bild aus den Lokalnachrichten hatte seine Aufmerksamkeit auf sich gezogen. Das Foto war schon wieder verschwunden und durch ein New-York-Knicks-Foto ersetzt worden.

Joe klickte auf den Zurück-Button, worauf das Foto wieder erschien.

Es war ein Bild von einem Mann mit zwei Mädchen. Eins der Mädchen kannte er. Sie war zwar nicht in seiner Klasse, aber auf der Schule. Zumindest sah sie ihr sehr ähnlich. Er klickte darauf, um die Geschichte zu lesen. Die Schlagzeile lautete:

FRAU AUS LIVINGSTON VERMISST

Er sah den Namen Reba Cordova. Er kannte sie. Sie war im Bibliothekskomitee der Schule gewesen, als Joe die Lehrer dort vertreten hatte. Sie war Vizepräsidentin des Eltern-Lehrer-Verbands, und er erinnerte sich an ihr Lächeln, wenn sie am Hinterausgang stand und die Kinder in die Pause gingen.

Sie wurde vermisst?

Dann las er den zugehörigen Text über die mögliche Verbindung zu einer Leiche, die die Polizei vor Kurzem in Newark gefunden hatte. Als er den Namen des Mordopfers las, zog sich sein Brustkorb so fest zusammen, dass er kaum noch Luft bekam.

Lieber Gott, was hatte er getan?

Joe Lewiston rannte ins Bad und übergab sich. Dann lief er zum Telefon und wählte Nashs Nummer.

34

Zuerst vergewisserte Ron sich, dass weder Betsy noch die Zwillinge zu Hause waren. Dann ging er hinauf ins Zimmer seines toten Sohns.

Davon sollte niemand etwas wissen.

Ron lehnte sich an den Türrahmen. Er starrte aufs Bett, als könnte er so das Bildnis seines Sohns heraufbeschwören – das würde er dann so lange und intensiv angucken, bis die Form schließlich feste Gestalt annahm und Spencer dort, wie er es immer gern gemacht hatte, auf dem Rücken liegend, schweigend, mit einer kleinen Träne im Augenwinkel zur Decke blickte.

Warum hatten sie nichts davon gemerkt?

Wenn man zurückblickte, sah man natürlich, dass der Junge schon immer ein bisschen missmutig gewesen war – immer ein bisschen zu traurig und zu ruhig. Sie hatten ihm keinen Stempel wie »manisch-depressiv« aufdrücken wollen. Schließlich war er noch ein Kind, und sie waren davon ausgegangen, dass er da rauswuchs. Aber im Nachhinein musste er doch feststellen, dass er sehr oft an der geschlossenen Zimmertür seines Sohns vorbeigekommen war, sie ohne zu klopfen geöffnet hatte – verdammt, schließlich war es sein Haus, da brauchte er doch nicht zu klopfen! – und gesehen hatte, wie Spencer reglos mit Tränen in den Augen auf dem Bett lag und die Decke anstarrte. Ron hatte dann gefragt: »Alles okay?«, und Spencer hatte geantwortet: »Ja klar, Dad«, worauf Ron die Tür wieder geschlossen hatte und die Sache für ihn erledigt war.

Ein toller Vater.

Er gab sich selbst die Schuld. Er gab sich daran die Schuld, dass er so viel im Verhalten seines Sohns übersehen hatte. Er gab sich daran die Schuld, dass er die Pillen und den Wodka da stehen lassen hatte, wo sein Sohn sie so problemlos erreichen konnte. Aber vor allem gab er sich daran die Schuld, was er gedacht hatte.

Vielleicht war es die Midlife-Crisis gewesen. Aber das glaubte er eigentlich nicht. Das war ihm zu bequem, eine zu billige Ausrede. In Wahrheit hasste Ron sein Leben. Er hasste seinen Job. Er hasste es, wenn er nach Hause kam und die Kinder ihm nicht zuhörten, dazu der ewige Lärm, die ständigen Fahrten zum Baumarkt, um neue Glühbirnen zu kaufen, die Sorgen um die Gasrechnung, das Sparen für den Universitätsfond und … Herrgott noch mal, er wollte hier raus. Wie war er überhaupt in dieses Leben hineingeraten? Warum tappten so viele Männer in diese Falle? Er wollte in einer Hütte im Wald leben, er war gerne allein, und das war auch schon alles. Er wollte sich einfach tief in den Wald zurückziehen, wo er keinen Handyempfang hatte, sich einfach eine Lichtung zwischen den Bäumen suchen, das Gesicht der Sonne zuwenden, und ihre Strahlen auf der Haut spüren.

Also hatte er sich ein neues Leben gewünscht, sich danach gesehnt, diese Welt hinter sich zu lassen, und peng, Gott hatte seine Gebete erhört und seinen Sohn umgebracht.

Ihm graute vor diesem Haus, diesem Sarg. Betsy würde hier niemals wegziehen. Zu den Zwillingen hatte er keine richtige Beziehung. Als Mann blieb man aus Pflichtbewusstsein, aber warum? Was soll das? Man opferte sein Glück für die vage Hoffnung, dass die nächste Generation dadurch glücklicher wurde. Aber gab es dafür irgendeine Garantie? Wenn ich unglücklich bleibe, werden meine Kinder dafür ein erfülltes Leben haben? Das war doch hanebüchener Schwachsinn. Oder hatte es bei Spencer etwa funktioniert?

Seine Gedanken wanderten zurück zu den Tagen nach Spencers Tod. Er war hier ins Zimmer gekommen – nicht um Spencers Sachen wegzupacken, sondern um sie durchzusehen. Es hatte ihm geholfen. Warum, wusste er selbst nicht. Irgendwie hatte er sich da hineingesteigert, als ob es jetzt noch etwas geändert hätte, wenn er seinen Sohn besser kennen lernte. Und dann war Betsy reingekommen und hatte einen Anfall gekriegt. Also hatte er aufgehört und kein Wort darüber gesagt, was er gefunden hatte – und obwohl er sich weiter bemüht hatte, Betsy zu erreichen, obwohl er nach ihr gesucht, geforscht und sie gelockt hatte, blieb die Frau verschwunden, in die er sich einmal verliebt hatte. Vielleicht hatte sie sich schon vor langer Zeit verabschiedet – das wusste er nicht mehr genau –, aber spätestens mit Spencers Sarg war auch das letzte bisschen, was davon noch übrig gewesen war, begraben worden.

Er erschrak, als er hörte, wie die Hintertür geöffnet wurde. Er hatte keinen Wagen kommen hören. Er eilte zur Treppe und sah Betsy. Als er ihren Gesichtsausdruck sah, fragte er: »Was ist passiert?«

»Spencer hat Selbstmord begangen«, sagte sie.

Ron stand nur da und wusste nicht, was er darauf sagen sollte.

»Ich wollte, dass noch mehr dahintersteckt«, sagte sie.

Er nickte. »Ich weiß.«

»Wir werden uns immer fragen, was wir hätten tun können, um ihn zu retten. Aber vielleicht, ich weiß nicht, vielleicht hatten wir gar nicht die Möglichkeit. Wahrscheinlich haben wir was übersehen, aber womöglich hätte das überhaupt keine Rolle gespielt. Und ich hasse diesen Gedanken, weil ich das Gefühl habe, dass wir uns aus der Verantwortung stehlen – andererseits interessieren mich Schuld oder Verantwortung oder so etwas überhaupt nicht. Ich sehne mich nur zurück nach einem anderen Tag. Verstehst du? Ich hätte gern noch eine Chance. Wenn wir irgendetwas anders gemacht hätten, irgendeine Kleinigkeit, wenn wir irgendwann einmal nach links statt nach rechts abgebogen wären, oder wenn wir das Haus gelb statt blau gestrichen hätten – vielleicht wäre dann alles anders gelaufen.«

Er wartete, dass sie weiterredete. Als sie nichts sagte, fragte er: »Was ist passiert, Betsy?«

»Ich hab eben mit Adam Baye gesprochen.«

»Wo?«

»Hinten im Garten. Da, wo die Jungs früher immer gespielt haben.«

»Was hat er gesagt?«

Sie erzählte ihm von dem Streit, von den Anrufen und von Adams Schuldgefühlen. Ron versuchte, das Ganze einzuordnen.

»Wegen eines Mädchens?«

»Ja«, sagte sie.

Aber Ron wusste, dass das Ganze viel komplizierter war.

Betsy wandte sich ab.

»Was hast du vor?«, fragte er.

»Ich muss Tia Bescheid sagen.«

*

Tia und Mike beschlossen, sich die Arbeit aufzuteilen.

Mo holte Mike ab und fuhr mit ihm in die Bronx, während Tia sich um den Computer kümmerte. Mike erzählte Mo, was passiert war. Mo fuhr einfach und stellte keine Fragen. Als Mike fertig war, bemerkte Mo nur: »Dieser Chat. Mit CeeJay8115.«

»Was ist damit?«

Mo fuhr weiter.

»Mo?«

»Ich weiß nicht. Aber es gibt da draußen niemals achttausendeinhundertundvierzehn andere CeeJays.«

»Na und?«

»Zahlen sind nie einfach willkürlich«, sagte Mo. »Die haben immer irgendwas zu bedeuten. Man muss nur rauskriegen, was.«

Mike hätte es wissen müssen. Mo war eine Art verrücktes Zahlengenie. Dadurch hatte er damals die Zulassung für Dartmouth bekommen – perfekte SAT-Testergebnisse in Mathematik und überragende Rechenkünste.

»Irgendeine Idee, was es bedeuten könnte?«

Mo schüttelte den Kopf. »Noch nicht.« Dann: »Und was jetzt?«

»Ich muss mal telefonieren.«

Mike wählte die Nummer vom Club Jaguar. Zu seiner Überraschung war Rosemary McDevitt persönlich am Apparat.

»Hier ist Mike Baye.«

»Ja, das dachte ich mir schon. Wir haben heute geschlossen, aber ich habe mit Ihrem Anruf gerechnet.«

»Wir müssen uns unterhalten.«

»Das stimmt«, sagte Rosemary. »Sie wissen ja, wo Sie mich finden. Sehen Sie zu, dass Sie so schnell wie möglich herkommen.«

*

Tia sah Adams E-Mails durch, aber es war wieder nichts Interessantes dabei. Seine Freunde Clark und Olivia schrieben immer eindringlicher, dass er sich endlich melden sollte, aber von DJ Huff war immer noch nichts dabei. Das beunruhigte Tia.

Sie stand auf und ging in den Vorgarten. Der versteckte Schlüssel lag da, wo er hingehörte. Mo hatte ihn vor ein paar Tagen benutzt, ihn dann aber nach seiner eigenen Auskunft wieder zurückgelegt. Mo wusste, wo der Schlüssel versteckt war, und in gewisser Weise machte ihn das zu einem Verdächtigen. Aber obwohl Tia das eine oder andere Problem mit Mo hatte, vertraute sie ihm doch hundertprozentig. Er würde dieser Familie niemals Schaden zufügen. Es gab nur wenige Menschen, die für andere durchs Feuer gingen. Auch wenn Mo das für Tia vielleicht nicht tun würde, bei Mike, Adam und Jill würde er keine Sekunde zögern.

Tia stand noch draußen, als drinnen das Telefon klingelte. Sie rannte ins Haus und meldete sich nach dem dritten Klingeln. Sie hatte keine Zeit gehabt, aufs Display zu schauen.

»Hallo?«

»Tia? Hier ist Guy Novak.«

Er klang, als wäre er gerade von einem hohen Gebäude gefallen und fände keinen sicheren Landeplatz.

»Was ist passiert?«

»Keine Sorge, den Mädchen geht's gut. Haben Sie die Nachrichten gesehen?«

»Nein, wieso?«

Er unterdrückte ein Schluchzen. »Meine Exfrau wurde ermordet. Ich habe eben ihre Leiche identifiziert.«

Damit hatte Tia wirklich nicht gerechnet. »O Gott. Mein herzliches Beileid, Guy.«

»Ich wollte nur nicht, dass Sie sich wegen der Mädchen Sorgen machen. Meine Freundin Beth kümmert sich um sie. Ich habe gerade zu Hause angerufen. Es geht ihnen gut.«

»Was ist mit Marianne passiert?«, fragte Tia.

»Sie wurde totgeprügelt.«

»O nein …«

Tia hatte Marianne nur ein paarmal gesehen, vor allem aber von ihr gehört. Es hatte im Ort einen gepfefferten Skandal gegeben, als sie ihre Familie verlassen hatte – man hatte sie eine Rabenmutter genannt, die den Druck nicht aushielt und seitdem ein extravagantes, wildes Leben ohne jede Verantwortung für andere Menschen im warmen Florida lebte. Bei Tias und Yasmins Einschulung war das Thema noch einmal aufgekommen. Viele Mütter hatten damals mit so großem Abscheu von Marianne und ihrem Verhalten gesprochen, dass Tia sich gefragt hatte, ob da nicht ein bisschen Neid oder gar Bewunderung mit hineinspielte, dass eine der ihren die Ketten gesprengt hatte, selbst wenn es auf eine zerstörerische und selbstsüchtige Art geschehen war.

»Haben Sie den Mörder schon festgenommen?«

»Nein. Bis heute wussten sie nicht mal, dass es Marianne war.«

»Das tut mir furchtbar leid für Sie, Guy.«

»Ich bin jetzt auf dem Nachhauseweg. Yasmin weiß noch nichts davon. Ich muss es ihr sagen.«

»Natürlich.«

»Es wäre mir lieber, wenn Jill nicht dabei wäre.«

»Natürlich«, stimmte Tia zu. »Ich komme sofort rüber und hol sie ab. Kann ich Ihnen sonst noch irgendwie helfen?«

»Nein, ich schaff das schon. Na ja, vielleicht wäre es ganz gut, wenn Jill hinterher noch mal vorbeikommt. Ich weiß, dass das ziemlich viel verlangt ist, aber Yasmin könnte bestimmt eine gute Freundin brauchen.«

»Das kriegen wir schon hin. Wir werden Ihnen und Yasmin helfen, wo wir nur können.«

»Danke, Tia.«

Er legte auf. Tia war fassungslos. Totgeprügelt. Unvorstellbar. Das war zu viel. Sie hatte schon immer Probleme damit gehabt, mehrere Dinge auf einmal zu machen, und die letzten Tage hatten ihrem inneren Ordnungsbedürfnis schon schwer zu schaffen gemacht.

Sie griff nach ihren Schlüsseln, überlegte noch kurz, ob sie Mike anrufen sollte, entschied sich aber dagegen. Er konzentrierte sich voll und ganz auf die Suche nach Adam. Und dabei wollte sie ihn auch nicht stören. Als sie vor die Tür trat, schien die Sonne vom strahlend blauen Himmel. Sie blickte die Straße hinab und betrachtete die ruhig daliegenden Häuser mit den gepflegten Vorgärten. Die Grahams waren auf der Straße. Mr Graham brachte seinem Sohn das Fahrradfahren bei. Er hielt das Rad am Sattel fest, während der Junge in die Pedale trat. Noch so einer dieser modernen Übergangsriten, die so viel Vertrauen erforderten, ähnlich wie bei den Übungen, wo man sich ausgestreckt nach hinten fallen ließ und sich darauf verlassen musste, dass einen jemand auffing. Mr Graham war extrem aufgedunsen. Seine Frau beobachtete die beiden aus dem Garten. Sie beschirmte die Augen mit der Hand und lächelte. Dante Loriman kam in seinem BMW 550i vorgefahren, bog in seine Einfahrt ein und hielt.

»Hey, Tia.«

»Hi, Dante.«

»Wie geht's?«

»Gut, und dir?«

»Gut.«

Natürlich logen beide. Noch einmal blickte sie die Straße hinauf und hinab. Die Häuser ähnelten sich sehr. Noch einmal dachte Tia an die stabilen Gerüste, die eigentlich dazu dienen sollten, Leben zu schützen, die ohne sie viel zu zerbrechlich waren. Der Sohn der Lorimans war schwer krank. Ihrer wurde vermisst, außerdem war er vermutlich in ein Verbrechen verwickelt.

Sie wollte gerade in den Wagen steigen, als ihr Handy summte. Sie sah aufs Display. Betsy Hill. Vielleicht sollte sie lieber nicht rangehen. Betsy und sie verfolgten jetzt unterschiedliche Ziele.

Von den Pharm-Partys und dem Verdacht der Polizei würde sie Betsy nichts erzählen. Jedenfalls noch nicht.

Das Handy summte ein zweites Mal.

Ihr Finger schwebte über der ANNAHME-Taste. Das Wichtigste war jetzt, Adam zu finden. Alles andere war zweitrangig. Vielleicht hatte Betsy ja etwas entdeckt, das ihnen bei der Suche nach Adam half.

Sie drückte die Taste.

»Hallo?«

Betsy sagte: »Ich hab eben mit Adam gesprochen.«

*

Carsons gebrochene Nase begann zu schmerzen. Er sah Rosemary McDevitt an, als die den Hörer auflegte.

Es war still geworden im Club Jaguar. Nach der Beinaheprügelei mit Baye und seinem Freund mit dem Bürstenschnitt hatte Rosemary den Club erst einmal geschlossen und alle nach Hause geschickt. Sie war jetzt mit Carson allein im Büro.

Sie war hinreißend, eine absolut heiße Braut, aber im Moment sah ihr sonst so strammer Körper aus, als wollte er jeden Moment zerbröseln. Sie schlang die Arme um ihren Oberkörper.

Carson saß ihr gegenüber. Er versuchte, höhnisch zu grinsen, was den Schmerz in seiner Nase allerdings noch verschlimmerte.

»War das Adams alter Herr?«

»Ja.«

»Wir müssen die beiden loswerden.«

Sie schüttelte den Kopf.

»Was ist?«

»Du musst vor allem eins tun«, sagte sie. »Du musst mir das überlassen.«

»Du raffst das einfach nicht, was?«

Rosemary sagte nichts.

»Die Leute, für die wir arbeiten ...«

»Wir arbeiten für niemand«, unterbrach sie ihn.

»Gut, nenn es, wie du willst. Unseren Partner. Unseren Händler. Scheißegal wie du sie nennst.«

Sie schloss die Augen.

»Das sind ziemlich finstere Gestalten.«

»Uns kann keiner was beweisen.«

»Natürlich können sie das.«

»Überlass das einfach mir, okay?«

»Kommt er her?«

»Ja. Ich werd mit ihm reden. Ich weiß, was ich tue. Und du solltest jetzt einfach gehen.«

»Damit du mit ihm allein bist.«

Rosemary schüttelte den Kopf. »Darum geht's nicht.«

»Sondern?«

»Ich kann das regeln. Ich kann ihn zur Vernunft bringen. Überlass das einfach mir.«

*

Adam stand allein auf dem Hügel und hatte Spencers Stimme noch im Ohr.

»Das tut mir echt leid …«

Adam schloss die Augen. Die Nachrichten auf der Mailbox. Er hatte sie nicht gelöscht, hatte sie jeden Tag angehört und jedes Mal gespürt, wie der Schmerz ihn fast zerriss.

»Adam, bitte geh ran …«

»Verzeih mir, ja? Sag einfach, dass du mir verzeihst …«

Jeden Abend hatte er diese Worte im Ohr. Besonders den letzten Satz, den Spencer nur noch unter Schwierigkeiten herausbekommen hatte, weil es mit ihm schon zu Ende ging.

»Es geht nicht gegen dich, Adam. Okay, Mann. Du musst das verstehen. Es geht gegen niemand. Das ist einfach zu heavy. Das war schon immer zu heavy …«

Adam stand auf dem alten Hügel bei der Mittelschule und wartete auf DJ Huff. DJs Vater, Captain bei der hiesigen Polizei, der auch hier aufgewachsen war, hatte gesagt, dass er sich als Jugendlicher hier oben nach der Schule zugedröhnt hatte. Die harten Jungs hatten immer hier oben abgehangen. Die meisten anderen hatten einen Umweg von mehr als einem Kilometer gemacht, um nicht hier vorbeizukommen.

Er sah hinab. Dahinten lag der Fußballplatz. Mit acht hatte Adam da ein paar Ligaspiele gemacht, aber Fußball war nicht sein Ding. Er mochte das Eis. Er mochte die Kälte und das Gleiten auf den Schlittschuhen. Er mochte die vielen Polster, die Maske und die Konzentration, die man als Torwart brauchte. Da war man der wichtigste Mann. Wenn man gut genug war und perfekt spielte, dann konnte die eigene Mannschaft gar nicht verlieren. Die meisten Jugendlichen hassten diesen Druck. Adam blühte unter ihm erst richtig auf.

»Verzeih mir, ja? ...«

Nein, dachte Adam jetzt, *du* musst *mir* verzeihen.

Spencer war schon immer extrem launisch gewesen, mit schwindelerregenden Hochstimmungen und erdrückenden Depressionen. Er hatte erzählt, dass er ausreißen wollte, eine Firma gründen, aber vor allem sprach er übers Sterben und davon, dem Leid ein Ende zu setzen. Bis zu einem gewissen Grad machten das alle Jugendlichen mal. Im letzten Jahr hatte Adam sogar noch einen Selbstmordpakt mit Spencer geschlossen. Aber für ihn waren das nur leere Worte gewesen.

Er hätte wissen *müssen,* dass Spencer das ernst meinte.

»Verzeih mir ...«

Hätte er etwas ändern können? An dem Abend schon, ja, das hätte er. Sein Freund hätte noch einen Tag länger gelebt. Und dann vielleicht noch einen. Und was dann passiert wäre, wusste kein Mensch ...

»Adam?«

Er drehte sich um. DJ Huff stand hinter ihm.

DJ fragte: »Ist mit dir alles okay?«

»Nee, und das ist deine Schuld.«

»Ich konnte doch nicht wissen, dass das passiert. Ich hab nur gesehen, dass dein Dad mir gefolgt ist, und da hab ich Carson angerufen.«

»Und du bist abgehauen.«

»Ich konnte doch nicht wissen, dass sie ihn fertig machen.«

»Was hätte denn deiner Meinung nach sonst passieren sollen, DJ?«

Er zuckte die Achseln, und da sah Adam es. Die rot angelaufenen Augen. Die dünne Schweißschicht. Und das leichte Schwanken.

»Du bist high«, sagte Adam.

»Na und? Ich raff das nicht, Mann. Wieso hast du das deinem Vater erzählt?«

»Hab ich nicht.«

Adam hatte den Abend bis ins Detail geplant. Er war sogar im Spionageladen in Manhattan gewesen. Er dachte, sie würden ihn verdrahten, wie man es aus dem Fernsehen kannte, aber sie hatten ihm nur etwas gegeben, das wie ein ganz normaler Kugelschreiber aussah, um den Ton aufzunehmen, und eine Gürtelschnalle für Fotos und Videos. Er wollte alles aufnehmen und der Polizei übergeben – aber nicht der örtlichen Polizei, weil DJs Vater da arbeitete – und dann abwarten, was dabei rauskam. Natürlich war das ein ziemlich großes Risiko, aber er hatte keine Wahl.

Sonst ging er unter.

Er merkte, dass er immer tiefer sank, und wusste, dass er wie Spencer enden würde, wenn er sich nicht selbst aus dem Sumpf zog. Also hatte er alles geplant und für gestern Abend vorbereitet.

Und dann hatte sein Vater darauf bestanden, dass er mit zum Rangers-Spiel geht.

Er hatte sofort gewusst, dass er nicht mitgehen konnte. Seinen Plan hätte er wohl noch ein paar Tage verschieben können, aber wenn er an dem Abend nicht auftauchte, hätten Rosemary, Carson und die anderen sich gefragt, was mit ihm los war. Sie wussten schon, dass er auf der Kippe stand. Sie hatten ihn schon mit einer Mail erpresst. Also war er zu Hause ausgekniffen und zum Club Jaguar gefahren.

Aber mit dem Erscheinen seines Vaters war sein Plan den Bach runtergegangen.

Der Messerstich im Arm schmerzte. Wahrscheinlich musste er genäht werden, sonst entzündete er sich womöglich noch. Er hatte selbst versucht, die Wunde zu reinigen. Dabei wäre er vor Schmerz fast bewusstlos geworden. Aber für den Anfang musste das reichen. Bis er das hier wieder in Ordnung gebracht hatte.

»Carson und die anderen glauben, dass du uns eine Falle stellen wolltest«, sagte DJ.

»Das wollte ich nicht«, log Adam.

»Dein Dad ist auch bei meinen Eltern gewesen.«

»Wann?«

»Weiß ich nicht genau. Muss ungefähr 'ne Stunde, bevor er in der Bronx aufgetaucht ist, gewesen sein. Mein Dad hat ihn gegenüber im Wagen sitzen sehen.«

Eigentlich musste Adam jetzt darüber nachdenken, was das bedeutete, aber dafür war keine Zeit.

»Wir müssen das zu Ende bringen, DJ.«

»Hör zu, ich hab darüber mit meinem Alten gesprochen. Er arbeitet für uns daran. Er ist ein Bulle. Er kriegt das Zeug.«

»Spencer ist tot.«

»Das war nicht unsere Schuld.«

»Doch, DJ, das war's.«

»Spencer war durchgeknallt. Der hat das selbst gemacht.«

»Wir haben ihn sterben lassen.« Adam sah seine rechte Hand an. Er ballte sie zur Faust. Das war Spencers letzter Körperkontakt mit einem Menschen gewesen. Er hatte die Faust seines besten Freundes ins Gesicht gekriegt. »Ich hab ihn geschlagen.«

»Scheißegal, Mann. Wenn du deswegen dein Leben lang mit Schuldgefühlen rumlaufen willst, ist das deine Sache. Aber du kannst uns doch nicht alle mit reinreißen.«

»Es geht nicht um Schuldgefühle. Die wollten meinen Vater umbringen. Verdammte Scheiße noch mal, und mich wollten die auch umbringen.«

DJ schüttelte den Kopf. »Du raffst das echt nicht.«

»Was?«

»Wenn wir aufgeben, sind wir erledigt. Wahrscheinlich landen wir im Knast. Die Uni können wir vergessen. Und was glaubst du, wem Carson und Rosemary diese Medikamente verkauft haben – der Heilsarmee? Die Mafia hängt da mit drin, verstehst du das nicht? Carson hat eine Scheißangst.«

Adam sagte nichts.

»Mein alter Herr sagt, wir sollen uns einfach ruhig verhalten, dann wird das schon.«

»Und das glaubst du?«

»Ich hab dich damals im Club eingeführt, mehr haben die gegen mich nicht in der Hand. Die Rezeptblöcke sind von deinem Vater. Wir können einfach sagen, dass wir uns zurückziehen wollen.«

»Und wenn sie uns nicht rauslassen?«

»Mein Dad kann denen Druck machen. Er sagt, das klappt schon. Wenn's ganz blöd läuft, können wir uns immer noch einen Anwalt nehmen und einfach das Maul halten.«

Adam sah ihn an und wartete.

»Die Entscheidung betrifft uns alle«, sagte DJ. »Du spielst nicht nur mit deiner Zukunft, sondern auch mit meiner. Und Clark und Olivia hängen da auch mit drin.«

»Das hör ich mir nicht noch mal an.«

»Wahr ist es trotzdem, Adam. Die beiden stecken zwar nicht so tief drin wie wir beide, aber die kriegen sie auch am Arsch.«

»Nein.«

»Was nein?«

Er sah seinen Freund an. »Das läuft wohl schon dein Leben lang so, oder DJ?«

»Was meinst du damit?«

»Du gerätst in Schwierigkeiten, und dein Vater haut dich dann raus.«

»Was glaubst du, mit wem du hier sprichst?«

»Wir können vor dem Ganzen nicht einfach davonlaufen.«

»Spencer hat Selbstmord begangen. Wir haben ihm nichts getan.«

Adam sah zwischen den Bäumen hindurch den Hügel hinab. Der Fußballplatz war leer, aber auf der Laufbahn joggten ein paar Leute. Er drehte den Kopf etwas nach links und suchte auf dem Schuldach nach der Stelle, wo Spencer gefunden worden war, aber der Turm verdeckte ihm die Sicht. DJ trat vor und stellte sich neben ihn.

»Mein Dad hat hier oben abgehangen«, sagte DJ. »Als er auf der Highschool war. Er war auch einer von den Hängern. Er hat Dope geraucht und Bier getrunken. Und ist dauernd in irgendwelche Schlägereien geraten.«

»Was willst du damit sagen?«

»Mir geht's darum, dass man damals noch so viel Scheiß bauen und hinterher trotzdem noch was werden konnte. Die Leute haben nicht so genau hingeguckt. Das hat bei Jugendlichen einfach dazugehört, dass sie mal auf die Kacke hauen. Als er in unserem Alter war, hat mein Vater sogar mal ein Auto geklaut. Sie haben ihn erwischt, die Sache dann aber irgendwie unter der Hand geklärt. Und jetzt ist mein alter Herr einer der gesetzestreuesten Bürger in der Stadt. Wenn er heutzutage aufwachsen und den gleichen Scheiß abziehen würde wie in seiner Jugend, wäre er voll am Arsch. Das ist doch voll krass. Jetzt können die dich in den Knast stecken, weil du in der Schule einem Mädel nachpfeifst. Und wenn du im Flur mal unglücklich in jemanden reinrennst, musst du damit rechnen, dass die dich wegen irgendwas anklagen. Ein Fehler, und du bist raus. Mein Dad findet das idiotisch. Er meint, wir können ja gar nicht lernen, unseren eigenen Weg zu gehen.«

»Das ist aber kein Freifahrtschein.«

»Adam, in ein paar Jahren sind wir auf der Uni. Dann liegt das alles hinter uns. Wir sind keine Verbrecher. Wir können uns davon doch nicht das Leben versauen lassen.«

»Spencers hat's versaut.«

»Das ist nicht unsere Schuld.«

»Die Arschlöcher hätten beinah meinen Vater umgebracht. Er ist im Krankenhaus gelandet.«

»Ich weiß. Und ich weiß auch, wie ich mich fühlen würde, wenn das mein Vater gewesen wäre. Aber deshalb kannst du doch nicht die Wand hochgeh'n. Du musst erst mal runterkommen und dann in Ruhe darüber nachdenken. Ich hab mit Carson gesprochen. Wir sollen hinkommen und mit ihm reden.«

Adam runzelte die Stirn. »Klar.«

»Nein, das ist mein Ernst.«

»Carson ist durchgeknallt, DJ. Das weißt du selbst. Du hast es doch grad selbst gesagt – er dachte, dass ich ihn auffliegen lassen will.«

Adam versuchte, dass Ganze im Kopf zu sortieren, aber er war so verdammt müde. Er war die ganze Nacht wach gewesen. Er hatte Schmerzen, war erschöpft und verwirrt. Obwohl er die ganze Nacht gegrübelt hatte, wusste er nicht, was er machen sollte.

Er hätte seinen Eltern die Wahrheit sagen müssen.

Aber das konnte er nicht. Er hatte Mist gebaut und sich zu oft den Kopf zugezogen, und irgendwann glaubte man dann, dass die Menschen auf der Welt, die einen bedingungslos liebten, die einzigen Menschen, die einen immer lieben würden, ganz egal wie viel Mist man baute, irgendwie die Gegner waren.

Aber sie hatten ihm nachspioniert.

Das wusste er. Seine Eltern hatten ihm nicht vertraut. Das hatte ihn wütend gemacht, aber andererseits, wenn er richtig darüber nachdachte, hatte er ihr Vertrauen denn eigentlich verdient?

Und so war er nach den Ereignissen gestern Abend in Panik geraten. Er war abgehauen und hatte sich versteckt. Er hatte einfach Zeit zum Nachdenken gebraucht.

»Ich muss mit meinen Eltern reden«, sagte er.

»Du hattest schon bessere Ideen.«

Adam sah ihn an. »Gib mir dein Handy.«

DJ schüttelte den Kopf. Adam trat einen Schritt auf ihn zu und ballte die Faust.

»Zwing mich nicht, es dir abzunehmen.«

DJs Augen waren feucht. Er hob eine Hand, zog sein Handy aus der Tasche und gab es Adam. Adam rief zu Hause an. Da meldete sich keiner. Er versuchte es auf dem Handy seines Vaters. Dann auf dem seiner Mutter. Das Gleiche.

DJ sagte: »Adam?«

Er überlegte, ob er den nächsten Anruf machen sollte. Das hatte er schon einmal gemacht und kurz gesagt, dass es ihm gut ging, und dann hatte er sie schwören lassen, dass sie ihren Eltern nichts davon erzählte.

Er wählte Jills Handynummer.

»Hallo?«

»Ich bin's.«

»Adam? Wo bist du. Komm nach Hause. Ich hab solche Angst.«

»Weißt du wo Mom und Dad sind?«

»Mom ist gerade mit dem Wagen unterwegs und holt mich bei Yasmin ab. Dad ist auch unterwegs und sucht dich.«

»Weißt du, wo?«

»Ich glaub, in der Bronx. Mom hat so was gesagt. Über einen Club Jaguar, oder so.«

Adam schloss die Augen. Scheiße. Sie wussten Bescheid.

»Pass auf, ich muss los.«

»Wohin?«

»Mach dir keine Sorgen. Das wird schon wieder. Wenn du Mom siehst, sag ihr, dass ich angerufen hab. Sag ihr, dass es mir gut geht und ich bald zurück bin. Sie soll Dad anrufen und ihm sagen, dass er nach Hause kommen soll, okay?«

»Adam?«

»Sag ihr das einfach.«

»Ich hab echt Angst.«

»Mach dir keine Sorgen, Jill, okay? Mach einfach, was ich gesagt habe. Es ist fast vorbei.«

Er beendete das Gespräch und sah DJ an. »Ist dein Wagen hier?«

»Ja.«

»Wir müssen uns beeilen.

*

Nash sah das Zivilfahrzeug der Polizei vorfahren.

Guy Novak stieg aus. Der Beamte auf dem Beifahrersitz wollte ihm folgen, Novak winkte aber ab. Er beugte sich noch einmal zum Wagen, schüttelte dem Polizisten die Hand und ging offenbar etwas benommen zur Haustür.

Nashs Handy vibrierte. Er brauchte gar nicht mehr zu gucken, wer anrief, er wusste, dass es wieder Joe Lewiston war. Vor ein paar Minuten hatte er sich die erste, verzweifelte Nachricht angehört.

»O Gott, Nash, was machst du? Das hab ich nicht gewollt. Bitte tu niemandem mehr weh, okay? Ich wollte bloß … Ich dachte, du kannst mit ihr reden oder ihr das Video klauen oder so. Und wenn du was mit dieser anderen Frau zu tun hast, dann tu ihr bitte nichts. O Gott, o Gott …«

So in dem Stil.

Guy Novak ging ins Haus. Nash ging näher heran. Drei Minuten später wurde die Haustür wieder geöffnet. Eine Frau kam heraus. Guy Novaks Freundin. Er war mit an der Tür und gab ihr einen Wangenkuss. Dann schloss er die Tür. Die Geliebte ging den Weg entlang. Als sie auf der Straße war, sah sie sich kurz um und schüttelte den Kopf. Vielleicht weinte sie, aber das konnte Nash aus der Entfernung nicht richtig erkennen.

Dreißig Sekunden später war auch sie verschwunden.

Er hatte nicht mehr viel Zeit. Irgendwo musste er Mist gebaut haben. Die Polizei hatte Mariannes Leiche identifiziert. Das hatte er in den Nachrichten gehört. Die Polizei hatte ihren Exmann vernommen. Die meisten Leute hielten Polizisten für dumm. Das waren sie nicht. Sie hatten alle Vorteile auf ihrer Seite. Das war ihm klar. Genau deshalb hatte er sich so viel Mühe dabei gegeben, Mariannes Identität zu verschleiern.

Der Selbsterhaltungstrieb sagte ihm, dass er fliehen, sich verstecken und heimlich das Land verlassen sollte. Aber das ging nicht. Auch wenn Joe Lewiston keine Hilfe mehr wollte, konnte er ihm doch noch helfen. Hinterher würde er ihn anrufen und ihn überreden, dass er den Mund hielt. Aber vielleicht wusste Joe ja auch selbst, was am besten für ihn war. Im Moment war er in Panik, aber immerhin war er am Anfang so geistesgegenwärtig gewesen, Nash anzurufen. Vielleicht würde er sich ja auch am Ende richtig verhalten.

Es juckte ihn wieder. Der Wahn, wie er ihn selbst oft nannte. Er wusste, dass Kinder im Haus waren. Denen wollte er eigentlich nicht weh tun – oder machte er sich da etwas vor? Manchmal war das schwer zu sagen. Die Menschen waren große Meister der Selbsttäuschung, und auch Nash schwelgte gelegentlich in diesem Luxus.

Er konnte aber aus rein praktischen Erwägungen heraus nicht mehr warten. Er musste sofort handeln. Und das bedeutete – ob mit Wahn oder ohne –, dass die Kinder durchaus als Kollateralschaden draufgehen konnten.

Er hatte ein Messer in der Tasche. Er zog es heraus und nahm es in die Hand.

Nash ging zur Hintertür und fing an, das Schloss zu bearbeiten.

35

Rosemary McDevitt saß in ihrem Büro im Club Jaguar. Die Lederweste und die Tätowierungen waren unter einem zu großen Sweatshirt verschwunden. Sie war förmlich darin versunken, und die Hände waren durch die viel zu langen Ärmel versteckt. Sie sah darin kleiner aus, zerbrechlicher und weniger bedrohlich, und Mike fragte sich, ob es ihr genau darum ging. Sie hatte eine Tasse Kaffee vor sich stehen genau wie Mike.

»Haben die Cops Sie verkabelt?«, fragte sie.

»Nein.«

»Würden Sie mir Ihr Handy geben, damit ich ganz sicher sein kann?«

Mike zuckte die Achseln und schob ihr das Handy rüber. Sie schaltete es aus und ließ es auf dem Schreibtisch liegen.

Sie hatte die Knie an die Brust gezogen, so dass auch die unter dem Sweatshirt verschwanden. Mo wartete draußen im Wagen. Er war dagegen gewesen, dass Mike allein in den Club ging, hatte die Befürchtung geäußert, dass das eine Falle sein könnte, andererseits hatte er aber auch gewusst, dass sie keine Wahl hatten. Im Prinzip war das ihre einzige Spur zu Adam.

Mike sagte: »Eigentlich interessiert mich nicht, was Sie hier machen, sondern nur, in welcher Beziehung mein Sohn dazu steht. Wissen Sie, wo er ist?«

»Nein.«

»Wann haben Sie ihn zum letzten Mal gesehen?«

Sie sah ihn mit ihren rehbraunen Augen an. Er wusste nicht, ob sie ihn mit diesen Blicken bearbeiten wollte, aber es war ihm auch egal. Er brauchte Antworten. Wenn es half, war er gerne bereit, bei dem Spielchen mitzumachen.

»Gestern Abend.«

»Wo genau?«

»Unten im Club.«

»War er zum Feiern hier?«

Rosemary lächelte. »Ich glaub nicht.«

Er beließ es dabei. »Sie haben im Chat mit ihm gesprochen, stimmt's? Sie sind CeeJay8115.«

Sie antwortete nicht.

»Sie haben Adam gesagt, dass er den Mund halten soll, dann hätten sie alles im Griff. Und er hat geantwortet, dass Spencer Hills Mutter ihn abgefangen hat, stimmt's?«

Sie hatte die Beine immer noch auf dem Stuhl. Jetzt umschlang sie ihre Knie. »Woher wissen Sie, was Ihr Sohn anderen in einem privaten Chat sagt, Dr. Baye?«

»Das geht Sie nichts an.«

»Wie sind Sie ihm gestern Abend zum Club Jaguar gefolgt?«

Mike sagte nichts.

»Sind Sie sicher, dass Sie das auf diese Art durchziehen wollen?«, fragte sie.

»Im Moment sehe ich keine andere Möglichkeit.«

Sie sah ihm über die Schulter. Mike drehte sich um. Carson, der Grufti mit der gebrochenen Nase, starrte durch die Scheibe. Mike sah ihm direkt in die Augen und wartete ruhig. Nach ein paar Sekunden wandte Carson den Blick ab und verschwand.

»Das sind doch nur Jungs«, sagte Mike.

»Nein, sind sie nicht.«

Er ließ es sacken: »Sprechen Sie mit mir.«

Rosemary lehnte sich zurück. »Unterhalten wir uns doch mal ganz hypothetisch, okay?«

»Wenn Sie meinen.«

»Das meine ich. Sagen wir, Sie wären ein Mädchen aus einer Kleinstadt. Ihr Bruder ist an einer Überdosis gestorben.«

»Die Polizei ist da anderer Ansicht. Die meinen, es gibt keine Hinweise, dass das passiert ist.«

Sie grinste. »Hat das FBI Ihnen das erzählt?«

»Sie haben gesagt, dass sie nichts finden, was diese Behauptung untermauert.«

»Das liegt daran, dass ich ein paar Fakten verändert habe.«

»Welche Fakten?«

»Den Namen der Stadt und den Namen des Bundesstaats.«

»Warum?«

»Der Hauptgrund ist, dass ich an dem Abend, an dem mein Bruder gestorben ist, wegen Drogenbesitzes und versuchten Drogenhandels festgenommen wurde.« Sie sah ihm in die Augen. »Genau. Ich habe meinem Bruder die Drogen besorgt. Ich war sein Dealer. Diesen Teil der Geschichte unterschlage ich normalerweise. Die Leute neigen sonst dazu, mich zu verurteilen.«

»Erzählen Sie weiter.«

»Also habe ich den Club Jaguar gegründet. Meine Philosophie habe ich Ihnen schon erklärt. Ich wollte einen sicheren Ort schaffen, an dem Kids feiern und sich gehen lassen können. Ich wollte, dass sie ihren natürlichen Drang zur Rebellion in einer geschützten Umgebung ausleben konnten.«

»Okay.«

»Und so hat das Ganze auch angefangen. Ich hab mir den Arsch aufgerissen und genug Geld zusammengekratzt, um den Laden in Gang zu bringen. Es hat nicht einmal ein Jahr gedauert bis zur Eröffnung. Sie können sich nicht vorstellen, wie schwer das war.«

»Das kann ich schon, aber es interessiert mich eigentlich nicht. Wie wär's, wenn wir den Film bis zu der Stelle vorspulen, wo Sie Rezeptblöcke geklaut und Pharm-Partys veranstaltet haben?«

Sie lächelte und schüttelte den Kopf. »So war das nicht.«

»Mhm.«

»Ich hab heute in der Zeitung was über eine Frau gelesen, die als Freiwillige für ihre Kirchengemeinde tätig war. In den letzten fünf Jahren hat sie sich achtundzwanzigtausend Dollar aus dem Klingelbeutel genommen. Haben Sie den Artikel auch gelesen?«

»Nein.«

»Aber Sie kennen diese Geschichten doch, oder? Es gibt unzählige solche Fälle. Der Mann, der für eine Wohltätigkeitsorganisation arbeitet, davon Geld abschöpft und sich einen Luxuswagen kauft – glauben Sie, dass er einfach irgendwann aufgewacht ist und sich überlegt hat, dass er das machen will?«

»Das weiß ich nicht.«

»Diese Kirchenfrau. Ich würde wetten, dass das auch bei ihr so gelaufen ist. Irgendwann hat sie das Geld im Klingelbeutel gezählt, ist dafür vielleicht sogar noch ein bisschen länger geblieben, und vielleicht ist dann ihr Auto nicht angesprungen, und sie wusste nicht, wie sie nach Hause kommt. Es ist auch schon dunkel draußen. Also hat sie sich ein Taxi gerufen und sich gedacht, na ja, schließlich arbeitet sie da die ganze Zeit als Freiwillige, und dafür könnte ihr die Kirche ja wenigstens die Taxifahrt bezahlen. Sie fragt auch gar nicht erst, sondern sie nimmt sich die fünf Dollar aus der Kasse. Nicht mehr. Aber die fünf Dollar hat sie schließlich mehr als verdient. So fängt so was an. Das geht ganz langsam und Schritt für Schritt. Im Fernsehen sieht man nur, wie anständige Menschen festgenommen werden, weil sie Gelder von Schulen, Kirchen oder Wohltätigkeitsorganisationen unterschlagen haben. Dabei hat es bei fast allen ganz klein angefangen und sich dann langsam entwickelt. Das ist so, als ob man den kleinen Zeiger einer Uhr anguckt – da sieht man gar nicht, dass sich was bewegt. Diese Leute merken gar nicht, dass sie etwas Falsches tun.«

»Und so ist das im Club Jaguar auch gelaufen?«

»Ich hab immer gedacht, dass die Teenager einfach zusammen feiern wollen. Aber das ging dann wie beim Mitternachtsbasketball. Natürlich wollen sie feiern, klar, aber dabei wollen sie auch Drogen und Alkohol konsumieren. Man kann keinen Ort schaffen, wo sie rebellieren können. Man kann einen solchen Ort nicht sicher und drogenfrei machen, weil genau das der Sinn der Sache ist – sie wollen keinen sicheren Ort.«

»Ihr Konzept ist gescheitert«, sagte Mike.

»Es kam keiner – und wenn sich doch mal ein paar hierherver-laufen hatten, sind sie schnell wieder gegangen. Wir galten ein-fach als lahm. Die Kids haben uns mit diesen christlichen Grup-pen in einen Topf geworfen, bei denen man sich zur Jungfräulich-keit bis zur Ehe verpflichtet.«

»Ich kann mir vorstellen, was dann passiert ist. Sie haben den Kids erlaubt, sich ihre eigenen Drogen mitzubringen.«

»Das nicht, aber sie haben es einfach gemacht. Am Anfang hab ich das überhaupt nicht mitgekriegt, aber irgendwo war es schon logisch. Es ging ganz langsam, Schritt für Schritt, erinnern Sie sich? Ein oder zwei Jugendliche haben ein paar verschreibungs-pflichtige Medikamente von zu Hause mitgebracht. Keine wirk-lich harten Sachen. Und wir reden hier schließlich nicht von Ko-kain oder Heroin. Das sind zugelassene Medikamente.«

»Quatsch«, sagte Mike.

»Was?«

»Das sind Drogen. In vielen Fällen sogar harte Drogen. Die sind nicht einfach so zum Spaß rezeptpflichtig.«

Sie schnalzte höhnisch. »Tja, ein Arzt muss das wohl sagen. Wenn Sie nicht als Herr und Gebieter darüber wachen würden, wer welches Medikament bekommt, wäre Ihre Branche bald er-ledigt – und Sie haben schon viel Geld an *Medicare* und *Medicaid* verloren, und durch den Druck der Krankenversicherungen ist der Kuchen noch kleiner geworden.«

»Das ist Blödsinn.«

»In Ihrem Fall vielleicht schon. Allerdings sind nicht alle Ärz-te so anständig wie Sie.«

»Sie rechtfertigen Verbrechen.«

Rosemary zuckte die Achseln. »Da haben Sie vielleicht Recht. Auf jeden Fall hat es so angefangen. Ein paar Teenager haben Pil-len von zu Hause mitgebracht. Medizin, wenn man es so will. Ver-schrieben und legal. Als ich zum ersten Mal davon gehört habe, war ich erschüttert, aber dann hab ich gesehen, wie viele Jugendliche wir damit angezogen haben. Sie hätten es sowieso gemacht, und ich habe ihnen einen sicheren Ort dafür gegeben. Ich habe sogar eine Ärztin eingestellt. Sie hat hier im Club gearbeitet, für den Fall, dass doch mal etwas schiefging. Verstehen Sie das? Ich habe die Kids von der Straße hier reingeholt. Hier waren sie besser aufgehoben als irgendwo anders. Ich habe auch noch weitere Hilfsangebote gemacht – Gruppen, in denen sie über ihre Probleme reden können. Die Aushänge haben Sie ja gesehen. Ein paar von den Kids haben da auch mitgemacht. Wir haben viel mehr Gutes getan, als Schaden angerichtet.«

Mike sagte: »Schritt für Schritt.«

»Genau.«

»Aber dabei mussten Sie natürlich immer noch Geld verdienen«, sagte er. »Also haben Sie mal nachgeguckt, wie hoch der Straßenpreis für die Drogen ist. Und Sie haben einen Anteil daran genommen.«

»Für den Club. Zur Deckung der Unkosten. Ich musste ja zum Beispiel die Ärztin bezahlen.«

»Genau wie die Kirchenlady, die ihr Geld fürs Taxi brauchte.«

Rosemary lächelte freudlos. »Ja.«

»Und dann ist Adam zur Tür hereingekommen. Ein Arztsohn.«

Es war genauso, wie die Cops es ihm erzählt hatten. Unternehmerisches Denken. Allerdings interessierte er sich nicht für ihre Gründe. Vielleicht war das alles nur Show, vielleicht auch nicht, aber das spielte fast keine Rolle. Ihre Darstellung, wie Menschen langsam in Schwierigkeiten hineinglitten, traf natürlich häufig zu. Höchstwahrscheinlich hatte diese Kirchenlady sich nicht als Freiwillige gemeldet, um Geld zu unterschlagen. Es war einfach irgendwie passiert. Vor ein paar Jahren hatte es einen ähnlichen Fall in der Kinderbaseball-Liga in Livingston gegeben. So etwas geschah in Schulbehörden und im Büro des Bürgermeisters, und jedes Mal wenn man so etwas hörte, fand man es unglaublich. Man kannte diese Menschen. Sie waren nicht böse. Oder doch?

Brachten die Umstände sie dazu – oder beschrieb Rosemary hier einen Prozess der Selbstverleugnung?

»Was ist mit Spencer Hill passiert?«, fragte Mike.

»Er hat Selbstmord begangen.«

Mike schüttelte den Kopf.

»Dazu kann ich nur das wiedergeben, was ich gehört habe«, sagte sie.

»Und warum sollte Adam dann, wie Sie es in dem Chat formuliert haben, den Mund halten?«

»Spencer Hill hat sich das Leben genommen.«

Wieder schüttelte Mike den Kopf. »Er hat eine Überdosis genommen, stimmt's?«

»Nein.«

»Alles andere wäre unlogisch. Deshalb mussten Adam und seine Freunde den Mund halten. Sie hatten Angst. Ich weiß nicht, welches Druckmittel Sie gegen die Kids hatten. Vielleicht haben Sie sie einfach daran erinnert, dass sie selbst dann auch ins Gefängnis gehen. Und darum fühlen sie sich alle schuldig. Darum kann Adam sich selbst nicht mehr ausstehen. Er war an dem Abend mit Spencer zusammen. Er war nicht nur mit ihm zusammen, er hat sogar geholfen, die Leiche aufs Dach zu schaffen.«

Ein spöttisches Lächeln umspielte ihre Lippen. »Sie haben wirklich überhaupt keine Ahnung, was, Dr. Baye?«

Es gefiel ihm nicht, wie sie das sagte. »Dann erzählen Sie mir, wie es war.«

Rosemary hatte die Beine immer noch unter dem Sweatshirt. Es war eine extrem kindliche Haltung, die ihr eine – ganz und gar unangemessene – Aura von Jugend und Unschuld verlieh. »Sie kennen Ihren Sohn überhaupt nicht, was?«

»Früher habe ich ihn gekannt.«

»Nein, da irren Sie sich. Sie dachten, dass Sie ihn kennen. Aber Sie sind sein Vater. Und als Vater sollen sie gar nicht alles wissen. Jugendliche müssen sich von ihren Eltern lösen. Als ich gesagt habe, dass Sie ihn nicht kennen, war das durchaus positiv gemeint.«

»Ich kann Ihnen nicht folgen.«

»Sie haben ein GPS in sein Handy eingebaut. So haben Sie rausgekriegt, wo er war. Und offensichtlich haben Sie auch noch seinen Computer überwacht und seine Mails und Nachrichten gelesen. Wahrscheinlich haben Sie gedacht, dass das hilft, aber in Wahrheit haben Sie dadurch alles erstickt. Eltern dürfen nicht wissen, was ihr Kind die ganze Zeit so treibt.«

»Weil die Kids Platz zum rebellieren brauchen, meinen Sie?«

»Zum Teil, ja.«

Mike richtete sich auf. »Wenn ich schon früher über Sie und das hier Bescheid gewusst hätte, hätte ich ihn vielleicht stoppen können.«

»Glauben Sie das wirklich?« Rosemary legte den Kopf auf die Seite, als ob sie die Antwort wirklich interessieren würde. Als er nicht antwortete, fuhr sie fort: »Ist das Ihr Plan für die Zukunft? Wollen Sie jede Bewegung Ihrer Kinder überwachen?«

»Tun Sie mir einen Gefallen, Rosemary. Kümmern Sie sich nicht um meine Erziehungspläne, okay?«

Sie musterte ihn eingehend. Dann deutete sie auf die Schramme auf seiner Stirn. »Das tut mir leid.«

»Haben Sie mir diese Gruftis auf den Hals gehetzt?«

»Nein. Davon habe ich erst heute Morgen erfahren.«

»Wer hat es Ihnen erzählt?«

»Das spielt keine Rolle. Ihr Sohn war gestern Abend hier, und es ist zu einer brenzligen Situation gekommen. Und dann sind Sie plötzlich aufgetaucht. DJ Huff hat gesehen, dass Sie ihm gefolgt sind. Er hat angerufen und Carson hat den Anruf entgegengenommen.«

»Er und seine Kumpel wollten mich umbringen.«

»Und wahrscheinlich hätten sie das auch getan. Glauben Sie immer noch, dass das bloß Jungs sind?«

»Ein Türsteher hat mich gerettet.«

»Nein. Ein Türsteher hat Sie gefunden.«

»Was meinen Sie damit?«

Sie schüttelte den Kopf. »Als ich erfahren habe, dass die Sie angegriffen haben und die Polizei da war – das war so eine Art Weckruf. Jetzt will ich die ganze Sache nur noch zu Ende bringen.«

»Wie?«

»Ich weiß es nicht, aber genau deshalb wollte ich mit Ihnen reden. Ich wollte mit Ihnen zusammen einen Plan ausarbeiten.«

Jetzt begriff er, warum sie ihm das alles so bereitwillig erzählte. Sie wusste, dass das FBI ihr schon sehr dicht auf den Fersen war, und dass sie jetzt ihre Chips einlösen und den Spieltisch verlassen musste. Sie brauchte Hilfe und hoffte, dass ein verängstigter Vater sich ihr anschließen würde.

»Ich habe einen Plan«, sagte er. »Wir gehen zum FBI und erzählen, was passiert ist.«

Sie schüttelte den Kopf. »Das wäre wahrscheinlich nicht das Beste für Ihren Sohn.«

»Er ist noch minderjährig.«

»Trotzdem. Wir stecken da alle zusammen drin. Wir müssen eine Möglichkeit finden, die ganze Geschichte aus der Welt zu schaffen.«

»Sie haben Minderjährigen illegale Drogen beschafft.«

»Das stimmt nicht, wie ich Ihnen gerade schon erklärt habe. Vielleicht haben sie meinen Club dafür genutzt, um hier verschreibungspflichtige Medikamente auszutauschen. Das ist das Einzige, was man mir vielleicht noch beweisen kann. Sie können nicht beweisen, dass ich davon wusste.«

»Und die geklauten Rezeptblöcke?«

Sie zog eine Augenbraue hoch. »Meinen Sie, ich hätte die geklaut?«

Schweigen.

Sie sah ihm in die Augen. »Habe ich etwa Zugang zu Ihrem Haus oder Ihrem Büro, Dr Baye?«

»Das FBI hat Sie beschattet. Die haben eine Anklage gegen Sie vorbereitet. Glauben Sie wirklich, dass diese Gruftis den Mund halten, wenn ihnen Gefängnis droht?«

»Sie lieben den Laden. Sie hätten fast jemanden umgebracht, um ihn zu schützen.«

»Ich bitte Sie. Die reden doch, sobald sie im Vernehmungs- raum sitzen.«

»Aber wir müssen auch noch ein paar andere Fakten in Erwä- gung ziehen.«

»Zum Beispiel?«

»Zum Beispiel, wer Ihrer Ansicht nach wohl die Medikamente draußen auf der Straße vertrieben hat? Wollen Sie wirklich, dass Ihr Sohn eine Aussage macht, in der er diese Typen beschuldigt?«

Am liebsten hätte Mike über den Tisch gegriffen und sie ge- würgt. »Wo haben Sie meinen Sohn mit reingezogen, Rosemary?«

»In eine Geschichte, aus der wir ihn jetzt wieder rausholen müssen. Das muss unser Ziel sein. Wir müssen das aus der Welt schaffen – auch um meinetwillen, aber vor allem um Ihres Soh- nes willen.«

Mike griff nach seinem Handy. »Ich weiß nicht, was ich dazu noch sagen soll.«

»Sie haben doch einen Anwalt, oder?«

»Ja.«

»Tun Sie nichts, bevor ich nicht mit ihm gesprochen habe, okay? Hier steht so viel auf dem Spiel. Sie müssen auch noch Rücksicht auf ein paar weitere Jugendliche nehmen – die Freun- de Ihres Sohns.«

»Andere Kinder interessieren mich nicht. Nur meine eigenen.«

Er schaltete das Handy wieder an. Es klingelte sofort. Mike sah aufs Display. Die Nummer sagte ihm nichts. Er drückte die An- nahmetaste und hielt es ans Ohr.

»Dad?«

Sein Herz blieb stehen.

»Adam? Geht's dir gut? Wo bist du?«

»Bist du im Club Jaguar?«

»Ja.«

»Komm da raus. Ich bin auf der Straße auf dem Weg zu dir. Komm da bitte sofort raus.«

36

Anthony arbeitete drei Tage die Woche als Türsteher für einen schmierigen Nachtclub mit dem Namen *Upscale Pleasure*. Der Name war ein Witz. Freude fand man vielleicht noch, aber hochwertig war da gar nichts. Es handelte sich um ein finsteres Loch. Davor hatte Anthony eine Weile für eine Stripteasebar namens *Homewreckers* gearbeitet. Der Job hatte ihm besser gefallen, weil der ehrliche Name, der die Zerstörung der Familie ankündigte, dem Laden eine gewisse Aura verliehen hatte.

Anthony arbeitete meistens mittags. Man sollte meinen, dass um die Zeit in solchen Läden nicht viel los war, weil die Mehrzahl der Gäste erst am späten Abend kam. Mit dieser Einschätzung läge man aber falsch.

Die Tagesgäste in einem Striplokal kamen aus aller Herren Länder. Jede Rasse, Religion, Hautfarbe und sozioökonomische Gruppe war vertreten. Es kamen Männer in Anzügen, welche in roten Flanelloberhemden, bei denen Anthony unwillkürlich an die Jagd denken musste, in Gucci-Schuhen oder namenlosen Wanderstiefeln. Es kamen hübsche Jungs und Schwätzer, Leute aus den Vororten und aus den innerstädtischen Slums. In solchen Kaschemmen fand man sie alle.

Schmutziger Sex – der große Gleichmacher.

»Du kannst jetzt deine Pause machen, Anthony. Zehn Minuten, okay.«

Anthony ging zur Tür. Draußen dämmerte es schon fast, trotzdem musste er kurz blinzeln. Wie immer, wenn er aus so einem Schuppen nach draußen kam, selbst nachts. Die Dunkelheit in Striplokalen war anders, und wenn man da rauskam, musste man sie erst einmal wegblinzeln wie Dracula nach einer Sauftour.

Er griff nach einer Zigarette, als ihm wieder einfiel, dass er doch mit dem Rauchen aufgehört hatte. Er wollte nicht, aber seine Frau war schwanger, und das hatte er ihr versprochen: kein Rauch – auch nicht aus zweiter Hand – in der Nähe des Babys. Er dachte an Mike Baye und seine Probleme mit den Kids. Anthony mochte Mike. Harter Bursche, obwohl er in Dartmouth gewesen war. Zog nicht den Schwanz ein. Manche Typen tranken sich Mut an, wollten ein Mädchen oder einen Freund beeindrucken. Und manche Typen waren einfach nur dumm. Bei Mike war das was anderes. Der hatte einfach keinen Rückwärtsgang. Er war ein anständiger Kerl. So komisch das auch klang, seit er ihn gesehen hatte, wollte Anthony auch anständiger werden.

Anthony sah auf die Uhr. Noch zwei Minuten Pause. Mann, er wollte sich wirklich eine anstecken. Der Tagesjob wurde nicht so gut bezahlt wie die Nachtschicht, aber dafür war er das reinste Kinderspiel. Er war kein großer Anhänger von Mystizismus und solchem Quatsch, aber der Mond machte ganz eindeutig etwas mit den Menschen. Prügeleien gediehen am besten im Schutz der Nacht, und bei Vollmond wusste er schon vorher, dass er alle Hände voll zu tun haben würde. Mittags waren die Typen einfach lockerer drauf. Sie setzten sich ruhig hin, guckten einfach zu oder aßen klaglos etwas vom miesesten »Büfett«, das die Menschheit je gesehen hatte – Zeug, dass nicht einmal Michael Vick einem Hund zum Fraß vorwerfen würde.

»Anthony? Kommst du wieder rein?«

Er nickte und wollte schon wieder zur Tür gehen, als er einen

Jugendlichen mit einem Handy am Ohr vorbeihasten sah. Er hatte den Jugendlichen höchstens eine Sekunde lang gesehen und dabei nicht einmal einen freien Blick auf sein Gesicht gehabt. Aber ein paar Schritte hinter ihm folgte noch ein Jugendlicher. Der trug eine Jacke, eine Schulmannschaftsjacke.

»Anthony?«

»Ich bin gleich zurück«, sagte er. »Muss mal eben was gucken.«

*

An der Eingangstür seines Hauses gab Guy Novak Beth einen Abschiedskuss.

»Vielen Dank, dass du so lange auf die Mädchen aufgepasst hast.«

»Kein Problem. Hat mich gefreut, dass ich euch helfen konnte. Die Sache mit deiner Exfrau tut mir wirklich leid.«

Was für ein Date, dachte Guy.

Er überlegte kurz, ob er Beth je wiedersehen würde, oder ob dieser Tag sie – was sehr gut nachvollziehbar wäre – für alle Zeit verjagt hatte. Er hielt sich mit diesem Gedanken jedoch nicht lange auf.

»Danke«, sagte er noch einmal.

Guy schloss die Tür und ging an die Hausbar. Er trank nur selten, aber jetzt brauchte er etwas. Die Mädchen guckten sich eine DVD an. Er hatte nach oben gerufen, dass sie ruhig dableiben und sich den Film zu Ende ansehen sollten. So konnte Tia Jill abholen – und Guy konnte überlegen, wie er Yasmin die Neuigkeit so schonend wie möglich beibrachte.

Er schenkte sich einen Whiskey aus einer Flasche ein, die er wohl seit drei Jahren nicht mehr angerührt hatte. Er kippte ihn runter, spürte das Brennen in der Kehle, und schenkte sich noch einen ein.

Marianne.

Er erinnerte sich, wie es damals, vor so vielen Jahren, mit ihnen angefangen hatte – eine Sommerliebe am Meer. Sie hatten beide in den Semesterferien als Bedienungen in einem Restaurant gearbeitet. Nachdem sie gegen Mitternacht aufgeräumt hatten, waren sie mit einer Decke zum Strand gegangen, hatten sich draufgelegt und die Sterne angestarrt. Die Wellen rauschten, und der wunderbare, salzige Meeresduft hatte ihre nackten Körper umhüllt. Als sie nach den Semesterferien wieder an ihre Unis mussten – er nach Syracuse, sie nach Delaware – hatten sie jeden Tag telefoniert. Sie hatten sich Briefe geschrieben. Er hatte sich einen sehr alten Oldsmobile Ciera gekauft und war jedes Wochenende vier Stunden gefahren, um Marianne zu besuchen. Die Fahrt war ihm schier endlos vorgekommen. Er hatte es nicht erwarten können, aus dem Wagen zu springen und in ihre Arme zu fallen.

Als er jetzt so im Wohnzimmer saß, schien die Vergangenheit zusammenzuschrumpfen, die Zeit spielte mit ihm – mal schienen die mehr als zehn Jahre völlig verschwunden zu sein, dann war der alte Abstand wieder hergestellt, und plötzlich stand die Vergangenheit wieder direkt hinter ihm und tippte ihm auf die Schulter.

Guy trank einen kräftigen Schluck Whiskey. Die Wärme tat ihm gut.

Gott, er hatte Marianne wirklich geliebt – und sie hatte das alles weggeworfen. Und wofür? Für so ein Ende? Um grausam ermordet zu werden? Das Gesicht, das er am Strand so zärtlich geküsst hatte – zerschlagen wie eine Eierschale! Ihr wunderschöner Körper in der Gosse! Entsorgt wie lästiger Abfall!

Wie ging so etwas verloren? Wenn man so unglaublich verliebt war – wenn man jede Sekunde mit einem anderen Menschen verbringen wollte und einfach alles, was dieser Mensch tat, großartig und faszinierend fand? Wie um alles in der Welt konnte das dann verschwinden?

Guy hatte aufgehört, sich die Schuld zu geben. Er trank seinen Whiskey aus, erhob sich leicht schwankend und schenkte sich noch einen ein. Marianne hatte sich für dieses Leben entschieden – und am Ende war sie daran gestorben.

Du blödes Miststück.

Was hast du da draußen gesucht, Marianne? Wir hatten uns hier etwas aufgebaut. Diese schmuddeligen Nächte in irgendwelchen Bars? Von einem Bett ins nächste zu hüpfen – was hat dir das gebracht? Du warst die einzige Frau, die ich je wirklich geliebt habe. Hast du Erfüllung darin gefunden? Freude? Irgendetwas anderes als eine einzige große Leere? Du hast eine wundervolle Tochter gehabt, einen Ehemann, der dich verehrt, ein Zuhause, Freunde, Bekannte, ein Leben – warum hat dir das nicht gereicht?

Du verdammtes, blödes Miststück.

Er ließ den Kopf in den Nacken sinken. Die breiige Masse, die von ihrem hübschen Gesicht übrig geblieben war – dieses Bild würde ihm nie mehr aus dem Kopf gehen. Es würde ihn sein Leben lang begleiten. Vielleicht konnte er es beiseiteschieben, in ein verschlossenes Fach in die hinterste Gehirnecke verbannen, aber selbst da würde es nachts herauskommen und ihn verfolgen. Das war nicht fair. Er war ein guter Mann gewesen. Marianne war die, die beschlossen hatte, ihr Leben zu einer zerstörerischen Suche nach einem unerreichbaren Nirwana zu machen – und das war nicht nur *selbst*zerstörerisch gewesen, denn am Ende hatte es viele Opfer gefordert.

Er saß im Dunkeln und probte, was er Yasmin gleich sagen würde. Mach es schlicht, dachte er. Ihre Mutter war tot. Erzähl ihr nicht, wie sie gestorben ist. Aber Yasmin war neugierig. Sie würde die Einzelheiten wissen wollen. Sie würde ins Internet gehen und Mariannes Foto finden. Oder sie erfuhr es von einer Schulfreundin. Noch so ein elterliches Dilemma. Sagte man die Wahrheit oder versuchte man, die Kinder zu schützen? In diesem Fall konnte er sie nicht beschützen. In Zeiten des Internets gab es bei so etwas keine Geheimnisse mehr. Also musste er ihr alles erzählen.

Aber ganz allmählich. Nicht alles auf einmal. Fang ganz einfach an.

Guy schloss die Augen. Er hörte nichts, war nicht vorgewarnt, als sich die Hand über seinen Mund legte und er die Klinge eines Messers am Hals spürte, die sich in seine Haut bohrte.

»Psst«, flüsterte ihm eine Stimme ins Ohr. »Nicht schreien, sonst muss ich die Mädchen umbringen.«

*

Susan Loriman saß allein im Garten hinter ihrem Haus.

Der Garten sah gut aus dieses Jahr. Dante und sie arbeiteten viel daran, obwohl sie nur selten die Früchte ihrer Arbeit genossen. Sie hatte immer wieder versucht, zwischen den Pflanzen und Tieren Entspannung zu finden, konnte jedoch ihren kritischen Blick nicht abschalten. Hier ging eine Pflanze ein, eine andere musste beschnitten werden und noch eine andere blühte nicht so wunderbar wie im letzten Jahr. Heute blendete sie das alles aus und versuchte, eins zu werden mit der Natur.

»Schatz?«

Sie schaute weiter in den Garten. Dante stellte sich hinter sie und legte ihr die Hände auf die Schultern.

»Alles in Ordnung?«, fragte er.

»Ja.«

»Wir finden einen Spender.«

»Ich weiß.«

»Wir geben nicht auf. Wir fragen alle, die wir kennen, ob sie eine Blutprobe abgeben. Wenn nötig, bettle ich darum. Ich weiß, dass du keine so große Familie hast, ich hab die aber. Die lassen sich alle testen, das verspreche ich dir.«

Sie nickte.

Blut, dachte sie. Das Blut spielte überhaupt keine Rolle, Dante war Lucas' richtiger Vater.

Sie fummelte am goldenen Kreuz herum, das sie um den Hals

trug. Sie musste ihm die Wahrheit sagen. Aber sie lebten diese Lüge schon so lange. Nach der Vergewaltigung hatte sie so oft wie möglich mit Dante geschlafen. Warum? Hatte sie es geahnt? Als Lucas dann geboren wurde, war sie sich sicher gewesen, dass er von Dante war. Die Chancen waren einfach viel größer. Die Vergewaltigung war ein einmaliges Ereignis gewesen. Mit ihrem Mann hatte sie in dem Monat sehr oft geschlafen. Am Aussehen ließ sich nichts erkennen, Lucas sah keinem der beiden Männer ähnlich, er kam eindeutig nach ihr. Daraufhin hatte sie sich gezwungen, die ganze Sache zu vergessen.

Was ihr natürlich nicht gelungen war. Sie war nie ganz darüber hinweggekommen, trotz des Versprechens ihrer Mutter: *»Das ist am besten für dich. Leb einfach weiter. So schützt du deine Familie …«*

Sie hoffte, dass Ilene Goldfarb das Geheimnis für sich behielt. Es gab niemanden mehr, der die Wahrheit kannte. Ihre Eltern hatten Bescheid gewusst, aber sie waren inzwischen gestorben – Dad an einer Herzkrankheit, Mom an Krebs. Als sie noch lebten, hatten sie nie über das, was passiert war, gesprochen. Nicht ein einziges Mal. Sie hatten sie nie zur Seite genommen und umarmt, hatten nie angerufen und gefragt, wie es ihr ging oder wie sie zurechtkam. Nicht einmal ihre Mundwinkel hatten gezuckt, als Dante und sie ihnen drei Monate nach der Vergewaltigung erzählt hatten, dass sie Oma und Opa werden.

Ilene Goldfarb wollte nach dem Vergewaltiger suchen und feststellen, ob er ihnen helfen würde.

Aber das konnte er nicht.

Dante war mit ein paar Freunden für ein paar Tage nach Las Vegas gefahren. Susan hatte das nicht gefallen. Sie steckten damals in einer schwierigen Phase ihrer Ehe, und gerade als Susan sich fragte, ob sie womöglich zu jung geheiratet hatte, beschloss ihr Mann, ein paar Tage mit den Jungs wegzufahren, zum Glücksspiel und wahrscheinlich auch, um ein paar Stripteasebars aufzusuchen.

Vor diesem Abend war Susan Loriman nicht religiös gewesen. Als sie klein war, waren ihre Eltern jeden Sonntag mit ihr in die Kirche gegangen, aber davon war nichts hängen geblieben. Als sie sich dann zu einer Schönheit entwickelte, hatten ihre Eltern sie streng bewacht. Natürlich hatte Susan irgendwann dagegen aufbegehrt, aber nach dieser fürchterlichen Nacht war sie wieder in den Schoß der Familie zurückgekehrt.

Sie war mit drei Freundinnen in eine Bar in West Orange gegangen. Die anderen Mädchen waren Singles, und für diesen einen Abend, an dem ihr Mann sich nach Las Vegas verdrückt hatte, wollte sie auch ein Single sein. Wenn auch nicht so ganz. Schließlich war sie verheiratet – im Großen und Ganzen auch glücklich –, aber ein kleiner Flirt konnte schließlich nicht schaden. Also hatte sie mitgetrunken und sich benommen wie die anderen Mädchen. Aber sie trank viel zu viel. Es schien immer dunkler zu werden in der Bar, und die Musik spielte immer lauter. Sie hatte getanzt. Um sie herum hatte sich alles gedreht.

Im Laufe des Abends hatten ihre Freundinnen sich ein paar Typen gesucht und waren nach und nach mit ihnen verschwunden. So war die Gruppe immer kleiner geworden.

Hinterher hatte sie etwas über K.O.-Tropfen und Vergewaltigungsdrogen gelesen und sich gefragt, ob die auch mit im Spiel gewesen waren. Sie konnte sich an kaum etwas erinnern. Plötzlich hatte sie neben einem Mann im Auto gesessen. Sie wollte aussteigen, aber er hatte sie nicht gelassen. Irgendwann hatte er ein Messer gezogen und sie in ein Motelzimmer gezerrt. Er hatte sie furchtbar beschimpft und vergewaltigt. Als sie sich wehrte, hatte er sie geschlagen.

Der Horror schien gar kein Ende zu nehmen. Sie wusste noch, dass sie gehofft hatte, dass er sie hinterher umbrachte. So schlimm war es gewesen. Sie wollte nicht weiterleben. Sie hatte sich nach dem Tod gesehnt.

Auch an das Folgende erinnerte sie sich nur sehr verschwommen. Irgendwann war ihr eingefallen, dass sie einmal gehört hatte, man sollte sich nicht wehren, sondern den Vergewaltiger in Sicherheit wiegen und in dem Glauben lassen, man hätte aufgegeben und er gewonnen. Das hatte sie dann auch gemacht. Als er nicht aufpasste, hatte sie eine Hand frei bekommen, seinen Hoden gepackt und mit aller Kraft zugedrückt. Sie hatte ihn festgehalten, die Hand umgedreht, und er hatte geschrien und sie losgelassen.

Susan hatte sich vom Bett gerollt und das Messer auf dem Boden gesehen.

Ihr Vergewaltiger wälzte sich auf dem Boden. Er wollte nicht mehr kämpfen. Sie hätte die Tür öffnen und um Hilfe rufen können. Das wäre das Klügste gewesen. Aber das tat sie nicht.

Stattdessen hatte Susan dem Vergewaltiger das Messer tief in die Brust gestochen.

Sein Körper wurde steif. Er hatte furchtbar gezuckt, als die Klinge ins Herz eindrang.

Und dann war ihr Vergewaltiger tot.

»Du bist ja völlig verspannt, Schatz«, sagte Dante jetzt, elf Jahre später, zu ihr.

Dante fing an, ihr die Schultern zu massieren. Sie ließ ihn gewähren, obwohl es ihr keine Entspannung brachte.

Das Messer steckte noch in der Brust ihres Vergewaltigers, als Susan aus dem Motelzimmer floh.

Sie war sehr lange gelaufen. Langsam hatte sie wieder einen klaren Kopf bekommen. Sie war zu einem Münztelefon gegangen und hatte ihre Eltern angerufen. Ihr Vater hatte sie abgeholt. Sie hatten das besprochen. Ihr Vater war am Motel vorbeigefahren. Dort hatten überall Blaulichter geblinkt. Die Cops waren schon da gewesen. Also hatte ihr Vater sie mitgenommen in das Haus, in dem sie ihre Kindheit verlebt hatte.

»Wer wird dir glauben?«, hatte ihre Mutter sie gefragt.

Sie hatte überlegt.

»Was wird Dante denken?«

Noch eine gute Frage.

»Eine Mutter muss ihre Familie schützen. Das ist die wichtigste Aufgabe einer Frau. In dem Punkt sind wir stärker als die Männer. Wir können so einen Schlag wegstecken und weiterleben. Wenn du ihm erzählst, was passiert ist, wird dein Mann dich nie wieder so ansehen wie früher. Kein Mann wird das. Gefällt es dir, wie er dich ansieht? Er wird sich immer fragen, warum du an dem Abend ausgegangen bist. Er wird sich fragen, wie du mit dem Mann im Motelzimmer landen konntest. Vielleicht glaubt er dir, aber es wird nie wieder wie früher. Verstehst du das?«

Also hatte sie darauf gewartet, dass die Polizei sie abholte. Aber das war nicht passiert. Sie hatte in der Zeitung etwas über den Toten gelesen – sogar seinen Namen –, aber ein oder zwei Tage später war schon nicht mehr darüber berichtet worden. Die Polizei hatte gemutmaßt, dass ihr Vergewaltiger bei einem missglückten Raubüberfall oder einem Drogengeschäft ermordet worden war. Der Mann war vorbestraft gewesen.

Also hatte Susan einfach weitergelebt, genau wie ihre Mutter es ihr geraten hatte. Dante war wieder zurückgekommen. Sie hatte mit ihm geschlafen. Es hatte ihr keinen Spaß gemacht. Es machte ihr immer noch keinen Spaß. Aber sie liebte ihn und wollte, dass er glücklich war. Dante hatte sich gefragt, warum seine schöne Braut missmutiger war als früher, aber irgendwie hatte er wohl gemerkt, dass er dem lieber nicht nachgehen sollte.

Seitdem ging Susan wieder in die Kirche. Ihre Mutter hatte Recht gehabt. Die Wahrheit hätte ihre Familie zerstört. Also hat sie ihr Geheimnis für sich behalten und Dante und ihre Kinder so geschützt. Mit der Zeit war es auch deutlich besser geworden. Manchmal dachte sie mehrere Tage lang nicht an diese Nacht. Falls Dante aufgefallen war, dass sie keinen Spaß mehr am Sex hatte, hatte er sich das nicht anmerken lassen. Außerdem bekam Susan von den bewundernden Blicken der Männer, die sie vorher so genossen hatte, jetzt Magenschmerzen.

Jedenfalls konnte sie Ilene Goldfarb das nicht erzählen. Es hatte keinen Sinn, ihren Vergewaltiger um Hilfe zu bitten.

Er war tot.

»Deine Haut ist ganz kalt«, sagte Dante.

»Mir geht's gut.«

»Ich hol dir eine Decke.«

»Nein, lass, es ist alles okay.«

Er merkte, dass sie allein sein wollte. Vor jener Nacht war das nie vorgekommen. Danach schon. Er hatte nie gefragt, was passiert war, sie nie bedrängt und ihr immer den Freiraum gelassen, den sie brauchte.

»Wir werden ihn retten«, sagte er.

Er ging wieder ins Haus. Sie blieb draußen und nippte an ihrem Drink. Ihre Finger spielten noch immer mit dem goldenen Kreuz. Es hatte ihrer Mutter gehört. Sie hatte es Susan auf ihrem Totenbett geschenkt.

»Damit du für deine Sünden bezahlen kannst«, hatte ihre Mutter zu ihr gesagt.

Damit konnte sie leben. Susan war gerne bereit, für ihre Sünden zu bezahlen. Aber ihren Sohn sollte Gott verdammt noch mal in Ruhe lassen.

37

Pietra hörte die Autos vorfahren. Sie blickte aus dem Fenster. Eine kleine Frau ging mit entschlossenem Schritt zur Haustür. Pietra blickte aus dem anderen Fenster nach rechts und sah vier Streifenwagen, und da wusste sie Bescheid.

Sie zögerte keinen Moment. Sie nahm ihr Handy. Im Kurzwahlspeicher war nur eine Nummer. Sie drückte darauf und hörte es zweimal klingeln.

Nash sagte: »Was gibt's?«

»Die Polizei ist hier.«

*

Als Joe Lewiston die Treppe wieder herunterkam, sah Dolly ihn nur einmal an und fragte: »Was ist passiert?«

»Nichts«, sagte er, aber seine Lippen waren ganz taub.

»Du glühst ja.«

»Mir geht's gut.«

Aber Dolly kannte ihren Mann. Das nahm sie ihm nicht ab. Sie stand auf und ging auf ihn zu. Er sah aus, als ob er sich umdrehen und wegrennen wollte.

»Was ist?«

»Nichts, ich schwöre es.«

Jetzt stand sie direkt vor ihm.

»Ist Guy Novak schuld?«, fragte sie. »Hat er noch was gemacht? Wenn er nämlich wirklich ...«

Joe legte seiner Frau eine Hand auf die Schulter. Sein Blick wanderte über ihr Gesicht. Sie durchschaute ihn. Immer. Das war das Problem. Sie kannte ihn so gut. Sie hatten so wenige Geheimnisse voreinander. Aber dies war eins von ihnen.

Marianne Gillespie.

Sie hatte um ein Eltern-Lehrer-Gespräch gebeten und dabei die Rolle der besorgten Mutter gespielt. Sie hatte erzählt, sie habe gehört, was Joe Schreckliches zu ihrer Tochter Yasmin gesagt hatte, klang dabei aber durchaus verständnisvoll. Menschen platzten manchmal einfach mit unüberlegten Dingen heraus, hatte sie am Telefon gesagt. Menschen machten Fehler. Ja, ihr Exmann wäre fast verrückt geworden vor Wut, aber Marianne sagte, sie wäre das nicht. Sie wollte sich mit Joe zusammensetzen, sich seine Version der Geschichte anhören und in Ruhe darüber reden.

Vielleicht, hatte Marianne vorgeschlagen, könnte man das ja doch irgendwie aus der Welt schaffen.

Joe war extrem erleichtert gewesen.

Sie hatten sich zusammengesetzt und geredet. Marianne hatte Mitleid gezeigt. Sie hatte ihm die Hand auf den Arm gelegt. Ihr gefielen seine Unterrichtsmethoden. Sie trug ein tief ausgeschnittenes, eng anliegendes Kleid und sah ihn mit schmachtenden Blicken an. Als sie sich am Ende des Gesprächs umarmten, dauerte diese Umarmung ein paar Sekunden zu lange. Ihre Lippen waren an seinem Hals. Sie atmete etwas schwer. Er auch.

Wie hatte er nur so blöd sein können?

»Joe?« Dolly trat einen Schritt zurück. »Was ist los?«

Diese Verführung hatte Marianne von Anfang an als Vergeltung geplant. Wieso hatte er das nicht gemerkt? Und nur wenige Stunden, nachdem Marianne ihr Ziel erreicht hatte, sie hatten das Hotelzimmer gerade erst verlassen, war das mit den Anrufen losgegangen.

»Ich hab ein Video von dir, du Schwein ...«

Marianne hatte heimlich eine Kamera im Zimmer installiert und drohte, das Video erst an Dolly zu schicken, dann an die Schulbehörde und dann an jede E-Mail-Adresse, die sie auf der Internetseite der Schule fand. Drei Tage lang hatte sie diese Drohung mehrmals am Tag wiederholt. Joe konnte weder schlafen noch essen. Er verlor Gewicht. Er hatte sie angefleht, das nicht zu tun. Zwischendurch sah es so aus, als ob Marianne die Lust verloren hätte oder dieser Rachefeldzug sie ausgelaugt hätte. Sie hatte ihn angerufen und gesagt, sie wüsste nicht, ob sie das Video wirklich weitergeben würde.

Sie hatte ihn leiden sehen wollen. Und er hatte gelitten. Vielleicht reichte ihr das.

Am nächsten Tag hatte Marianne eine E-Mail an die Internetadresse seiner Frau in ihrer Schule geschickt.

Diese verlogene Hure.

Zum Glück guckte Dolly nicht allzu oft in ihre E-Mails. Joe kannte ihr Passwort. Als er die E-Mail mit dem Anhang gesehen hatte, war er vollkommen ausgeflippt. Er hatte sie gelöscht und Dollys Passwort geändert, so dass sie nicht mehr an ihre eigenen E-Mails herankam.

Aber wie lange konnte er das so weitermachen?

Er wusste nicht, was er tun sollte. Er hatte niemanden, mit dem er darüber sprechen konnte, keiner würde ihn verstehen und sich bedingungslos auf seine Seite stellen.

Und dann war ihm Nash eingefallen.

»O Gott, Dolly ...«

»Was ist?«

Er musste einen Schlussstrich ziehen. Nash hatte jemanden umgebracht. Er hatte Marianne Gillespie tatsächlich ermordet. Und diese Cordova wurde vermisst. Joe versuchte, es zu verstehen. Vielleicht hatte Marianne Reba Cordova eine Kopie geschickt. Das wäre logisch.

»Joe, sag mir, was los ist.«

Was Joe getan hatte, war schlecht gewesen, aber Nash in die Sache hineinzuziehen hatte sein Verbrechen vertausendfacht. Er wollte Dolly alles erzählen. Er wusste, dass das seine einzige Chance war.

Dolly sah ihm in die Augen und nickte. »Schon okay«, sagte sie. »Erzähl mir einfach, was los ist.«

Aber dann passierte etwas Komisches mit Joe Lewiston. Der Überlebenstrieb schaltete sich ein. Ja, was Nash getan hatte war schrecklich, aber warum sollte er da noch einen draufsetzen, indem er ehelichen Selbstmord beging? Warum sollte er es noch schlimmer machen, indem er Dolly schockierte und womöglich seine Familie zerstörte? Schließlich war das Nashs Schuld. Joe hatte nicht verlangt, dass er so weit ging – schon gar nicht, dass er jemanden ermordete! Er war davon ausgegangen, dass Nash Marianne vielleicht Geld für das Video anbieten würde, ihr vielleicht irgendeine Abmachung vorschlug oder sie schlimmstenfalls ein bisschen einschüchterte. Joe hatte immer schon den Eindruck gehabt, dass Nash sich am Rande der Legalität bewegte, aber er hätte sich in tausend Jahren nicht träumen lassen, dass er zu solchen Mitteln griff.

Was brachte es jetzt noch, das anzuzeigen?

Nash, der versucht hatte, ihm zu helfen, würde ins Gefängnis gehen. Und schlimmer noch, wer hatte Nash beauftragt?

Joe.

Würde die Polizei Joe glauben, dass er nichts von Nashs Plänen gewusst hatte? Man konnte es auch anders sehen: Nash war zwar der Killer, aber suchte die Polizei nicht immer nach den Hintermännern?

Und das war dann auch wieder Joe.

Aber immerhin bestand noch die Möglichkeit, so gering die Wahrscheinlichkeit auch war, dass das Ganze irgendwie gut ausging, dass Nash nicht geschnappt wurde und das Video nie wieder auftauchte. Marianne war zwar tot, aber das war jetzt nicht mehr zu ändern – und hatte sie es nicht schon fast darauf angelegt? War sie mit der Erpressung nicht einfach zu weit gegangen? Joe war versehentlich ein Schnitzer unterlaufen – aber dann hatte Marianne noch einen draufgesetzt, indem sie sich an ihn rangemacht hatte. Um seine Familie dadurch zu zerstören?

Eins sprach allerdings dagegen.

Eine E-Mail war heute erst gekommen. Marianne war tot. Das bedeutete, egal welchen Schaden Nash auch angerichtet hatte, es war ihm nicht gelungen, sämtliche undichten Stellen zu stopfen.

Guy Novak.

Das war das letzte Leck, das man noch stopfen musste. Darum würde Nash sich kümmern. Nash war nicht ans Handy gegangen und hatte auch nicht auf Joes Nachrichten geantwortet, weil er unterwegs war, um seinen Job zu Ende zu bringen.

Also wusste Joe jetzt Bescheid.

Er konnte hier sitzen bleiben und hoffen, dass sich für ihn alles zum Guten wandte. Das bedeutete aber, dass Guy Novak sterben könnte. Und das könnte dann das Ende all seiner Probleme sein.

»Joe«, sagte Dolly. »Joe, sag mir, was los ist.«

Er wusste nicht, was er tun sollte. Dolly würde er jedenfalls nichts sagen. Sie hatten eine junge Tochter und eine junge Familie. Das setzte man nicht einfach so aufs Spiel.

Aber man ließ auch nicht einfach so einen Menschen sterben.

»Ich muss mal eben weg«, sagte er und rannte zur Tür.

*

Nash flüsterte Guy Novak ins Ohr: »Rufen Sie zu den Mädchen hoch, dass Sie in den Keller gehen und nicht gestört werden wollen. Haben Sie mich verstanden?«

Guy nickte. Er ging zum Treppenansatz. Nash hatte die Erfahrung gemacht, dass es am besten war, etwas zu stark zu drücken. Die Leute sollten ruhig Schmerzen empfinden, damit sie merkten, dass man es ernst meinte.

»Mädchen! Ich geh für ein paar Minuten in den Keller. Bleibt da oben, ja? Ich will nicht gestört werden.«

Eine schwache Stimme antwortete: »Okay.«

Guy drehte sich zu Nash um. Der ließ das Messer quer über den Rücken gleiten, bis es auf dem Bauch verharrte. Guy zuckte nicht und trat nicht zurück. »Haben Sie meine Frau umgebracht?«

Nash lächelte. »Ich dachte, sie wäre Ihre Ex.«

»Was wollen Sie?«

»Wo sind Ihre Computer?«

»Mein Laptop ist in der Tasche neben dem Stuhl. Der andere steht in der Küche.

»Haben Sie noch mehr?«

»Nein. Nehmen Sie sie einfach, und dann machen Sie, dass Sie rauskommen.«

»Vorher müssen wir uns noch ein bisschen unterhalten, Guy.«

»Ich sag Ihnen alles, was Sie wissen wollen. Ich habe auch Geld. Es gehört Ihnen. Aber tun Sie den Mädchen nichts.«

Nash sah den Mann an. Ihm musste inzwischen klar geworden sein, dass er mit höchster Wahrscheinlichkeit heute noch sterben würde. In seinem ganzen Leben hatte nichts darauf hingedeutet, dass er ein Held sein könnte, aber jetzt sah es ganz so aus, als reichte sein Mut, um ein letztes Mal Haltung zu zeigen.

»Wenn Sie mit mir zusammenarbeiten, rühr ich die Mädchen nicht an«, sagte Nash.

Guy sah Nash in die Augen, als wollte er feststellen, ob er log. Nash öffnete die Kellertür. Beide gingen ein paar Stufen die Treppe hinunter, dann schloss Nash die Tür und schaltete das Licht ein. Der Keller war nicht ausgebaut. Ein nackter Betonboden, unverkleidete Wasserleitungen, eine Stoffrolle in Regenbogenfarben lehnte an einer großen Truhe. Überall lagen alte Hüte, Poster und Pappkartons.

Nash hatte alles, was er brauchte, in seiner Sporttasche. Er griff hinein, um das Klebeband herauszuholen, und da machte Guy Novak einen großen Fehler.

Er schlug nach Nash und schrie: »Lauft weg, Mädchen!«

Nashs Ellbogen schoss auf Guys Kehle und erstickte die Worte. Dann schlug er ihm mit dem Handballen gegen die Stirn. Guy fiel zu Boden, blieb dort liegen und umklammerte seine Kehle.

»Wenn Sie auch nur nach Luft schnappen«, sagte Nash, »hole ich Ihre Tochter hier runter und Sie dürfen zugucken. Haben Sie verstanden?«

Guy erstarrte. Wenn sein Kind bedroht wurde, konnte sogar ein feiger Wurm wie Guy Novak mutig werden. Nash fragte sich, ob Cassandra und er inzwischen auch Kinder gehabt hätten. Höchstwahrscheinlich. Cassandra kam aus einer großen Familie. Und sie hatte sich auch viele Kinder gewünscht. Er war sich nicht ganz sicher gewesen – sein Weltbild war erheblich düsterer als das ihre –, konnte ihr aber nichts abschlagen.

Nash sah nach unten in den Keller. Er überlegte, ob er Guy Novak ins Bein stechen oder ihm vielleicht einen Finger abschneiden sollte, aber das war nicht nötig. Guy hatte sich gewehrt und seine Lehren daraus gezogen. Er würde es nicht noch einmal wagen.

»Legen Sie sich auf den Bauch, und verschränken Sie die Hände hinter dem Rücken.«

Guy gehorchte. Nash wickelte das Klebeband um seine Handgelenke und Unterarme. Dann machte er dasselbe mit den Beinen. Er zog Hände und Füße nach hinten und band die Hand- und Fußgelenke mit dem Klebeband zusammen. So war Guy Novak absolut bewegungsunfähig. Zum Schluss wickelte er das Klebeband fünfmal um Guy Novaks Kopf und über den Mund.

Als er damit fertig war, ging Nash zur Kellertür.

Guy sträubte sich, was aber vollkommen sinnlos war. Nash wollte nur sichergehen, dass die Mädchen Guys dummen Schrei nicht gehört hatten. Er öffnete die Tür. Er hörte den Fernsehton von oben. Von den Mädchen war nichts zu sehen. Er schloss die Tür und ging wieder runter in den Keller.

»Ihre Exfrau hat ein Video gemacht. Und Sie sagen mir jetzt, wo das ist.«

Guy hatte das Klebeband noch auf dem Mund, daher sah er Nash verwirrt an – wie sollte er die Frage mit zugeklebtem Mund beantworten? Nash lächelte auf ihn herab und zeigte ihm das Messer.

»Sie sagen es mir in ein paar Minuten, okay?«

Wieder vibrierte Nashs Handy. Lewiston, dachte er, aber als er aufs Display sah, wusste er, dass ihn keine guten Nachrichten erwarteten.

»Was gibt's?«, fragte er.

»Die Polizei ist hier«, sagte Pietra.

Nash war nicht besonders überrascht. Wenn ein Pfeiler nachgab, brach bald darauf das ganze Gebäude zusammen. Jetzt wurde die Zeit knapp. Er konnte hier nicht einfach rumstehen und Guy in aller Ruhe quälen. Er musste sich beeilen.

Und wie konnte er Guy möglichst schnell zum Reden bringen?

Nash schüttelte den Kopf. Genau das, was uns stark machte – das wofür es sich zu sterben lohnte – war auch unser Schwachpunkt.

»Ich werde Ihrer Tochter einen kleinen Besuch abstatten«, sagte er zu Guy. »Und dann erzählen Sie mir alles, was Sie wissen, oder?«

Guys Augen quollen hervor. Gefesselt und geknebelt, wie er war, versuchte er Nash klarzumachen, was dem sowieso schon klar war: Er würde reden. Er würde Nash alles erzählen, was er wissen wollte, wenn der dafür seine Tochter in Ruhe ließ. Aber Nash wusste, dass es einfacher war, alles aus ihm herauszulocken, wenn seine Tochter vor ihm stand. Viele Leute hätten wohl gesagt, dass die Drohung schon reichte. Vielleicht hatten sie Recht.

Aber Nash wollte die Tochter aus anderen Gründen hier unten haben.

Er atmete tief durch. Das Ende war nah. Das wusste er. Ja, er wollte überleben und hier rauskommen, aber der Wahn war nicht nur langsam ein wenig eingesickert, er hatte jetzt die Kontrolle übernommen. Der Wahn brannte ihm in den Adern, sein ganzer Körper kribbelte, als stünde er unter Strom.

Nash ging die Kellertreppe hinauf. Hinter sich hörte er, wie der gefesselte Guy durchdrehte. Einen Moment lang ließ der Wahn ein wenig nach, und Nash überlegte, ob er umkehren sollte. Guy würde jetzt alles sagen. Aber vielleicht auch nicht. Vielleicht sah das Ganze dann doch nur wie eine leere Drohung aus.

Nein, jetzt musste er es durchziehen.

Er machte die Kellertür auf und trat in den Vorflur. Er blickte die Treppe hinauf. Der Fernseher lief noch. Er ging weiter.

Als es an der Tür klingelte, blieb er stehen.

*

Tia bog in die Einfahrt der Novaks. Sie ließ das Handy und die Handtasche im Wagen liegen und eilte zur Haustür. Sie versuchte zu begreifen, was Betsy Hill ihr erzählt hatte. Ihrem Sohn ging es gut. Das war das Wichtigste. Er hatte wohl ein paar Schrammen abgekriegt, aber er lebte, konnte aufrecht stehen und sogar wegrennen. Adam hatte Betsy noch mehr erzählt – dass er sich schuldig fühlte wegen Spencers Tod und so etwas. Aber das würden sie schon wieder hinbekommen. Das Wichtigste war, dass er die ganze Geschichte überlebte. Sie mussten ihn irgendwie nach Hause holen. Dann konnte man sich um alles Weitere kümmern.

Sie beschäftigte sich noch immer mit diesen Gedanken, als sie bei den Novaks auf den Klingelknopf drückte.

Sie schluckte und dann fiel ihr auch wieder ein, dass diese Familie gerade einen entsetzlichen Verlust erlitten hatte. Man musste ihnen eine Hand zur Hilfe entgegenstrecken, dachte sie, aber eigentlich wollte sie nur ihre Tochter mitnehmen, ihren Sohn und ihren Mann dazuholen, alle nach Haus bringen und die Türen für immer verschließen.

Niemand öffnete.

Tia versuchte, durch das kleine Fenster ins Haus zu gucken, aber die Scheibe reflektierte zu stark. Dann schirmte sie die Augen mit den Händen ab und sah in den Vorflur. Es sah so aus, als ob gerade jemand zur Seite gesprungen wäre. Aber vielleicht war das auch nur ein Schatten gewesen. Sie klingelte noch einmal. Dann wurde es ziemlich laut. Die Mädchen trampelten die Treppe herunter.

Sie stürmten zur Tür. Yasmin öffnete. Jill stand gut einen Meter hinter ihr.

»Hi, Mrs Baye.«

»Hi, Yasmin.«

An der Miene des Mädchens erkannte Tia, dass Guy es ihr noch nicht erzählt hatte, aber das hatte sie auch nicht erwartet. Erst sollte sie Jill abholen, damit er mit Yasmin allein war.

»Wo ist denn dein Vater?«

Yasmin zuckte die Achseln. »Ich glaub, er hat gesagt, dass er in den Keller geht.«

Einen Moment lang standen die drei einfach da. Das Haus war totenstill. Sie warteten noch ein paar Sekunden auf irgendein Geräusch. Aber es blieb still.

Wahrscheinlich trauerte Guy, dachte Tia. Sie sollte einfach mit Jill nach Hause fahren. Keiner rührte sich. Plötzlich hatte sie den Eindruck, dass hier etwas nicht stimmte. Wenn man sein Kind irgendwo ablieferte, begleitete man es normalerweise zur Tür, um sich zu vergewissern, dass ein Elternteil oder ein Babysitter da war.

Jetzt hatte sie den Eindruck, sie würde Yasmin allein lassen.

Tia rief: »Guy?«

»Das ist schon in Ordnung, Mrs Baye. Ich bin alt genug. Ich kann auch mal allein bleiben.«

Das sah Tia anders. Die Mädchen waren in diesem gewissen Alter. Wahrscheinlich kamen sie mit ihren Handys und allem wirklich ganz gut allein zurecht. Jill hatte in letzter Zeit auch mehr Unabhängigkeit eingefordert. Schließlich hätte sie bewiesen, sagte sie, dass sie verantwortungsbewusst handeln könnte. Adam hätte in ihrem Alter auch schon allein zu Hause bleiben dürfen, was aus heutiger Sicht keine sehr gute Empfehlung war.

Aber das störte Tia im Moment nicht. Es ging nicht darum, dass sie Yasmin allein zu Hause ließ. Schließlich stand der Wagen ihres Vaters in der Einfahrt. Er müsste also eigentlich hier sein. Er sollte Yasmin erzählen, was mit ihrer Mutter passiert war.

»Guy?«

Immer noch keine Antwort.

Die Mädchen sahen sich an. Ihre Mienen verfinsterten sich.

»Was habt ihr gesagt, wo er ist?«, fragte Tia.

»Im Keller.«

»Und was ist da unten?«

»Eigentlich nichts. Da stehen nur ein paar alte Kartons und so Zeug rum. Ist ein bisschen eklig.«

Aber was wollte Guy Novak dann plötzlich da unten?

Die logische Antwort lautete: Allein sein. Yasmin hatte gesagt, dass da alte Kartons standen. Vielleicht hatte Guy da unten ein paar Erinnerungsstücke an Marianne verstaut und saß jetzt auf dem Fußboden und guckte alte Fotos an. Irgend so etwas. Und weil die Kellertür geschlossen war, hatte er sie vielleicht nicht gehört.

Das war noch die logischste Erklärung.

Tia fiel der Schatten wieder ein, der weggehuscht war, als sie durch das kleine Fenster geschaut hatte. War das Guy gewesen? Versteckte er sich vor ihr? Auch das war nicht ausgeschlossen. Vielleicht hatte er einfach nicht die Kraft, ihr jetzt entgegenzu-treten. Vielleicht wollte er einfach niemanden sehen. Das war durchaus möglich.

Alles schön und gut, dachte Tia, aber der Gedanke, Yasmin hier einfach allein zu lassen, gefiel ihr trotzdem nicht.

»Guy?«

Sie rief jetzt lauter.

Immer noch nichts.

Sie ging zur Kellertür. Sein Pech, wenn er seine Ruhe haben wollte. Ein kurzes »Ich bin hier unten«, hätte ihr schon genügt. Sie klopfte. Nichts. Dann umfasste sie den Knauf und drehte ihn. Sie stieß die Tür einen Spaltbreit auf.

Das Licht war aus.

Sie wandte sich wieder an die Mädchen. »Seid ihr sicher, dass er hier runtergegangen ist?«

»Das hat er gesagt.«

Tia sah Jill an. Sie nickte. Langsam wurde sie nervös. Eben am Telefon hatte Guy noch so niedergeschlagen geklungen, und kurz darauf war er allein in einen dunklen Keller gegangen …

Nein, das würde er nicht tun. Das würde er Yasmin nicht an-tun …

Dann hörte Tia etwas. Es klang ziemlich erstickt. Ein Kratzen oder Rutschen. Vielleicht eine Ratte?

Sie hörte es wieder. Keine Ratte. Es musste etwas Größeres sein. *Was um …?*

Sie sah die beiden Mädchen streng an. »Ihr bleibt hier oben. Habt ihr verstanden? Ihr kommt nur runter, wenn ich euch rufe.«

Tia tastete nach dem Lichtschalter. Als sie ihn gefunden hatte, schaltete sie das Licht an. Sie war schon auf dem Weg nach unten. Als sie dort ankam und Guy Novak geknebelt und gefesselt auf der anderen Seite liegen sah, reagierte sie sofort.

Sie drehte sich um und rannte die Treppe wieder hinauf.

»Haut ab, Mädchen! Macht dass ihr aus dem …«

Die Worte erstarben in ihrer Kehle. Die Kellertür fiel vor ihr zu.

Der Mann trat vor sie. Mit der rechten Hand hatte er die sich windende Yasmin am Hals gepackt. Mit er linken hielt er Jill fest.

38

Carson kochte vor Wut. Sie hatte ihn weggeschickt. Nach allem, was er für sie getan hatte, hatte Rosemary ihn einfach wie ein kleines Kind rausgeschickt. Jetzt saß sie da drin und unterhielt sich mit dem alten Mann, der Carson vor seinen Freunden lächerlich gemacht hatte.

Sie raffte es einfach nicht.

Er kannte sie. Wenn sie in Schwierigkeiten geriet, versuchte sie immer, ihre Schönheit und ihr Mundwerk einzusetzen, um da wieder rauszukommen. Aber das funktionierte hier nicht. Und dann würde sie dazu übergehen, ihren eigenen Arsch zu retten. Je länger Carson darüber nachdachte, desto schlechter sah es für ihn aus. Wenn die Cops sich den Laden vornahmen und einen Sündenbock brauchten, stand er vermutlich ganz oben auf der Liste.

Vielleicht unterhielten die beiden sich gerade darüber?

Eigentlich logisch. Carson war zweiundzwanzig – also mehr als alt genug, damit man ihn als Erwachsenen vor Gericht stellen und verurteilen konnte. Außerdem hatte er den meisten Kontakt zu den Teens gehabt – Rosemary war klug genug gewesen, sich in der Beziehung nicht die Hände schmutzig zu machen. Außerdem war er auch noch der Mittelsmann zum Händler.

Scheiße, er hätte wissen müssen, dass es so weit kommen würde. Sie hätten den Club eine Weile dichtmachen müssen, als der Spencer-Junge ins Gras gebissen hatte. Aber die Geschäfte waren gerade verdammt gut gelaufen, und sein Händler hatte auch Druck gemacht. Carsons Kontaktmann, ein gewisser Barry Watkins, trug immer Armani-Anzüge. Er hatte Carson in noble Nachtclubs mitgenommen und auch sonst mit Geld nur so um sich geworfen. Seine Anwesenheit hatte Carson Respekt und jede Menge Frauen eingebracht. Watkins hatte ihn anständig behandelt.

Aber gestern Nacht, als Carson mit leeren Händen dastand, da klang das plötzlich ganz anders. Watkins hatte nicht geschrien. Im Gegenteil – er war eiskalt geworden, und seine Stimme hatte sich wie ein Eispickel zwischen Carsons Rippen gebohrt.

»Wir müssen das in den Griff kriegen«, hatte er zu Carson gesagt.

»Ich glaube, wir haben ein Problem.«

»Wie meinst du das?«

»Der Arztsohn ist ausgeflippt. Sein Vater ist vorhin bei uns aufgetaucht.«

Schweigen.

»Hallo?«

»Carson?«

»Was ist?«

»Meine Auftraggeber werden nicht zulassen, dass man es zu mir zurückverfolgen kann. Hast du mich verstanden? Sie werden Vorkehrungen treffen, dass es nicht dazu kommt.«

Er legte auf. Das war klar und deutlich.

Also hatte Carson seine Knarre eingesteckt und wartete jetzt ab.

Er hörte etwas am Eingang. Jemand versuchte reinzukommen. Die Tür war von beiden Seiten abgeschlossen. Man musste den Alarmcode kennen, um rein- oder rauszukommen. Jetzt hämmerte jemand von draußen an die Tür. Carson sah durchs Fenster.

Es war Adam Baye. Und hinter ihm stand der Huff-Junge.

»Mach auf!«, rief Adam. Er schlug noch ein paarmal gegen die Tür. »Komm schon, mach auf!«

Carson unterdrückte ein Lächeln. Vater und Sohn gemeinsam. Das war die perfekte Chance, die ganze Sache zu beenden.

»Moment«, sagte Carson.

Carson schob die Pistole hinten in den Gürtel, dann tippte er vier Ziffern ein, die rote Lampe wurde grün, und die Tür war entriegelt.

Adam zog sie auf und stürmte hinein. DJ folgte ihm.

»Ist mein Vater hier?«, fragte Adam.

Carson nickte. »Bei Rosemary im Büro.«

Adam rannte los. DJ Huff folgte ihm.

Carson ließ die Tür ins Schloss fallen. Damit waren sie eingeschlossen. Er griff sich in den Rücken und zog die Pistole.

*

Anthony folgte Adam Baye.

Er hielt etwas Abstand. Nicht viel, aber er wusste nicht so recht, wie er sich verhalten sollte. Der Junge kannte ihn nicht, also konnte Anthony ihm nicht einfach etwas zurufen – außerdem wusste er nicht, wie der Junge darauf reagieren würde. Wenn Anthony sich als Freund seines Vaters vorstellte, haute er womöglich ab und versteckte sich wieder.

Bleib einfach hinter ihm, und guck was passiert, dachte Anthony.

Vor ihm schrie Adam etwas in sein Handy. Gar keine schlechte Idee. Anthony zog sein Handy aus der Tasche und wählte Mikes Nummer. Es ging keiner ran.

Als die Mailbox sich einschaltete, sagte Anthony: »Mike, ich folge deinem Sohn. Er geht wieder zu dem Club, von dem ich dir erzählt habe. Ich bleib ihm auf den Fersen.«

Er klappte das Handy zu und steckte es wieder in die Tasche. Adam hatte sein Handy auch wieder eingepackt und ging jetzt noch schneller. Anthony hielt Schritt. Vor ihm sprang Adam die Treppe zum Club hinauf und versuchte, die Tür zu öffnen.

Sie war geschlossen.

Anthony sah, wie Adam das Tastenfeld neben der Tür ansah. Dann wandte er sich an seinen Freund. Der zuckte die Achseln. Adam trommelte gegen die Tür.

»Aufmachen!«

Der Tonfall, dachte Anthony. Das war mehr als nur Ungeduld, darin lag Verzweiflung. Oder sogar Angst. Anthony ging näher heran.

»Kommt schon, mach auf!«

Er trommelte stärker gegen die Tür. Ein paar Sekunden später wurde die Tür von innen geöffnet. Einer der Gruftis stand darin. Anthony hatte ihn schon ein paarmal gesehen. Er war etwas älter als die anderen und so eine Art Anführer dieser Gruppe halbstarker Loser. Ein Pflaster klebte quer auf seiner Nase, als ob sie gebrochen wäre. Anthony überlegte, ob er zu den Kids gehörte, die Mike überfallen hatten, und kam zu dem Schluss, dass das vermutlich der Fall war.

Was sollte er jetzt machen?

Sollte er Adam davon abhalten, da reinzugehen? Das könnte er noch schaffen, aber es konnte auch richtig danebengehen. Der Junge würde wahrscheinlich abhauen. Und selbst wenn Anthony ihn festhielt, was brachte es, wenn sie hier einen Riesenwirbel veranstalteten?

Anthony trat näher an die Tür heran.

Adam rannte hinein, war nicht mehr zu sehen, und Anthony hatte den Eindruck, dass das Gebäude ihn vollständig verschluckt hatte. Adams Freund in der Mannschaftsjacke folgte ihm langsam. Anthony sah, dass der Grufti die Tür losließ, die dann langsam zufiel. Dann drehte der Grufti sich um.

Und Anthony sah es.

Hinter dem Rücken steckte eine Pistole im Hosenbund.

Und kurz bevor die Tür ihm den Blick versperrte, meinte Anthony zu sehen, dass der Grufti danach griff.

*

Mo saß im Wagen und beschäftigte sich mit den verdammten Zahlen. CeeJay8115.

Er fing mit den einfachen Sachen an. Machte aus Cee ein C, also den dritten Buchstaben des Alphabets. Er nahm das Jay, also J, also den zehnten Buchstaben. Was hatte er dann? 3108115. Er addierte die Ziffern, teilte sie durch einander, suchte nach einem Muster. Er sah sich Adams Chatnamen an – HockeyAdam1117. Mike hatte ihm erzählt, dass die 11 für Messiers Rückennummer und die 17 für Mikes alte Nummer in Dartmouth stand. Trotzdem addierte er sie zur 8115 und dann zur 3108115. Er verwandelte HockeyAdam in Ziffern und versuchte das Problem mit weiteren Rechenvorgängen zu lösen.

Nichts.

Das war keine rein zufällige Ziffernfolge. Er war sich hundertprozentig sicher. Nicht einmal Adams Ziffernfolge war zufällig – auch wenn ihm das hier nicht weiterhalf. Es gab irgendein Muster. Er musste es nur finden.

Bisher hatte Mo alles im Kopf gerechnet, jetzt öffnete er das Handschuhfach und holte einen Zettel heraus. Er notierte sich ein paar Zahlenkombinationen, als er eine bekannte Stimme rufen hörte: »Mach auf!«

Mo sah durch die Windschutzscheibe.

Adam trommelte gegen die Eingangstür vom Club Jaguar.

»Komm schon, mach auf!«

Mo hatte gerade den Zettel weggelegt, als die Tür des Clubs geöffnet wurde. Adam verschwand im Gebäude. Mo überlegte, was er jetzt machen sollte, was jetzt sinnvoll wäre, als er noch etwas Seltsames sah.

Anthony, der schwarze Türsteher, den Mike vorhin besucht hatte, rannte auf den Club zu. Mo sprang aus dem Wagen und folgte ihm. Anthony erreichte die Tür zuerst und drehte den Knauf. Die Tür rührte sich nicht.

»Was ist los?«, fragte Mo.

»Wir müssen da rein«, sagte Anthony.

Mo legte die Hand auf die Tür. »Die ist stahlarmiert. Die können wir nicht eintreten.

»Tja, wir müssen es auf jeden Fall versuchen.«

»Wieso, was ist los?«

»Der Typ, der Adam eben reingelassen hat«, sagte Anthony, »hat eine Knarre gezogen.«

*

Carson hielt die Pistole versteckt hinter dem Rücken.

»Ist mein Vater hier?«, fragte Adam.

»Bei Rosemary im Büro.«

Adam wollte an ihm vorbeigehen. Plötzlich wurde es hinten im Flur laut.

»Adam?«

Das war Mike Bayes Stimme.

»Dad?«

Mike war gerade um die Ecke gebogen, als Adam in den Club kam. Vater und Sohn umarmten sich im Flur.

Hach wie süß, dachte Carson.

Carson zog die Pistole nach vorn und hob sie an.

Er sagte nichts. Er wollte sie nicht warnen. Das hätte nichts ge-bracht. Er hatte keine Wahl. Für Verhandlungen oder irgendwel-che Forderungen war keine Zeit mehr. Er musste einen Schluss-strich ziehen.

Er musste sie umbringen.

Rosemary rief: »Nicht, Carson!«

Aber auf die Hure hörte er nicht mehr. Carson legte auf Adam an, hatte ihn im Visier und wollte abdrücken.

*

Selbst als Mike seinen Sohn umarmte – als er dieses wunderbare Wesen berührte und ihm vor Erleichterung fast die Knie wegsack-ten – sah Mike es im Augenwinkel.

Carson hatte eine Pistole.

Er konnte nicht sekundenlang darüber nachdenken, was er jetzt tun musste. Er reagierte nicht bewusst, sondern rein instinktiv. Kaum hatte er gesehen, dass Carson die Pistole auf Adam richte-te, da reagierte er auch schon.

Mike stieß Adam von sich.

Mit einem sehr kräftigen Stoß. Adam flog richtig ein kleines Stück durch die Luft. Er riss überrascht die Augen auf. Es knall-te, und die Glasscheibe direkt hinter der Stelle, an der Adam ge-rade noch gestanden hatte, zersplitterte. Scherben regneten auf Mike herab.

Der Stoß hatte jedoch nicht nur Adam überrascht, sondern auch Carson. Er hatte offenbar darauf spekuliert, dass die beiden ihn nicht sahen, oder so reagierten, wie die meisten Menschen, wenn sie eine Schusswaffe vor sich sahen – dass sie erstarrten oder die Hände hoben.

Trotzdem reagierte Carson ziemlich schnell. Er bewegte den Arm mit der Pistole etwas nach rechts und zielte dahin, wo Adam gelandet war. Aber der war nicht zu sehen. Deshalb hatte Mike ihm einen so kräftigen Stoß gegeben. Selbst in dieser instinktiven

Reaktion hatte noch Methode gesteckt. Er musste seinen Sohn nicht nur aus der Schussbahn sondern in Deckung bekommen. Und das war ihm auch gelungen.

Adam war im Seitengang hinter einer Wand gelandet.

Carson konnte Adam nicht treffen. Also hatte er nur eine Möglichkeit. Er musste den Vater zuerst erschießen.

Mike spürte, wie sich eine eigenartige Ruhe in ihm ausbreitete. Er wusste genau, was jetzt zu tun war. Er hatte keine Wahl. Er musste seinen Sohn schützen. Als Carson die Pistole auf ihn richtete, wusste Mike, was das bedeutete.

Er musste sich opfern.

Er hatte das nicht zu Ende gedacht. Die Sache war vollkommen klar. Ein Vater rettete seinen Sohn. So musste es sein. Carson konnte auf einen von ihnen schießen. Das ließ sich offenbar nicht verhindern. Also tat Mike das Einzige, was er tun konnte.

Er stellte sicher, dass Carson auf ihn schoss.

Ohne zu überlegen stürzte Mike sich auf Carson.

Er hatte einen Flashback zu seiner Eishockeyzeit, wie er zum Puck ging, und ihm wurde klar, dass es vielleicht reichen konnte, dass es vielleicht sogar dann reichte, wenn Carson ihn traf, dass er vielleicht genug Schwung hatte, um zu Carson zu kommen und ihn davon abzuhalten, weiteren Schaden anzurichten.

Er würde seinen Sohn retten.

Aber als er sich näherte, wurde Mike klar, dass Mut eine Sache war, Realität eine andere. Der Abstand war zu groß. Carson hatte schon auf ihn angelegt. Bis Mike bei ihm war, hätte er mindestens eine, wenn nicht sogar zwei Kugeln im Körper. Die Chance, dass er das überlebte, oder Carson irgendwie bremsen konnte, war sehr gering.

Aber er hatte keine Wahl. Also schloss Mike die Augen, senkte den Kopf und stürmte los.

*

Er war noch fünf Meter weit weg, aber wenn Carson ihn noch ein kleines bisschen näher rankommen ließ, konnte er ihn gar nicht verfehlen.

Er zielte etwas tiefer, richtete die Pistole auf Mikes Kopf und sah das Ziel immer größer werden.

*

Anthony stemmte die Schulter gegen die Tür, aber die rührte sich nicht.

Mo sagte: »Diese scheißkomplizierten Berechnungen, und dann so was.«

»Was sagen Sie?«

»Acht-eins-eins-fünf.«

»Wie bitte?«

Für Erklärungen war keine Zeit. Mo tippte 8115 in den Ziffernblock. Das rote Licht wurde grün, und die Tür war entriegelt.

Anthony riss sie auf, und die Männer stürzten hinein.

*

Carson hatte ihn genau im Visier.

Er hatte die Pistole oben auf Mikes Kopf gerichtet. Carson stellte überrascht fest, dass er ganz ruhig war. Er hatte befürchtet, in Panik zu geraten, aber seine Hand war ganz ruhig. Beim ersten Schuss hatte er ein angenehmes Gefühl gehabt. Beim zweiten würde es noch besser werden. Er war jetzt wie in einem Rausch. Er würde ihn nicht verfehlen. Niemals.

Carson spannte den Zeigefinger an.

Und dann war die Pistole weg.

Eine riesige Hand war von hinten gekommen und hatte ihm die Pistole weggenommen. Einfach so. Gerade war sie noch da, im nächsten Moment verschwunden. Carson drehte sich um und stand vor dem großen, schwarzen Rausschmeißer aus der Bar um die Ecke. Er hielt die Pistole in der Hand und sah ihn lächelnd an.

Aber diese Überraschung hielt nicht lange an. Dann traf ihn etwas Schweres unten im Rücken. Noch ein anderer Mann. Der Schmerz erfasste seinen ganzen Körper. Er schrie auf und fiel nach vorne, wo er dem auf ihn zukommenden Mike Baye gegen die Schulter knallte. Carsons Körper zerbrach fast bei diesen Zusammenstößen. Er fiel zu Boden, als ob ihn jemand aus großer Höhe fallen gelassen hätte. Er bekam keine Luft mehr. Er hatte das Gefühl, sein ganzer Brustkorb wäre zerdrückt.

Mike stellte sich vor ihn und sagte: »Es ist vorbei.« Dann drehte er sich zu Rosemary um und fügte hinzu: »Und zwischen uns gibt's keine Abmachung.«

39

Nash hielt die beiden Mädchen am Hals fest.

Er hatte die Finger auf den empfindlichen Nervenknoten, daher brauchte er gar nicht besonders fest zudrücken. Er sah, wie Yasmin, die den ganzen Ärger mit ihrem vorlauten Gerede in Joes Klasse angefangen hatte, Grimassen zog. Das andere Mädchen – die Tochter von der Frau, die hier gerade reingestolpert war – zitterte wie Espenlaub.

Die Frau sagte: »Lassen Sie sie gehen.«

Nash schüttelte den Kopf. Sein ganzer Körper kribbelte. Der Wahn floss durch seinen Körper wie Strom durch ein Kabel. Sämtliche Nervenzellen arbeiteten mit voller Kraft. Ein Mädchen fing an zu weinen. Er wusste, dass das bei ihm Wirkung zeigen sollte, dass menschliche Tränen ihn irgendwie berühren müssten.

Aber er wurde dadurch nur noch euphorischer.

War es auch dann noch Wahn, wenn man wusste, dass es Wahn war?

»Bitte«, sagte die Frau. »Das sind doch nur Kinder.«

Dann hörte sie auf zu reden. Vielleicht hatte sie es erkannt. Ihre Worte kamen bei ihm nicht an. Schlimmer noch, sie schienen ihn anzustacheln. Er bewunderte die Frau. Auch bei ihr überlegte er, ob sie immer so energiegeladen und mutig war, oder ob sie sich gerade in eine Bärenmutter verwandelt hatte, die ihr Junges beschützte.

Er musste die Mutter zuerst töten.

Sie würde den meisten Ärger machen. Da war er sicher. Sie konnte nicht einfach untätig herumstehen, während er den Mädchen Schmerzen zufügte.

Aber dann kam ihm ein neuer, aufregender Gedanke. Wenn dies jetzt sein letzter, großer Kampf war, gab es dann etwas Größeres, als die Eltern zum Zusehen zu zwingen?

Oh, er wusste natürlich, dass das krank war. Aber nachdem er diesen Gedanken in seinem Kopf einmal formuliert hatte, wurde er ihn nicht wieder los. Er konnte einfach nicht aus seiner Haut. Nash hatte im Gefängnis ein paar Pädophile kennen gelernt, und die hatten sich immer sehr viel Mühe gegeben, sich selbst davon zu überzeugen, dass das, was sie taten, nicht pervers war. Sie erzählten von den frühen Zivilisationen von der Antike und anderen Zeitaltern, in denen die Mädchen schon mit zwölf Jahren heirateten, und Nash hatte sich damals immer gefragt, was das sollte. Dabei war es doch so viel einfacher. Man hatte einfach diesen Fehler im System. Es juckte einen. Man hatte das Bedürfnis, etwas zu tun, das andere abscheulich fanden.

So hatte Gott einen geschaffen. Wer war hier also der wahre Schuldige?

Diese ganzen frömmlerischen Freaks mussten doch irgendwann begreifen, dass sie, wenn man es bis zum Ende durchdachte, Gottes Werk kritisierten, indem sie solche Männer verteufelten. Oh, natürlich würden sie etwas von Versuchung erzählen, aber das war mehr als nur Versuchung. Und das wussten sie selbst auch. Weil es jeden irgendwo juckte. Und dieses Jucken konnte man nicht durch Disziplin in Schach halten. Das konnten nur die äußeren Umstände. Genau das hatte Pietra bei den Soldaten nicht verstanden. Sie waren nicht durch die äußeren Umstände gezwungen, sich an der Brutalität aufzugeilen.

Die äußeren Umstände hatten ihnen nur die Gelegenheit dazu gegeben.

Also war das geklärt. Er würde sie alle umbringen, sich die Computer schnappen und verschwinden. Und wenn die Polizei dann kam, war die erst einmal mit dem Blutbad beschäftigt. Die Polizisten würden vermuten, dass sie es mit einem Serienmörder zu tun hatten. Niemand würde auf die Idee kommen, irgendwelche Fragen nach einem Video zu stellen, mit der eine Frau das Leben eines anständigen Mannes und guten Lehrers zerstören wollte. Wenn alles halbwegs ordentlich lief, war Joe damit wohl aus dem Schneider. Aber eins nach dem anderen. Fessle die Mutter.

»Mädchen«, sagte Nash.

Er verstärkte den Druck auf den Hals, so dass sie ihn ansahen.

»Wenn ihr hier abhaut, bring ich Mommy und Daddy um. Habt ihr verstanden?«

Beide nickten. Trotzdem führte er sie ein paar Stufen die Kellertreppe hinunter. Er ließ sie los – und in dem Moment stieß Yasmin den durchdringendsten Schrei aus, den er je gehört hatte. Sie rannte zu ihrem Vater. Nash beugte sich vor, um sie festzuhalten.

Wie sich herausstellen sollte, war das ein Fehler.

Das andere Mädchen rannte sofort die Treppe hinauf.

Nash fuhr herum und wollte ihr folgen, aber sie war schnell.

Die Frau rief: »Lauf, Jill!«

Nash sprang mit ausgestrecktem Arm zur Treppe und griff nach ihrem Fußgelenk. Er kam zwar heran, konnte sie aber nicht festhalten. Als Nash wieder aufstehen wollte, lag etwas auf ihm.

Die Mutter.

Sie war ihm auf den Rücken gesprungen. Sie biss ihn ins Bein. Nash heulte auf und trat nach ihr.

»Jill!«, rief Nash. »Deine Mommy wird sterben, wenn du nicht sofort wieder herkommst.«

Die Frau rollte sich von ihm herunter. »Lauf, Jill! Hör nicht auf ihn!«

Nash stand auf und zog sein Messer. Zum ersten Mal wusste er nicht recht, was er tun sollte. Der Hauptanschluss fürs Telefon war gegenüber, aber wahrscheinlich hatte das Mädchen ein Handy.

Er hatte nicht mehr viel Zeit.

Er brauchte die Computer. Das war das Wichtigste. Also würde er sie umbringen, sich die Computer schnappen und verschwinden. Er würde dafür sorgen, dass die Festplatten hinüber waren.

Nash sah Yasmin an. Sie versteckte sich hinter ihrem Vater. Guy Novak versuchte, sich umzudrehen und aufzusetzen, er wollte unbedingt eine Art Schutzwall für seine Tochter bilden. Das hatte schon fast etwas Komisches, wie er da mit zusammengebundenen Händen und Füßen herumrobbte.

Auch die Frau stand auf. Sie ging zu dem Mädchen. Dabei war das nicht einmal ihre Tochter. Tapfer. Aber jetzt waren sie alle auf einem Haufen. Gut. So konnte er sie schnell erledigen. Das dauerte nicht lange.

»Jill!«, rief Nash noch einmal. »Das ist deine letzte Chance!«

Wieder kreischte Yasmin. Nash ging mit erhobenem Messer auf sie zu, aber dann hörte er eine Stimme.

»Tun Sie bitte meiner Mommy nichts.«

Die Stimme kam von hinten. Er hörte sie schluchzen.

Jill war zurückgekommen.

Nash sah die Mutter an und lächelte. Ihre Gesichtszüge entgleisten vor Angst.

»Nein!«, schrie sie. »Nein, Jill! Lauf!«

»Mommy?«

»Flieh! Mein Gott, Schatz, mach, dass du hier wegkommst!«

Aber ihre Tochter hörte nicht auf sie. Sie kam die Treppe herunter. Nash drehte sich zu ihr um, und da erkannte er, dass er einen Fehler gemacht hatte. Einen Moment lang fragte er sich, ob er Jill absichtlich hatte entkommen lassen. Er hatte sie immerhin losgelassen, oder? War er nur unvorsichtig gewesen oder hatte noch mehr dahintergesteckt? Er überlegte, ob er irgendwie von jemandem gesteuert worden war, der genug gesehen hatte und ihn jetzt in Frieden ruhen sehen wollte.

Er dachte, er sähe sie neben dem Mädchen stehen.

»Cassandra«, sagte er laut.

*

Vor ein oder zwei Minuten hatte Jill gespürt, wie die Hand des Mannes ihr den Hals zudrückte.

Der Mann war stark. Es schien ihm überhaupt keine Mühe zu machen. Blitzschnell hatten seine Finger einen Punkt gefunden, an dem es richtig weh tat. Dann sah sie ihre Mom und Mr Novak, der gefesselt auf dem Boden lag. Jill hatte entsetzliche Angst.

Ihre Mom sagte: »Lassen Sie sie gehen.«

Die Art, wie sie es sagte, beruhigte Jill ein bisschen. Die Situation war furchtbar und unheimlich, aber ihre Mutter war bei ihr. Sie würde alles tun, um Jill zu retten. Und Jill wusste, dass es Zeit war, ihr zu zeigen, dass auch sie alles für ihre Mutter tat.

Der Griff des Mannes wurde fester. Jill schnappte nach Luft und sah ihm ins Gesicht. Der Mann sah glücklich aus. Ihr Blick wanderte weiter zu Yasmin. Die sah Jill direkt in die Augen. Es gelang ihr, den Kopf etwas auf die Seite zu legen. Das machte Yasmin während des Unterrichts, wenn sie Jill etwas mitteilen wollte, ohne dass die Lehrer etwas merkten.

Jill begriff es nicht. Dann starrte Yasmin auf ihre eigene Hand.

Ratlos folgte Jill ihrem Blick und erkannte, was Yasmin machte.

Sie hatte aus Zeigefinger und Daumen eine Pistole geformt.

»Mädchen?«

Der Mann, der sie am Hals gepackt hatte, drückte fester zu und drehte sie etwas zu sich, so dass sie ihn ansehen mussten.

»Wenn ihr hier abhaut, bring ich Mommy und Daddy um. Habt ihr verstanden?«

Beide nickten. Wieder trafen sich ihre Blicke. Yasmin öffnete den Mund. Jill begriff, was sie vorhatte. Der Mann ließ sie los. Jill wartete auf das Ablenkungsmanöver. Es dauerte nicht lange.

Yasmin schrie, und Jill rannte um ihr Leben. Eigentlich nicht nur um ihr eigenes Leben, sondern um ihrer aller Leben.

Sie spürte, wie die Finger des Mannes ihre Knöchel berührten, konnte sich aber losreißen. Sie hörte ihn heulen, drehte sich aber nicht um.

»Jill! Deine Mommy wird sterben, wenn du nicht sofort wieder herkommst.«

Aber sie hatte keine Wahl. Jill rannte die Treppe hinauf. Sie dachte an die anonyme E-Mail, die sie Mr Novak heute Mittag geschickt hatte:

Bitte, Sie müssen Ihre Pistole besser verstecken.

Sie betete, dass er sie nicht gelesen hatte, oder falls doch, dass er noch keine Zeit gehabt hatte, etwas zu tun. Jill stürzte ins Schlafzimmer und zog die Schublade ganz heraus. Sie schüttete den Inhalt auf den Boden.

Die Pistole war weg.

Sie verlor den Mut. Sie hörte Schreie von unten. Der Mann konnte sie alle umbringen. Sie fing an, die Sachen herumzuschmeißen, als ihre Hand auf etwas Metallisches stieß.

Die Pistole.

»Jill! Deine letzte Chance!«

Wie ging das noch mit der Sicherung? Mist. Sie wusste es nicht. Aber dann fiel Jill etwas ein.

Yasmin hatte den Hebel nicht wieder zurückgelegt. Wahrscheinlich war die Pistole noch entsichert.

Yasmin schrie.

Jill sprang wieder auf. Sie war noch gar nicht ganz im Erdgeschoss, als sie mit der dünnsten, babyartigsten Stimme, in der sie sprechen konnte, sagte: »Tun Sie bitte meiner Mommy nichts.«

Sie rannte weiter in den Keller. Sie fragte sich, ob sie genug Kraft hatte, um abzudrücken. Sie dachte, dass sie die Pistole in beide Hände nehmen und beide Zeigefinger nehmen sollte.

Wie sich herausstellte, reichte ihre Kraft.

*

Nash hörte die Sirenen.

Er sah die Pistole und lächelte. Etwas in ihm wollte zur Seite springen, aber Cassandra schüttelte den Kopf. Und eigentlich wollte er das auch gar nicht. Das Mädchen zögerte. Also trat er einen Schritt näher an sie heran und hob das Messer.

Als Nash zehn Jahre alt war, hatte er seinen Vater gefragt, was mit den Menschen geschah, wenn sie starben. Sein Vater hatte geantwortet, dass Shakespeare es wohl am besten ausgedrückt hätte, als er den Tod als »das unentdeckte Land, von des Bezirk kein Wandrer wiederkehrt« bezeichnet hatte.

Anders gesagt: Woher sollen wir das wissen?

Die erste Kugel traf ihn mitten in die Brust.

Er taumelte weiter mit erhobenem Messer auf sie zu – und wartete.

Nash wusste nicht, wohin die zweite Kugel ihn bringen würde, aber er hoffte, dass es zu Cassandra war.

40

Mike saß im gleichen Verhörraum wie beim ersten Mal. Aber dieses Mal zusammen mit seinem Sohn.

FBI-Agent Darryl LeCrue und der stellvertretende U.S.-Staatsanwalt Scott Duncan hatten versucht, die Einzelheiten des Falls in die richtige Reihenfolge zu bringen. Mike wusste, dass alle Beteiligten irgendwo hier im Gebäude waren: Rosemary, Carson, die anderen Gruftis, DJ Huff und vielleicht auch dessen Vater. Wahrscheinlich hatten sie alle getrennt und hofften jetzt darauf, dass sie ein paar Absprachen treffen und dann ein paar Anklageschriften aufsetzen konnten.

Adam und er waren schon seit Stunden hier. Und bisher hatten sie noch keine einzige Frage beantwortet. Ihre Anwältin Hester Crimstein hatte ihnen Redeverbot erteilt. Im Moment saßen Mike und Adam allein im Verhörraum.

Mike sah seinen Sohn an, und dann brach ihm fast das Herz, als er zum vierten oder fünften Mal sagte: »Wir schaffen das schon.«

Adam reagierte nicht mehr auf seine Worte. Wahrscheinlich litt er unter einem Schock. Der Unterschied zwischen einem Schockzustand und ganz normaler Teenager-Verdrossenheit war allerdings schwer auszumachen. Hester war völlig aufgedreht, und dieser Zustand wurde von Minute zu Minute schlimmer. Das sah man ihr an. Immer wieder stürmte sie in den Raum, stellte ein paar Fragen und verschwand dann für eine Weile. Immer wenn Sie nach Einzelheiten fragte, schüttelte Adam allerdings nur den Kopf.

Das letzte Mal war sie vor etwa einer halben Stunde da gewesen und hatte beim Gehen noch zwei Worte zu Mike gesagt: »Nicht gut.«

Wieder sprang die Tür auf. Hester kam herein, griff sich einen Stuhl und stellte ihn direkt neben Adam. Sie setzte sich darauf und näherte sich mit ihrem Gesicht bis auf eine Handbreit seinem. Er wandte sich ab. Sie nahm seinen Kopf in beide Hände, drehte ihn zu sich und sagte: »Sieh mich an, Adam.«

Er tat es widerstrebend.

»Wir haben folgendes Problem: Rosemary und Carson beschuldigen dich. Sie sagen, es war deine Idee, die Rezeptblöcke deines Vaters zu stehlen und die ganze Operation auf die nächsthöhere Stufe zu heben. Sie sagen, dass du an sie herangetreten bist. Je nach Stimmung unterstellen sie auch mal mehr und mal weniger direkt, dass dein Vater auch daran beteiligt war. Daddy hätte sich eine zusätzliche Geldquelle erschließen wollen. Die Beamten von der *Drogenfahndung* haben in genau diesem Gebäude gerade erst diverse Auszeichnungen dafür bekommen, dass sie einen Arzt in Bloomfield wegen genau so einer Sache verhaftet haben – er hat illegale Rezepte für den Schwarzmarkt ausgestellt. Daher springen alle ganz begeistert auf diesen Zug auf, Adam. Sie sind ganz scharf darauf, dass der Arzt und sein Sohn unter einer Decke stecken, weil das dann in die Nachrichten kommt und sie befördert werden. Kannst du mir folgen?«

Adam nickte.

»Und warum sagst du mir dann nicht die Wahrheit?«

»Ist doch sowieso alles scheißegal«, sagte Adam.

Sie breitete die Arme aus. »Und was bitte soll das jetzt heißen?«

Er schüttelte nur den Kopf. »Dann steht mein Wort gegen ihrs.«

»Okay, aber hör zu, es gibt da noch mindestens zwei weitere Probleme: Erstens geht es nicht nur um die beiden. Ein paar von Carsons Kumpeln haben deren Version bestätigt. Sie würden natürlich auch bestätigen, dass du Stuhlproben in einem Raumschiff genommen hast, wenn Carson und Rosemary sie dazu auffordern würden. Die sind also nicht unser Hauptproblem.«

Mike frage: »Was ist es dann?«

»Das einzige wirklich handfeste Beweisstück sind die Rezeptblöcke. Von denen können sie keine direkte Verbindung zu Rosemary und Carson herstellen. Darum können sie kein ordentliches Paket daraus schnüren. Eine Verbindung zu Ihnen besteht, Dr. Baye. Damit haben die kein Problem. Es sind schließlich Ihre Rezeptblöcke. Außerdem haben sie eine ziemlich einleuchtende Erklärung dafür, wie die Rezeptblöcke von Punkt A – von Ihnen, Dr. Baye – nach Punkt B – auf den Schwarzmarkt – gekommen sind. Nämlich über Ihren Sohn.«

Adam schloss die Augen und schüttelte den Kopf.

»Was ist?«, fragte Hester.

»Sie werden mir nicht glauben.«

»Schätzchen, hör mir zu. Mein Job ist nicht, dir zu glauben. Mein Job ist, dich zu verteidigen. Bei deiner Mutter kannst du dir Sorgen darüber machen, ob sie dir glaubt oder nicht, okay? Ich bin aber nicht deine Mutter. Ich bin deine Anwältin, und im Moment ist mir das auch sehr viel lieber so.«

Adam sah seinen Vater an.

»Ich glaube dir«, sagt Mike.

»Du hast mir aber nicht vertraut.«

Mike wusste nicht, was er darauf sagen sollte.

»Du hast dieses Programm auf meinen Computer gespielt. Du hast meine E-Mails und meine Nachrichten gelesen.«

»Wir haben uns Sorgen um dich gemacht.«

»Dann hättet ihr mich ja fragen können.«

»Das habe ich, Adam. Tausendmal hab ich dich gefragt. Du hast geantwortet, dass alles in Ordnung ist und ich dich zufrieden lassen soll. Und dann hast du mich aus deinem Zimmer rausgeschickt.«

»Äh, Jungs?« Hester meldete sich zu Wort. »Diese Vater-Sohn-Szene ist wirklich rührend, ehrlich, ganz wunderbar, ich fang auch gleich an zu heulen, aber ich werd stundenweise bezahlt, und ich bin verdammt teuer. Daher wäre es nett, wenn wir wieder auf den Fall zurückkommen könnten.«

Es klopfte laut an der Tür. Dann wurde sie geöffnet. FBI-Agent

Darryl LeCrue und der stellvertretende U.S.-Staatsanwalt Scott Duncan traten ein.

Hester sagte: »Verschwinden Sie. Dies ist eine private Besprechung.«

»Wir haben hier jemanden, der Ihren Mandanten sprechen will«, sagte LeCrue.

»Ist mir egal. Auch wenn es Jessica Alba in einem Schlauchkleid …«

»Hester?«

LeCrue sah sie an.

»Vertrauen Sie mir. Das ist wichtig.«

Sie traten zur Seite. Mike blickte auf. Er wusste nicht, was ihn erwartete, damit hatte er aber auf keinen Fall gerechnet. Als er die beiden sah, fing Adam sofort an zu weinen.

Betsy und Ron Hill traten in den Raum.

»Wer sind denn die?«, fragte Hester.

»Spencers Eltern«, sagte Mike.

»Halt. Was soll das denn jetzt für ein Psychospiel werden? Sie sollen verschwinden. Und zwar sofort.«

LeCrue sagte: »Psst. Hören Sie einfach zu. Nicht reden, nur zuhören.«

Hester drehte sich zu Adam um. Sie legte ihm die Hand auf den Unterarm. »Sag kein Wort. Hast du mich verstanden? Kein Wort.«

Adam weinte einfach weiter.

Betsy Hill setzte sich ihm direkt gegenüber. Auch sie hatte Tränen in den Augen. Ron stellte sich hinter sie. Er verschränkte die Arme und blickte zur Decke. Mike sah, dass seine Lippen zitterten. LeCrue machte einen Schritt zurück in eine Ecke, Duncan in die andere.

LeCrue sagte: »Mrs Hill, würden Sie den hier Anwesenden erzählen, was Sie uns eben erzählt haben?«

Hester Crimsteins Hand lag immer noch auf Adams Arm,

um ihn wenn nötig zum Schweigen zu bringen. Betsy Hill sah Adam nur an. Schließlich hob Adam den Kopf. Er sah ihr in die Augen.

»Was ist hier los?«, fragte Mike.

Schließlich sagte Betsy Hill etwas: »Du hast mich belogen, Adam.«

»Stopp, jetzt reicht's aber wirklich«, unterbrach Hester. »Wenn Sie ihn irgendwelcher Täuschungen beschuldigen, dann brechen wir das hier auf der Stelle ab.«

Betsy ignorierte Hesters Ausbruch und sah Adam weiter in die Augen. »Du hast dich mit Spencer nicht wegen eines Mädchens gestritten, stimmt's?«

Adam sagte nichts.

»Stimmt das?«

»Antworte nicht«, sagte Hester und drückte seinen Unterarm kurz. »Wir kommentieren keinen Streit, der da angeblich statt-gefunden hat.«

Adam zog den Arm weg. »Mrs Hill ...«

»Du hast Angst, dass dir niemand glaubt«, sagte Betsy. »Und du hast Angst, dass du deinem Freund weh tun könntest. Aber du kannst Spencer nicht mehr weh tun. Er ist tot, Adam. Und das ist nicht deine Schuld.«

Tränen liefen Adams Wangen hinunter.

»Hast du das verstanden? Es ist nicht deine Schuld. Du hat-test gute Gründe, wütend auf ihn zu sein. Ron und ich haben bei Spencer so viel übersehen. Wir werden uns unser Leben lang damit auseinandersetzen müssen. Wenn wir genauer hingesehen hätten, hätten wir ihn vielleicht aufhalten können – aber viel-leicht hatten wir auch nie die Chance, ihn zu retten. Im Moment weiß ich das einfach nicht. Aber eins weiß ich: Es war nicht deine Schuld, und du darfst dich dafür nicht selbst bestrafen. Spencer ist tot, Adam. Ihm kann keiner mehr weh tun.«

Hester öffnete den Mund, es kam aber nichts heraus. Sie sagte nichts, sondern lehnte sich nur zurück und sah zu. Mike wusste auch nicht, was er davon halten sollte.

»Sag ihnen die Wahrheit«, drängte Betsy.

Adam fragte: »Spielt das noch eine Rolle?«

»Ja, das tut es, Adam.«

»Mir glaubt doch sowieso keiner.«

»Wir glauben dir«, sagte Betsy.

»Rosemary und Carson werden behaupten, dass ich und mein Dad das waren. Das machen sie ja schon. Warum soll ich dann noch jemand in den Dreck ziehen?«

LeCrue sagte: »Deshalb wolltest du gestern Abend einen Schlussstrich ziehen. Mit dem Sender, von dem du uns erzählt hast. Rosemary und Carson haben dich erpresst, stimmt's? Sie haben gesagt, wenn du was verrätst, schieben sie alles auf dich. Sie wollten behaupten, dass du die Rezeptblöcke geklaut hast. Und genau das tun sie jetzt auch. Außerdem hast du dir noch um deine Freunde Sorgen gemacht. Weil die auch alle mit reingezogen werden könnten. Also hattest du keine Wahl und hast weiter mitgespielt.«

»Um meine Freunde hab ich mir keine Sorgen gemacht«, sagte Adam. »Aber sie wollten es auf meinen Dad schieben. Und der wäre dann seine Approbation los gewesen.«

Mike merkte, dass er hastig atmete. »Adam?«

Er wandte sich seinem Vater zu.

»Sag einfach die Wahrheit. Kümmer dich nicht um mich.«

Adam schüttelte den Kopf.

Betsy beugte sich über den Tisch und legte ihre Hand auf Adams. »Wir haben Beweise.«

Adam sah sie verwirrt an.

Ron Hill trat vor. »Als Spencer gestorben ist, hab ich mich in seinem Zimmer umgesehen. Dabei hab ich …« Er brach ab, schluckte, sah wieder zur Decke. »Ich wollte Betsy nichts davon erzählen. Sie hatte schon so viel durchgemacht, und ich dachte mir, dass es doch eigentlich keine Rolle spielt. Spencer war tot. Warum sollte ich es Betsy noch schwerer machen? Und so etwas Ähnliches hast du dir auch gedacht, stimmt's, Adam?«

Adam antwortete nicht.

»Also hab ich nichts gesagt. Aber in der Nacht, in der er gestorben ist, habe ich mich in seinem Zimmer umgesehen. Und dabei habe ich unter seinem Bett achttausend Dollar Bargeld gefunden – und daneben ein paar von denen.«

Ron warf einen Rezeptblock auf den Tisch. Einen Moment lang starrten alle darauf.

»Du hast deinem Vater nicht die Rezeptblöcke gestohlen«, sagte Betsy. »Das war Spencer. Er hat sie aus euerm Haus gestohlen, stimmt's?«

Adam senkte den Kopf.

»Und an dem Abend, an dem er sich umgebracht hat, hattest du es gemerkt. Du hast ihm das vorgehalten. Du warst wütend. Ihr habt euch gestritten. Darum hast du ihn geschlagen. Als er dich hinterher angerufen hat, wolltest du keine Entschuldigungen hören. Dieses Mal war er zu weit gegangen. Also bist du nicht ans Telefon gegangen, so dass Spencer nur auf die Mailbox sprechen konnte.«

Adam kniff die Augen zu. »Ich hätte rangehen müssen. Ich hab ihn geschlagen. Ich hab ihn beschimpft und gesagt, dass ich kein Wort mehr mit ihm spreche. Dann hab ich ihn da allein sitzen lassen, und als er um Hilfe gerufen hat …«

Danach ging es im Raum drunter und drüber. Natürlich gab es viele Tränen. Umarmungen. Entschuldigungen. Alte Wunden wurden aufgerissen und wieder geschlossen. Hester nutzte die Stimmung. Sie sprach mit LeCrue und Duncan. Alle verstanden, was hier los war. Keiner wollte die Bayes anklagen. Adam würde mit ihnen zusammenarbeiten und helfen, Rosemary und Carson ins Gefängnis zu bringen.

Aber das war noch Zukunftsmusik.

Später am Abend, als Adam wieder zu Hause war und sein Handy wiederhatte, kam Betsy Hill herüber.

»Ich will sie hören«, sagte sie zu ihm.

Und dann hörten sie sich gemeinsam die letzte Nachricht an, die Spencer abgeschickt hatte, bevor er seinem Leben ein Ende setzte.

»Es geht nicht gegen dich, Adam. Okay, Mann. Du musst das verstehen. Es geht gegen niemand. Das ist einfach zu heavy. Das war schon immer zu heavy ...«

*

Eine Woche später klopfte Susan Loriman an Joe Lewistons Haustür.

»Wer ist da?«

»Mr Lewiston? Hier ist Susan Loriman.«

»Ich bin ziemlich beschäftigt.«

»Machen Sie bitte auf. Es ist sehr wichtig.«

Ein paar Sekunden lang war es still, dann folgte Joe Lewiston ihrer Bitte. Er trug ein graues T-Shirt. Seine Haare standen wild vom Kopf ab, und er hatte noch Schlaf in den Augen.

»Mrs Loriman, wie Sie sehen, ist das jetzt wirklich keine gute Zeit.«

»Für mich ist es auch keine gute Zeit.«

»Die Schule hat mich beurlaubt.«

»Ich weiß. Das tut mir leid für Sie.«

»Wenn es also um die Spendenrallye für Ihren Sohn geht ...«

»Das tut es.«

»Sie glauben doch nicht, dass ich dafür als Leiter jetzt noch in Frage komme.«

»Da irren Sie sich. Genau das tue ich nämlich.«

»Mrs Loriman ...«

»Ist je ein naher Verwandter von Ihnen gestorben?«

»Ja.«

»Würden Sie mir erzählen, wer das war?«

Das war eine seltsame Frage. Lewiston seufzte und sah Susan Loriman in die Augen. Ihr Sohn lag im Sterben, und aus irgendeinem Grund schien ihr diese Frage wichtig zu sein. »Zum einen meine Schwester Cassie. Sie war ein wahrer Engel. Man konnte sich überhaupt nicht vorstellen, dass ihr je etwas passiert.«

Susan wusste das natürlich. In den Nachrichten hatten sie die ganze Zeit über Cassandra Lewistons verwitweten Ehemann und seine Morde berichtet.

»Noch jemand?«

»Mein Bruder Curtis.«

»War er auch so ein Engel?«

»Nein. Ganz im Gegenteil. Ich sehe ihm ziemlich ähnlich. Viele Leute sagen, dass ich ihm wie aus dem Gesicht geschnitten bin. Aber er hat sein Leben lang nichts als Ärger gemacht.«

»Woran ist er gestorben?«

»Er wurde ermordet. Wahrscheinlich bei einem Raubüberfall.«

»Ich habe die Krankenschwester gleich mitgebracht.« Susan drehte sich um. Eine Frau stieg aus dem Wagen und kam auf das Haus zu. »Sie kann die Blutprobe sofort nehmen.«

»Ich versteh nicht, was das soll.«

»Eigentlich haben Sie gar nichts furchtbar Schlimmes getan, Mr Lewiston. Sie haben sogar die Polizei gerufen, als sie gemerkt haben, was Ihr früherer Schwager getan hat. Sie müssen jetzt an einen Neuanfang denken. Und dieser Schritt, Ihre Bereitschaft bei der Rettung meines Sohns zu helfen, obwohl Sie gerade so viel durchgemacht haben, wird die Menschen berühren. Bitte, Mr Lewiston. Bitte helfen Sie, meinen Sohn zu retten.«

Er sah aus, als wollte er protestieren. Susan hoffte, dass er das nicht tat. Aber auch darauf hatte sie sich vorbereitet. In dem Fall würde sie ihm erzählen, dass ihr Sohn Lucas zehn Jahre alt war. Sie würde ihn daran erinnern, dass sein Bruder Curtis vor elf Jahren gestorben war – also neun Monate vor Lucas' Geburt. Sie würde Joe Lewiston erzählen, dass die beste Möglichkeit, einen passenden Spender zu finden, ein Onkel des leiblichen Vaters war. Susan hoffte, dass es nicht dazu kam. Aber inzwischen war sie bereit, auch diesen Schritt zu gehen – wenn es sich nicht vermeiden ließ.

»Bitte«, sagte sie noch einmal.

Die Krankenschwester kam näher. Joe Lewiston sah Susan noch einmal ins Gesicht. Offenbar erkannte er die Verzweiflung, die darin lag.

»Also gut«, sagte er. »Kommen Sie rein, dann bringen wir es hinter uns.«

*

Tia war fasziniert, wie schnell ihr Leben wieder zur Normalität zurückgekehrt war.

Hester hatte Wort gehalten. Sie hatte Tia keine zweite Chance gegeben – beruflich. Also hatte Tia gekündigt und suchte jetzt einen anderen Job. Die Vorwürfe gegen Mike und Ilene Goldfarb wegen Missbrauchs ihrer Rezeptblöcke waren fallen gelassen worden. Die Behörde hatte zwar pro forma eine Ermittlung eingeleitet, aber die Praxis lief ganz normal weiter. Es gab Gerüchte, dass ein passender Nierenspender für Lucas Loriman gefunden worden war, aber von sich aus sprach Mike nicht darüber, und sie fragte auch nicht nach.

Während der ersten, sehr emotionalen Tage hatte Tia gedacht, Adam würde sein Leben völlig umkrempeln und ein lieber, netter Junge werden, der er eigentlich nie gewesen war. Aber Jugendliche funktionierten nicht wie Lichtschalter. Adam ging es besser – das war keine Frage. Im Augenblick stand er draußen im Tor und versuchte, die Schüsse seines Vaters zu halten. Wenn Mike einen Puck an ihm vorbeibekam, rief er »Tor!« und sang die Torhymne der Rangers. Das war eine altbekannte und wohltuende Geräuschkulisse, aber früher war Adam auch zu hören gewesen.

Jetzt gab er keinen Ton von sich. Er spielte schweigend, während sich in Mikes Stimme Freude und Verzweiflung mischten.

Mike wollte immer noch das Kind zurückhaben. Das war aber höchstwahrscheinlich verschwunden. Und das war wohl auch ganz richtig so.

Mo bog in die Einfahrt. Er holte Mike und Adam zum Spiel der Rangers gegen die Devils ab. Anthony, der den beiden gemeinsam mit Mo das Leben gerettet hatte, ging auch mit. Mike hatte gedacht, dass Anthony ihm schon beim ersten Mal in der Gasse das Leben gerettet hatte, aber da hatte Adam die Angreifer lange genug abgelenkt – was er mit der Narbe von einem Messerstich beweisen konnte. Für Eltern war es ein ergreifender Gedanke, dass der Sohn den Vater gerettet hatte. Mike hatte ganz feuchte Augen bekommen und wollte sich bedanken, aber Adam wollte nichts davon wissen. Der Junge war tapfer und schweigsam.

Wie sein Vater.

Tia sah aus dem Fenster. Die beiden kindsköpfigen Männer kamen ans Fenster, um sich zu verabschieden. Sie winkte und warf ihnen eine Kusshand zu. Sie winkten zurück, drehten sich um und stiegen in Mos Wagen. Dann sah sie ihnen nach, bis der Wagen um die Ecke verschwunden war.

Sie rief: »Jill?«

»Ich bin hier oben, Mom.«

Sie hatten das Spionageprogramm von Adams Computer löschen lassen. Man konnte das aus zig verschiedenen Blickwinkeln betrachten. Vielleicht wäre Spencer zu retten gewesen, wenn Ron und Betsy genauer auf ihn achtgegeben hätten. Vielleicht aber auch nicht. Im Universum gab es nun mal eine gewisse Schicksalhaftigkeit und Zufälligkeit. Mike und Tia waren um ihren Sohn extrem besorgt gewesen – und plötzlich hatte ihre Tochter Jill in akuter Lebensgefahr geschwebt. Jill hatte ein Trauma erlitten, weil sie auf einen Menschen schießen und ihn töten musste. Warum?

Zufall. Sie war einfach zur falschen Zeit am falschen Ort gewesen.

Man konnte jemandem nachspionieren, die Zukunft voraussagen konnte man nicht. Vielleicht wäre Adam aus eigener Kraft aus der Situation herausgekommen. Vielleicht hätte sein Plan, die Gespräche im Club Jaguar mitzuschneiden, funktioniert. Und Mike wäre nicht überfallen und beinah erschlagen worden. Und dieser wahnsinnige Carson hätte die beiden nicht mit einer Waffe bedroht. Und Adam würde sich nicht immer noch fragen, ob seine Eltern ihm wirklich vertrauten.

So war das mit dem Vertrauen. Aus gutem Grund konnte man es einem Menschen entziehen. Aber dann war es auch für immer zerstört.

Und was hatte Tia als Mutter aus der ganzen Geschichte gelernt? Man musste sein Bestes geben. Das war auch schon alles. Man machte sich mit besten Absichten an die Erziehung der Kinder. Man zeigte ihnen, dass sie geliebt wurden, aber viel mehr konnte man auch nicht machen, das verhinderten die Zufälle, die das Leben mit sich brachte. Das Leben ließ sich nicht steuern. Ein Freund von Mike, ein ehemaliger Basketballstar, zitierte gerne jiddische Redewendungen. Seine Lieblingsspruch war: »Der Mensch plant und Gott lacht.« Tia hatte ihn nie richtig verstanden. Sie hatte gedacht, das wäre nur eine Entschuldigung dafür, nicht alles zu versuchen, weil Gott ja sowieso machte, was er wollte. Aber das stimmte nicht. Es ging eher darum zu verstehen, dass man alles geben und sich die besten Chancen erarbeiten konnte, die Kontrolle über das eigene Leben aber trotzdem nur eine Illusion war.

Aber vielleicht war es sogar noch komplexer?

Man konnte natürlich auch genau andersherum argumentieren – dass die Spioniererei sie alle gerettet hatte. Zum einen war ihnen dadurch bewusst geworden, dass Adam bis über beide Ohren in Schwierigkeiten steckte.

Aber mehr noch die Tatsache, dass Jill und Yasmin herumge-schnüffelt hatten und daher über Guy Novaks Pistole Bescheid ge-wusst hatten – wenn sie das nicht getan hätten, wären sie jetzt tot.

Was für eine Ironie. Guy Novak hatte eine geladene Pistole im Haus, und das hatte nicht in die Katastrophe geführt, sondern sie alle gerettet.

Bei dem Gedanken schüttelte sie den Kopf und öffnete die Kühlschranktür. Es war kaum noch etwas zu essen da.

»Jill?«

»Was ist?«

Tia schnappte sich die Schlüssel und ihr Portemonnaie. Dann suchte sie ihr Handy.

Ihre Tochter hatte sich von den Schüssen überraschend schnell erholt. Die Ärzte hatten zur Vorsicht gemahnt und darauf hinge-wiesen, dass es zu einer verzögerten Reaktion kommen konnte, aber vielleicht hatte Jill auch verstanden, dass das, was sie getan hatte, richtig und notwendig, wenn nicht sogar heldenhaft gewe-sen war. Jill war schließlich kein Baby mehr.

Wo hatte Tia ihr Handy hingelegt?

Sie war sicher, dass sie es auf die Theke gelegt hatte. Genau dort. Vor nicht einmal zehn Minuten.

Und mit diesem einfachen Gedanken geriet plötzlich alles ins Wanken.

Tia erstarrte. Vor lauter Erleichterung darüber, dass sie alle im Endeffekt mit dem Schrecken davongekommen waren, hatten sie über vieles hinweggesehen. Aber jetzt, als sie auf die Stelle starrte, an der sie ihr Handy mit hundertprozentiger Sicherheit vor zehn Minuten liegen gelassen hatte, machten ihr diese unbeantworte-ten Fragen doch wieder zu schaffen.

Diese erste E-Mail, die, mit der alles angefangen hatte, in der Mike zur Party im Haus der Huffs eingeladen wurde – da hatte keine Party stattgefunden. Adam hatte die Mail nicht einmal ge-lesen.

Aber wer hatte sie geschickt?

Nein ...

Immer noch auf der Suche nach ihrem Handy griff Tia zum Festnetztelefon und wählte. Nach dem dritten Klingeln meldete Guy Novak sich.

»Hey, Tia, wie geht's Ihnen?«

»Sie haben der Polizei erzählt, dass Sie das Video per Mail geschickt haben.«

»Was?«

»Das Video, auf dem Marianne mit Mr Lewiston schläft. Sie haben gesagt, dass Sie es gemailt haben. Um sich zu rächen.«

»Und?«

»Sie haben gar nichts von diesem Video gewusst, stimmt's, Guy?«

Schweigen.

»Guy?«

»Lassen Sie's gut sein, Tia.«

Er legte auf.

Sie schlich die Treppe hinauf. Jill war in ihrem Zimmer. Tia wollte nicht gehört werden. Das passte alles. Tia hatte sich schon gewundert, dass diese beiden furchtbaren Dinge – Nashs Kreuzzug gegen Joes Erpresser und Adams Verschwinden – gleichzeitig passierten. Irgendjemand hatte noch gesagt, dass das Unglück immer dreimal zuschlug und dass sie gut aufpassen sollten. Aber das hatte Tia nicht weiter ernst genommen.

Die E-Mail mit der Ankündigung der Huff-Party.

Die Pistole in Novaks Schublade.

Das freizügige Video, das an Dolly Lewistons E-Mail-Adresse geschickt worden war.

Was verband diese drei Dinge?

Tia trat um die Ecke und fragte: »Was machst du da?«

Als sie die Stimme ihrer Mutter hörte, zuckte Jill zusammen.

»Oh, hi. Ich spiel nur Brickbreaker.«

»Tust du nicht.«

»Was?«

Sie hatte mit Mike darüber gescherzt. Jill war neugierig. Mike hatte sie ihre *Harriet, die kleine Detektivin* genannt.

»Ich spiel nur.«

Aber das stimmte nicht. Das wusste Tia jetzt. Jill nahm nicht dauernd Tias Handy, um Videospiele zu spielen. Sie las Tias Nachrichten. Sie benutzte den Computer im Schlafzimmer auch nicht, weil er besser und schneller war. Sie wollte wissen, was um sie herum vorging. Jill konnte es nicht ausstehen, wenn man sie wie ein Kind behandelte. Also schnüffelte sie herum. Genau wie ihre Freundin Yasmin.

Unschuldiger Kinderkram, oder?

»Du hast gewusst, dass wir Adams Computer überwachen, stimmt's?«

»Was?«

»Brett hat gesagt, dass die E-Mail von hier abgeschickt wurde. Jemand hat sie hier im Haus abgeschickt, ist dann an Adams Computer gegangen, Adam war nämlich gar nicht zu Hause, dann hat er sie wieder gelöscht. Ich bin nicht draufgekommen, wer so etwas tun könnte. Aber das bist du gewesen, Jill. Warum?«

Jill schüttelte den Kopf. Aber irgendwoher wusste eine Mutter, wenn ihre Tochter log.

»Jill?«

»Ich wollte nicht, dass das passiert.«

»Ich weiß. Erzähl.«

»Ihr habt die Berichte geschreddert, aber na ja, wieso hattet ihr plötzlich einen Aktenvernichter im Schlafzimmer? Ich habe gehört, wie ihr euch nachts leise darüber unterhalten habt. Außerdem hattet ihr die E-SpyRight-Internetseite bei euch im Computer sogar in die Lesezeichenliste aufgenommen.

»Also hast du gewusst, dass wir Adam nachspionieren.«

»Natürlich.«

»Und warum hast du dann diese E-Mail geschickt?«

»Weil ich gewusst habe, dass ihr sie dann seht.«

»Das versteh ich nicht. Warum sollten wir eine Mail mit der Ankündigung einer Party sehen, die gar nicht stattfand?«

»Ich hab gewusst, was Adam vorhatte. Ich fand das zu gefährlich. Ich wollte ihn aufhalten, aber ich konnte euch doch nicht die Wahrheit über den Club Jaguar und das alles erzählen. Ich wollte ihn ja nicht in Schwierigkeiten bringen.«

Jetzt nickte Tia. »Also hast du dir diese Party ausgedacht?«

»Ja. Ich hab geschrieben, dass es Alkohol und Drogen gibt.«

»Und du hast dir gedacht, dass wir ihn dann hierbehalten.«

»Ja. Hier wäre er sicher gewesen. Aber Adam ist abgehauen. Damit hatte ich nicht gerechnet. Und hinterher ist alles drunter und drüber gegangen. Verstehst du. Das war alles meine Schuld.«

»Es war nicht deine Schuld.«

Jill fing an zu schluchzen. »Yasmin und ich. Weißt du, ihr behandelt uns wie Babys. Also schnüffeln wir rum. Das ist so eine Art Spiel. Die Erwachsenen verstecken was, und wir kriegen es dann raus. Und dann hat Mr Lewiston diese furchtbaren Dinge über Yasmin gesagt. Da hat sich plötzlich alles geändert. In der Schule waren alle so gemein. Yasmin ist erst ganz traurig gewesen, aber dann ist sie irgendwie, ich weiß nicht, jedenfalls ist sie fast durchgedreht vor Wut. Mit ihrer Mom konnte sie eigentlich gar nichts anfangen, weißt du. Aber die hat dann wohl plötzlich eine Möglichkeit gesehen, wie sie Yasmin helfen kann.«

»Also hat sie ... Sie hat Mr Lewiston eine Falle gestellt. Hat Marianne euch davon erzählt?«

»Nein. Aber ihr hat Yasmin natürlich auch nachspioniert. Wir haben das Video auf ihrem Fotohandy entdeckt. Dann hat Yasmin Marianne darauf angesprochen, aber die hat gesagt, dass es vorbei ist und dass Mr Lewiston jetzt auch leidet.«

»Also haben Yasmin und du ...?«

»Wir wollten niemandem schaden. Aber Yasmin hat's echt gereicht. Sie hatte genug von den Erwachsenen, die uns immer erzählen wollen, was das Beste für uns ist. Und von den Klassenkameraden, die nur auf ihr rumgehackt haben. Eigentlich sogar auf uns beiden. Wir haben das dann beides gleich hintereinander gemacht. Nach der Schule sind wir nicht direkt zu ihr gegangen, sondern wir sind vorher noch hier vorbeigekommen. Ich hab die E-Mail über die Party geschickt, damit ihr was macht – und dann hat Yasmin das Video abgeschickt, um sich bei Mr Lewiston zu rächen.«

Tia stand einfach nur da. Ihr Kopf war vollkommen leer, und sie hoffte nur, dass ihr irgendetwas einfiel. Kinder machten nicht das, was ihre Eltern ihnen sagten – sie taten das, was ihre Eltern taten. Wer war denn hier jetzt der Schuldige? Tia wusste es nicht genau.

»Weiter haben wir nichts gemacht«, sagte Jill. »Wir haben nur ein paar E-Mails verschickt. Mehr nicht.«

Und das stimmte.

»Wir schaffen das schon«, wiederholte Tia die Worte, die ihr Mann im Verhörraum immer wieder zu ihrem Sohn gesagt hatte.

Sie kniete nieder und umarmte ihre Tochter. Der Damm, der Jills Tränen zurückgehalten hatte, war gebrochen. Sie lehnte sich an ihre Mutter und weinte. Tia streichelte ihr übers Haar, gab beruhigende Laute von sich und ließ sie weinen.

Man tat, was man konnte, erinnerte Tia sich. Man liebte sie, so gut man konnte.

»Wir schaffen das schon«, sagte sie noch einmal.

Dieses Mal glaubte sie sogar fast selbst daran.

*

An einem kalten Samstagmorgen – genau an dem Tag, an dem Paul Copeland, der Bezirksstaatsanwalt von Essex County, zum zweiten Mal heiraten sollte – fand er sich plötzlich vor einem *U-Store-It*-Selbstlager an der Route 15 wieder.

Loren Muse, die neben ihm stand, sagte: »Sie brauchen nicht dabei zu sein.«

»Die Hochzeit ist doch erst in sechs Stunden«, sagte Cope.

»Aber Lucy …«

»Lucy versteht das.«

Cope sah über die Schulter nach hinten, wo Neil Cordova im Auto wartete. Vor ein paar Stunden hatte Pietra ihr Schweigen gebrochen. Nachdem sie tagelang geschwiegen hatte, war Cope auf die Idee gekommen, Neil Cordova mit ihr sprechen zu lassen. Nach zwei Minuten – ihr Freund war tot, und ihr Anwalt hatte einen wasserdichten Deal mit Cope abgeschlossen – hatte sie nachgegeben und erzählt, wo Reba Cordovas Leiche lag.

»Ich will bei so etwas vor Ort sein«, sagte Cope.

Muse folgte seinem Blick. »Ihn hätten Sie lieber auch nicht mitbringen sollen.«

»Ich hab's ihm versprochen.«

Nach Rebas Verschwinden hatte Cope sich lange mit Neil Cordova unterhalten. Wenn Pietra die Wahrheit gesagt hatte, hatten sie in ein paar Minuten etwas Schreckliches gemeinsam – eine tote Ehefrau. Seltsamerweise galt das auch für den Mörder.

Als ob sie seine Gedanken gelesen hätte, fragte Muse: »Halten Sie es für möglich, dass Pietra gelogen haben könnte?«

»Eigentlich nicht. Und Sie?«

»Geht mir genauso«, sagte Muse. »Nash hat also diese beiden Frauen umgebracht, um seinem Schwager zu helfen. Er wollte dieses Video von Lewistons Seitensprung vernichten.«

»So sieht's aus. Aber das war gewiss nicht Nashs erster Mord. Wir werden noch einiges finden, wenn wir uns seine Vergangenheit erst mal genauer angucken. Wahrscheinlich war diese Geschichte für ihn eher eine Rechtfertigung, um seine Wut an irgendetwas auszulassen. Aber der psychologische Aspekt interessiert mich dabei eigentlich nicht. Psychologie kann man nicht anklagen.«

»Er hat seine Opfer gefoltert.«

»Ja. Angeblich um herauszubekommen, wer etwas über das Video wusste.«

»Wie Reba Cordova.«

»Genau.«

Muse schüttelte den Kopf. »Was ist mit dem Schwager? Diesem Lehrer?«

»Lewiston? Was soll mit ihm sein?«

»Werden Sie Anklage gegen ihn erheben?«

Cope zuckte die Achseln. »Er behauptet, er hätte Nash im Vertrauen davon erzählt und konnte nicht ahnen, dass der so durchdreht.«

»Nehmen Sie ihm das ab?«

»Pietra hat seine Aussage bestätigt. Aber ich habe noch nicht genügend Beweise, um wirklich etwas darüber sagen zu können.« Er sah sie an. »Da hoffe ich noch auf meine Ermittler.«

Endlich hatte der Verwalter des Selbstlagers den richtigen Schlüssel gefunden und steckte ihn ins Schloss. Die Tür wurde geöffnet, und die Polizisten strömten hinein.

»Und all das«, sagte Muse, »obwohl Marianne Gillespie das Video gar nicht abgeschickt hat.«

»Offenbar nicht. Sie hat nur damit gedroht. Wir haben es überprüft. Guy Novak behauptet, Marianne hätte ihm von dem Video erzählt. Sie wollte es damit gut sein lassen – meinte, die Drohung wäre schon Strafe genug. Guy war anderer Ansicht, also hat er Lewistons Frau das Video geschickt.«

Muse runzelte die Stirn.

»Was ist?«, fragte Cope.

»Nichts. Werden Sie Anklage gegen Guy Novak erheben?«

»Weshalb? Er hat eine E-Mail geschickt. Das ist nicht verboten.«

Zwei Beamte kamen langsam aus dem Lager. Zu langsam. Cope wusste, was das bedeutete.

Einer der beiden sah Cope an und nickte kurz.

Muse sagte: »Scheiße.«

Cope drehte sich um und ging auf Neil Cordova zu. Cordova sah ihn an. Cope wich dem Blick nicht aus und versuchte, mit festen Schritten geradeaus zu gehen. Als Cope näher kam, fing Neil an, den Kopf zu schütteln. Er schüttelte ihn dann immer stärker, als könnte er damit die Realität verleugnen. Cope ging weiter. Neil hatte sich innerlich darauf vorbereitet, er wusste, was ihn erwartete, aber gegen solche Schläge konnte man sich nicht schützen. Man hatte keine Wahl. Man konnte sie nicht abwehren und ihnen auch nicht ausweichen. Man musste die Treffer einfach hinnehmen und standhalten.

Als Cope bei ihm war, hörte Neil Cordova auf, den Kopf zu schütteln. Er sank an Copes Brust, schluchzte immer wieder »Reba« und sagte, dass es nicht wahr sei, dass es nicht wahr sein könne, flehte eine höhere Macht an, ihm seine geliebte Frau wiederzugeben. Cope hielt ihn fest. Minuten vergingen. Wie viele war schwer zu sagen. Cope stand nur da, hielt den Mann fest und sagte nichts.

Eine Stunde später fuhr Cope nach Hause. Er duschte, zog seinen Smoking an und gesellte sich zu seinen Trauzeugen. Cara, seine siebenjährige Tochter, wurde mit einem lauten »Ahh«, begrüßt, als sie den Gang entlangschritt. Der Gouverneur von New Jersey leitete die Hochzeitsfeierlichkeiten höchstpersönlich. Es gab eine große Party mit Livemusik und allem Drum und Dran. Muse war eine der Brautjungfern. Sie hatte sich fein gemacht und war elegant und schön. Sie gratulierte ihm und gab ihm einen Wangenkuss. Cope dankte ihr. Ansonsten sprachen sie auf der Hochzeit nicht miteinander.

Der ganze Abend war bunt und voller Trubel, aber irgendwann fand Cope zwei Minuten Zeit, sich allein hinzusetzen. Er lockerte seine Fliege und öffnete den obersten Hemdknopf. Heute hatte er den kompletten Lebenszyklus erlebt, angefangen mit dem Tod und am Ende mit einem so freudigen Ereignis wie der Gründung einer Gemeinschaft zwischen zwei Menschen. Die meisten Leute hätten dem wohl eine tiefere Bedeutung beigemessen, Cope tat das nicht. Er saß nur da und lauschte, wie die Band ein schnelles Stück von Justin Timberlake verhackstückte, und beobachtete, wie seine Gäste versuchten, danach zu tanzen. Einen Moment lang versank er in der Dunkelheit. Er dachte an Neil Cordova, an den furchtbaren Schlag, den dieser abbekommen hatte, und überlegte, was er und seine beiden kleinen Töchter gerade durchmachten.

»Daddy?«

Er drehte sich um. Es war Cara. Seine Tochter nahm seine Hand und sah ihn an. In diesem Blick lag die ganze Erfahrung ihrer sieben Lebensjahre. Und sie wusste, was los war.

»Tanzt du mit mir?«, fragte sie.

»Ich dachte, du kannst Tanzen nicht ausstehen.«

»Das Stück ist toll. Bitte.«

Er stand auf und ging auf die Tanzfläche. Der alberne Refrain »bringing sexy back« wurde ein ums andere Mal wiederholt. Cope fing an, sich zu bewegen. Cara zog seine frischgebackene Braut von ein paar Gratulanten weg auf die Tanzfläche. Lucy, Cara und Cope, die neue Familie, tanzten. Die Musik schien lauter zu werden. Freunde und Verwandte klatschten. Cope tanzte schlecht, aber voller Inbrunst. Den beiden wichtigsten Frauen in seinem Leben gelang es nicht, ihr Lachen zu unterdrücken.

Als er sie lachen hörte, tanzte Paul Copeland noch wilder, wedelte mit den Armen, verdrehte die Hüften, er kam sogar ins Schwitzen, er drehte sich um die eigene Achse, bis es außer den beiden schönen Gesichtern und ihrem wunderbaren Lachen nichts weiter auf der Welt gab.

Danksagung

Die Idee für diesen Roman ist mir beim Abendessen mit meinen Freunden Beth und Dennis McConnell gekommen. Danke für den Gedankenaustausch und die Diskussionen. Seht mal, was daraus geworden ist!

Außerdem möchte ich folgenden Personen danken, die auf die eine oder andere Art und Weise zur Entstehung beigetragen haben: Ben Sevier, Brian Tart, Lisa Johnson, Lisa Erbach Vance, Aaron Priest, Jon Wood, Eliane Benisti, Françoise Triffaux, Christopher J. Christie, David Gold, Anne Armstrong-Coben und Charlotte Coben.

Harlan Coben
Ich finde dich

416 Seiten
ISBN 978-3-442-20435-9
auch als E-Book und
Hörbuch erhältlich

Natalie war die Liebe seines Lebens. Doch sie hat ihn verlassen, hat wie aus dem Nichts einen anderen Mann geheiratet, und Jake Fischer war am Boden zerstört. Bei ihrem Abschied musste er Natalie zudem schwören, sie zu vergessen, sie nie mehr zu kontaktieren. Doch als sechs Jahre später etwas Unglaubliches geschieht, bricht Jake sein Versprechen – und macht sich auf die Suche nach Natalie. Eine Suche, die seine eigene gutbürgerliche Existenz für immer zerstört. Und die ihm offenbart, dass die Frau, die er zu lieben glaubte, nie wirklich existiert hat...

PAGE  TURNER

Überall, wo es Bücher gibt, und unter www.pageundturner-verlag.de